Åke Edwardson

NÄSTAN DÖD MAN

Månpocket

Denna Månpocket är utgiven enligt överenskommelse med
Norstedts, Stockholm

Omslag av Norma Communication/www.norma.se
Omslagsbild: Han Ericksson/Folio Bildbyrå

© Åke Edwardson 2007

Tryckt i Tyskland hos GGP Media GmbH, Pössneck 2008

ISBN 978-91-7001-631-8

Till Rita

FÖRSTA DELEN

1

BILEN STOD MED DÖRRARNA ÖPPNA, motorn igång, strålkastarna på väg genom natten hela vägen till fästet på den södra sidan. Det var en overklig scen. Brons vägbanor var tomma. Himlen var mycket stor i väster. Den var fortfarande röd efter skymningen, som om gårdagen inte ville släppa taget om morgondagen.

En annan bil närmade sig från norr. Föraren fick göra en sväng runt den stillastående. Han stannade tjugo meter bort och klev ur. Han kunde höra en mås skrika. Det luktade olja och salt. Det var tyst överallt, som om bron svävade i en egen värld. Bara ljuden av de två bilmotorerna hördes. Han gick närmare. Bilen verkade övergiven. Det satt ingen i den. Förarsätet var tomt. Alla fyra dörrarna var öppna, de såg ut som vingar, som om bilen var i färd med att förvandla sig till en fågel och lämna bron. Eller en jättelik insekt, svart, glänsande. Han kunde se lacken blixtra till, som om en plötslig vind åstadkommit skiftningen. Han hörde en båtvissla, en mistlur, nåt sånt. Det fanns liv nere på älven. Dimman var tunn som glas. En hoppare, tänkte han. Nån olycklig fick nog, och körde hit, och hoppade. Det är sannerligen inte första gången. Älvsborgsbron är landets självmordsbro nummer ett. Det är långt ner dit, eller högt upp om man ser det så, att landa på vattenytan är som att landa på betong. Att hoppa är ett definitivt beslut. Det är inget rop på hjälp.

Han ringde kortnumret till LKC. Han kände igen vakthavandes namn och röst.

"Hej, Lars Bergenhem här."

"Tjena, Lars. Så du är uppe vid den här tiden."

"Jag står på Älvsborgsbron. Det finns en Lexus här, tom, och på tomgång. Dörrarna öppna. En hoppare, tror jag."

"Vi skickar en radiobil. Var är det?"

"Södergående. Efter puckeln."

"Okej, den är på väg."

Kriminalinspektör Lars Bergenhem gick närmare den övergivna bilen. Han var inte i tjänst. Han var en förbipasserande i gryningen. Det fanns ingenting han behövde förklara med det. Han råkade bara komma förbi. Han önskade att det varit så enkelt.

Mannen försökte undvika att gå i de värsta vattenpölarna. Det var pölar överallt, gölar, sjöar nästan. Han gick i en halvcirkel runt en vattenpöl som såg djup ut. Det fanns ingen trafik på gatan just nu. Natten hade legat över staden i timmar, tryckt ner den. Han gick över gatan. Han var på väg. Han skulle mörda en man. Det förflutna är en rock som hänger tung över axlarna. Den måste bäras i alla väder. Han såg upp mot himlen. Det fanns ett svart helvete däruppe som täckte hela jorden. Just nu trodde han inte på att det var gryning, eller morgon, på det andra halvklotet. Det var natt överallt, hans natt. Nån annans natt. Han kände pistolen i fickan. Nån annans pistol. Varför släpper jag den inte i en av pölarna? Med det här jävla vädret kommer den inte att upptäckas förrän i sommar, kanske inte ens då. Regnet kommer att fortsätta. Staden kommer att flyta ut i havet. Det är inte långt till havet, det är praktiskt taget här redan. Och älven är bredare än nånsin. Det är älven jag går på nu, den har sprängt fördämningarna. Jag går på vatten. Jag har inte hål i skorna men vattnet kommer in. Jag känner ju hur blöt jag är om fötterna. Han hade gått från väster till öster, genom hela centrum. Följde bilen efter honom? I början. När han gick hemifrån. Över kanalen. Han hade sett bilen i Allén, visst var det den. Vid statyn hade han gått in i en gränd. När han kom tillbaka var bilen borta. Dom jävlarna. Men det var ingen mening att tänka så, det var slöseri med energi. Slö-se-ri med e-ner-gi. Det rimmade. Ramsan fastnade i huvudet medan han fortsatte in bland de svarta husen nedanför den gamla universitetsbyggnaden. Där hade hade han en gång i det förflutna stigit in med en känsla av hopp. Han hade arbetat hårt med sina studier.

Herregud. Slö-se-ri, e-ner-gi, slö-se-ri, e-ner-gi. Pistolen kändes lättare i fickan när han inte tänkte på den. Han hade tänkt på den hela vägen. Den, och på mannen som han skulle skjuta. Han hade sett honom i går. Det var första gången. I går! Han hade aldrig talat med honom. Ett ansikte. Han är nästan död. Som jag. Jag är en död man som går på gatorna. I USA har dom ett uttryck för det där. Dead man walking. Jag är på väg till nån annans avrättning. Men det är också min egen. Bödelns avrättning, snart. Det kommer snart att ske. Ramsan dök upp i huvudet igen. Han mumlade den nästan, den skulle ha hörts om någon hade gått förbi honom, men det gjorde ingen. Regnet hade blivit hårdare. Nu stod han framför porten. Han vände sig om, bilen var inte där. Eller rättare sagt: han såg den inte. Den var där, naturligtvis var den där. Han tittade uppåt mot fasaden. De flesta fönstren var tända. Det var tänt på tredje våningen. Det fanns en balkong. Den hade han sett i går. Han hade sett mannen stå på sin balkong med blicken nånstans bortanför hustaken. Han såg sin hand framför sig. Han slog portkoden. Den hade han fått från dem i går. Det också. Det surrade till i dörren, som från en liten bisvärm. Han tryckte upp dörren.

Bergenhem stod framför den övergivna bilen. Den hade bullrat på tomgång länge nu. Över en minut var ett brott mot den lokala trafikförordningen i Göteborg. Bergenhem drog på sig ett par handskar och böjde sig ner och slog av tändningen. Det fanns bara en nyckel, och ingen kedja, och ingen extranyckel. Han stod vänd mot söder. Han såg de blå kaskaderna från den parkerade radiobilens saftblandare. Ljusstrålarna blandades med den blåröda himlen. Han hörde en långt utdragen siren, som en hälsning. Han hade slagit på sin ficklampa och lyste runt i bilen. Klädseln var ljust skinn, kanske en beige nyans. Han kunde se ett hål i passagerarsätets rygg. Det såg ut som ett kulhål. Han böjde sig närmare och lyste på hålet. Det glimmade till därinne. Han böjde sig närmare. Det var en kula, från en pistol eller revolver. Den mjuka stoppningen hade bevarat den, kulan såg någorlunda hel ut, ja visst fan var det en kula. Han lyste med ficklampan överallt men såg inga fler hål. Han backade ut ur bilen och ringde ledningscentralen.

Brottsplatsundersökarna hade kommit. Erika Djurberg fotograferade. Blixtarna hade ingen större kraft nu. Morgonen var på väg över hav och land. Erika Djurbergs kollega hade tagit en titt in i bilen och arbetade nu runt den. Platsen var lika viktig som föremålet. Varför här? Varför inte därborta? Varför på bron? Varför inte på land?

"Jag såg inget blod", sa Bergenhem.

Lars Östensson svarade inte.

"Men nån har avlossat ett skott", fortsatte Bergenhem.

"Jag ser det", sa Östensson och tittade upp. "Ser ut som 9-millimeters."

Bergenhem nickade.

"Men har vi tur kan det vara nåt mer ovanligt", sa Östensson. "Vi får se i garaget."

Han hade ringt efter bärgning till polisens undersökningsgarage nere i Mölndal.

"Har du fått tag på ägaren?" frågade Östensson.

"Nej."

Bergenhem hade slagit en fråga på registreringsnumret direkt när han klivit ur sin egen bil. Bilen var registrerad på Roger Edwards, Eckragatan 44, Västra Frölunda. Eckragatan, det var Långedrag. Det låg en bit bort i väster. Bergenhem kunde se stadsdelen från där han stod, eller åtminstone föreställa sig den. Han kunde se Nya Varvet, Stora Billingen, örlogsbasen bortanför Hästevik, Tångudden, efter det Långedrag.

Bergenhem gick närmare kanten och tittade ner. Det var otäckt högt. Ett stup. Han såg en blåvit båt närma sig från väster. Det var sjöpolisen vid Nya Varvet. Fanns det en kropp därnere skulle de hitta den. Skulle det vara Roger Edwards? Till slut alltför trött på livet. Hade han försökt skjuta sig men skakat för mycket på handen och därför bestämt sig för en säkrare utväg?

"Och bilen är inte anmäld stulen", sa Bergenhem.

Han såg en blixt från Erika Djurbergs kamera. Hon stod några meter från honom. Hon verkade fotografera polisbåten därnere nu, och gryningen över Göteborgs inlopp. Solen var på väg upp i öster bakom dem. Hon hade säkert fotograferat det också. Det hade varit ett par regniga veckor. En tidig höst. En prolog till sex månaders mörker, ännu en gång. Det kunde driva folket över kanten till det fria fallet ner på älvens betongyta.

"Jag sticker ut till Eckran", sa Bergenhem till ingen alls.

Trafiken hade ännu inte börjat stockas utanför Gnistängstunneln. Bergenhem svängde av Västerleden vid motet och fortsatte på Torgny Segerstedtsgatan. Dimman gled i sjok framför honom och blandades med gryningsljuset. Älvsborgs kyrka pekade uppåt mot grå himmel, spiran som ett spjut. Bergenhem fick en överraskande sexuell fantasi: djuret med två ryggar. Han slog bort den genom att plocka upp cd-skivan på passagerarsätet och stoppa in den i spelaren. Lucinda Williams berusade röst frågade om han var alright, "Are You Alright?" Nej, han var inte alright. I kröken vid Hinsholmen kom dagens första spårvagn i en fart som vore den dagens sista, eller tillvarons sista. Bergenhem var inte uppmärksam. Han svajade in mot Henkes Bar & Grill och rätade upp bilen i höjd med korsningen mot gamla Långedragsvägen. Vid Palmsundsgatan svängde han höger och fortsatte fram till Eckragatan.

Nummer 44 var ett nybyggt hus i Willa Nordic-stil. Raka linjer, vit puts, röda och blå detaljer, ett par runda fönster, en känsla av hav. Färgerna började framträda i dagern nu. Bergenhem steg ur bilen och gick de få stegen till dörren. Tomten var liten, det fanns inga stora tomter i Långedrag att bygga nya hus på, det fanns knappt några tomter alls. Edwards måste haft tur, och mycket pengar. Dörren var blå och hade ett runt fönster. Edwards tur kanske var över, han kanske flöt i älvens tunga vatten. Kanske han velat ha det så. Det var inte otur. Bergenhem ringde på dörrklockan. Han hörde signalerna inne i huset som ett eko. Han ringde på igen och lyssnade på de ödsliga signalerna. Huset lät tomt och övergivet, det var som bilen på Älvsborgsbron. Inga ljus tändes därinne. Bergenhem såg inga grannar. Eckran sov, Långedrag sov ännu. Människor var fortfarande kvar i sina sängar. Bergenhem hade varit kvar i sin säng i natt så länge han orkat, och sedan hade han gått upp och satt sig i bilen och kört från Torslanda mot stan. Martina hade inte gått upp när han suttit i köket. Hon hade inte sprungit efter honom när han kört iväg från radhuset. Hon vågade inte, hade han tänkt när han såg sitt hem i backspegeln.

Det här hemmet var tyst. Bergenhem vände sig om och gick tillbaka till bilen. Han var inte trött. Han körde ut från vägkanten och fortsatte österut på gatan. Efter några hundra meter mötte han en man som kom gående västerut på trottoaren mitt emot. Han gick med nedböjt huvud och undvek att titta på Bergenhem, och det avgjorde saken. Bergenhem stannade bilen och steg ur. Mannen fortsatte utan att vända sig om. Bergenhem höll tillbaka en impuls att ropa. Han såg mannen korsa gatan. Nu vände han sig om. Bergenhem stod kvar. Han höjde handen till hälsning. Mannen började springa. Han sprang förbi Edwards hus och fortsatte ner mot Långedragsskolan och försvann bakom den största skolbyggnaden. Han var borta innan Bergenhem hunnit ropa. Ropa vad? Ropa hans namn? Var det Edwards? Bergenhem hoppade in i bilen, körde in på garageinfarten mitt emot, backade ut, körde efter löparen. Han såg honom på Saltholmsvägen. Nu gick han, som om det var meningslöst att fly springande. Han tog av in mot rugbyplanen. Ljuset började vältra in över Hinsholmskilen. Mannen fortsatte bort mot småbåtshamnen. Hans gestalt var en relief i morgonsolen. Bergenhem hade stigit ur bilen igen och kände lukten av salt och tång.

"Hallå!" ropade han.

Mannen reagerade inte. Han vände sig inte om.

"Hallå, vänta!" ropade Bergenhem och började springa. Mannen gick på gångvägen invid vattnet. Han vände sig om och såg Bergenhem. Han började springa igen.

"Hallå, vänta! Edwards! Roger Edwards! Det är polisen!"

Mannen såg sig inte om. Han sprang bland båtarna nu. De hade nyss dragits upp efter säsongen. En del låg fortfarande i vattnet.

Bergenhem kunde se mannens ben under kölarna. Nu stannade de. Bergenhem rundade den stora segelbåten som mannen stod bakom. Han höll upp händerna, som om han gav upp. Gav upp vad? Bergenhem stannade framför honom. Mannen stirrade med en blick som kanske uttryckte både skräck och aggression. Båda andades våldsamt. Bergenhem slet fram sin legitimation.

"Bergenhem", flåsade han. "Polis."

"Va... vad är det", svarade mannen. Han höll kvar blicken på Bergenhems legitimationskort.

"Är det Roger Edwards?" frågade Bergenhem. "Är du Roger Edwards?"

Mannen såg ut att tveka, som om han inte mindes sitt namn.

"Det gäller en bil", sa Bergenhem. "Roger Edwards bil."

Mannen nickade.

"Är du Edwards?"

"Ja... vad är det med bilen? Har ni hittat den?"

"Hittat den? Vad menar du?"

"Den blev stulen i går."

"Varför har du inte anmält stölden?"

"Jag har inte hunnit."

Edwards tittade inte på Bergenhem när han sa det. Det var naturligtvis en jävla lögn.

"Varför ska jag tro på det?" sa Bergenhem.

"Var hittade ni bilen?"

"Var blev den stulen?"

"Eh... nere vid Käringberget. Utanför Konsum."

"När då?"

"I går kväll, sa jag ju. Sent i går, det var före tio. Dom stänger tio. Jag hade bråttom och rusade in och handlade, och när jag kom ut var bilen borta."

"Var bilen låst?" frågade Bergenhem.

"Eh... nej."

"Varför inte?"

"Jag hade bråttom, som sagt. Jag parkerade precis utanför. Vem kan tro att nån stjäl en bil där?"

"Varför inte där?"

"Det händer väl inget här? I den här delen av stan bor det bara laglydiga människor."

"I så fall var det en besökare", sa Bergenhem.

"Eh... va... ja."

"Var fanns nycklarna?"

"Dom... satt i låset, är jag rädd."

"Vad handlade du?"

"Va?"

"Vad köpte du på Konsum?"

"Cigarretter."

"Okej, du kom ut igen och bilen var borta. Vad gjorde du då?"

"Jag gick hem."

"Du gick hem? Din Lexus är nyss stulen och du går hem?"

"Jag hade bråttom."

"Till vadå?"

"Det är min ensak."

"Den här historien är långtifrån din ensak", sa Bergenhem.

"Vad är det egentligen fråga om?" sa Edwards. "Okej, jag hann inte anmäla stölden. Jag skulle göra det nu på morgonen. Var är bilen?"

Bergenhem tänkte en sekund. Några måsar cirklade nyfiket över dem, fram och tillbaka. Vart skulle den här historien leda? Bergenhem tittade på sitt armbandsur.

"Den står sannolikt i polisens undersökningsgarage nu", sa han.

"Varför det?"

"Det har avlossats skott i den."

"Skott? Vadå för skott?"

Bergenhem svarade inte.

"Det var inte jag", sa Edwards.

2

KRIMINALKOMMISSARIE ERIK WINTER stod vid sitt fönster med utsikt över Fattighusån. Han visste att ån fanns där, men han såg den inte genom mörkret. Regndropparna på rutan hade olika färger från kvällens belysning därute, som ett mönster av pärlor. Kanske var det vackert. Han hade sin regnrock på. Han var redo att gå ut i mörkret. Det enda som höll honom kvar ett par minuter till var tankar på ett par av ärendena som låg i två låga pappershögar på hans skrivbord. Det ena handlade om en bil som övergivits på Älvsborgsbron med ett skotthål i passagerarsätet. Det andra ärendet handlade om misstänkt aktivitet på Hisingssidan som sannolikt hade koppling till narkotikasmuggling. Spaningsroteln kunde inte lasta över allt på narkotikaroteln.

Telefonen på bordet ringde. Han vände sig om och gick över golvet och grep luren.

"Ja?"

Han kände igen sitt eget avvisande tonfall. Han tyckte själv inte om det.

"Jag kanske ska ringa vid ett annat tillfälle", sa rösten i den andra änden.

"Förlåt mig, Angela, jag trodde det var nån annan."

"Vem då?"

"Nån jävla kollega som kommer med dåliga nyheter som hindrar mig från att gå hem."

"Det här är motsatsen, Erik."

"Tack."

"Så nu är du fri att gå hem."

"Det var goda nyheter."

17

"Det blev lite senare än jag trodde."

"Sover Lilly?"

"Snart."

"Berätta för henne att jag gjorde mitt bästa."

"Hon kommer att förstå."

"Och i morgon är jag uppe med tuppen."

"Vilken tupp?"

"Det är ett svenskt uttryck, Angela."

"Aha."

"Jag kommer att vara uppe med tuppen fast det är lördag hela veckan."

"Precis så sa Elsa i dag. Dom hade visst sjungit det på dagis. Lördag hela veckan."

Angela var uppvuxen i Leipzig och Berlin, innan familjen Hoffmann lyckades fly till friheten i väst, när Angela var liten flicka. Nu var hon en relativt ung allmänläkare på Sahlgrenska universitetssjukhuset. Winter var allmänpraktiserande kommissarie vid länskriminalen, fortfarande relativt ung för att vara kommissarie, men han var polis sedan nitton år. Snart tjugoårsjubileum. Det skulle komma före femtioårsfesten. Jubileum, fest. Livet var sannerligen lördag hela veckan.

Winter gick hem över Heden. Skymningen var över nu, hade sjunkit ner i gruset och följts av mörker. Amatörlagen spelade fotboll i det försiktiga elljuset. Ropen föll till marken efter ett par sekunder. Winter hade varit en bra mittback som junior, och det kunde ha fortsatt, en strålande karriär om han inte skadat knäskålen allvarligt i matchen mot Skogen på Slottsskogsvallen i det sena sjuttiotalet. Ett år senare och Sandarna BK fick söka efter en ny framtidsman. Han vågade inte så mycket längre, även om han spelat med rotelns gäng ända tills Halders fick dem utsparkade ur serien efter att mer eller mindre ha sparkat ihjäl domaren en vacker kväll. Som den här. Skyarna hade stigit uppåt när mörkret sjönk och staden hade fått en blå gloria som passade med årstiden. En vind svepte från nordväst när han tittade uppåt, han fick dra rocken tätare runt sig och fortsätta i motvind över Södra vägen och in på Vasagatan och över Avenyn. Människor väntade på bussar och spårvagnar i kurerna mitt emot Pressbyrån, men Winter hade bara sjuhundra meter hem.

Elsa drog av honom den andra skon.

"Tack, min tjänare."

"Jag är inte din tjänare!"

"Vad är du då?"

"Jag är drottning!" sa Elsa och släppte skon på trägolvet med en duns.

"Schhh, väck inte lillasyster. Väck inte prinsessan."

"Äsch, hon sover ju jämt."

"Inte vad jag vet."

"Hon är sjusovare!"

Winter höll upp armen med klockan.

"Det är riktigt. Klockan är sju!"

"Ha ha ha."

"Om du är drottning så tycker jag att du ska hämta nåt att dricka till mig medan jag går in och sätter mig i salongen."

"Vad är salongen?"

"Vårt vardagsrum. Men i finare familjer säger man alltid salongen."

"Det har vi väl inte sagt förut?"

"Har vi inte?"

"Nej. Är vi inte en finare familj då?"

"Klart att vi är, gumman. En av dom finaste."

"Är vi inte den finaste?"

Winter hörde ett kort skratt. Han tittade upp.

"Hur ska du klara dig ur det här?"

Angela log.

"Hur fina är vi, Erik?" sa hon.

"Lika fina som alla andra som också är fina", sa han och reste sig. "Kan nån av drottningarna här hämta nåt fint att dricka till kungen? Jag träffas i salongen."

Bergenhem upptäckte att han satt i sin stol på jobbet. Han mindes att han hade kört över Älvsborgsbron och vidare in mot stan, men sedan mindes han ingenting mer. Det var som om han hade kört medvetslös genom centrum. Parkerat utanför polishuset. Gått upp till rummet. Medvetslös. Som en blackout. Herregud. Det var inte första gången. Han kunde ha kört över nån stackare. Är det nåt med mitt huvud? Smällen jag fick för tio år sen, tretton kanske det är. Ja, tretton. Det är inget bra nummer. Dom trodde jag var död. Det kanske jag var ett tag. Men jag offrade mig inte, inte då. Det var bara dumhet. Och nåt annat. I går körde jag över bron och såg bilen. Det kommer jag ihåg. Roger Edwards kommer jag också ihåg. Han hoppade inte. Han anmälde inte. Han sköt inte, sa han. Mycket att fråga om där.

Telefonen på bordet väckte honom ur tankarna på liv och död och hopp och förtvivlan och dumhet.

Han lyfte utan att säga ett ord och lyssnade på en upprörd röst. "Inte hit", sa han. "Inte här."

Den lilla drottningen hade kommit med ett litet glas whisky. Hon hade burit det som en liten kanna guld, vilket det var, eller åtminstone såg ut som.

"Hur kan du dricka det där, pappa? Usch!"

Han kände doften av ljungen och torven och havet och himlen.

"Det blir en lång saga att berätta, gumman."

"Berätta!"

Han smakade. Det var nästan samma smaker som dofter.

"Berätta, pappa!"

"I landet Skottland bodde en gång för länge, länge sedan en gubbe och en gumma i en grotta som låg vid havet."

Elsa log. Hon hade hört historien förut, eller åtminstone en version av den. Winter kom inte ihåg hur många versioner han hade berättat genom åren.

"Gubben och gumman hette MacGregor", fortsatte han.

"Det betyder son", sa Elsa. "Mac betyder son."

"Alldeles riktigt."

"Precis som nån som heter Eriksson."

"Ja."

"Då kan jag ju heta Eriksson när jag blir stor."

"Om du vill."

"Fast jag är ju inte son! Då får det bli Eriksdotter!"

Winter nickade.

"Fast då heter jag ju inte Winter längre."

"Nej, det kanske är synd."

"Vad kommer det ifrån, pappa? Vart kommer vårat efternamn ifrån?"

"Jag vet inte riktigt, gumman. Farfar hette ju Winter... så då hette jag och faster Lotta det också."

"Det kommer väl från vintern?"

"Ja, det är klart."

"Men vi stavar ju inte som man ska! Jag skulle stava det på tavlan i skolan och då sa fröken att jag hade stavat fel!"

"Det kommer nog från Storbritannien", sa Winter. "Det är engelsk stavning. I Göteborg finns det en del folk som har engelska namn. Förr i tiden var det många som kom hit från Skottland och England och började jobba med olika saker. Och sen blev namnen kvar."

"Så vi kanske kommer därifrån", sa Elsa.

"Kanske."

"Vi kanske kommer från Skottland!"

"Ja, det kanske vi faktiskt gör."

"Kan vi inte ta reda på det?"

"Jo, det kanske går..."

"Mamma kommer ju från Tyskland! Och du kanske kommer från Skottland. Vad häftigt!"

"Sa hon så?"

"Yes. "

"Det är ett ord jag inte hört på länge, 'häftigt'. Jag trodde det var kasserat."

"Allt kommer tillbaka."

"Jag skulle vilja vänta på nåt häftigt", sa Angela.

"Varför vänta? Vi kan väl göra nåt häftigt nu?"

"Som vadå?"

"Tja, en resa kanske. Vad sägs om Skottland?"

"Det var inte så längesen vi var där, Erik. Och det slutade inte så bra. Jag vill inte tänka på det."

"Nu skulle det vara semester. Enbart semester. Med flickorna, förstås. Elsa vill se grottan där paret MacGregor började sin whiskytillverkning. Innan den elaka häxan kom och försökte förstöra allt."

"Men hon lyckades inte, eller hur?"

"Nej, tack och lov. Hon var elak men inte så smart. För Elsa kan hon aldrig bli tillräckligt elak."

"Var ligger den egentligen? Grottan? Jag har aldrig riktigt förstått det."

"Västkusten. Mallaig. Nära Skye. Det är lite svårt att förklara. Man måste åka dit och peka ut den."

"Okej."

"Vi kan åka dit till våren. Via London."

"Okej."

"Det var ett tag sen jag pratade med Steve, förresten."

"Jag träffar dom gärna", sa Angela. "Det var ett tag sen jag pratade med Susan."

"Då gör vi det."

"Men kliniken ligger på."

Angela hade åter erbjudits jobb på kliniken i Marbella. De hade tillbringat senaste vinterhalvåret på Costa del Sol. Det var lockande att återvända. Det kunde bli mer än en vana.

"Jag vet inte", sa Winter. "Det är nästan som om vi då får fatta beslut om att bosätta oss där för gott."

"Jag vet inte heller", sa Angela.

"Och jag är inte färdig här."

Hon sa ingenting.

"Du undrar vad jag inte är färdig med?" sa Winter och tog en liten klunk ur glaset.

"Jag har inte sagt nåt."

"Men du undrar."

"Det kanske det är du som gör, Erik."

"Undrar om jag är färdig?"

"Nej, men vad du inte är färdig med."

"Är detta nån tysk syntax jag inte förstår?"

"Försök inte komma undan."

"Jag försöker inte komma undan."

Men det gjorde han. Vad var det han inte var färdig med? Nån annans död? Ytterligare nån annans död? Ytterligare en mördare, ett offer, flera offer, nya sörjande, nya sanningar på toppen av de gamla. Gamla fasor blev som nya, precis som gamla fyllor blev som nya för ett fyllesvin.

Det kanske var något i blodet, det som fortfarande rörde sig i hans ådror, långsammare nu, men någon gång inom kort skulle det forsa fram med kraft, och det var en kraft som kom av de fasor som skulle inträffa inom kort. Allt kom tillbaka. Brotten hade inte upphört i Göteborg. De skulle upprepas, men ingenting skulle ändå vara som förut. Han kunde använda sig av erfarenheten men bara en bit. Sedan var allt nytt igen. Han skulle vara ensam, med blodet tjutande genom kroppen, och det var det han ville. Han var inte färdig med det.

"Varför skulle man lämna bilen på Älvsborgsbron och sen försvinna?" sa han.

"Det skulle jag inte göra", sa Angela.

"Nån har gjort det. Lämnat bilen."

"Ni vet inte vem det är?"

"Vi vet vem ägaren är. Men han påstår att bilen var stulen."

"Tror du inte på det?"

"Jag tror ingenting. Jag har bara läst om det. Bergenhem kom förbi och såg bilen."

"Jaha?"

"Lars var inte i tjänst. Han åkte förbi och såg en övergiven bil på bron och slog larm."

"Var han inte i tjänst?"

"Nej. Han körde visst bara omkring i natten."

"Det låter inte bra."

"Nej."

"Hur mår han?"

"Jag vet faktiskt inte, Angela. Han drar sig undan."

"Har du pratat med honom?"

"Inte än."

"Du borde göra det."

"Jag ska."

"Det låter verkligen inte bra."

Winter svarade inte. Han föreställde sig bilen och bron och gryningen och Lars mitt i allt det. En scen.

Det förflutna är en rock som hänger tung över axlarna. Den måste bäras i alla väder. Det spelar ingen roll hur det hemska kommer till en. Man kunde ha skapat det själv, eller det kunde ha skapats av någon annan. Herregud, det gick inte att få tillbaka det. Det goda var borta för alltid. Att han skulle kunna tänka så. Han ville det och han ville det inte. Han undvek vatten. Det betydde att han inte ville se vattensamlingar. En sak när det kom ur kranen. Men där det samlades i en pöl, en göl, en sjö, en bassäng, en tjärn. Under ytan fanns döden. Den skulle alltid finnas där. Den var en del av minnet. Nej, det som inte var ett minne men som ändå fanns där. Av vad han hade gjort. Nu fanns det såna som visste. Visste mer än han. Hur kunde dom veta? Men han visste en sak. Det kunde bara bli värre nu, också för dom döda. Vilken fruktansvärd tanke.

Bertil Ringmar satt i sin stol i sitt vardagsrum och tänkte på om han skulle gå ut i köket och göra i ordning en smörgås med leverpastej och kanske lite bacon och champinjoner och öppna en öl och om det skulle få honom att må bättre. Definitivt skulle det få honom att må bättre. Han reste sig och gick ut i köket. Han gjorde i ordning smörgåsen. Han stekte bacon och champinjoner. Vid köksbordet hällde han upp en sup från Ödåkraflaskan som han tagit ut ur frysen. Han åt och drack. Brännvinet var simmigt som sirap. Flaskan var täckt av frost. Allt kändes just då bra. Han avslutade måltiden och öppnade en flaska öl till och tog den med in till fåtöljen i vardagsrummet. Han drack och såg ut över trädgården. I snart tjugofem år hade han kunnat sitta här och se ut över trädgården. På senare tid hade han gjort det allt oftare. Varför det? Det var samma gamla trädgård, knappt en trädgård förresten, mer lite gräs och grus och buskar och träd som omringade hans trävilla. Samma gamla villa. Samma gamla Ringmar. Nej, för helvete, lägg av nu, Bertil. Du har nästan ett decennium kvar i den stolta kåren. Du har fortfarande stora saker framför dig. Stora brott. Gastkramande upplevelser. Spänning. Dramatik. Kort sagt action. Det är mer än nittioåtta procent av mänskligheten bara kan drömma om, riktig action. Det är bara vi och brottslingarna som får uppleva det. Det är vår värld. Herregud, vad alla andra missar. Det är så här man håller sig ung. Fysträning ingår i jobbet, det är obligatoriskt. Var hade min mage varit annars? Halvvägs ute i trädgården för helvete. Snart sextio. Jag kanske hade varit död, eller döende, med mina mat- och dryckesvanor. Han reste sig. Något rörde sig på andra sidan häcken. Det var väl grannjäveln som började förbereda neonen inför julen. Det var ju bara tre månader kvar. Han klädde in allt han ägde och hade i ljus. Ringmar kunde inte sova under halva hösten och vintern. Han hade pratat med den jäveln, men det hade inte hjälpt. Han hade skrikit, men det hade inte hjälpt heller. Han hade pratat med myndigheten vad fan den hette, men i det här skitsamhället vågade ingen göra nåt. Om man inte gjorde nåt så kunde man heller inte bli kritiserad för att göra nåt. Bättre att aldrig göra nåt. Han hade funderat på att kortsluta den jävelns hus och tomt, men det hade varit för uppenbart. Han gick ut i köket och tog fram brännvinet, och telefonen på bänken ringde.

"Ja?"

"Hallå?" hördes en röst. Den lät långt borta.

"Ja, hallå? Det är Bertil Ringmar."

Det var tyst i luren.

"Hallå?" sa Ringmar.

Det var fortfarande tyst.

"Hallå? Vem är det? Vem fan är det?"

Och han hörde hur telefonluren sakta las på i den andra änden.

Han tittade samtidigt ut genom köksfönstret, och rakt in i grannens kök. Han såg hans silhuett när han la på luren. Tillfällighet? Nej. Det räckte inte för den jäveln med neonterror.

3

FASADERNA PÅ ANDRA SIDAN Vasaplatsen såg högre ut än någonsin, de täckte himlen, som om de skulle släcka ljuset. Fylla igen ett hål som alltid hade funnits där, där ljuset kom in. Ljuset måste ha någonstans att komma in. Winter blundade, och öppnade ögonen igen. Husfasaderna hade sjunkit ner, det fanns mer himmel nu, grå himmel, men ändå. Det var ljusare. Han blundade igen, men ljuset fanns kvar innanför ögonlocken. Det var en skön känsla, men samtidigt visste han att hans ögon inte riktigt var att lita på. Eller om det var någonting som fanns innanför ögonen. Hjärnan. Han hade alltid kunnat lita på den. Om ingenting annat fungerade så kunde han ändå räkna med sina tankar, sin fantasi, sin… tja, intelligens, eller vad det skulle kallas. Intuition. Medvetande. Ett verkligt medvetande. Någonting som han hade burit med sig från barndomen, som inte kunde läras in, eller läras ut. Som hade fört honom dit där han var i dag. Men nu hade hjärnan ont.

"Vad är det, Erik?"

Han hörde Angelas röst, men han såg henne inte. Han blundade fortfarande. Det var fortfarande ljust inne i huvudet, ljust och ont.

"Ingenting", sa han och vände sig om.

"Du gjorde en grimas."

"Jaså?"

"Som om du hade ont."

"Mhm."

"Har du ont?"

"Bara när jag skrattar", sa han och log.

"Det var ett tag sen du skrattade, Erik."

"Var det?"

"Ja."

"Det är för att jag inte vill ha ont."

Han försökte le igen men det gick inte så bra.

"Vad jag förstår har du haft huvudvärk ett tag nu", sa Angela.

"Ibland."

"Du har väl aldrig haft huvudvärk förut? Inte så länge jag känt dig."

"Det är nog stressen. Jobbet. Till slut sätter sig allt på hjärnan."

"Skojar du nu, Erik?"

"Bara lite."

Hon tog hans huvud mellan sina händer. Hennes ögon var nära. Dom är gröna, tänkte Winter. Det har jag aldrig sett förut. Är det mina ögon som spelar mig ett spratt igen? Var inte Angelas ögon blå förut? Hennes händer var svala mot hans tinningar. Det var skönt. Han blundade. Hon masserade sakta hans panna.

"Var gör det ont, Erik?"

Han hörde hennes röst som från andra delar av rummet. Den flöt runt i en egen form av stereo.

"Nu gör det inte ont alls", sa han.

Det var så förbannat irriterande, om nu det var rätt ord. Han kom ut efter lunchen på Manfreds Brasserie på Nordenskiöldsgatan och vänster framdörr var intryckt. Helvetes jävlar. Han hade parkerat i gatans längdriktning. Hur i helvete hade nån kunnat köra på honom på det här sättet?

En bil körde ut från garaget på andra sidan och han tittade upp. Ja. Javisst. Nån jävel hade naturligtvis kommit ut för fort och för långt och med för vid båge och brakat rakt in i hans Chrysler. Och sen smitit. Han hatade smitare. Den som smet från en sån här grej smet från allt. Jag har aldrig märkt att det finns ett garage där. Varit här hundratals gånger men aldrig tänkt på det jävla garaget. Men nu presenterar det sig med en jävla smäll.

Han gick över gatan och in i tunneln. Det satt en vakt i en kur.

Att sånt finns kvar, tänkte han. Att inte dom jävla miljömyndighe-
terna har stängt sånt för länge sen. Det är livsfarligt.

"Har du haft koll på alla bilar som kört ut senaste fyrtifem mi-
nuterna?"

Vakten lutade sig ut. Han såg korkad ut. Tillräckligt korkad för
att sitta här och andas in bly hela dan. Han var vit, han såg nor-
disk ut. Lite konstigt, det var väl mest svartskallar som fick dom få
livsfarliga jobben som fanns kvar. Men den här ariern hade dom
kanske rekryterat direkt från dårhuset när dom stängde det.

Vakten såg inte ut som om han förstått frågan.

"Kollar du bilarna som kör ut?"

"Ja, vadå?"

"Vadå? Det ska jag tala om för dig. Nån jävel körde ut härifrån
senaste timmen, nej fyrtifem minuter, den jäveln drog ut från det
här jävla stället och rammade min bil som stod parkerad därute."

Han pekade, med hela handen. Vakten tittade ut mot gatan. Det
fanns en rejäl upphöjning strax före utfarten, det gick bara att se
andra våningen av husen på andra sidan, och den svartvita skyl-
ten till Manfreds. Han åt lunch på Manfreds så ofta han kunde.
Det fanns inget bättre ställe i stan. Men han ville inte ha sin bil
förstörd medan han åt en bra måltid. Han hade suttit i inre delen
av lokalen, vid långväggen. Han hade inte haft uppsikt över gatan.
Hade han haft det hade han kanske slagit ihjäl smitaren innan det
svinet kom iväg från brottsplatsen.

"Jaha?" sa vakten.

"Skriver du upp bilar som kommer och går här?"

"Nej."

"Nej? Det finns väl nån mening med att du sitter här? Va? Var-
för sitter du här om du inte håller koll på trafiken?"

"Du behöver inte bli arg."

"Arg? Jag är inte arg! Jag är bara förbannad på såna jävla id..."
sa han men tystnade när vakten slog igen glasluckan. Vakten såg
rädd ut. Den dumme jäveln.

Han vände tvärt och gick ut från det jävla garaget och ut på ga-
tan och ställde sig och studerade skadan på bilens sida igen. Det

var inte bara framdörren, det var bakdörren också. Han backade ett steg och ett bilhorn brölade till några meter från honom. Han tittade upp och såg en kärring i en V70 skaka på huvudet åt honom när hon kröp förbi. Han funderade kort på att följa impulsen att slita upp fittans bildörr och dunka hennes feta jävla nylle i ratten. Men nej. Hon skulle antagligen ändå snart dö av egen dumhet.

Hans mobil ringde. Han slet upp den ur fickan.

"Ja?"

"Är du på väg?"

Rösten lät skarp och klar.

"Nej, jag är inte på väg. Nån jävel körde på bilen och smet medan jag käkade lunch."

"Var då?"

"Vad fan spelar det för roll? Linné. Nordenskiöldsgatan."

"Vi sitter och väntar här."

"Har han kommit?"

"Ja. Och snart går han."

"Jag kör nu."

Han tryckte av och släppte mobilen i fickan. Han borde ringa snuten och anmäla skadan, annars kunde det bli problem med försäkringsbolaget, ha ha ha. Nån dum jävla konstapel som skulle skriva ner hans anmälan i snigelfart, en halvtimme per mening. Ha ha ha.

Han satte sig i Chryslern och startade och flög iväg från parkeringsrutan. Han var inte klar med idioten till vakt därinne. Han var inte klar med smitaren. Han skulle hitta den jäveln och klämma hans huvud i ett skruvstäd.

Han svängde ut på Linnégatan.

Winter tyckte inte om sitt skrivbord, själva bordet, lampan, datorn, hela rummet ibland när han längtade många mil bort.

Skadegörelsen ökade i centrala stan, tillsammans med annat jävelskap som också ökade. Det kallades utveckling, eller tillväxt kanske. Kriminaliteten hade stark tillväxt nu, den organiserade såväl som den oorganiserade. Honom kvittade det lika. Han skulle bekämpa den i vilket fall. Han var inte trött eller bitter eller cynisk eller desillusionerad, jo, lite kanske men nästan inte. Han var fortfarande ung, han var ju inte femtio ens. Bertil är snart sextio. Det kanske är nåt annat, men jag kommer inte att tappa hoppet, gå in i en depression. Hellre går jag in i krig. Jag är i krig. Det går inte att vinna, men det säger vi inte. Ingen här säger att nu går du ut och förlorar det där kriget och dör. Det sa dom japanska befälhavarna till sina soldater: Ni kommer inte tillbaka, ni kommer aldrig tillbaka, gå ut och dö. Men jag kommer tillbaka. Jag kommer alltid tillbaka. Och jag är högste chefen på spaningsroteln nu. Jag ger mig själv mina egna order: Gå ut och lev.

Han läste igenom rapporterna om det senaste dygnets skadegörelse innanför vallgraven. Vem fan släppte in dom? Man skulle ha portarna kvar, vinscharna, broarna, så att borgarna fick leva ifred. Vandalerna kunde hållas i Hagen, slå sönder spårvagnskuren varje fredag kväll klockan 23.45.

Och huvudvärken träffade som en slägga. HELVETE. Han fumlade efter vänsterögat som efter hjälp. Det var där det satt nu, en stånghammare, dooonk-dooonk-dooonk. Han kände ett illamående välla upp som svindel. Vad är detta. VAD ÄR DETTA!? Telefonen ringde på skrivbordet. Han hörde det inte men han visste ändå att det ringde. Det var någon vibration i bordet. Han höll kvar handen, tryckt mot vänster ögonbryn, och lyfte luren.

"Jj... ja?"

"Hallå?" hördes en röst han inte kände igen.

"Ja, hallå? Hallå? Det är Erik Winter."

Det var tyst i luren.

Winter tog ett djupt andetag.

Smärtan var på väg att vrida sig tillbaka till helveteshålet den kommit ifrån. Illamåendet kröp ner igen. Det var som om han kände det röra sig i mellangärdet.

"Hallå? Vem är det?"

Och han hörde hur telefonluren sakta las på i den andra änden.

31

*

Kriminalinspektör Lars Bergenhem körde över Älvsborgsbron, och som varje gång han körde där tänkte han på hur stor staden såg ut, och hur liten den sedan blev när han kom ner i den, och in i den, och hur svårt det sedan brukade vara att lyfta blicken och se långt igen. Lyfta blicken. Han gjorde det nu, havet till höger, större delen av Göteborg till vänster, kyrkspiror, motorleder, plötsligt Phil Collins röst i radion, too many people, too many problems, this is the land of confusion, förvirringens land, ja det är det verkligen. Han tänkte på Martinas ansikte, förvirrat. Vad hade han sagt? Bergenhem kände nu att han inte skulle orka att åka så många fler gånger tur och retur Torslanda, se hela stan på en enda gång, det var för mycket överblick, för mycket himmel. Det var bättre att sänka blicken. Martina. Hennes blick. Vad i helvete hade han sagt? Det var helt blankt, som en raderad fil, ingenting på hårddisken och det hade inte spelat nån roll, det var som om det inte fanns nån hårddisk kvar i honom som kunde suga upp allting, det gick inte att värja sig, för mycket detaljer, han hade för låg blick. Martina, jag lämnar dig. Martina, jag lämnar dig aldrig. Martina, jag kan inte ljuga längre. Martina, jag orkar inte. Martina, jag orkar hur mycket som helst. Martina, jag kommer hem sent. Jag kommer hem mycket sent. Han svängde av från bron, eller lät sig snarare svepas med i en bågformad rörelse som förde honom ner till trafikljusen vid Jaegerdorffsplatsen: en av stadens fulaste platser, förstörd av Oscarsleden precis som dom stackars delarna av Kungsladugård och Majorna som råkat ligga här när idioterna drog motorleden som en mur mellan folket och älven. Folket fick ett systembolag som tröst, men det betjänade mest överklassen på hemväg till Hagen och Långedrag och Askim och Hovås. Bergenhem körde uppför Slottsskogsgatan och parkerade utanför apoteket vid Mariaplan. Han gick in och mötte någon han tyckte att han kände igen. Han visste inte om personen kände igen honom, men han gick ut igen utan att handla. Hans dotters ansikte blev synligt inne i honom när han körde Kungsladugårdsgatan bort mot Slottsskogsvallen. Hans Ada, snart elva år, snart tonåring. Han hade inte kunnat se henne födas. Han borde ha varit död då. Han borde känna en stor ödmjukhet inför livet på grund av det, och han gjorde det också, han trodde i alla fall att han gjorde det. Allt annat måste vara bättre än mörker. Adas ögon. När han tänkte på att han aldrig skulle ha fått se in i dem började han skaka. Han körde in till vägkanten strax före Margreteborgsrondellen och stängde av bilen och satt alldeles stilla tills skakningarna upphörde. Radion var tyst, den var död. Han kom inte ihåg att han hade stängt av den.

20.35

KLOCKORNA RINGDE, det måste vara kyrkan uppe på kullen. Det är sent i kväll för kyrkringning, tänkte hon. Ljuden var som fåglar över himlen. Himlen blev täckt av klangen, som svarta moln.

Hon tittade uppåt, men det fanns inga moln.

Hon kunde se klipporna, och havet förstås, och barnen som såg ut att sväva över marken som änglar.

Det var så hon tänkte. Änglar.

Hon tittade uppåt igen och plötsligt var himlen fylld av fåglar. De var svarta mot himlen men hon visste att de var vita.

Vi svävar allihop.

Hon höjde sina armar och lät sig föras med vinden bort över klipporna, ut över havet, över ön på andra sidan sundet, tillbaka igen, med fötterna bara en decimeter över vattenytan, och ner på klipporna.

Hon var ensam nu, helt ensam. Det finns bara jag. Så hade hon tänkt många gånger förut. När det hade varit för svårt att lyssna. Att vara där. Att höra skriken och slagen. Då hade hon gjort sig ensam i hela världen, det var lättare att vara ensam. Hon kunde prata med sig själv om hon ville, och hon hade gjort det. Ute i regnet hade hon pratat. Ingen kunde se att hon rörde på munnen ens.

Vattnet var varmt, som om det kom ur en varmvattenskran. På kollot hade de varmt vatten i en kran och kallt vatten i den andra. Man fick blanda själv.

Men i havet var vattnet redan färdigblandat, och saltat. Som om någon hade strött salt över hela havet från en jättestor påse salt. En säck.

Hon flöt som en kork. Himlen var ren igen. Måsarna var någon annanstans. Hon hörde dem inte. Hon hörde ingenting.

Nu vände hon sig över på mage och började simma ut mot havet. Hon såg ön som om hon kunde röra vid den med sin hand. Hon sträckte fram handen, men där fanns bara luft och vatten.

Ett plask bakom henne. Hon vände på huvudet, men det fanns ingenting där.

Hon fortsatte framåt. Det fanns segel framför henne, men hon kunde bara se halva seglen, som om hon tittade upp från under vattnet.

Jag kanske kan simma över havet, tänkte hon. Orkar jag simma över till ön har jag simmat över havet. Jag är inte trött.

Hon simmade några tag till. Hon tyckte att någon ropade bakom henne, men det fanns flera ljud som följde med vinden. Ljuden bara passerade henne. Kanske var det klockorna igen. Någon gifte sig, eller om det var begravning. Det kunde vara vad som helst.

4

WINTER OCH RINGMAR åkte genom Götatunneln. Den hade skapat illusionen av Göteborg som en mycket större stad. Det krävdes inte bara kriminalitet till det. Fast kriminaliteten hade också krossat alla illusioner. Men tunneln var snygg. Så skulle en modern tunnel se ut. Den mynnade ut vid Centralstationen. Winter svängde av och passerade Östra Nordstan.

"Jag fick ett samtal hemma från nån som bara andades i luren", sa Ringmar när de stannade för rött vid Centralens framsida.

"Lustigt att du säger det. Det hände mig också. I går. Fast på polishuset."

"Egentligen är det ju inget att snacka om. Men det kändes... jag vet inte. Det var som om nån verkligen var där. Som verkligen ville nåt. Förstår du?"

"Jag kände på samma sätt", sa Winter.

"Du driver väl inte med mig nu, Erik?"

"Nej, jag svär."

"Nån ville oss nåt men ville inte säga det", sa Ringmar.

Winter nickade och trampade på gasen. En ung kille gick mot röd gubbe och fick kasta sig undan när Winter passerade med ett par decimeter till godo.

"Nån i nöd", sa Winter. "Nån ville ha vår hjälp."

"Är det samma?"

"Naturligtvis."

"Vad det här jobbet gör med en", sa Ringmar. "Tre sekunders tystnad i en telefonlur och man vet vad det hela handlar om."

"Det är tystnaden som gör det."

"Fast jag tror att det var min jävla granne som busringde", sa Ringmar.

Winters mobil ringde.

"Ja?"

"Öberg här. Vapenundersökaren tycker det ser ut som 9-millimeters, luger, parabellum, kanske till och med ammunition för en SigSauer. Men det kan vara nåt näraliggande också. Återkommer om det."

"Okej."

"Vi hittade inget blod i bilen. Inte mycket till andra spår heller än så länge. Skottrester... kulans riktning... tja, det verkar som om skytten stod utanför bilen", sa Torsten Öberg, ställföreträdande chef på tekniska roteln.

"Utanför bilen på bron?" frågade Winter.

"Om skytten stod på bron? Jag vet inte det än."

"Det spelar ju viss roll", sa Winter.

"Precis som det spelar roll om det finns ett offer", sa Öberg. "Har ni hittat nåt i vattnet?"

"Ingenting."

"En kropp kan ju flyta en bit. Det har blåst ett tag."

"Vi kollar stränderna."

"Märklig historia", sa Öberg.

Det började med en ton. Sedan kom det flera, alldeles för många, och alldeles för höga. Låt efter låt, den ena värre än den andra, högre än den andra. När han flyttade ut hit var det för tystnaden. Han behövde tystnaden som vatten. Och den omgav honom som ett hav. Han simmade i tystnaden. Ända tills nu. Det var nån sorts rockmusik av sämre kvalitet. Inte för att han var expert på rockmusik, men det här stod långt ner på utvecklingsskalan. Som en imitation. Och volymen. Den som lyssnade på den där skiten på den volymen var galen. Eller död. Eller påtänd. Men inget av det tänkte han på när han gick ut från sitt hus och ut på gatan och in igen på granntomten och ringde på dörrklockan. Han ville bara få slut på oljudet. Han ville läsa, och tänka. Bara simma i tystnaden. Klockan var fyra på eftermiddagen och den skabbiga musiken därinne måste höras över hela området. Det borde vara kö här redan. Han ringde på igen. Volymen slog emot honom som stormstötar genom ytterdörren. Det var omöjligt att höra ringsignalen. Kanske var personen därinne stendöv och spelade så här högt för att åtminstone få uppleva vibrationerna. Det hade varit tyst där inifrån ända sedan han flyttade in bredvid. Dödstyst. Han hade till för några veckor sedan trott att den lilla trävillan varit obebodd, så verkade det åtminstone på trädgården. Gräset hade inte varit klippt den sommaren. Huset såg övergivet ut. Kanske en gamling som dött och nu visste släktingarna inte vad de skulle göra med stället. Riva eller sälja. Och nu detta. Han tryckte på knappen en gång till men visste att det var meningslöst. När han hade hunnit ett steg tillbaka nedför den lilla trappan öppnades dörren. Mannen såg överraskad ut när han såg honom. Han hade inte hört signalerna. Han är i min ålder. Han ser normal ut. Han är klädd i normala kläder. Han är inte tatuerad i pannan. Mannen hade ryckt till när han såg honom. En främling plötsligt på trappan. Jag hade ryckt till själv om det varit jag. Musiken vällde ut från huset som lava. Det var som om den hade en tyngd och en lukt som kunde ta livet av allt i sin väg. Mannen stirrade på honom, ja, stirrade. Hans ögon stod ut, nästan som i en skämtteckning. Han såg inte helt normal ut i alla fall.

"Kan du sänka musiken?"

Hans egen röst hördes knappt i orkanen. Mannen såg ju att han skrek något, men han verkade inte reagera.

"KAN DU SÄNKA!?"

Mannen gav honom en elak blick. Ja, han hade hört. Han svarade inte. Han gjorde en egendomlig nick, bara ett par centimeter framåt med huvudet. Han backade in i huset och stängde dörren. Vad gör jag nu? Jag väntar. Han väntade i två minuter men ingenting mer hände. Ingen passerade på gatan utanför. Det var ändå sällan det hände. Det var en återvändsgata. Villan han hyrde var den sista. Den näst sista var den här. Musiken därinne sänktes inte. Kanske den höjdes. Herregud, jag får leva med det. Åtminstone i dag. Annars blir det bara att flytta. Fan, jag hade börjat trivas här. Jag kan skriva här. Det var länge sen. Det var tystnaden jag behövde. När han tänkte det mullrade ett trumsolo ut från kåken. Bara det, trumsolo. Han gick snabbt ut genom grinden och in på sin tomt. Mörkret hade börjat falla medan han varit borta. Det gick snabbt nu, om en halvtimme skulle det vara helmörkt. Härute betydde det MÖRKT. Det hade varit ännu en fördel med stället. Nu var han inte så säker. Han gick in och stängde dörren efter sig. I arbetsrummet väntade arbetet. Datorn glödde som ett blått fönster. Den hade blivit enda ljuskällan därinne sedan mörkret kommit därute. Musiken från grannen dunkade i väggarna. Det var som om han själv spelat på högsta volym. Han stängde av datorn och satte sig i fåtöljen i det så kallade vardagsrummet. Huset hade bara fyra rum, och han behövde inte mer. Han behövde egentligen bara två, arbetsrum och sovrum, men visst var det skönt att sitta i den här fåtöljen på kvällarna och slötitta lite på teve och samla lite kraft för nästa dags skrivande. Om det blev nåt. Kanske skulle det aldrig mer bli nåt. Musiken dånade genom väggar och själ och märg och ben. Han reste sig igen och gick ut i köket och tillbaka in i arbetsrummet, och in i sovrummet och tillbaka till vardagsrummet och så fortsatte det under en kvart. Han irrade runt i huset och lyssnade på dårhusmusiken från grannen. Han hade höjt. Ja, jävlar vad det lät! Varför hade ingen ringt polisen? Varför såg han ingen ute på gatan med basebollträ och megafon? Det berodde på att han var den enda där. Han, och en galning med handen fastlimmad vid volymknappen. De var ensamma i världen. Han drog på sig skorna och gick ut. Kvällen var svart. Gatlyktan borta vid korsningen förstärkte bara mörkret. Och mörkret förstärkte bara musikens ljudstyrka. Han stod vid grannens grind. Det var upplyst därinne, i vartenda fönster, som om ljuset skulle vara på samma nivå som musiken. Mannen är galen. I morgon ger jag mig iväg härifrån. Det här är min vanliga olycka. Inte ens här, i stans absoluta utkant, vid världens ände, får jag frid. Vinden måste ha vänt. Musiken lät lite lägre härifrån.

Men det var samma ruggiga rock. Kanske var det samma låt igen och igen.

"Vad vill du?"

Den andre måste ha stått bakom björken intill grinden.

Han steg fram.

"Varför springer du omkring här?"

"Jag… springer inte omkring."

"Nehej? Vad står du här för då?"

Han hade kommit ett steg närmare. Det var fortfarande några meter mellan dem.

"Jag står väl var jag vill."

"Och jag spelar så högt jag vill!"

Och då vände vinden igen eller vad det var och musiken kom rullande från kåken och gräsmattan. Och nu hörde han vad det var: svenska ord, nåt slags svensktopp i ännu hemskare tappning än förut. Dansbandsmusik från helvetet.

Och han försökte fånga galningens blick.

"SÅ JÄVLA HÖGT JAG VILL!" skrek galningen.

"Du kan inte vara riktigt klok", sa han.

Och galningen tog två steg framåt och plötsligt var det bara en meter mellan dem, nej, mindre, och galningen sköt fram ansiktet så han kunde se hans ögonvitor. De var inte vita, de lyste med en annan lyster.

Han backade ett steg, och ett steg till. Han försökte backa ut över hela gatan. Han hade inte gått in på galningens tomt, det visste han. Det var bra att han inte hade gjort det.

Galningen följde efter.

"Vad är du för nån?" sa han.

"Vadå? Vadå?"

"Det är ju inte klo… det är ju märkligt att spela musik på den volymen", sa han.

"Vad fan har du med det att göra? Va?"

Han var åter alldeles intill.

Jag känner ingen spritlukt. Han kan väl inte vara full. Kanske är han hög. Jag ser inte storleken på pupillerna. Full, hög. Galen är han i alla fall. Har han nåt tillhygge? Nej. Men dom där händerna är rätt stora. Han kände den andres saliv i ansiktet. Galningen hade arbetat upp sig till ursinne, som musiken bakom honom. Det var som om de stod i en orkan av världens värsta toner, det var som gyttja. Han kunde nästan känna stanken. Han tyckte han uppfattade ett par ord, "kärlek" och "kärleken" och något mer som hängde ihop med det. Men han kände ingen kärlek i vinden. Galningen höjde en hand, som för att slå. Men han skulle inte slå. Jag har sett såna typer förut. Dom vågar inte slå. Dom skriker men dom slår inte. Dom vågar inte. Men jag är inte säker.

"Okej, jag går nu."

"Jag spelar så högt jag vill!" sa galningen men med lägre röst nu.

"Ja, gör du det, och under tiden går jag in och ringer polisen."

Han vände sig om och gick snabbt tillbaka de tjugo meterna till sitt hus. Han såg inte tillbaka. När han kom in hörde han att musiken hade tystnat. Det var som att få ut ohyra ur huset. Så det behövdes inte mer, tänkte han. Ett litet hot om polis. Jag hade inte tänkt ringa snuten, åtminstone inte i dag. Ett par polisinspektörer på hembesök är det sista jag behöver. När tystnaden återkom insåg han hur mycket han hade saknat den. Det var därför han kommit hit. Det var här han hade tänkt stanna tills han var klar med boken. Det kunde ta ett år. Det kunde gå fortare, eller längre, nej, inte längre. Fick han bara frid och fick sköta sig själv så skulle han nog ha något bra klart till nästa höst, eller kanske till sommaren. Han hade givit ett halvt löfte till sin förläggare om en ny roman. Men det skulle inte bli en roman. Han visste inte vad det var, och han tänkte inte så mycket på det. Huvudsaken var att folk ville läsa. Fler kunde göra det, borde göra det. Han satt i fåtöljen igen. Han hade kanske råd att köpa ett hus, men han hade inte lust. Sedan skilsmässan ville han inte binda sig vid egendom. Wherever I lay my hat och allt det där. Hon hade fått huset men skulle visst sälja det. Han lät sin advokat prata med henne. Lugnast så. Han hade gillat återvändsgatan direkt när han såg den. Återvändsgränden. Kanske han skulle kalla en bok för det. Återvändsgränden.

Han reste sig och gick in arbetsrummet och skrev ordet på ett papper. Återvändsgränden. Inte så dumt. Det var alltid bra om man hade åtminstone ett bra arbetsnamn i början av en bok. Ska jag sätta mig vid datorn igen? Han tittade ut i mörkret. Nej, det skulle inte bli bra. Inte det riktiga skrivandet, det var för sent. Men jag kan öppna en öl och sätta mig och skissa lite på idéer. "Återvändsgränden." Eller "Återvändsgränd". Bestämd eller obestämd form. Nej, bestämd är bättre. Nåt att hålla sig till för både författare och läsare. Inte vilken gränd som helst. Den här. Han tittade ut genom fönstret igen. Den här. Bara den här. Tystnaden fanns kvar därute, och härinne. Jag tänder bara lampan över skrivbordet. Jag ska bara hämta ölflaskan. Och han hämtade ölflaskan och blev sittande en timme med papper och penna, och idéerna växte ur hans hand och huvud, idé efter idé, bra idéer, det var som om mötet med stollen i grannkåken fått igång hans fantasi på allvar, kanske han till och med skulle lägga in det absurda mötet, det kunde bli ett par bra repliker. Inte för att han behövde lyssna av den så kallade verkligheten, men det är klart att fick man nåt sig givet så skulle man ju kunna använda det. Det där ansiktet var nåt särskilt. Och musiken! Egentligen skulle det vara intressant att veta vad det varit stollen hade spelat, det var en egendomlig musik, något han inte hade hört förut någon gång, och nu var han inte längre säker på om det varit svenska han hört. Han reste sig och släckte skrivbordslampan. Nu var det både tyst och svart. Trots att detta rent formellt fortfarande var staden så kunde det lika gärna ha varit längst ute i de mest avlägsna tassemarkerna, ett fjärran fält, en avlägsen skog i trakter Gud glömt för länge sedan. Han hade först tänkt ta sig ut på landet, men så dök det här huset upp. Mäklaren han anlitat hade ringt honom efter bara någon vecka. Nej, nu tänder jag för kvällen. Och han gick runt och tände överallt, som om han ville driva ut allt mörker. Do not go gentle into that good night, tänkte han, rage, rage, against the dying of the light. Dylan Thomas kunde skriva lika bra som han kunde dricka. Han dog samma år som jag föddes, jag och Roberto Bolaño. Och jag ska ta en öl till, inte mer än en till, i morgon sätter jag igång på allvar. Han tog en öl till och satte sig i fåtöljen igen och tryckte igång teven och försökte följa med i någon serie som hade börjat innan han satt sig, han såg avsnittet till slut utan att fatta lösningen av gåtan eftersom han kommit för sent för att veta vad som var själva gåtan, och sedan såg han riksnyheterna och sportnytt och lokalnyheterna, och när han sträckte fram handen för att lyfta fjärrkontrollen från bordet krossades fönstret bakom teven.

Kulan från bilen på bron var identifierad. Goda nyheter.

"Tokarev", sa Öberg. "7.62 x 25."

"Bra, då vet vi det."

"Samma effekt som 9-millimeters."

"Jag vet."

"Dom dåliga nyheterna är att det finns mycket av det i Göteborg. Det vimlar av Tokarevpistoler i stan. Men det vet du. Man kan se det som kultur, om man vill."

"Hur ska man kunna se det som kultur?"

"Vi lär oss om andra kulturer. Våldskulturer."

"Ja, då är jag med."

"Okej, när det gäller skyttens placering, och nu är jag alltså tillbaka på bron, så tror vi att han eller hon stod utanför bilen. Och på bron, faktiskt. Det fanns spår av skottrester på tröskeln, och på passagerarsätet, men allt indikerar att skottet kom utifrån. Nära utifrån."

"Så det skedde uppe på bron", sa Winter.

"Verkar så."

"Och bara ett skott."

"Verkar så också. Vi har dammsugit den sektionen av bron men inte hittat något mer. Fler hylsor kan ju ha droppat i vattnet, men det var bara ett skott som hamnade inne i bilen. Flera skott kan ju vara avlossade men bara ett träffade bilen."

"Och ingen skadad", sa Winter.

"Inte av den kulan i alla fall", sa Öberg.

Winter fick stanna för stolar på övergångsstället vid Hagens spår-vagnshållplats. Ungarna stod som en hundflock och glodde på honom från andra sidan staketet. Winter gick ut och lyfte bort de två stolarna och gick tillbaka till bilen. När han satte sig ru-sade en av 15–16-åringarna, en kille, det var bara killar, och den här ställde tillbaka stolarna, pinnstolar, troligen stulna från Ha-genskolan intill. Winter lyckades kryssa mellan stolarna utan att skada Mercedesens lack. Ibland vill man bara dagdrömma, tänkte han, och han såg stolarna i backspegeln, och det flinande gänget, Hagenligan, resterna av den, efter det att kollegerna efter åratal av spaning burat in de värsta. Överklassyngel allihop. Winter vänta-de på grönt och svängde höger på Göta Älvsgatan. Han passerade Konsum och det lilla affärscentrumet här, eller vad det skulle kall-las: apotek, hudvård, konditori, fiskvagn, livsmedel. Fina bilar på parkeringsplatsen. Han fortsatte in på Eckragatan och stannade framför Roger Edwards hus. Det lyste ovanför ytterdörren, och i ett par av fönstren. Ljuset var inbjudande. Han parkerade utanför och gick fram till dörren och ringde på. En man öppnade omedel-bart, som om han stått innanför dörren under hela skymningen och väntat på Winters ankomst. Kurat skymning i hallen, tänkte Winter.

"Roger Edwards?" frågade han medan han sträckte fram sin le-gitimation. "Jag heter Erik Winter."

Edwards nickade. Han höll sin blick fästad på någonting vid sidan av Winter. Winter vände sig om, men där fanns bara gatan och hans bil.

"När får jag tillbaka min bil?" sa Edwards.

"Det vet jag inte."

"Dröjer det länge?"

"Vi måste undersöka den först."

"Vad finns det att undersöka?"

"Får jag komma in?"

"Va? Ja... Ja, varså... varsågod."

Edwards gjorde en gest in mot hallen och huset. Winter kunde se ett stort rum några meter in. Fönstren vette ut mot en berghäll. Ljuset fanns på andra sidan, mot väster, bakom honom.

Han följde efter Edwards in i rummet. Mannen var i hans egen ålder. Han talade som en infödd, en vårdad infödd. Han såg vårdad ut, men rädd. Eller nervös. Eller bara naturligt orolig för hela situationen. Hans stulna bil i någon form av brott.

Det kunde ha skett innan bilen stals. Öberg hade inte kunnat säga när skottet avlossats, kanske var det omöjligt.

Om din bil stals, tänkte Winter och betraktade Edwards. Mannen hade satt sig. Winter satte sig också, i en Bergafåtölj som såg billigare ut än den var. Sådant kallades stil. Som svindyrt vin serverat i billiga glas. Nonchalant flärd. En ny villa vid kusten.

Edwards tittade ut genom fönstren, en glasvägg egentligen.

Det var en bekant profil.

Den här killen har jag sett förut. Har jag träffat honom förut? Jag känner inte igen namnet.

"Dröjer det år innan bilen återlämnas?" sa Edwards.

"Jag funderar lite över varför du inte anmälde stölden", sa Winter.

"Jag hann inte, det har jag sagt förut. Jag sa det till din kollega jag träffade i svinottan."

"Du var ändå uppe, hörde jag."

"Jag är ofta tidigt uppe."

"Varför det?"

"Varför det? Vad har det med saken att göra?"

"Vad berodde det på att du inte hann anmäla bilstölden?" frågade Winter.

"Jag höll på med ett jobb. Jag behövde få fram en presentation till nästa dag."

"Vad var det för presentation?"

"Vad spelar det för roll? Vill du se jobbet kan jag visa dig."

"Senare", sa Winter. Han lutade sig framåt. "Äger du en pistol?"

5

MINUTERNA INNAN FÖRFATTAREN hoppade till av kraschen från fönstret hade han tänkt på sin granne. Det var när han hört en bil passera utanför, snurra i vändzonen, köra tillbaka, kanske stanna en bit bort, eller bara försvinna tillbaka in i stadens surrande ljud. Lågintensiva ljud, hade han tänkt. Intensivt och lågt, sånt går inte att komma undan. Det är som tinnitus. Det hade varit en del som kommit och gått hos grannen senaste dagarna. Bilar hade stannat, kört iväg. Han hade inte sett nån, han hade inte gått fram till fönstret. Men en del trafik. Kanske till nån annan på gatan, nån gång i alla fall, men galningen verkade av nån anledning dra till sig folk. Återvändsgatan därute var smal. För att inte få sin bil skadad hade han ställt den i carporten, det fanns visst en sån. Men det skulle inte räcka, han skulle behöva ställa tillbaka bilen i garaget. Carporten kändes som om den var från en annan tid bredvid 40-talsvillan, fasthängd vid gaveln som en hälsning från framtiden. Och framtiden var nu. Och för tre sekunder sen krossades fönstret.

Författaren släckte läslampan och reste sig. Han tryckte av teven mitt i någons synpunkt.

Han gick snabbt runt i huset och släckte alla lampor.

Sedan stod han stilla.

Det hördes inga ljud utanför, inga bilar körde förbi, vände.

Bara stadens lågintensiva brummande.

Han försökte lyssna efter någon som rörde sig därute, men det var tyst.

Väntar han? Har han gått tillbaka?

Författaren gick ut i hallen och drog på sig ett par stövlar, öppnade ytterdörren och klev ut utan att stänga efter sig.

"Hallå?" sa han till mörkret. "Är det nån där?"

Men om det var nån där så svarade han inte.

Författaren stängde och låste efter sig och gick nerför trappan och blev stående på den lilla grusplanen. Han kunde se sin bil i carporten, en gatlykta fick lacken att blänka till regelbundet när lyktan därute på gatan svängde i vinden.

"Hallå? Hallå?"

Han gick runt huset. Nedre delen av glasrutan i vardagsrummet var trasig, men inte krossad på normalt sätt. Den hade ett hål i sig, som om ett skott hade gått igenom den. Men han hade inte hört något skott därute, och vad han märkte hade ingen kula susat in i hans rum. Kniv, tänkte han. Den jäveln har hackat hål i fönstret med en kniv. Nu kände han sig rädd. Galningen kunde just nu stå bakom häcken som skiljde de två husen från varandra. Han hade en kniv i handen. Han är tillräckligt galen för att hacka i fönstret. Och tillräckligt kall för att vänta tills det blir mörkt.

Kanske får han inte lugn i själen förrän han sätter kniven i mig. Fönstret var första hindret, första hotet. Jag är ett hot.

Författaren såg sig runt om, från höger till vänster. Inget rörde sig, inget hördes.

Nu går jag in. Här kan jag inte stå.

Ska jag ringa polisen? Nej, det finns ju inga bevis. Men jag vet att det är han.

Författaren hörde en bil starta ute på gatan, han såg strålkastarna svepa över vändzonen, det såg ut som om bilen backade, det lät så.

Kriminalinspektör Fredrik Halders stod ute i sin trädgård och såg sin del av staden falla i skymning. Han kallade stadsdelarna nedanför Lunden "sina" eftersom det var vad han kunde se från sitt hem, vad han kanske kunde behärska. Nej, inte behärska. Han kände ibland att han inte behärskade någonting. Framför allt inte sin egen karriär. Han borde vara kommissarie vid det här laget. Det var bara en jävla titel, men ändå. Han förtjänade den. Han kunde inte komma på någon kollega som förtjänade den bättre.

Det skulle möjligen vara Aneta, men hon var fortfarande för ung. Åtminstone var det vad han sa till henne. Hon såg ut att acceptera det när han sa det. Men hon tänkte aldrig på karriär. Det gjorde inte han heller. Det var mest bara ett erkännande. Bevis, kanske. Nej, inte bevis. Det var alldeles för obestämt.

Han hörde något bakom sig och vände sig om.

"Och jag som gick ljudlöst", sa Aneta Djanali.

"Gräset avslöjade dig."

"Jag hörde inget."

"Det är så det fungerar."

"Hur då?"

"Den som försöker smyga sig på nån annan är så koncentrerad på just det att hon inte märker sina egna ljud."

"Aha."

"Så är det."

"Men jag smög egentligen inte."

"Ingen kan komma inom fem meter från mig utan att jag skulle märka det", sa Halders.

Aneta Djanali svarade inte. Hon var liksom Fredrik Halders kriminalinspektör och de hade delat jobbet, och nu också samma hem, sedan Fredrik förlorat sin fru i en smitningsolycka, och därefter nästan förlorat sitt förstånd, och framför allt sitt omdöme. Då hade han låtit de onda komma nära honom och skada honom och nästan döda honom. Nu kanske ingen skulle komma nära honom mer.

"Nån gång ska jag verkligen anstränga mig", sa Aneta Djanali.

"Som i *Rosa pantern*", sa Halders.

"Jag är inte riktigt med."

"Kommissarie Clouseau. Peter Sellers. Han hade en kinesisk medhjälpare som var tränad i att alltid försöka överfalla honom, kommissarien alltså, när han inte hade garden uppe."

"Rosa pantern?"

"Säg inte att du inte känner till dom filmerna?"

Aneta Djanali svarade inte.

"Oj, oj, oj", sa Halders.

"Det kanske är en generationsfråga", sa Aneta Djanali.

"Just det", sa Halders. "Kalla mig farfar."

"Vi kanske kan hyra den där filmen", sa Aneta. "För att överbrygga generationsklyftan."

"Det är flera filmer", sa Halders, "en serie."

"Då hyr vi allihop."

"*Rosa pantern kommer tillbaka* är den bästa."

"Jag hämtar Hannes och Magda på vägen."

"Bra."

De var Halders barn i äktenskapet med Margareta. Magda blev alltmer lik sin mor. När han första gången tänkte det tänkte han också att det var en tanke som han måste acceptera. Det var ingenting som skulle försvinna. Det var som livet, det försvann inte bara. Jo, det var vad det gjorde. I den ena sekunden. I den andra sekunden. Långt som ett liv. Allting frös i den andra sekunden, allt liv som funnits hittills frös fast i den där andra sekunden som bröt allting som skulle ha kunnat hända men sedan aldrig aldrig hände. Har jag nånsin bearbetat min sorg? Är det tack vare Aneta jag har gjort det, om jag har gjort det?

Plötsligt tändes strålkastarna nere över Ullevi. Det var nästan bländande. Det skapade ett nytt mörker runt omkring sig, en djupare skymning därifrån och hit.

"Är det match i kväll?" sa Aneta Djanali.

"Inte vad jag vet."

"Om inte du vet så vet ingen."

"Jag hänger inte med i fotbollen längre", sa Halders. "Inte sen ÖIS åkte ut."

"Mhm."

"Vi är inte värda bättre, vi få som håller på ÖIS", sa Halders.

"Nej", sa Aneta Djanali och log.

"Överklassens lag."

"Varför håller du på dom då?"

"Det är så gott som min stadsdel", sa Halders.

"Det finns väl andra lag här?"

"Lundens IS? Ha ha ha."

"Inte vet jag."

"Winter håller på IFK", sa Halders. "Jag tror det i alla fall."

"Jaha."

"Medgångens lag."

"Vill du säga nåt om Erik med det där?"

"Nej. Inte mer än att hans lag också är majoritetens lag."

"Jag tror inte det är Eriks fel."

"Jag säger inte mer."

"Han pratade uppskattande om dig i går."

"Jaså? När då?"

"Jag hörde honom och Bertil prata i kafferummet när jag gick förbi. Erik sa nåt om din... integritet, tror jag. Nåt som var positivt, alltså."

"Integritet?"

"Ja."

"Det är ett annat ord för tjurighet."

"Det var inte så han använde det, Fredrik."

Strålkastarna över Ullevi släcktes lika överraskande som de tänts.

"Falskt alarm", sa Halders.

Solen sprack fram över havet som ett rött leende. Det var över på några sekunder.

"Ska vi gå på bio i kväll?" sa Aneta Djanali.

"Finns inget att se", sa Halders.

"Har du tittat efter?"

"Nej."

"Vad är det med dig i dag, Fredrik?"

"Sommarn dör – det är därför jag är ledsen i kväll."

"Det låter som en sång."

"Det är det också. John Holm."

"Har jag aldrig hört talas om."

"Han är den bäste."

"På vad?"

"Melankoli."

"Men det är inte sommar längre, Fredrik."

"Nej. Och det gör en ännu ledsnare."

Aneta Djanali gav till ett skratt. Det studsade ner över Lunden och fortsatte bort över Ullevi.

"Och nu försöker du skratta bort det", sa Halders.

"Vi går på bio", sa Aneta Djanali. "James Bond."

En man gick uppför trappor. Han såg ut att räkna varje trappsteg. Det gick inte fort. Det var en gammaldags trappuppgång, breda marmortrappor, jugendmönster på gipsväggarna. Belysningen var mycket dålig. Det gick inte att se mannens ansikte.

Han stannade utanför en dörr. Allting var tyst. Tyst. Mannen lutade sig mot dörren, det såg ut som om han lyssnade.

Var det ett barns röst han plötsligt hörde? Ett barn som ropade? Skrattade barnet?

Mannen tog ett steg bort från dörren. Han såg sig om. Det var tyst igen. Tyst. Mannens ansikte var nollställt, som om han förväntade sig allt, eller ingenting.

Var politiken ett kall? Eller var det ännu viktigare? Vad fick en människa att ägna sig åt politik? Politik var ju i stort sett ingenting annat än kompromisser. Vilken människa vigde sitt liv åt kompromisser? En feg människa? En rädd människa? En svag människa?

"Richardsson."

Han svarade med sin vanliga fasta stämma. Han tänkte faktiskt på det medan han sa sitt namn i telefonluren. Ett fast och lugnt uttal. Politik är viktigt, tänkte han också under dessa sekunder, men det finns lika viktiga saker. Gud är en av dem. Vi behöver Gud. Vi går alltid med Gud.

"Richardsson", upprepade han. "Det här är Jan Richardsson. Vem talar jag med?"

"Det är jag."

Richardsson sa ingenting.

Han ville inte lyssna till den rösten, inte här.

"Det är jag", upprepade rösten.

"Jag har sagt att jag inte vill att du ringer hit."

"Vad spelar det för roll? Är din telefon avlyssnad?"

Richardsson såg sig om, som om någon i närheten lyssnade just nu. Men han var ensam i sitt rum. Genom glasväggen kunde han se sekreteraren framför den överdimensionerade datorskärmen. Liten sekreterare, stor skärm. Den skulle rymma mycket. Hela stadens samlade information. Hur mycket av den bidrog han med själv? Det spelade ingen roll.

"Ses vi i kväll?" sa rösten.

Han låter nervig. Nervigare än vanligt.

"Har det hänt nåt?" frågade Richardsson.

"Nej…"

Richardsson väntade.

"Inget viktigt."

"Du kan berätta i kväll", sa Richardsson.

"Samma tid?"

Richardsson tittade på sitt armbandsur, som om det redan visade tiden några timmar framåt.

"Som det ser ut nu."

"Ska du… hem innan?"

Richardsson svarade inte. Han tyckte inte om frågan. Han visste att den andra visste att han inte tyckte om den frågan.

"Nu lägger jag på."

Han reste sig när han lagt på. Sekreteraren tittade upp och log. Han log tillbaka.

Han gick ut från sitt rum.

"Skolchefen från Älvsborg ringde", sa hon. "När du var upptagen."

"Vad ville han?"

"Nån mer skadegörelse."

Richardsson nickade. Skadegörelse på skolgårdar, det var mer normalt än motsatsen. Skolgårdarna ute i stadsdelarna var mest rena slummen redan från början, och det inbjöd till mer. Det som redan såg skadat ut kunde lika väl krossas helt.

"Jag går ut ett tag", sa Richardsson.

"Men skolchefen då?"

"Ringer han är jag upptagen."

Sekreteraren tittade efter honom när han gick.

Låt henne titta. Det finns viktigare saker. Han tänkte på Gud. Han hade en fantasi i sitt huvud. Han ville inte att den skulle synas i hans ansikte.

Författaren skrev sällan under kvällen. Hjärnan – om det nu var den som var i arbete – var trött på kvällen, eller redan på eftermiddagen. Det var bättre att arbeta efter en god natts sömn, som det hette. Men han njöt sällan av goda nätters sömn, snarare var det onda nätter. Drömmar som handlade om Djävulen och hans sällskap, men som var alltför avlägsna på morgonen för att kunna brukas i böckerna. Hade det funnits nåt elektromagnetiskt eller nåt som kunde registrera drömmarna i flerfärg så hade han bara behövt skriva av. Hans fantasi hade liksom redan gjort jobbet. Det var inget han hade behövt skämmas för.

Han kunde läsa under kvällen.

Han höll sitt manuskript i handen. Hade det här varit film hade det kallats dramadokumentär, tänkte han. Kanske det blir film.

Han läste: "Hon hade simmat längre än hon trodde. Hon var på väg över till ön, eller det var åtminstone så som vittnet hade uppfattat det. Eller vittnena. Det är ännu inte klarlagt hur många det var som såg flickan i vattnet. Om det var någon alls. Eller när hon försvann. Plötsligt var hon bara försvunnen, som ett vittne sa. Men jag kan ha tagit fel, det kanske inte var henne jag såg från första början. Det kunde ha varit nån annan. Det är inte säkert att det var en människa."

Han slutade läsa.

Han hörde en bil därute igen. Den körde förbi hans hus och vände och körde tillbaka. Det verkade som om den stannade utanför hans grind. Han gick in i vardagsrummet och tittade ut genom fönstret. Det stod en bil utanför grannhuset. Baklyktorna lyste i en elak röd färg. Det fanns många röda färger men de flesta var elaka. Det var aldrig så med grönt, till exempel.

Han sänkte blicken och såg hålet i fönsterrutan. Som tur var var det tvåglasfönster i kåken, han behövde inte rusa iväg till någon glasmästare. Han ville inte rusa iväg till någon alls, och absolut inte efter mötet med grannen. Han hade valt det här stället för att vara alldeles ensam, bara skriva, och bara gå ut för att köpa det nödvändiga, eller bara för en kort promenad när han behövde lite motion mot stelheten i nacke och skuldror. En yrkessjukdom. Han hade dragit på sig kroniska besvär och han hade inte fått miljoner för de besvären. I stället hade priset han själv betalat varit högt, eller skulle komma att bli högt om han fortsatte att skriva och få ont i nacken utan att dra in storkovan. Det var ett fint gammalt uttryck: dra in storkovan. En rent fysisk rörelse, ett fast grepp om säcken när den släpades in i kassavalvet.

Han gick tillbaka till skrivbordet i arbetsrummet och började läsa igen: "Hon har blivit ett spöke. Vad är ett spöke? Någonting som man aldrig kommer undan? Någonting som det inte går att fly undan? Hur försvann hon? Finns det svar?"

Han slutade läsa.

Bilen hade startat därute igen.

Om han inte haft den egendomliga uppgörelsen med grannen hade han inte registrerat det. Bilar hade kommit och åkt förut också utan att han tänkt så mycket på det.

Bilen stod kvar, på tomgång. Det var mer än en minut nu. Han hörde inga bildörrar slås igen.

Så körde bilen. Det var nästan så att han andades ut. Det var som att vänta på att den andra skon skulle falla till golvet, det gick inte att koppla av annars.

Han försökte koppla av. Han la undan manuskriptet. Det var ingenting man kopplade av med. Det han skrev om var en djupt oroande händelse, tragisk och oförklarlig, *disturbing*, som engelsmännen sa. Det var ett bra ord, disturbing, det fanns inget riktigt bra svenskt ord för det. Oroande räckte inte till, störande blev för platt. Disturbing betydde att det fanns något man inte kom undan. Som förföljde en.

Han reste sig igen.

Förföljde en ända in i återvändsgränden, tänkte han.

Aneta Djanali och Fredrik Halders steg ut från Royal. Avenyn verkade ovanligt öde. Folk var någon annanstans.

"Är det match i alla fall?" sa Halders.

"Hade du inte vetat det då?"

"Jo, normalt. Kanske nåt extrainsatt."

"Som drar hela stan?"

"Jag vet inte, Aneta."

"Vi kan gå dit och titta efter."

"Varför inte", sa Halders och började gå.

De svängde höger vid Vasagatan. Den långsmala platsen framför Kometen var öde. Också restaurangen såg tom ut.

"Hur länge har vi barnvakt?" sa Halders.

Aneta Djanali tittade på sitt armbandsur.

"Två timmar till. Vi tog i rejält."

"Ska vi ta ett glas?"

"Varför inte", sa hon.

"Först in blir bjuden", sa Halders och gick snabbt över gatan och öppnade dörren.

Aneta Djanali hann ikapp honom vid bardisken.

"Vad vill du ha?" frågade hon.

"Stor stark, förstås."

"Det finns annat."

"Inte i kväll."

"Jaså?"

"Passar till filmen."

"James Bond. Det ska ju vara dry martini. Bond dricker ju dry martini."

"Han dricker vodka martini."

"Varför önskar du dig inte det då om du vet allt?"

Aneta Djanali beställde ett glas öl och ett glas rött vin.

De drack.

"Älskar du mig, Fredrik?" frågade hon efter en liten stund. De var ensamma i baren. Kanske var de ensamma i hela staden. Något kanske hade hänt med landet. Halders fick en plötslig känsla av övergivenhet, som om han blivit ensam.

"Varför frågar du?"

"Svara bara på frågan."

"Är det här ett förhör?"

"Du vill inte svara på frågan."

"Så det är ett förhör."

Aneta Djanali sa ingenting.

"Svaret är ja", sa Halders.

Hon sa fortfarande ingenting.

"Låt mig ställa den naturliga motfrågan", sa Halders.

"Jag… vet inte", svarade Aneta Djanali efter en stund som kändes mycket lång för Halders. "Jag kan inte svara på den."

6

WINTER PARKERADE UTANFÖR Ringmars hus.

Efter femte signalen öppnade Ringmar ytterdörren.

"Jag trodde inte att du var hemma."

"Inte jag heller."

"Vad menas med det?"

"Kom in", sa Ringmar.

Ringmar vände sig om och gick tillbaka in i hallen. Winter följde efter honom. Ringmars rygg såg krum ut i halvljuset i hallen. Som om han hade krympt.

"Hur är förkylningen?"

Ringmar vände sig om.

"Förkylningen?"

"Är du inte hemma från jobbet på grund av förkylning?"

"Javisst ja."

"Skolkar du, Bertil?"

"Nej, jag super."

"Super? Det är inte likt dig."

"Man är inte sämre än att man kan ändra sig."

"Så här sent i livet?"

"Ja, är det inte fantastiskt?"

"Nej, bara intressant."

"Jag skojade bara. Men jag tog faktiskt en liten liten whisky nyss. Mot förkylningen, alltså."

De stod i vardagsrummet. Skymningen föll utanför. Det glittrade av guld i grannens trädgård.

"Han börjar tidigt i år", sa Winter.

"Jag borde sätta Hells Angels på honom", sa Ringmar.

"Allt som krävs för det är ett telefonsamtal", sa Winter och studerade ljusdesignen därute. Var inte det ett nytt ämne på högskolor och universitet, ljusdesign? Hade han inte läst om det nånstans? Polistidningen? Svenska Dagbladet?

"Nån annan får ringa", sa Ringmar. "Too risky. Vill du ha en whisky?"

"Jag kom i bil."

"Du kan lämna i bil också. Det finns taxi."

Winter såg sin Mercedes därute. Den såg dyster ut. Kanske den ville lämna honom.

"Grannen kanske hänger ett ljusspel på Mercan", sa Winter.

Ringmar stod bredvid honom framför fönstret.

"Den kanske behöver nåt sånt. Den ser lite låg ut."

"Lustigt, jag hade samma tanke."

"Tvillingsjälar", sa Ringmar. "Vi är tvillingsjälar."

"Jag tar nog en whisky i alla fall", sa Winter.

De gamla trapporna: mannen var på väg upp. Det var tyst, det enda som hördes var mannens skor mot trappan, ett torrt ljud.

Han bar en pistol i handen nu. Den var knappt synlig. Mannen hade samma nollställda koncentrerade ansikte, som om han var en lyssnare och ingenting annat. Det var något han lyssnade efter. Visste han vart han skulle gå? Vad var det han letade efter? Han stod i nästa trapphus nu. Varför hade han inte tagit hissen? Hissen var på annat håll. Den var stilla. Mannen ville inte att den skulle röra sig, den hördes. Han gick i stället.

Han gick tillbaka nerför trapporna.

Barnets röst igen. Var det ett barn?

Plötsligt hördes ett skrik, det var ett tydligt skrik, inte så högt, aningen dämpat: "Neeeejjj."

Winter drack och gjorde en grimas.

"Så jävla illa smakar det inte", sa Ringmar.

"Det är inte det."

"Vad är det då?"

"Ingenting."

"Huvudet, eller hur? Huvudvärken?"

"Det är borta nu", sa Winter och drack igen.

"Det kommer tillbaka. Varför går du inte och kollar upp vad det är?"

"Varför det?"

"Vad är det för jävla svar?"

"Jag vet inte om det var ett svar."

"Är du rädd för vad dom ska hitta?" frågade Ringmar.

Winter svarade inte.

"För i så fall borde du ta en taxi direkt till Sahlgrenska härifrån. Då finns det ingen tid att förlora."

"Det är bara nån migrän."

"Tar du medicin för det?"

Winter skakade på huvudet. Det högg till bakom högra ögat.

Ringmar skakade på huvudet.

"Vad säger Angela?" frågade han.

"Ingenting."

"Ingenting?"

"Det kommer att gå över", sa Winter. "Det går alltid över. Vad trodde du? Tror du det är en tumör eller nåt?"

Ringmar svarade inte.

"Är det vad du tror?" fortsatte Winter.

"Det är inte fråga om tro här", sa Ringmar. "Det är som med allting annat. Det handlar om fakta."

"Kan man få en whisky till?" sa Winter.

"Om det hjälper", sa Ringmar och sträckte sig efter flaskan.

"Det hjälper mot allt", sa Winter.

"Whisky är Djävulens dryck", sa Ringmar.

Författaren befann sig utanför sitt hyrda hus igen. Mörkret hade tätnat. Eller om belysningen från de ynkliga lamporna blivit svagare.

Det stod en bil parkerad utanför grannvillan.

Det var den han hade hört förut.

Det hördes ingen musik inifrån huset. En bil kom körande förbi och vältrade sig runt i vändzonen och försvann igen.

Bilen var en Volvo V70. Det fanns nästan inga andra bilmärken i Göteborg. Och alla körde V70: hemmafruar, hemmamän, prostituerade, direktörer, revisorer, rörmontörer. Författare. Han hade också haft en V70, begagnad förstås, den hade han köpt när en av hans böcker sålt oväntat bra i pocket och lite pengar ramlat in året efter. Han gjorde sig av med den bilen samtidigt som hans fru gjorde sig av med honom. Han köpte en begagnad Saab för balansens skull.

Det var släckt inne i grannhuset.

Herregud, det var sent. Författaren hade lyckats tyda visarna på armbandsuret när han stod under gatlyktan. Vart tog timmarna vägen?

Han kanske ser mig. Står jag här längre kanske han tittar ut genom fönstret och sen kommer han rusande med basebollträ. Jag skulle ha ett trä själv.

Plötsligt stod han vid grinden till grannens svarta hus.

Plötsligt syntes ett ljus i fönstret.

Det sprack till i mörkret som en stråle från en ficklampa. Det var där, och sedan var det borta.

Han hörde ett ljud. Ett skrik?

Varifrån kom det?

Författaren såg sig om, men ingenting rörde sig på gatan. Det var mörkt igen inne i det hus som han stod framför. Ljusstrålen kunde ha varit en reflex från gatlyktan, en vind. Ljudet kunde ha varit vinden. Den hade ökat. Grinden knirkade till under honom. Kanske var det det ljudet.

Han stod bredvid bilen som parkerats där under de senaste timmarna. Det låg ett par kuddar i baksätet. Han kunde se en påse av något slag. Han lyfte blicken. Det kändes som att smygtitta in i någon annans bostad.

När han tänkte det blev han förbannad.

Vilken rätt hade han därinne att skada min egendom! Visserligen hyrd, men ändå.

Jag borde slå in ett av hans fönster. Men då bryter väl helvetet löst.

Och då bröt det löst.

Fredrik Halders och Aneta Djanali stod utanför sitt hus. Det var lika mycket hennes som hans, det hade han sagt vid flera tillfällen. Det var hennes hem. Det var *deras* hem.

Barnvakten hade gått. Barnen hade gått till sömns.

"Vill du lämna oss, Aneta?"

Han sa det på något slags mjukt sätt, men det var fruktansvärda ord. Lämna oss. Ordet "oss" var ett hemskt ord i det här sammanhaget. Vad var sammanhaget? Hon visste inte.

"Nej", svarade hon. Hon kunde inte lämna "oss". Hon skulle aldrig lämna "oss".

"Vad menar du då?" Halders sträckte fram sin hand, men han rörde inte vid henne. "Vad menar du med att du kanske inte älskar mig?"

"Jag… vet inte, Fredrik."

Hon tog hans hand.

"Det är bara… förvirrat nu. Jag vet inte. Jag… vet inte vad jag tycker. Om nånting. Vad jag tänker."

"Nehej?"

"Är det så märkligt? Man kanske behöver… tänka ibland."

"Tänka? Tänka på vadå? På oss?"

Där var det där "oss" igen. Men det lät inte så hemskt den här gången. Det betydde något annat nu. Det handlade bara om honom och henne.

"Tänka på allt", sa hon.

"Gör man inte alltid det?" sa Halders. "Har man inte alltid tusen tankar i skallen samtidigt?"

"Jo…"

"Ja, då så."

Ja, då så. Men så enkelt var det ändå inte. Men det kunde hon inte säga. Inte nu. Hon visste ju inte.

"Ska vi gå in?" sa Halders.

61

"Jag vill stå härute ett litet tag till."

"Då gör vi det."

Ensam, tänkte hon. Men det vet jag inte. Inte ens det vet jag.

"Ibland är den här stan vacker", sa Halders.

"Mhm."

"Tänk vad mycket som döljs i vacker elbelysning."

"Så du tänker på det också."

"Ja. Att det får plats tillsammans med alla dom andra tusen tankarna."

"Jag tänkte på att hade vi stått här för tjugo år sen så hade ljusen därnere varit ljusen i en småstad", sa Aneta Djanali.

"Göteborg var en småstad för tjugo år sen."

"Egentligen inte."

"Den kändes så i alla fall", sa Halders.

"Varför?"

"Man kände alla kriminella."

"Det var före min tid", sa Aneta Djanali.

"Vi brukade ha julfest tillsammans."

"Aha."

"Man knöt nya kontakter", sa Halders.

"Du sa ju nyss att du kände alla."

"Nästan alla då."

"Varför försvann den traditionen?"

"Stan blev större."

"Polisen kunde väl ha skaffat en större plats att vara på?"

"Vilken då?"

"Inte vet jag." Hon nickade ner mot staden och ljuset. "Ullevi, till exempel." Hon såg de höga strålkastarna, som knutna händer mot den gulsvarta himlen. Strålkastarna verkade vara det enda som var släckt därnere.

"Inget tak", sa Halders. "Skulle bli för kallt. Många kriminella lider av allergier. Och har lätt för att bli förkylda."

"Visste jag inte", sa Aneta Djanali.

"Så är det."

"Varför?"

"Det spelar ingen roll nu", sa Halders. "Jag vill inte ha nån jul-fest längre. Jag skulle inte gilla sällskapet längre."

"Jag skulle nog inte gillat det förut heller", sa Aneta Djanali.

"Allt är relativt", sa Halders. "Du skulle ha märkt skillnaden. Den är stor."

"På vilket sätt."

"Det vet du."

"Är det narkotikan?"

"Ja. Och ligorna. Men det handlar ju framför allt om narkotika där också."

"Heroinet."

"Ja, framför allt heroinet. Men det är ju bara toppen på isberget. En stor topp, visserligen. En stor vit och skitig topp."

"Vi kan gå in nu", sa Aneta Djanali. "Jag fryser."

De stod på en topp här också. Lunden var relativt högt över havet.

"Om du säger att du älskar mig."

"Jag älskar dig, Fredrik."

Man kan älska på så många olika sätt. Det var så hon tänkte när de gick in i huset.

Hennes mobil ringde när Halders stängde altandörren efter dem.

"Ja?"

"Hej, Aneta, det är Lars."

"Ja?"

"En kille blev beskjuten nyss uppe hos er."

"Hos oss?"

Hon såg sig om, som om skottlossningen hade inträffat inne i huset.

Halders tittade på henne med frågande uttryck.

"I Lunden. Jag tänkte att ni... tja, det är närmast. Bara ett par kvarter om jag fattar kartan rätt. Men ni är ju inte i tjänst..."

"Hur är det, Lars?"

"Det är väl bra. Varför frågar du?"

"Det var ingenting." Aneta Djanali tittade på sitt armbandsur. Klockan var tio i elva. "När hände det här?"

"Nyss. Jag fick besked från krimjouren precis nu. En radiobil är på väg, och jag tänkte att det sku…"

"Jag sticker", avbröt Aneta Djanali.

"Är Fredr…"

"Han måste vara hemma med barnen." Hon tittade på Halders. Hans ögonbryn var uppe i höjd med toppen på skallen. "Är nån skadad?"

"Jag vet inte, Aneta. Ta det försiktigt. Jag är själv på väg."

"Vilken är adressen?"

"Lovisagatan. Lovisagatan sex."

"Jag känner inte till den. Lovisagatan."

"Ska vara alldeles i närheten", sa Bergenhem.

Halders hade redan telefonkatalogen framme och bläddrade sig igenom kartbladen.

Han tittade upp.

"Den känner jag ju till! Ödslig jävla stump."

"Fredrik känner till den", sa Aneta Djanali in i luren.

Hon hörde Bergenhem säga något.

"Förlåt? Vad sa du?"

"Nej, jag sa inget. Det var i den andra… vänta… okej, okej." Hon hörde Bergenhem ändra röstläge. "Okej, Aneta, det är en man som påstår sig ha blivit beskjuten, men han är tydligen oskadd."

"Vem sköt?"

"Det vet vi inte. Han såg ingen."

"Han? Vem?"

"Han som blev beskjuten."

7

ANETA DJANALI SÅG EN VOLVO på gatan och ingenting annat. Radiobilen hade ännu inte kommit. Hon parkerade framför Volvon men blev sittande i sin bil. Hon hade kunnat gå hit på en kvart. Gångavstånd till jobbet. Huset därinne var mörkt. Hon såg en plötslig rörelse under ett träd utanför grannhuset tjugo meter bort. En gestalt steg ut en meter i gatan. Aneta Djanali förblev sittande i bilen. Hon slog på strålkastarna. Gestalten slog upp armen som skydd mot ljuset. Det var en man i jacka och jeans.

Aneta Djanali tryckte ner vindrutan.

"POLIS", ropade hon. "STÅ STILLA."

Mannen stod stilla.

"DET VAR JAG SOM RINGDE", ropade han.

Aneta Djanali kunde se strålkastare bakom honom, och sedan den blå- och vitmålade bilen. Kollegerna hade kommit. IFK-supportrar allihop, tänkte hon. Radiobilen stannade i höjd med mannen och en av poliserna klev ut. Aneta Djanali såg att det var en kvinna. Hon klev själv ur. Mannen hade fortfarande ena armen höjd högt över huvudet när hon gick mot honom, som en hälsning utöver det vanliga.

"Det var mig nån sköt på", sa mannen.

"Vi sätter oss på en lugnare plats", sa Aneta Djanali. "Vi går till min bil."

"Vad heter du?" frågade Aneta Djanali.

"Va... Jacob Ademar. Jag heter Jacob Ademar."

"Var bor du?"

"Jag... jag bor därinne", sa mannen och nickade mot huset han stått framför. "Jag hyr det. Åtminstone fram tills nu."

"Vad hände?"

Aneta Djanali såg att polisinspektören hade tagit fram ett block. Aneta Djanali kände igen henne. Det var en bra polis. Hon kom inte ihåg hennes namn just nu. Mogren kanske.

"Nån sköt", sa mannen.

"Berätta från början."

Kognitiva frågor. Jag vet inget om det här, jag var inte här, jag kan inget om din berättelse. Berätta.

"Varifrån då?"

"Var hände det?"

Ademar såg inte ut att förstå frågan. Han darrade plötsligt till. Kanske han var i chock. Han borde vara i chock om han blivit beskjuten.

"Var stod du när du blev beskjuten?"

"Framför det där huset." Han nickade mot grannhuset där Volvon stod parkerad. Det var fortfarande mörkt och tyst inne i huset. Det såg obebott ut, som någonting som väntade på rivning.

"Berätta", upprepade Aneta Djanali. "Berätta bara. Från början, när du gick ut."

"Ja... jag gick ut, men det var inte första gången..."

Ademar tystnade.

"Hur menar du?" frågade Aneta Djanali.

"Jag hade bråkat med grannen tidigare i kväll... eller sent i eftermiddags. Eller snarare var det han som bråkade med mig."

Aneta Djanali nickade. Fortsätt.

"Det var väl... tja, han spelade nån jävla ecstasyhög musik i timmar och jag sa till slut till honom. Och det gillade han inte, för att uttrycka det milt. Och... sen... nu i kväll så var det nån som slog sönder en ruta för mig och jag antog att det var han."

Ademar gjorde en gest mot huset han hyrde men kanske inte så länge till.

"Fönstret längst till vänster", sa han. "Nedersta högra rutan, spröjsen eller vad det heter."

"Varför antog du att det var han?" frågade Aneta Djanali.

"Vem skulle det annars vara? Det finns ju knappt nån mer på den här gatan", sa Ademar. "Se dig omkring." Han såg sig själv omkring. "Det är helt öde här."

Inte riktigt, tänkte Aneta Djanali.

"Vad hände efter fönsterkrossningen?" frågade hon.

"Egentligen ingenting", sa Ademar. "Jag väntade en stund och sen gick jag ut och det var då det hände."

"Vad hände?"

"Nån sköt."

"Hur vet du det?"

"Hur jag vet det? Herregud, jag hörde två skott från nånstans och jag kunde faktiskt känna att det visslade förbi ett par kulor." Ademar skakade till. "Det är så jag vet det."

"Varifrån kom skotten?"

"Det vet jag inte riktigt… men det måste ha varit från det hållet." Han pekade förbi bilen, åt höger. Väster. Det fanns inga ljus där. Aneta Djanali kunde se konturerna av buskar och träd i den klara kvällen. Gatlyktorna reflekterades i något som såg ut som ett skogsparti. Det var som Ademar sagt, det var öde. Här har jag aldrig gått, tänkte Aneta Djanali. Varför har jag inte det? Har Fredrik varit här nån gång?

"Jag vill inte gå dit", sa Ademar.

Aneta Djanali tittade på honom.

"Det har jag inte sagt heller."

Hon vände sig till polisinspektören. Britta nånting, just det, Britta Mogren. Gammaldags namn på en rätt ung tjej.

"Spärra av därborta, Britta. Från vägen och så långt in det går."

Tiden var över när polisen klampade in först på brottsplatser. Eller vad det här var. Skjutplatsen. Att skjuta på folk var ett brott. Fortfarande ett brott, skulle Fredrik kanske sagt.

Hon vände sig till mannen. Han såg inte ut att frysa lika mycket nu, även om darrningen förut kanske helt hade berott på chock.

"Såg du nånting?"

"Nej."

"Hörde du nånting?"

"Jag hörde ju skotten."

Han såg förvånad ut.

"Före skotten. Efter skotten."

"Nej…"

"Du drar på det."

"Herregud, jag hoppade ju till som fan när skotten brände av, eller vad det kallas. Och det visslade verkligen runt öronen. Verkligen visslade. Jag kastade mig ner på marken. Se här." Han höll upp ena armen. Kanske kunde Aneta Djanali se en skada på jackans ärm. "Jackan revs upp. Och när jag låg där så… kanske jag hörde nån springa därifrån. På andra sidan gatan. Men jag är inte säker på det. Det ringde fortfarande i örona, kan man säga."

"Hörde du nåt från nåt annat håll?"

"Vad menar du?"

"Var det ingen annan som reagerade här på gatan?"

"Har du sett nån sen du kom hit?" sa Ademar.

"Nej."

"Inte jag heller. Och inte innan. Alltså innan du kom. Och dom andra poliserna kom."

Aneta Djanali nickade.

"Antingen hörde ingen eller så vågar ingen sig ut", sa Ademar.

Aneta Djanali försökte se något ljus i de få husen på gatstumpen, men det var släckt överallt. Det var egendomligt. Radiobilens ankomst borde nog ha väckt någon av grannarna, gjort någon nyfiken. För att inte tala om skottlossningen. Men inte. Det var öde.

"Och han har inte vågat sig ut", sa Ademar.

"Vem?"

"Grannen, förstås. Galningen i det där huset." Ademar vinkade till mot grannhuset. Det var fortfarande tyst och stilla och mörkt. "Han har väl smugit sig in bakvägen på nåt sätt."

"Vad menar du med det?"

"Det är väl självklart att det var han som sköt på mig!?"

"Du menar att han stod i den där skogsdungen och sköt?"

"Det är väl självklart? Är det inte?" Ademar skrattade plötsligt till. Det lät egendomligt. Lite galet. Gällt. "Du har inte träffat honom. Du förstår när du träffar honom."

"Eller så har han inte hört nåt heller", sa Aneta Djanali. "Som alla andra här."

"Så jag har inbillat mig allt det här?" sa Ademar. "Är det vad du tror?"

"Jag tror ingenting", sa Aneta Djanali.

"Nej, nej, allt det där om att man aldrig ska tro, man ska bara veta. Fakta. Men fakta här är att nån sköt på mig och jag är övertygad om att den där jävla dåren därinne KROSSADE MITT FÖNSTER OCH SEN STOD OCH VÄNTADE PÅ MIG FÖR ATT SKJUTA MIG!"

Ademar hade höjt rösten.

"Varför skulle han göra det?" sa Aneta Djanali.

"För att han inte är klok, förstås!"

Aneta Djanali nickade. Naturligtvis. Då bekymrade man sig inte om vad som sedan skulle hända. Bort med alla "varför". Det var mer bekvämt så.

"Är det inte dags att ringa på dörren på den där jävla kåken?" sa Ademar. "Dessutom lär ni väl hitta ett par kulor i väggen."

Bergenhem ringde på dörren. Ringmar stod bredvid honom. Han var inte förkyld längre. Aneta Djanali hade satt på sig skinnhandskarna. Det hade blivit kallare. Det fanns redan en doft av vinter i luften, som en prolog som kom alldeles för tidigt. Från en kort sommar direkt till en lång vinter.

Hon hade ringt Fredrik.

"Nån av dom är garanterat galen", hade han sagt. "Kanske båda."

"Känner du till den här konstiga gatstumpen?" hade hon frågat.

"Nätt och jämnt", hade han svarat. "Dom säger att det är en spökgata."

"Vilka säger det?"

"Dom som vet. Barnen."

Bergenhem ringde på igen.

Ett ljus syntes genom dörrens frostade glas. Det var som att se ljus genom vatten. Pannlampor under vatten kring ett vrak. Aneta Djanali hade gjort sådant. Dykt. Och det här huset var ett vrak. Men det gick att andas. Luften kändes hög och stark, som om prologen vuxit sig kaxigare och lovade ännu mer vinter.

"Teknikerna får kolla dom här väggarna", sa Bergenhem. "Kan ju sitta ett par kulor i dom." Han tog ett par steg från dörren. "Jag går ett försiktigt varv."

Folket från tekniska roteln var på plats nu. De skulle stanna kvar i natt. Ringmar och Aneta Djanali kunde höra deras tysta arbete.

"Mhm", sa Aneta Djanali.

"Tror du inte på det?" sa Ringmar.

"Jag tror ingenting", sa hon och log.

Dörren öppnades.

Ljuset hade inte tänts inne i huset.

Mannens huvud var mest en silhuett.

"Ja?"

Ringmar presenterade sig och Aneta Djanali.

"Ledsen att vi ringer på så här sent", sa han. "Får vi komma in ett ögonblick?"

"Varför?"

"Vi har uppgift om att det varit skottlossning här utanför."

"Skottlossning? Här utanför?"

Det gick inte att se mannens ansikte, och därför gick det inte heller att avgöra graden av förvåning i hans röst. Det verkade också som om han hade dragit sig längre tillbaka från dörren.

"Får vi komma in?" upprepade Ringmar.

"Det behövs väl inte?"

Ringmar svarade inte.

"Jag kommer ut", sa rösten och stängde dörren.

Ringmar vände sig mot Aneta Djanali. Det var knappt han kunde se hennes ansikte heller.

"Vad säger du om det?"

"Tja, han vill inte ha hembesök."

"Vi väntar väl ett par minuter. Jag har ingen större lust att ringa åklagaren just nu."

Aneta Djanali kastade en blick ut mot gatan. Hon kunde se teknikerna röra sig på andra sidan. Vittnet hade fått tillåtelse att gå tillbaka till sitt hyrda hus. Eller offret. Tilltänkta offret. Eller bara fel person på fel plats. Rätt person på rätt plats, fel person på fel plats. Det var märkliga uttryck. Rätt person kunde väl vara på fel plats. Fel person kunde väl vara på rätt plats. Den rätta platsen kunde till exempel vara en bestämd brottsplats. Det var där brottet skulle begås och ingen annanstans. Men plötsligt kliver någon in som inte har där att göra och dras med ner i avgrunden. Fel person. Rätt plats. Och motsatsen. Och så vidare. Spanaren i henne hade redan börjat söka efter alternativen.

Och partnern i henne. Kvinnan i henne. Som i samtalet i kväll med Fredrik. Var hon fel person på rätt plats? Eller rätt person på fel plats? Eller var allting rätt eller allting fel?

Dörren öppnades. Mannen klev ut. Han ser inte särskilt galen ut, tänkte hon. Han ser förresten inte ut som nån som lyssnar på musik överhuvudtaget. Men hon kunde inte se mer av honom än hon kunde se av Bertil. Mannen hade dessutom en mörk mössa på sig.

"Nån kan ha skjutit mot ditt hus", sa Ringmar.

Pang på.

"Var då? Hur då? När då?"

Det saknas bara ett varför, tänkte Aneta Djanali. Varför då? Ibland frågade ingen efter det. De kanske redan visste.

"Vem har sagt det?" fortsatte mannen.

"Har du inte hört nånting?"

"Jag har absolut inte hört nånting", sa mannen.

"Vem mer än du vistas i huset?" frågade Ringmar.

Bra fråga, tänkte Aneta Djanali. En sämre fråga skulle varit "Är du ensam hemma?"

"Jag är ensam", sa mannen.

"Bor du ensam?"

"Ja, sa jag inte det?"

"Nej." Ringmar tog ett steg tillbaka. Det var omöjligt att upptäcka några eventuella kulhål i väggarna nu. I morgon skulle teknikerna gå igenom skogspartiet på andra sidan, och väggen här. Kanske. Om det verkligen hade förekommit skottlossning. Hade det gjort det var det allvarligt. Hade det inte gjort det var killen därute på vägen kanske lite konstig i huvudet.

"Är det han som har sagt det?" frågade mannen och pekade plötsligt mot det södra grannhuset.

"Vad heter du?" frågade Ringmar.

"Va, vadå? Jag heter Bengt. Vadå?"

"Efternamn?" sa Ringmar.

"Vad fan spelar det för roll? Det var väl inte det jag frågade om? Jag frågade om det var den jävla grannen som ringt efter polisen."

"Namn är rutin", sa Aneta Djanali, som hittills inte sagt något.

"Ja vadå, Bengt Sellberg. Jag heter Bengt Sellberg."

Aneta Djanali nickade.

Bengt Sellberg tittade på henne med ett uttryck som hon inte tyckte om. Hon visste inte varför. Han såg ut som någon som tittar på någon som borde avlägsna sig omedelbart. Som inte hade där att göra. Fel person, fel plats. Fel tillfälle. Fel gärning.

"Ska du inte skriva upp namnet?" sa han.

"Vi kommer ihåg", sa Ringmar. "Vad menar du med att det är 'han' som har sagt det?"

"Han därborta." Sellberg pekade. "En jävla idiot. Han var här och klagade förut på att jag spelade för högt. Svamlade nåt om att han inte kunde jobba för att det var för hög musik!"

"Var det för hög musik?" frågade Aneta Djanali.

"Va?" Han tittade på henne med det där uttrycket igen. "Va? Det var väl för helvete inte för hög musik! Det var ju mitt på dan."

Aneta Djanali svarade inte.

"Är det han som har påstått det här? Va? Han är inte riktig. Jag ska…" sa Sellberg och tystnade.

"Du ska vadå?" sa Ringmar.

"Ingenting."

"Nej", sa Ringmar, "du ska ingenting. Ingen ska ingenting, eller nånting. Det behöver jag väl knappast förklara."

Aneta Djanali kunde se den svarta bilen glimma ute på gatan. Den såg åtminstone svart ut. Det mesta såg svart ut i det här ljuset, eller bristen på ljus.

"Är det din bil?" frågade hon.

"Va, vadå?"

Det var Sellbergs standardsvar. Det brukade användas av folk som behövde betänketid. De drabbades ofta av tillfällig dövhet.

"Är det din Volvo?" frågade Aneta Djanali och nickade mot bilen. Hon kunde inte se registreringsskyltarna därifrån hon stod. Men hon hade skrivit upp numret. Bilar med registreringsnummer var inga hemligheter. Ibland var de mysterier, men det var också allt.

Sellberg såg ut som om han behövde mer betänketid.

Fel bil på fel plats, tänkte Aneta Djanali.

"Vet du inte?" frågade Ringmar.

"Va, vadå, det är inte min bil…"

Det lät som en halv mening, tre punkter i slutet.

"Den står parkerad utanför ditt hus", sa Ringmar.

"Va, vadå, folk parkerar väl lite hur som helst här i stan. Vem som helst kan ju parkera var som helst. Nu står den utanför mitt hus. Det är väl nån som bor på andra sidan, jag vet inte. Ni får fråga dom."

Fredrik sov när Aneta Djanali kom hem. Hon kunde höra hans snarkningar genom badrumsväggen.

Han kom ut i köket när hon satt med ett glas mjölk.

"Hur var det med galningarna?"

"Den ena värre än den andra."

"Vad hände?"

"Kanske ingenting."

"Nehej."

"Vi får se i morron. Nej, i dag." Solen skulle stiga upp i öster om bara några timmar. "Om det är nån som har skjutit alls."

"Kan ju vara vilken sorts smäll som helst."

"Mhm."

"Vad var det för typ som anmälde det?"

"Författare."

"Författare?"

"Ja."

"Nån man känner till?"

"Jacob Ademar."

"Ademar? Vad är det för namn? Det borde man ju ha känt till om man hört det förut."

"Ja."

"Vad skriver han?"

"Jag vet inte, Fredrik. Så långt kom vi inte."

"Författare. Ja, dom har väl livlig fantasi. Kan väl inbilla sig vad som helst."

"Han verkar säker. Vi pratade med honom en stund när vi hade pratat med den andre."

"Den andre?"

"Han som bor i huset intill. Som nån kanske sköt mot. Huset. Dom hade visst haft nån ordväxling tidigare under kvällen."

"Vilka då?"

"Författaren och Sellberg. Han som bor granne heter Sellberg."

"Låter mer normalt. Var han normal?"

"Var går gränsen?"

"Dra den i höjd med mig."

Aneta Djanali log.

"Då verkade han kanske normal", sa hon. "Men annars... där var nåt som inte var... tja, normalt."

"Vadå?"

"Jag vet inte, det kändes som om det saknades nåt som borde kunnat hålla honom tillbaka. Författaren, Ademar, sa att han råkade ut för det. Att den andre inte hade nån kontroll. Och jag tror honom där."

"Så nån kanske ville skjuta den här Sellberg. Gamla affärer skulle göras upp."

"Men Ademar påstår att nån sköt mot honom."

"Det var mörkt. Svårt att se. Skytten kanske såg fel. Det är en isolerad gata. Den här Ademar stod utanför Sellbergs hus, som jag har förstått det. Kan dom förväxlas en mörk kväll?"

"Jag antar det. Dom är väl ungefär lika långa. Medellängd."

"Och det var mörkt", sa Halders. "Jag antar att gatubelysningen är usel."

"Ja."

"Medeltid. Det är som på dom flesta andra håll i den här stan. Medeltida belysning mitt i den nya sköna världen. Men det är väl bra. Snart har vi ingen el på jorden i alla fall."

"Han ljög", sa Aneta Djanali.

"Förlåt?"

"Sellberg. Han ljög. Men jag vet inte om vad."

8

FLICKAN VAR FÖRSVUNNEN. "Hjälp! Hjälp!" Vem kan hjälpa henne? Vem är det som skriker? "Hjälp! Hjälp!" Är det hon? Är det hennes skrik? Det flyger över viken som en fågel. En svart fågel. Svart fågel. Svart. Han tittade upp från tangentbordet. Läste orden på skärmen, "svart fågel". Vad betyder det? Vad är skillnaden? Behövs det ett adjektiv? Går det inte lika bra med bara fågel. Nej, då svävar det där skriket för lätt. Det är inget lätt skrik. Det är ett ångestskrik. Men vem är det som skriker det? Vem var det som skrek det? Det vet jag. Det måste ha varit så.

Telefonen ringde. "Ademar."

"Hur går det?"

Det var hans förläggare. Förläggaren ringde ibland för att fråga om han skrev i stället för att göra onyttiga ting.

"Trögt."

"Ta det lugnt."

"Varför det? Varför ska jag ta det lugnt?"

"Det är lugnt."

Det där lät nästan tröstande. Som om han behövde tröst. Ingen tröst för mig i alla fall.

"Blir jag inte klar med manuset före sommaren blir det nog inte lugnt."

"Du blir klar."

"Jaha? Och det vet du."

"Jag är säker på det, Jacob."

"Jag måste göra mer research om det här, Stefan. Jag kan inte riktigt se... bilderna. Jag kan inte se henne framför mig. När hon försvann. När hon var borta. Jag behöver se det. Förstår du?"

"Ja."

"Se nåt som inte går att se. Som kanske inte finns? Förstår du?"

"Ja."

"Jag tror inte du förstår. Det gör inte jag heller."

"Gör mer research. Gör det."

"Mhm."

"Gå till polisen."

"Jag har träffat polisen."

"Bra."

"Inte på det sättet."

"Nehej?"

"Det är en lång historia. Jag kan berätta den när vi ses."

"När ses vi, Jacob."

"Nästa vecka, kanske?"

"Vad var det där med polisen?"

"Jag orkar inte prata om det nu. Jag satt faktiskt och jobbade när du ringde."

"Du brukar hänga av luren när du skriver, Jacob."

"Jag är lite skärrad. Det var väl därför."

"Vad har du råkat ut för egentligen?"

"Först ett överfall och sen en skottlossning."

"Herregud, vad pratar du om?"

"Verkligheten. Jag pratar om verkligheten. Överfall, skadegörelse, skottlossning."

"Skojar du med mig?"

"Inte just nu."

"Herregud. Vad säger polisen?"

"Ingenting för tillfället. Det är inte säkert att det har hänt."

"Jag förstår ingenting nu."

"Just det. Det måste ha hänt för att man ska förstå. Men hittills har det bara hänt i min verklighet. Och det räcker inte. Det måste ha hänt i andras också."

"Vadå?"

"Skottlossningen, för helvete!"

"Hur är det, Jacob? Är du…"

"I balans? Är det vad du ville säga? Jajamän, här är vi i balans. Lite svårt att skriva just nu, men i balans är vi."

"Var hände allt det här?"

"Utanför förstukvisten."

"Utanför huset? Huset du hyr?"

"Absolutamente. Grannen och jag drar inte jämnt, som det heter. För det heter det väl? Det är du som kan SAOL bättre än nån annan. Dra jämnt, va? Det är en lite mer genomskinlig språkform, eller hur?"

"Där kan du ju inte bo, Jacob."

"Varför inte? Har det inte hänt så är det lugnt. Helt lugnt."

Förläggaren hade ingen kommentar till det. Där fick han så han teg, tänkte Ademar. Det är svårt att få honom att tiga.

"Jag kanske börjar bli galen", sa Ademar. "Det här är kanske dom första tecknen."

"Inte galnare än andra", sa förläggaren.

"Vad vet du om det, Stefan?"

"Jag har med författare att göra hela dagarna."

Han levde ett normalt liv. Han hade sitt eget hus. Han hade levt ett normalt liv. Det kanske var lite ensamt, men det ville han inte tänka på, det hade han nästan glömt bort. Men det var normalt: Han gick upp på morgonen och han gick och la sig på kvällen. Däremellan arbetade han, han arbetade hårt. Han hade glömt. Någon annan hade inte glömt. Det börjar med ett telefonsamtal. Det brukar antagligen göra det, ett telefonsamtal eller ett brev. Ett mejl kanske. En röst den här gången. Hans namn. Ja? Hans namn igen, som en bekräftelse. Vad rör det sig om? Vill du ha ett möte? Var? När?

Kommer du ihåg. Det var bland det första han fick höra. Kommer du ihåg det du har glömt.

Varför nu? Varför kontaktar ni mig nu? Eller vad det ska kallas.

Du var inte ensam därute. Det var ingen fråga.

Jag vet inte vad ni pratar om.

Fler såna saker. Ett brus i huvudet. Som storm. Vågorna som bröts sönder mot klipporna. Klipporna som bröts sönder.

Bilen på bron. Plötsligt hade den varit där.

Allt hade kommit tillbaka.

Det här är utpressning. Det finns valmöjligheter även vid utpressning. Inte nu, inte här, inte den här gången.

Inte ens vi vet vad som hände efteråt. Det behöver vi inte veta. Vill du berätta är det inget problem.

Jag har inget att berätta. Jag var inte där. Det andra minns jag inte.

Någon minns. Det här är vad du ska göra. Du ska inte ställa några frågor om varför. Det finns inga varför.

Vad händer sen? Efteråt? Och han gick ut i solskenet och det svepte in honom som brinnande olja. Han kunde inte andas längre. Det kändes som om han sjönk. Han stod vid en träbänk. Han hade gått på promenaden utefter älven. Det fanns inget minne i hans huvud av att han kommit dit. Det fanns inget minne alls. Åt helvete med minnet! Åt helvete med allt. Åt helvete med den jävla bron. Han kunde se den just nu, som ett monster av stål. Åt helvete med honom, med det han hade gjort. Åt helvete med allt förflutet. Det fanns bara död i det förflutna. Han satte sig på bänken. Det fanns tårar i hans ögon. Ett ungt par gick förbi med en barnvagn. Killen hade ett stort skägg. Flickans hår var långt och blont. Hon såg mycket ung ut. Han visade inte sitt ansikte. Han önskade att tårarna skulle göra honom blind. Han hörde måsar. Han hörde ett fartyg därute, som en rosslande val. Han hörde flickans skratt.

Morgonen kom med solsken. Himlen var blå från Östra sjukhuset till Saltholmen. Ljuset var starkt i ögonen. Erik Winter drog på sig solglasögonen när han gick över Vasaplatsen. Kiosken i södra delen av platsen såg ut som en svart hydda. Folk gick in i och ut ur skuggorna. Själv gick han Vasagatan österut och nickade till svar mot en man som nickade mot honom när de möttes på trottoaren. Han hade inte känt igen ansiktet i skuggan. En flyktig bekant,

någon han gripit någon gång kanske, förhört i det gamla förhörs-
rummet på bottenvåningen vid Ernst Fontells plats där ljuset var
opålitligt fastän det var elektriskt. Det skapade mera skuggor än
det levande ljuset. I dag höll han aldrig förhör i elektriskt ljus om
det kunde undvikas. Folk var sämre på att ljuga i dagens levande
ljus. Det var svårare att gömma sig, gömma sitt ansikte. Ljuset var
inte gult. I gult ljus kunde man komma undan, tänkte han när
han korsade Avenyn. Han tänkte också på att han inte hade ont i
huvudet. Det kanske var över.

Halders hade varit först till sammanträdesrummet. Han vände sig
om när Winter klev in.
"God morgon, herr Winter."
"Det där lät som en filmtitel", sa Winter och satte sig vid bor-
dets ände. Det var hans plats. Chefens plats. Han hade varit chef i
det här rummet också när Sture Birgersson varit rotelns formelle
chef. Men Birgersson höll endast möten inne i sitt rum, och nu var
han borta. Kvar fanns bara lukten av tobak. Rummet stod tomt.
Ingen visste egentligen varför.
Aneta Djanali klev över tröskeln.
"Vilken dag", sa hon och nickade mot fönstret. Ljuset var vitt av
morgonsolen. "Det är indiansommar."
"Det är gangstersommar", sa Halders och gestikulerade ut mot
dagen över staden. "Det är vad vi har därute." Han tog ner armen.
"Och dom blir bara fler. Till skillnad från indianerna. Vi kan inte
utrota gangstrarna. I bästa fall försöker dom utrota sig själva, men
det är i den bästa av världar." Han tittade ut genom fönstret. "Och
den har vi inte."
"På tal om det", sa Winter, "vad var det egentligen som hände i
går kväll i ert grannskap?"
"Har du pratat med Lars eller Bertil?" frågade Aneta Djanali.
"Jag träffade Bertil tidigare, men jag åkte hem innan det här
hände."
Aneta Djanali tittade på klockan som hängde på väggen. Den
hade suttit där sedan huset byggdes för länge sedan. Hon visste

inte för hur länge sedan. 60-talet? 50-talet? Borde hon inte ha tagit reda på det? Var hon inte mer intresserad av sin arbetsplats? Fast det var egentligen inte hennes arbetsplats. Den var därute, i gangstersommaren.

"Teknikerna är därute nu", sa hon.

"Torsten muttrade nåt", sa Halders. "Han var visst inte övertygad om värdet."

Torsten Öberg var visserligen ställföreträdande chef på tekniska roteln, men precis som Winter förut var han i praktiken den som bestämde över allting operativt på sin rotel.

"Han kan inte få ett mord varje gång", sa Winter.

"Skottlossning är rätt allvarligt, anser jag", sa Aneta Djanali. "En person kanske blev beskjuten."

"Kanske?"

"Det var så han själv uppfattade det."

"Eller så var dom eventuella skotten avsedda för grannen", sa Halders.

"Jaha?"

"Vi får se om Torstens folk hittar några kulor."

"Grannarna var visst inte bästa vänner", sa Aneta Djanali.

"Vad säger grannen?" frågade Winter.

"Vilken av dom?"

"Jag vet inte. Red ut det, är ni bussiga."

"Han som kanske fick kulor i sitt hus heter Bengt Sellberg. Han som stod utanför när kulorna kanske visslade förbi heter Jacob Ademar", sa Aneta Djanali.

"Då är jag med", sa Winter.

"Svårare än så är det inte", sa Halders.

"Plus att vi hittat ägaren till bilen", sa Aneta Djanali.

"Bilen?" sa Winter.

"Det stod en bil utanför Sellbergs hus", sa Aneta Djanali. "Volvo V70. Den tillhör varken Sellberg eller Ademar."

"Vem tillhör den då?"

"En man som heter Jan Richardsson."

"Jaha?"

"Han är politiker. Kristdemokratiskt kommunalråd, för att vara exakt."

"Borde man känna till honom?" sa Winter.

"Han förekommer i spalterna då och då. Som politiker, alltså."

"Bor han också i området?"

"Nej."

"Vad gjorde han där då?"

"Vi vet inte. Tycker du vi ska fråga honom?"

Winter såg en mås sväva förbi utanför fönstret, om nu måsar verkligen svävade.

"Jag ska ta ett snack med Torsten först", sa han. "Om det varit nån skottlossning. Han som hamnade i kulregnet... verkar han normal?"

"Han är visst författare", sa Aneta Djanali.

"Är det svar på frågan?"

"Han verkar normal. Jag vet inte hur författare är annars, men dom kanske är normala, dom flesta."

"Vad skriver han?" frågade Winter.

"Ingen aning. Jag frågade honom inte."

"Vad hette han nu igen?"

"Ademar. Jacob Ademar."

"Ovanligt namn. Honom har jag inte hört talas om."

"Han kanske bara kallar sig författare", sa Halders.

"Varför skulle han göra det?" frågade Winter.

"Han kanske vill göra sig viktigare än han är."

"Då borde han väl välja nåt annat än författare?" sa Aneta Djanali.

"Vad borde han välja då?"

"Tja, polis till exempel", sa Halders.

"Jag går upp till Torsten", sa Winter och reste sig.

"Gangster", sa Halders. "Författaren borde kalla sig gangster."

Roger Edwards bil var fortfarande kvar i undersökningsgaraget. Winter stod bredvid den. Solskenet utanför hade letat sig in genom de höga fönstren uppe vid taket. Garaget såg ut som ett garage. Men mekanikerna här var mer intresserade av att montera ner bilar än att sätta ihop dem.

"Den är noggrant rengjord", sa Lars Östensson, teknikern.

Winter nickade.

"Som om vi skulle leta efter nåt", sa han.

"Det enda jag hittat är det där", sa Östensson och nickade mot en bänk. "Det låg under baksätet. Till vänster. Bakom sätet med kulhålet."

Winter gick bort till bänken och tog upp det lilla föremålet i sin plastpåse.

"Ett kors", sa han.

"Ja, nånting åt det hållet. Ser ut som en medalj."

Föremålet var bara några centimeter i diameter. Det var tillverkat i metall, eller silver och guld, eller något billigare. Det var inte tungt.

"Fanns det nån kedja?" frågade Winter.

"Nej."

"Jag får fråga Edwards."

Han tog fram mobiltelefonen ur kavajfickan och slog ett nummer. Han hörde Edwards svara efter andra ringsignalen.

Han beskrev föremålet. Korset.

"Det är inte mitt", sa Edwards. "Det har jag aldrig sett."

Winter höll upp korset mot ljuset. Det hade ett öga som betraktade honom. Han hade inte upptäckt det förut.

"Nån du känner kan ha tappat det", sa Winter.

"Tror jag inte."

"Varför inte?"

Edwards svarade inte.

"Varför inte?" upprepade Winter.

"Ska ni inte börja koncentrera er på biltjuvarna snart?" sa Edwards. "Och den som sköt? Förresten kan ni behålla bilen. Jag vill inte ha tillbaka den."

9

LOBBYBAREN PÅ HOTEL 11 gick i svart och rött. Han kunde se folk röra sig in och ut genom dörrarna till Café Eriksberg. Klockan var inte mer än elva, men många skulle redan äta lunch. Vad var det för människor som åt lunch klockan elva på förmiddagen? Själv satt han med ett litet glas caffè latte framför sig och det kändes som en tillräckligt kraftig frukost.

Ljuset därute skar sig igenom de nya gatorna i Västra Eriksberg. Det var en stilla förmiddag. Han hade gått utefter Maskinkajen i solen och sett fartygen långsamt röra sig ute på älven. Alla sa att hamnen var död, men inte vad han kunde se. Han visste annat som var dött. Eller snart skulle vara dött. Men det tänkte han inte på då, på kajen, och inte när han korsade Eriksbergstorget och gick in i hotellets lobby.

Nu såg han mannen närma sig innan han såg honom. Han tittade på sitt armbandsur. Perfekt.

Mannen satte sig i den svarta skinnfåtöljen bredvid och nickade mot hans kaffeglas.

"Är det varmt?"

"Tja, det var varmt när jag fick det."

Mannen såg sig om.

"Finns det nån personal på det här stället?"

"Nånstans."

Mannen reste sig och gick över lobbyn och in i matsalen. Glasväggar överallt. Inga ytor att dra sig undan till. Men de behövde inte dra sig undan nu. Inte än. Och inte här.

Mannen kom tillbaka.

"Hittade du nån?"

"Kaffet är på väg." Mannen tittade på hans glas. "Du kanske vill ha en till?"

Han skakade på huvudet.

"När blir det, Lejon?"

Han ryckte till.

"Vad är det?"

"Fan vad du var rakt på sak."

"Är det inte vad det handlar om?"

En servitris kom med den andre mannens kaffe. Det var en cappuccino. Mjölkskummet stod högt över koppen. Lejon kunde se chokladflagorna på toppen. Det där var en kraftig frukost. Han mådde inte alldeles alldeles hundra procent. För mycket konjak sent i går. Det var Djävulens dryck, till och med värre än whisky.

Christian Lejon, gangster. Han gillade det där uttrycket. Det var gammaldags, och han tyckte ibland om gammaldags saker. Gammaldags metoder. Ibland gick det för fort i den nya världen. Man hann inte njuta av arbetet. Men tack ändå Djävulen för internet. Det var sannerligen en gåva till organiserad brottslighet. Tekniken gjorde allt lättare att organisera.

"Trivs du härute, Lejon?"

Han svarade inte. Idioterna fortsatte att strömma in i och ut ur lunchmatsalen. Den var som en hangar. Det handlade om utfodring. Eller hette det infodring?

"Det börjar bli mycket folk härute", sa den andre mannen.

"Det byggs som fan."

"Jag ser det."

"Pålkranarna går varma utanför mitt sovrumsfönster."

"Så är det att leva mitt i framtiden."

"Vi är inte där än."

"När är vi där, Lejon?"

"Om mindre än två veckor."

"Jag önskar att det kunde gå lite snabbare."

"Det är andra saker som… måste falla på plats först."

"Vad är det för andra saker?"

Lejon svarade inte. Han tänkte på mannen som skulle göra en

85

av de andra sakerna. Han hade inte svarat när han ringt för en timme sedan. Och han hade ringt igen för en kvart sedan. Inget svar. Han trodde inte att han försökte lura honom. Eller vad det skulle kallas. Komma undan. Han kunde inte komma undan. Det visste han ju. Varför svarade han inte? Har han redan gjort det? Nej, då hade jag vetat.

"Vet du att nån körde på min bil?" sa han och drack en klunk av latten, men den var kall och han gjorde en grimas och satte ner glaset igen.

"Nej, det visste jag inte. Tråkigt för den personen." Mannen log. "Vad hände?"

"Jag vet inte. Det var en smitare."

"Ännu tråkigare."

"För honom, ja. Eller henne."

"Du vet inte vem det är?"

"Nej, inte än. Men jag kommer att få reda på det."

"Hur då?"

"Jag vet bara att jag kommer att få reda på det."

Till exempel visste han nu vilka som hade förhyrda platser i garaget på Nordenskiöldsgatan där bilen som kört på hans bil kommit ifrån. Det skulle ta lite tid förstås, men han hade folk som kunde hjälpa honom. Det handlade bara om systematiskt arbete. Att eliminera. De skulle eliminera en efter en. Han log. Inte eliminera på det sättet. Bara en. Han skulle bara behöva eliminera en person på det klassiska sättet.

"Vad ska du göra då?"

Lejon svarade inte. Genom hotellobbyns glasväggar kunde han se torget, och piren bortanför, hållplatsen för Älvsnabben som var den lilla färjan som oändligt långsamt, och komiskt sällan, fraktade folk över älven mellan centrum och här. Han hade aldrig tagit den. Han skulle aldrig ta den, vad han visste. Men den andre hade kommit hit med den.

"Hur var det att åka båt?"

"Trevligt. Jag ska äta lunch på Sjömagasinet sen. Restaurangen ligger ju vid färjeläget."

"Ja, det är inte många steg."

"Du får gärna göra mig sällskap."

"Jag äter aldrig lunch före sex."

"Då kallas det middag, Lejon."

"Säg det till en spanjor."

"Jag känner inga."

"Colombian då."

"Ja, det känner jag ett par." Han log igen. Det var ett trevligt leende. Det påminde om någon. "Tänk att dom skulle hitta ända hit."

"Det kallas globalisering", sa Lejon.

"Ja, just det." Den andre svepte de sista dropparna i koppen och reste sig. "Trevligt att ses."

"Det är inte över än", sa Lejon.

"Vad menar du?"

"Jag har nånting jag vill visa dig."

"Jaså? Vadå?"

"Hemma hos mig."

"Men vad är det?"

"Du får se."

Winter och Öberg satt på Öbergs rum. Kommissarie Torsten Öberg kliade sig i huvudet. Det var en symbolisk rörelse.

"Vi har inte hittat nåt därute än, Erik."

"Okej."

"Inga kulor, inga hylsor, inga uppseendeväckande skospår i skogsdungen."

"Vad är uppseendeväckande skospår?"

"Tja... efter elefanter i snöskor, till exempel", sa Öberg och log. "Eller marsianer i traditionell fotbeklädnad."

"Hur är den?"

"Uppseendeväckande."

"Okej."

"Nån kanske avlossade ett par skott, men vi hittar inga spår. Inte än, i alla fall. Frågan är om vi ska ge oss in i alla villaträdgårdarna däruppe och leta."

87

Winter svarade inte.

"Vad säger du, Erik?"

"Vi skiter i det. Är teknikerna kvar?"

"Ja, en. Mollis. Han tar ett varv till runt kåken."

"Är ägaren hemma just nu?" sa Winter.

"Ingen aning, faktiskt."

"Lite egendomligt med bilen", sa Winter. "Varför sa den där Sellberg det han sa?"

"Han ville väl inte avslöja ägaren."

"Lite klumpigt."

"Han trodde väl att vi var klumpigare. Eller slarvigare."

"Han känner inte Aneta."

"Han kanske får lära känna henne ännu mer."

"Ja, kanske det."

"Men det stämde att Sellberg hade sin egen bil på verkstad", sa Öberg. "Jag snackade med Bergenhem."

Winter nickade.

Telefonen på Öbergs skrivbord ringde. Han lyfte luren.

"Ja, hallå? Ja? Okej. Okej. Okej, hej."

Öberg la på luren och tittade på Winter.

"Bingo. Mollis hittade en kula i ett träd. Ser färskt ut."

"Bra."

"Vad ska du göra?"

"Prata med bilägaren, Richardsson"

"Det kanske var han som sköt", sa Öberg.

"Och sen skyddar måltavlan honom?"

"Varför inte? Och det fanns väl en tredje part, vad jag förstår."

"Det kanske inte räcker", sa Winter. "Det finns minst en tredje part."

"Du låter nästan hoppfull."

"Det kallas arbetslust, Torsten."

Jan Richardsson var tio minuter försenad. Winter visste inte exakt vad ett kommunalråd gjorde, och han tänkte inte fråga heller.

"Ursäkta att du fick vänta", sa Richardsson.

Winter nickade mot stolen på andra sidan bordet.

"Varsågod och sitt."

Rickardsson satte sig och såg sig om.

"Här har jag aldrig varit", sa han.

"Det är mitt alternativa kontor", sa Winter.

"En bar?"

"Mhm."

"Jaha."

"Vill du ha nåt att dricka?"

"Nej, det är bra." Richardsson såg sig om igen. Winter misstänkte att politikern ville undvika att stöta på någon han kände. Richardsson hade inte velat ta emot på sitt kontor. Det här var känsligt. Winter ville veta på vilket sätt. Det hade räckt med att Winter presenterat sig för att den andre skulle prata om en mötesplats på stan. Han skulle ändå ut. Ja ja.

"Du ville alltså fråga mig om nåt", sa Richardsson.

Han såg normal ut på de flesta sätt; normal längd, normalt hår som inte tunnats synbart, normal kostym, kanske från Holmens Herr. Winter var klädd i en Zegna. Han hade känt för det i morse. Kanske var det för att fira att huvudvärken försvunnit.

"Vad gjorde du i går kväll mellan halv elva och midnatt?"

"Förlåt?"

Winter upprepade frågan. Den andre tänkte medan han frågade igen. Det var så det alltid var.

"Jag var hemma."

"Okej."

Richardsson såg faktiskt förvånad ut.

"Var det allt?" sa han.

"Ja. Var du hemma så var du hemma."

"Ja."

"Men din bil var på annat håll."

"Var den det?"

"Mhm."

"Var var den då?" frågade Richardsson. Han såg inte så intresserad ut. Det var någonting i hans ögon som inte var på plats.

Winter svarade inte på hans fråga. Richardsson såg sig om igen, som om någon hade hört något, eller betraktade dem.

Han tittade på Winter igen.

"Ja, just det", sa han. "Jag lånade ut den."

"Till vem då?"

"En bekant bara."

"Vad heter den personen?"

Gissningsspelet, tänkte Winter. Det är vad det här jobbet går ut på. Jag säger en sak och du säger en sak och sen gäller det att gissa vad det egentligen handlar om.

Richardsson utnyttjade pausen som betänketid. Kanske han lånade ut sin bil till dussintalet personer. Vem lånade ut sin bil i dessa dagar, förresten? Hade inte alla bil?

"Vem lånade du ut din bil till?" upprepade Winter.

"Vad är det som har hänt?" frågade Richardsson i stället. "Har det hänt nåt med bilen?"

"Inte vad jag har kunnat se."

"Var är den?"

"På samma ställe som förut."

"Var är det?"

Winter nämnde adressen.

Richardsson nickade.

"Ja, han lånade den av mig i går."

"Vem?" frågade Winter.

"Han heter Sellberg. Bengt Sellberg. Men det vet du ju vid det här laget, eller hur?"

"Varför lånade han bilen?"

"Varför? Tja, han behövde göra nån transport. Hans egen bil är på verkstad."

"Var?"

"Verkstan? Det vet jag inte. Det får ni väl fråga Bengt om."

Winter nickade.

"Varför ställer du alla dom här frågorna till mig?" frågade Richardsson.

"Det var skottlossning utanför Bengt Sellbergs hus i går natt."

Richardsson rörde inte en min vad Winter kunde se. Kanske såg politikern förvånad ut, men det var inget överspel. Överspel var sällan något för politiker. Det var vad Winter hade upptäckt när han haft med politiker att göra i sitt arbete. Utom när överspelet var noggrant kalkylerat.

"Skottlossning?" sa Richardsson.

"Ja."

"Blev nån skadad?"

"Nej."

"Vad hände?"

"Befann du dig där nån gång i går?" frågade Winter.

"Jag? Nej."

"Var befann du dig?"

"När?"

Winter gav honom några tider att välja på. Politikern fick gott om tid.

"När det gäller kvällen så var jag hemma", sa han.

"Hela kvällen?"

"Ja."

Han ljög, politiker eller inte. Det var inte så svårt att se. Politiker var kanske inte så bra på att ljuga. Men de hade ännu större problem med sanningen. Men Winter tänkte inte låta sig styras av fördomar här.

"Vem kan intyga att du var hemma?"

"Måste vi ens prata om det här? Det är nästan... förödmjukande."

"Vem kan intyga det?" upprepade Winter.

"Alibi, menar du?"

Winter svarade inte.

"Min fru", sa Richardsson och såg ut genom fönstret. Han hade slutat se Winter i ögonen. Ett medelålders par gick förbi. Mannen sa något och kvinnan nickade. De gick över gatan. En spårvagn passerade där de gått.

Hon vågar inget annat, hans fru, tänkte Winter. Richardsson räknar med henne. Fan heller att han var hemma hela kvällen i går.

20.55

VATTEN KAN VARA GRÖNT ELLER SVART. Blått, kanske. Vitt. Alla dom färgerna, men på botten är det svart. Där finns inga andra färger. Men svart är ingen färg, det är motsatsen. Precis som vitt inte är en färg, utan motsatsen till alla andra färger.

Hon tyckte om färger. Hon hade aldrig ens tänkt på en färglös värld. Så tråkigt. Som en svartvit film som inte hade nåt innehåll. Bara bilder och rörelser och människor som inte verkade ha ett riktigt liv. Eller vad det skulle kallas. Hon visste inte vad ett riktigt liv var. Fanns det nån som visste det?

Att simma under den blå himlen var ett riktigt liv. Den varma vattnet. Det blev varmare ju längre ut hon kom i bukten. Det var konstigt. Kanske skulle det bli kallare igen när hon kom närmare den andra sidan.

Jag vill komma över till den andra sidan, tänkte hon. Jag är snart där.

"Hur har du kommit till den här stranden?"
　"Jag simmade."
　"Simmade? Varifrån?"
　"Från andra sidan ön."
　Han såg imponerad ut.
　"Du är duktig."
　"Tack."
　"Var det ingen som såg dig?"
　"Jag… tror inte det."
　"Du vet väl att du inte får göra såna saker?"
　"Ja…"

"Det kunde gått illa för dig."

"Jag kan simma. Jag kan simma långt!"

Han tittade ut över viken. Han höll handen för ögonen för att inte bländas av solen. Det var som om solen blivit vitt vatten som hade sköljt över klipporna.

Ingen fanns där som skulle ropa efter henne. Hon var trött på ropen, skriken ibland. Att hon aldrig fick vara ensam. Det var det hon längtade efter mest. Att få vara ensam. Inte att känna sig ensam, det var hon van vid. Men att bara få vara för sig själv. I ett eget rum. På en egen strand. Ett eget hav.

"Vi kan segla tillbaka", sa han. "Jag har en båt härnere."

"Är det långt? Jag har inga skor."

"Nej. Och det går en mjuk stig rakt genom buskarna därborta. Där finns inga klippor."

Han nickade mot buskarna.

"Okej", sa hon.

Det doftade gran och tall därinne. Hon kunde inte riktigt avgöra vad som var vad. Det luktade sol, hur nu det luktade. Sånt gick inte att beskriva.

Det hördes nästan ingenting därinne.

Han gick framför henne, och ett par gånger vände han sig om och log. Hon log tillbaka.

"Det är nästan som ett rum härinne", sa han.

Och just då trodde hon att hon kände igen honom. När han sa det där. När han log.

"Jobbar du därborta?" frågade hon. "Nej, jag menar… har du jobbat där?"

Han stannade, och vände sig om.

"Varför frågar du det?" sa han. Han log inte nu.

"Jag vet inte… jag tyckte jag kände igen dig."

"Nej", sa han. "Du känner inte igen mig."

Hon tyckte det var konstigt att han sa så. Hur kunde han veta om hon faktiskt kände igen honom? Men nu var hon inte alls säker på att hon gjorde det. Han hade som ett annat ansikte nu.

Han vände sig om igen så att hon inte kunde se hans ansikte. Hon kunde fortfarande inte se havet.

"Var är båten?"

"Den ligger på andra sidan tallarna därborta."

Han pekade.

"Har du verkligen en båt?" frågade hon.

"Varför skulle jag inte ha det?

Han såg förvånad ut.

"Jag vet inte", sa hon. "Varför har du den inte på den här sidan?"

"Det blåser för mycket."

"Det märkte jag inte."

Han hade fortsatt att gå medan de fortsatte att prata. Hon pratade med hans rygg.

"Hur långt är det kvar?" frågade hon.

10

RICHARDSSON RINGDE SAMTALET direkt när han kom tillbaka från mötet med Winter. Slipsen kändes trång runt halsen.

"Vad ska man göra åt det här?" sa han.

"Det finns inget att göra. Vi ska inte göra nåt. Vad sa du till honom?"

"Jag sa ingenting."

"Frågade han inte?"

"Nej. Han verkade inte intresserad. Han sa att jag kunde hämta bilen nu."

"Sa han det? Ja, den står kvar."

"Jag skulle föredra om du kör in den till stan."

"Var vill du ha den?"

"Vanliga stället."

"Okej."

"Jag behöver den i kväll."

"Vad ska du göra då?"

"Hur så? Jag ska skjutsa min son till ishockeyn."

"Har den kört igång redan?"

"Ja."

"Tja, det finns ju ishallar överallt numera. Det går ju att spela hockey året om. Förresten, jag kanske kommer och tittar nån kväll."

"På vadå?"

"När han spelar, förstås."

Herregud, var det han som hade hållit i pistolen? Var det han som hade skjutit? Det var som om han stått bredvid och betraktat sig själv när han höjde vapnet.

Och den andre… vad gjorde han där? Var kom han ifrån? Han bara dök upp.

Och sen allt det andra.

Han hade fortfarande pistolen.

Han hade egentligen inte använt den.

Men nu visste dom i alla fall. Att han kunde skjuta. Dom kanske trodde att det var ett test. Och det var ju ett test. Han visste inte på vad, av vad. Men ett test. Han tittade på vapnet. Det var svart och såg elakt ut. Och jag måste gå tillbaka dit. Eller nån annanstans. Förstår han varningen? Han kanske flyttar till andra sidan jordklotet. Måste jag följa efter då?

Christian Lejon stod vid sitt fönster. Hans gäst stod bredvid. Därute arbetade tusen man med bygget av nya kvarter.

"Herregud, hur länge ska det där hålla på?" sa gästen.

"I åratal."

"Hur står du ut?"

"Man vänjer sig. Och det ger en känsla av anonymitet också." Han vände sig mot gästen. "Man kan komma och gå och inte en jävel bryr sig."

Gästen pekade ut över husgrunder och lera och betong och öppna ytor som nu skulle förtätas. Över allting tornade ett monster.

"Vad är det där?"

"Det är bockkranen. Eriksbergsvarvets stora kran."

Solen reflekterades i den brandgula kranen. Den såg levande ut.

"Ett minne", sa Lejon. "Ett minne från förr."

"Den är vacker på nåt sätt."

"Naturligtvis."

"Får du inte dåligt samvete ibland när du ser den, Christian?"

"Varför det?"

"Den påminner om hederligt arbete."

"Ja, där har du rätt."

"Svett och blod."

"Blod?"

"Varvsarbete var farligt."

"Hur vet du det?"

"Det har jag läst."

"Du vet inte ett skit", sa Lejon. "Du har inte läst ett skit. Min pappa var varvsarbetare."

"Det visste jag inte."

"Härute. På Eriksberg."

"Åh fan."

"Han dog här."

"Vad säger du?"

"Han ramlade ner från en ställning."

"Det var tråkigt att höra."

"Därför ville jag bo härute."

"Är det sant?"

"Varför skulle det inte vara sant? Va?"

"Jag vet inte."

"Tror du jag står och ljuger, va?"

"Nej, nej. Lugna ner dig." Gästen vände sig från fönstret. "Det var nåt du skulle visa mig, Christian. Du har visst gjort upp en ny plan när det gäller affären."

Huvudvärken slog till när han stängde dörren efter sig. Plötsligt såg tegelväggarna i korridoren hotfulla ut, som om de skulle skada honom. Han hade aldrig tyckt om väggarna, han hade aldrig förstått varför de såg ut så. Vad hade arkitekten menat? Fanns det en symbolik här som han inte förstod?

Nu höll han i väggen.

"Vad är det, Erik?"

Han såg Aneta Djanalis ansikte framför sig, men det var suddigt. Hans syn verkade inte fungera på vänster öga, det var där smärtan fanns. Hennes ansikte var mer som en skugga än en gestalt.

Nu gled smärtan undan.

"Det är bra, Aneta."

"Bra? Det ser jag väl att det inte är bra! Hur mår du?"

"Bättre nu än för en minut sen."

Han masserade området ovanför vänsterögat.

"Varför går du inte till läkaren?"

"Det är bara nån... migrän."

"Har du haft migrän förut?"

"När då, menar du?"

"När du var ung. Yngre. Förut. Du fattar väl vad jag menar?"

Hon lät irriterad. Winter var inte van vid att höra Aneta irriterad.

"Jag vet inte", sa han och tog ner handen.

"Vad säger Angela?"

"Vad skulle hon säga?"

Det lät som om Aneta Djanali suckade.

"Det gick över snabbt i somras, och nu fick jag bara en liten attack", sa Winter.

"En liten attack?"

Han började gå. Hon stod kvar.

Winter kände ingenting i huvudet nu. En liten attack. Den skulle inte komma tillbaka. Varför skulle han gå till en läkare? Han hade en hemma. Hon kunde skriva ut nåt. Migrän kunde man få i alla åldrar. Hans lilla mamma hade haft migrän.

Det börjar med en knappnål och slutar med en silverskål. Var det så ramsan var? Hans mamma brukade säga så. Lejon hade sitt minne av köket i Kungsladugård. Han mindes pappa när han satt där på kvällen när han kommit hem från varvet. Ibland hade de gått och mött honom nere i Klippan. När färjan var på väg hem med alla varvsarbetarna från Eriksberg. Han hade börjat vinka långt innan båten lagt ut från andra sidan! Mamma hade skrattat. Han hade vinkat den kvällen också, förstås. Han hade vinkat till en död pappa. Pappa hade inte varit med på den resan. Alla hade gått av och han och mamma hade stått och väntat, till och med när färjan la ut igen. Som om pappa skulle komma gående på vattnet från andra sidan. Mamma hade frågat någon men fått ett svar hon inte förstod. Det fanns inga mobiltelefoner då. De hade

inte ens telefon. De fick vänta tills nån kom hem, hem till Stilla ga-
tan. Han kunde fortfarande minnas tystnaden efteråt. Den skulle
aldrig försvinna. Han bar den fortfarande med sig inne i huvudet.
Det var alltid tyst därinne, det gick inte att komma bort från det.
Inte ens när han omgav sig med ljud, höga ljud. Han hade flytt ut
till havet, eller så nära det han kunde komma. Efteråt. Där fanns
en tystnad som han inte behövde försöka fly undan. Han kunde
lyssna på havet i timmar. Han levde i det. Han såg döden i det.

Bergenhem knackade och kom in. Winter tittade upp från laptop-
en. Han letade vapen. Det fanns massor. De skulle kunna bygga
nya berg i Göteborg med alla dessa nya vapen som flödade in som
havet och älven. Nya klippor, skrevor. Raviner. Panasonicen spe-
lade Lars Jansson Trio, "The sky is there". Himlen utanför fanns
kvar. Solen var bakom husen nu, på väg ner i havet. Winter hade
sett den sjunka bakom den taggiga horisontlinjen som var stadens
byggnader. Han hade inte känt någon smärta. Allt var stilla. Han
längtade inte till någon annanstans just då, i den minuten.
    "Har du en minut?" sa Bergenhem.
    "Naturligtvis", sa Winter och drog ner datorns lock. "Sätt dig."
    Bergenhem satte sig och log ett kort leende, som om det bara
flög förbi. Hans ögon innehöll inget leende. De hade inte gjort det
på länge. Winter hade noterat det. Lars gick som under ett svart
moln. Han hade gjort det då och då så länge Winter känt honom,
men molnet hade blivit större den senaste tiden. Det fanns där
under längre perioder.
    "Kan jag hjälpa dig med nåt, Lars?"
    Bergenhem tittade på honom. Det svarta molnet hängde över
honom, Winter kunde nästan se det. Snart kanske det skulle börja
regna. Han ville inte ha översvämning i sitt rum.
    "Berätta vad det är", sa Winter.
    "Du låter som en förhörsledare", sa Bergenhem. Winter såg
smärtan i Bergenhems ögon. Det var inte huvudvärk.
    "Är det nåt med jobbet, Lars?"
    "Vad skulle det annars vara?"

"Jag vet inte. Jobbet är ju inte allt."

Nu var det Winters tur att le.

"Jag funderar på att sluta", sa Bergenhem.

Han sa det hastigt, som om det måste ut och det snabbt. Det är så när man gått omkring och tänkt på nåt mycket länge. Winter hade kanske förväntat sig det. Han var inte chockad. Folk slutade. Det hände i alla yrken. Man gjorde nåt annat. Livet var inte utstakat från tjugoårsåldern, skulle inte vara det. Men han ville inte förlora Lars.

"Det är inte första gången, eller hur?"

"Nej."

"Men du har inte sagt nåt till mig förut."

"Nej."

"Så varför nu?"

"Jag vet inte, Erik. Jag vet faktiskt inte."

"Du skulle bli min första förlust här", sa Winter. "Som chef efter Sture."

"Det har inget med det att göra. Det vet du."

"Vad har det att göra med, Lars?"

"Jag vet inte, som jag sa."

Bergenhem såg ut att resa sig men satt kvar, sjönk tillbaka ner i den obekväma stolen. Tiden hade plötsligt gått fort. Det hände något nu och här, kanske var det livsavgörande för mannen som satt mitt emot honom. Lars hade samma ansikte som han alltid hade haft. Winter hade sett honom nästan varje dag i tio år, och då upptäcker man inte om någon åldras. Lars skulle alltid vara en junior i gänget som varit med från början. Han var långtifrån yngst på roteln numera, men han var alltid den yngste för Winter. Kanske hade Winter sett deras relation utvecklas till något liknande den han haft med Ringmar. Bertil hade tagit sig an honom och han hade försökt ta sig an Lars. Inte som en far men som en äldre bror. Han visste inte om Lars hade någon äldre bror. De hade aldrig talat om det. Han visste nästan ingenting om hans familj, hans bakgrund. Kanske har jag misslyckats. Jag har misslyckats om Lars vill lämna mig. Det var så han såg det. Lämna honom. Inte roteln. Det var personligt. Det var inte professionellt.

"Jag har på nåt sätt tappat lusten för jobbet", sa Bergenhem.

"Är det nåt särskilt som hänt?"

"Nej."

"Har du känt så länge?"

"Kanske."

"Det är inget bra svar, Lars."

"Jag har inget bra svar, Erik. Det är det som är problemet."

"Ibland finns det inga bra svar", sa Winter. "Vi skiter i bra svar. Vill du ha ledigt ett tag?"

"Nej."

"Varför inte?"

"Jag har inget bra svar på det heller."

"Vara hemma ett tag med familjen."

Bergenhem svarade inte på det.

"Hur är det med familjen?" sa Winter så mjukt han kunde.

"Det är bra."

"Ada måste väl vara elva snart?"

"Ja."

"Jag hörde att hon rider ute i Alleby."

"Ja, hur vet du det?"

"Det kommer jag inte ihåg. Men Elsa vill börja. Du kanske har nåt tips."

"Det vet jag inte, Erik."

"Jag är rädd för hästar", sa Winter.

"Det är jag med."

"Jag hade hoppats på din hjälp."

"Tyvärr."

"Du kan väl hänga med ut första gången i alla fall. Du och Ada."

"Jag kanske flyttar från stan", sa Bergenhem.

"Va?"

"Jag kanske flyttar från stan."

"Nu chockar du mig. Flytta från Göteborg? Finns det människor som gör sånt?"

"Jag kan inte skämta om det", sa Bergenhem.

"Men jag skämtar inte. Vart skulle ni flytta då?"

"Jag… flyttar ensam i så fall."

"Har du pratat med Martina om det här?"

"Nej, inte än."

Telefonen ringde. Winter funderade på att ge fan i att svara. Bergenhem såg lättad ut när telefonen skrällde igen. Han hade kommit hit för att prata, men han ville inte vara kvar längre. Winter hade misslyckats med att fortsätta samtalet. Han fick skylla på telefonen. Han lyfte den.

"Ja?"

"Det verkar vara samma ammunition, Erik." Det var Öberg. "Preliminärt, i alla fall."

"Samma som från bron?"

"Ja. 7.62-kaliber. Tokarev. 7.62 gånger 25."

"Tokarev?"

"Ja. Den påminner ju om 9-millimeter, men det här är Tokarev."

Winter tittade på sin laptop. Han hade läst om Tokarev minuterna innan Bergenhem steg in i rummet. Det fanns gott om Tokarevpistoler i Göteborg nu.

"Så vad du säger är att det är samma typ av kula i bilen på Älvsborgsbron som den vi fann vid Sellbergs hus?"

"Vi hittade flera där", sa Öberg. "Två till, i huset denna gång. Och dom matchar."

"Okej."

"Och en hylsa i skogsdungen."

"Bra. Men kanske lite förvånande."

"Verkar lite amatörmässigt, menar du?"

"Ja."

"I vilket fall, jag skickar iväg kulorna till SKL nu."

"Mhm."

"Har vi tur är det samma vapen."

"Ibland har man tur."

"Det är inte prioriterat, Erik. Jag kan inte hetsa dom. Tokarevmodellen är inte alltför ovanlig. Det kan ju bli prioriterat beroende på hur fallet utvecklas. Vi hörs."

Winter la på. Bergenhem hade rest sig. Winter reste sig också.

"Samma ammunition", sa han. "Ja, du hörde ju."

Bergenhem nickade.

"Det vore mycket tråkigt om du lämnade oss, Lars."

Bergenhem ryckte till.

"Jag har faktiskt börjat tänka på det."

"Var skulle du vilja jobba?"

"Jag menar… jag skulle inte jobba som polis mer."

"Vad tänker du dig då?"

"Så långt har jag inte kommit än."

"Vad är det du tycker sämst om i det här jobbet?"

"Det var en rak fråga."

"Säg nåt."

Bergenhems blick gled genom fönstret. Himlen var brandgul ovanför fasaderna. Bergenhem såg tillbaka på Winter.

"Dom döda", sa han. "Jag vill inte se några fler döda människor. Eller nästan döda."

"Vad menar du med det? Nästan döda?"

"Ja, vad menar jag med det… Ibland är det som att gå omkring i en värld av döda och nästan döda i det här jobbet. Nåt slags… dödsskuggans dal. Det handlar så mycket om död. Det handlar alltid om död. Det är så jag tycker nu. Är det inte död så är det… en nästandöd. Jag kan inte förklara det."

"Jag kanske förstår vad du menar", sa Winter.

"Och det här är ju mitt liv", fortsatte Bergenhem som om han inte hade hört Winter. "Det är mitt liv, men det handlar mest om död."

"Jag har tänkt så också."

"Du har ju haft möjlighet att… bryta av, Erik."

"Det kan du också göra."

"Jag vet inte om det räcker för mig."

"Pröva."

"Vad ska jag göra då?"

"Låna min mammas hus i Spanien."

"Är det ett skämt?"

"Nej. Hon aviserar hemkomst vilken vecka som helst. Hon vill vara hemma ett längre tag. Huset står ledigt."

"Vill du ha iväg mig?"

"Har jag nån nytta av dig nu?"

Bergenhem svarade inte.

"Ta med familjen och åk ner ett par veckor och känn efter."

"Jag har inte råd."

"Visst har du det."

"Du får det att låta så enkelt."

"Är inte det bra?"

"Ada går i skolan."

"Du kan undervisa henne i hemmet."

"Skojar du?"

"Absolut inte."

"Martina jobbar."

"Vill du att hon ska följa med?"

Bergenhem ryckte till igen. Han var förvirrad. Winter kanske anade hans förvirring. Det var inte enkelt. Det var aldrig enkelt. Man kunde låtsas, eller försöka. Ibland var enkelhet något bra, men det fanns många olika sorter. De bästa var de som fick saker att klarna.

Det var aldrig enkelt, det var aldrig lätt. Ingen hade sagt det heller. Hon hade inte begärt det. Hon hade bara gjort det som kändes rätt. Det hade känts rätt att bli tillsammans med honom. Att leva med honom.

Nu kändes det inte riktigt rätt längre. Hon visste inte varför.

Och på ett sätt kändes detta helt fel. Det hon kände var kanske obegripligt. Nu. Nu när Fredrik hade börjat mogna till man. När han blivit en man. När alla hans frustrationer och... maror börjat blekna. När den där skiten börjat ersättas av något annat.

Då blev hon plötsligt osäker.

Då kände hon någon sorts frustration.

Som om hon plötsligt ville vara ensam igen. Leva ensam. Gå och lägga sig ensam, vakna upp ensam.

Herregud, hur skulle det fungera på jobbet? Skulle det fungera alls?

Men det var inte det viktiga.

Det viktiga var dom själva. Hon och Fredrik. Och Hannes och Magda. En familj. När hon tänkte så började hon gråta. Och just då klev han in i köket.

"Vad är det, Aneta?"

Hon svarade inte. Hon vände sig mot fönstret. Därute fanns bara resten av världen. Det var så hon kände just nu. Det var bara en rest. Allt som var viktigt i hennes liv fanns i det här köket. Och det hände just nu. Det avgjordes nu.

"Aneta?"

Hon vände sig mot honom.

"Vad är det, Aneta?"

"Jag... vet inte, Fredrik."

"Det är nåt. Jag förstår ju det. Så jävla dum är jag inte."

Hon svarade inte.

"Är det nåt jag sagt? Nåt jag gjort?"

Hon skakade på huvudet.

"Nehej. Men du måste säga vad det är, Aneta. Så här kan vi inte ha det."

"Nej."

"Vad ska vi säga? Vad ska vi göra då?"

"Jag vet inte, Fredrik."

"Har du tröttnat på mig?"

Hon svarade inte.

"Har du tröttnat på mig, Aneta?"

"Det... det är inte så enkelt."

"Jaså? Är det inte så det är? Är det inte just att det är så förbannat enkelt? Att det går så bra att tröttna på nån?"

"Säg inte mer nu, Fredrik."

"Nej, okej. Jag ska inte säga nåt. Men då får du säga nåt, Aneta."

"Det... jag vet inte. Jag måste få... tänka lite."

Hon kände hur torftigt det lät. Som en banal fras, bara. Och hur det måste kännas att höra den. Som att behöva gå och vänta på ett domslut: Nu har jag tänkt färdigt, så här blir det.

"Tänka på vad?"

"Det… vi pratar om här."

"Vad pratar vi om här?"

Hon svarade inte.

"Vi kanske ska klara ut det", sa Halders. "Det skulle kännas lite bättre för mig. Kanske för dig också."

"Jag… vet inte riktigt vad jag pratar om, Fredrik."

"Nehej."

"Det går inte att bara säga så där."

"Ska jag säga det åt dig, Aneta?"

"Vad ska du säga?"

"Att du ska lämna mig. Att du tröttnat på gamle triste Fredrik och hans ungar."

"Det skulle jag aldrig säga. Det är inte sant."

Hon började gråta igen.

"Är det inte vad detta handlar om?" sa han. "Är det inte början på det?"

Hans röst var lägre nu. Han hade satt sig på en stol.

"Hur länge behöver du tänka?" sa han.

ANDRA DELEN

11

HAN GICK ÖVER KANALEN på Tyska bron. Klockorna i Christina bakom honom slog fem. Skymningen föll som en del av klangen. Vinden blåste in från Packhuskajen. Winter huttrade till. Han tyckte om mycket i Göteborg, men vinden var inte en del av det. Det blåste nästan alltid. Det hade hindrat staden från att bli en större metropol. Folk flydde till slut. I natt hade han drömt om en brinnande bil. Den hade stått på en bro. Det var inte första gången han såg den bilden i en dröm. Brovalvet var högt över vatten. Han hade tyckt att han kände igen pelarna vid brofästena. De såg ut som armar mot skyn. Längre bort fanns andra armar. De sträckte sig ännu högre mot himlen. De var sammanbundna, som gjutna i varandra med en enorm arm tvärs över. En enorm arm. Allt var brandgult, som den brinnande bilen. Han hade flugit rakt över. Han hade haft vingar. Bilen var en fackla mitt i det svarta. Han hade hört ett skrik. Han hade sett någonting falla. Han hade sett ett fartyg, en färja som var upplyst som i brand. Och armarna igen. De försökte fånga honom, gripa tag i honom och dra ner honom i avgrunden. Han hade sett någon simma därnere. Det var en flicka. Han hade vaknat i svett och gått upp och kissat och druckit vatten och blivit sittande i mörkret i köket.

Nu gick han i skymningen. Det skulle komma en ny natt med nya drömmar. Ett annat liv där man såg så mycket mer.

När han gick uppför Västra Hamngatan ringde mobilen.

"Ja?"

"Hej, Erik! Det är jag."

"Hej, mamma."

Hans lilla mamma direkt på linjen från Nueva Andalucia. Det

nya Andalusien. Det gamla fattiga fanns kvar därnere också. Skillnaden var golfbanor, och kanske vad folk drack, de nya andalusierna drack G&T, de gamla sherry, montilla och malaga. Men Siv hade dragit ner på drickandet de senaste åren, kanske efter det att Bengt Winter dött på Hospital del Sol utanför Marbella. Hans son hade varit där. Det var sista gången de setts, förstås. För Winter hade det känts som en av de första. Och sedan var alla möjligheter borta. Inga alternativ var längre möjliga. Inte ens fantasi skulle hjälpa. Man var död eller levande. Det fanns ingenting däremellan. Åtminstone trodde han det. Det fanns ingenting som nästan död.

"Hur är det, Erik? Hur har ni det?"

"Det är bra."

"Hur är det med flickorna?"

"Det är bara bra med dom också."

"Jag tänkte ju komma hem ett tag."

"Jo, jag vet. Men jag vet inte varför."

"Måste det finnas en orsak?"

"Nej, nej."

Han hörde hennes lätt raspiga andning, och plötsligt ett skrovligt skratt. Winter tänkte plötsligt på uttrycket galghumor. Siv Winter hade fortsatt att röka sina Prince långt efter det att varningstexten på paketet talade om för henne att hon skulle dö om hon fortsatte. Det var galghumor. Tummen upp till bödeln när han la snaran om halsen. Ett brett leende, från båda: det här kommer att gå bra.

"Jag saknar er allihop."

"Mhm."

"Egentligen borde ni flytta ner. Dom frågar efter Angela varenda dag på kliniken."

"Är du på kliniken varenda dag?"

"Du förstår vad jag menar."

"Och vad skulle jag göra? Det där har vi pratat om, mamma."

"Du kan väl ta det lite lugnt ett tag."

"Vi var ju nyss nere i sysslolöshetens paradis ett halvår. Jag kan inte ta det mer lugnt än jag gör!"

"Du låter inte lugn, Erik."

Han svarade inte. När det här samtalet var avslutat skulle han gå in på Morris bar och ta ett glas. Den låg bara femtio meter från där han gick. Han var lugn nu, han skulle bli ännu lugnare då. För säkerhets skull skulle han röka en Corps utanför först. Nu slutade han gå, mitt framför Domkyrkan. Nyss hade han hört klangen därifrån också. Den hade varit mörkare än Christinas, tyngre. Det kanske var privilegiet för en domkyrka.

"Så du kanske är på väg hem", sa han.

"Ja, just det. Jag ringde nyss till Lotta och hon sa direkt att jag skulle komma. Och bo över hos henne. Så länge jag ville."

"Bra."

Han visste att han borde erbjuda samma generositet omedelbart, men han visste att hon visste att han visste att hon visste och att det därför inte behövde sägas. Det var så mycket som aldrig behövde sägas. I framtiden kanske människan utvecklat ett annat sätt att kommunicera. Eller om det var en tvingande avveckling. Talet hade varit människans främsta tillgång, det var därför hon var människa, men det mesta av sådant var förstört nu. Skitpratet har förstört kommunikationen, tänkte han. Och jag är ändå en tystlåten person. Bättre att hålla käft och använda tecken. Så kommer det att bli. Det går för långsamt att prata, ingen hinner med det i framtiden. Och detta är ändå framtiden, tänkte han. Den här storyn utspelar sig i framtiden.

"Jag tänkte på söndag", sa Siv Winter. "Eller måndag. Jag har precis ringt resebyrån."

"Du är välkommen."

"Jag kanske stannar ett tag."

"Javisst."

"Jag menar länge. Jag funderar faktiskt på att skaffa en lägenhet."

"Det vore trevligt."

"Du låter inte som om du tycker att det vore trevligt."

"Det tycker jag verkligen, mamma."

"Ja, vi får se. Men jag… jag vill träffa flickorna lite mer. Elsa och

111

Lilly, och Bim och Kristina också förstås. Det är som om jag…
som om det händer nåt när man blir äldre. Det är som om jag får
dåligt samvete nu för att jag inte träffade Bim och Kristina så ofta
när dom var små. Jag vill inte göra samma misstag med Elsa och
Lilly."

"Jag tror inte dom ser det så. Ni har faktiskt träffats jättemyck-
et."

"För att ni kom ner hit, ja. Men det kan ju inte alltid vara så."

"Jag har inte hört Bim och Kristina säga nåt om att ni aldrig
ses", sa Winter.

"Se där. Du sa just att vi aldrig ses."

"Det var inte så jag menade."

Han visste egentligen inte vad han menade. Han hade själv inte
träffat Lottas flickor så överdrivet mycket genom åren. Han hade
inte träffat Lotta så mycket på senare år. Han hade faktiskt tänkt
på det. Kanske han hade något slags dåligt samvete över det. Kan-
ske var det åldern. Det händer något när man blir äldre.

"Lotta verkar ha det… lite jobbigt nu", sa Siv Winter.

"Jaså?"

"Har hon sagt nåt till dig?"

"Nej, vad menar du? Är det nåt speciellt?"

"Nej, hon sa inget direkt. Men det lät inte riktigt bra."

"Vill du att jag ska prata med henne?"

"Inte om det, inte med en gång. Det skulle vara som om jag bett
dig."

"Jag hade ändå tänkt svänga förbi den här veckan", ljög han.

"Ja, om du gör det så…"

"Ring när du vet när du kommer, mamma."

Han drack en Springbank på Morris bar. Det var den blå timmen.
Han var ensam i baren. Så här skulle det alltid vara. Ensam i en
bar, den blå timmen, lördag hela veckan. Världen därute löstes
sakta upp i spriten. Det behövdes inte mycket. Han ringde hem.

"Jag sitter på Morris. Kan du komma hit?"

"Är det ett skämt?"

"Tja…"

"Ska jag ta med flickorna?"

"Varför inte?"

"Så att dom får träffa sin far. Jag tar med barnen till baren så att dom åtminstone nån gång får träffa sin far."

"Det är fint här", sa han. "Och tomt. Inte en käft. Och dom har kritor."

"Kritor?"

"Kritor. Man kan rita. Man kan måla olika roliga gubbar."

Angela gav ifrån sig ett skratt. Det var nästan lika skrovligt som Sivs, men Angela hade aldrig rökt en enda cigarrett i hela sitt liv.

"Då kan du rita ihop en middag", sa hon. "Här finns ingen. Du skulle gå via Saluhallen."

"Morris har bra käk."

"Hur många whisky har du tagit?"

"Bara en. Klockan är ju inte ens sex. Jag beställer en taxi till er."

"Erik…"

"Och Siv ringde. Hon kommer kanske till helgen."

"Jaha?"

"Samvetet har kommit ifatt. Hon vill träffa alla sina barnbarn."

"Dom blir glada."

"Har du pratat med Lotta på sistone?"

"Nej… ja… vadå?"

"Siv trodde att hon inte mådde så bra."

"Har du pratat med henne själv på sistone?"

"Det är nog några veckor sen."

"Du kanske skulle göra det."

"Jag ska. Jag ringer i kväll."

"Varifrån?"

"Vadå?"

"Baren eller hemma?"

Winter snurrade glaset i handen. Det var tyvärr tomt. Han såg ett större sällskap dröja utanför de stora fönstren. De verkade titta på honom. Glo på honom. Han kände sig plötsligt som en kändis. Han var faktiskt ett slags kändis. Go away. Det här stället är inget för er. De såg ut som kommunaltjänstemän, eller reklamfolk kanske, journalister. Det gick inte att se skillnad. Alla såg ungefär lika korkade ut. De skulle komma in här och efter ett par glas skulle den där hämmande träiga tillknäpptheten ha bytts ut mot fyrkantig livsglädje som var lika trist den att beskåda. Nu kom de in genom dörren. Gälla röster från kvinnorna, skabbiga skratt som isade hans blod.

"Hemma", svarade han. "Jag sprintar över till Saluhallen och kommer hem med den gödda kalven."

Det gick åt helvete med aftonen redan när Winter gjorde i ordning kalvskivorna. Dubbelpaneringen var bara enkel än så länge. Huvudvärken vred åt pannloben med en köttig kraft som fick honom att nästan tuppa av. Han högg tag i bänken. Ljuset i köket kändes plötsligt starkt, men det var inte starkt, det fanns bara vid sidan om spiskåpan. Han kände smärtan över vänstra ögat och plötsligt började den vandra från sida till sida. Som om det spelades tennis i hans skalle, Federer mot Federer, dunk-dunk-dunk-dunk-dunk. Han hade inte fått någon förvarning den här gången. Ingenting alls om att den jävla matchen var på gång. Och han hade inte sett några blixtar eller sicksackmönster framför ögonen. Han kunde höra Angela och barnen från någonstans. Synfältet hade blivit mindre nu. Han höll sig fast i hela köket medan vågen av smärta sköljde över honom. Han hörde röster igen.

"Dom var flera stycken därute. Det var nåt konstigt med det."
"Hur då?"
"Det är det jag försöker förstå."
Jacob Ademar grep efter glaset igen. Folk passerade utanför perspektivfönstren mot Avenyn. Han kände sig som en fisk i ett akvarium. Men ingen tittade på honom. Hans förläggare Stefan Fors drack sin pilsner. Det var den tredje. Skymningen var över därute nu. Det var kväll. Baren var inte längre så ödslig. Men Ademar hade aldrig tyckt att barer var ödsliga. De var bara mer eller

mindre inbjudande. Den här kändes inte så inbjudande. Kanske berodde det på för lite whisky, eller fel whisky.

"Simmade hon? Simmade hon hela vägen? Jag tänker på det hela tiden." Ademar drack igen av whiskyn, det var det sista i glaset. Han fick beställa en ny, bara den andra. "Eller fanns det en båt som plockade upp henne?"

"Ingen vet tydligen", sa Fors.

"Nej."

"Vart tog dom vägen?"

"Vilka då?"

"Dom som var där. Killarna som var där."

"Jag vet inte. Jag vet inte ens vilka det var. Om det bara var killar."

"Kan man inte ta reda på sånt?"

"Jag försöker."

"Vill du ha en whisky till?"

"Ja tack."

"Samma?"

"Varför inte."

Fors gjorde ett tecken till kyparen som serverat vid ett bord längre in i lokalen. Fors pekade på Ademars glas. Kyparen nickade.

Ademar betraktade honom när han gick därifrån.

"Och sen var hon alltså bara borta?" sa Fors.

"Till slut", sa Ademar.

En pelare av eld föll genom natten, nej, ett klot av eld. Det landade i vatten. Winter hörde att det lät som en slägga. En explosion. Bron hade lagt sig på sidan. Den flöt på vattnet som ett hangarfartyg. Det stod en bil på bron, på fartyget. Det var möjligt eftersom det här var en dröm. Hur visste han det? Det ska man inte veta medan man drömmer. Det var lugnt vatten på båda sidor om fartyget. Någon simmade genom elden. Han kunde se ett huvud. Det brann. Det var klotet. Det var ett brinnande huvud. Det är jag, tänkte han. Men det var en kvinna. Men han tänkte fortfarande att det var han. Det var han och hon samtidigt. Han kände igen hennes ansikte. Han visste inte varifrån. Hon försvann under ytan. Jag ser henne aldrig mer, tänkte han. Det brann i hans huvud. Bilen på bron började brinna. Dörrarna var öppna, motorn var igång. Det var gryning nu. Solen var på väg upp miljoner mil i öster. Framdörrarna på bilen svängde i vinden. Det var en oändligt ensam bil. Det var en oändligt ensam scen. Alla människor på jorden var borta. Winter var en pelare av eld som lyste upp scenen. Han var ett klot. Han var solen.

"AAAAAAJJJJ!"

Han vaknade av sitt eget skrik.

"NEEEEJJJ!"

Han kände en hand på sin arm. Den var sval mot hans hud. Hans hud brann fortfarande. Det var svart överallt omkring honom. Han hade förlorat synen.

"Erik."

"Jag är blind!"

"Erik."

"Jag kan inte se!"

Han vände sig efter hennes röst. Det kom ett ljus i hans mörker, hon hade tänt sin läslampa på nattygsbordet.

Han kunde se igen!

Hennes hand var kvar på hans arm. Hon borde få brännskador, tänkte han. Han simmade i svett. Håret var klistrat vid skallen.

"Jag såg henne", sa han och torkade sig över pannan. Huvudvärken fanns inte kvar, trots att det måste ha varit den som väckt honom. Om han satte sig upp skulle han känna sig mörbultad, som om han hade fått stryk i sömnen, som om han hade varit i slagsmål.

"Vem såg du?" frågade hon.

"Jag… vet inte."

Han satte sig försiktigt upp. Han var naken. Han kunde se sina kläder ligga på en stol borta i skuggorna.

"Hur kom jag i säng?" sa han.

"Minns du inte?"

"Nej." Han strök sig över huvudet med högerhanden. Huden var fortfarande het, och öm. Han strök handen över ansiktet. "Jag kommer ihåg att jag stod i köket. Jag höll på att förbereda wienerschnitzlarna." Han tittade upp. "Vad hände med dom?"

"Vi åt lite, Erik."

"Gjorde du klart? Men du kan väl inte laga wienerschnitzel?"

"Nu får vi göra nåt åt den här huvudvärken", sa Angela. "Göra nåt åt den på allvar."

"Har det varit på skoj förut?"

"Det är inte roligt, Erik."

"Vem har sagt att jag har huvudvärk?"

"Är du en idiot!? Och tror du jag är en idiot!?"

"Schhh. Väck inte flickorna."

Hon vände häftigt bort huvudet.

"Vad menar du, Angela?"

"Du kan inte smyga med det längre. Smyga runt. Du säger att det inte är nånting. Men jag känner igen en migränattack när jag ser den."

"Migrän?"

"Migrän, ja."

"Det kan vara en tumör."

"Jaså?"

"Hypofystumör."

"Varför säger du det?"

"Jag har läst om det."

Hon hade satt sig intill honom nu.

"Herregud, Erik."

"Du är läkare. Du är som alla dom andra läkarna. Ha! Det finns inget fel. Alla är alltid friska. Speciellt i den här familjen. Anhöriga kan inte vara sjuka."

"Det var orättvist sagt."

"Men så är det ju! Det är ingen mening med att komma till dig med nåt. Det är bara pjosk. Det var ingen idé att fråga dig om det här."

"Jag vet inte vad jag ska säga."

"Nu säger du migrän."

"Ja, migrän. Det du råkade ut för ser ut som en klockren migränattack."

Han svarade inte. Hon hade antagligen rätt. Migrän? Det var sannolikt bättre än hypofystumör. Man kunde leva med det.

"Vad gör man åt det då?"

"Det finns nåt som heter läkemedel."

"Aha."

"Herregud, Erik."

Hon la en hand på hans axel. Den var varm. Han förstod att han plötsligt hade börjat frysa. Han kanske hade fått feber.

"Vad var det du såg?" sa hon.

"Vad menar du?"

"Du sa att du såg 'henne'. Vad menade du med det?"

"Det var en dröm."

"Vem var det då? I drömmen? Vem var hon?"

"Jag vet inte. Det var ju en dröm. Det var ett… minne. Jag vet inte."

"Nån måste det väl ha varit. Hon måste ha varit nån du minns."

"Nej", sa han, men han var inte säker. Det hade varit en dröm. Kanske skulle han få svar om han återvände dit.

12

JACOB ADEMAR DRÖMDE om gevär som avlossades. Så enkelt det var. Skott på skott, gevär på gevär. Han visste inte var han själv befann sig. Kanske var det en avrättning. Kanske stod han mitt emot männen med gevär. Nu la de an. Han var nästan död. Nu sköt de. Han var död.

Han satt upp i sängen. Vad hade han hört? Det var inte drömmen. Skotten i drömmen hade inte funnits i drömmen. Det var här. Det var nu, i den här verkligheten.

Väckarklockan på nattygsbordet visade tre. Visarna, och markeringarna för timmarna, var det enda ljuset i hans sovrum. Hans sovrum. Det var en av de sista nätterna. Här ville han inte bo, inte med den grannen, och med folk som sprang omkring och sköt. Han borde ha varit härifrån redan nu. Men det kunde inte inträffa en gång till. Eller var det bara början? Hade han hört ett skott därutifrån?

Han satt alldeles stilla i sin säng och lyssnade. Det var tyst därute nu.

Han klev ur sängen och gick ut från rummet och fortsatte in till sitt arbetsrum. Han kunde se vägen därifrån. Han såg ingen röra sig. Han hörde ingenting. Herregud, jag får ta det lugnt. Det här kan bli nojan. Jag har inte tid med det här.

Det stod ingen bil framför grannens hus nu. Plötsligt såg han ljus i bortre änden av gatan. Det var billyktor, två gula ögon i natten. Kunde vara en titel på en roman, Två gula ögon i natten, nja. Ögon i natten. I natten. Natten. Natt. Godnatt. Godnatt jord. Godnatt värld. Goodbye cruel world. Billyktorna passerade hans hus nu. Det såg ut som en stor bil. Han kunde inte känna igen märket. Han var inte bra på bilar. Den där körde runt i vändzonen och kom tillbaka förbi hans hus igen. Det såg ut som om den saktade in framför grannhuset. Den stannade! Den stod stilla. Han kunde inte se mer än halva bilen. Han tyckte han hörde en dörr öppnas, men han kunde inte se det. Nu körde bilen igen. Ögonen var röda nu, baklyktorna. Nu var de borta. Han tänkte på sin egen bil. Den stod i ett garage i stan just nu. Han hade kört in den till stan i går före lunchen med Stefan. Lunchen var bra – havets wallenbergare för hans del – men samtalet var inte bra. Jag kan väl inte snyta böcker ur näsan hur som helst? hade han sagt. Det här är inte vilken bok som helst, hade han sagt. Den måste komma till mig. Jag kan inte komma till den. Förstår du? Hans förläggare kanske hade förstått. De hade inte känt varandra så länge, egentligen löjligt kort tid med tanke på att de skulle diskutera hans bok. Förlaget hade genomgått stora förändringar under bara det sista året. Allt var kaos. Hur kunde dom begära att han skulle skapa sin konst mitt i deras kaos? Efteråt hade han ställt bilen på platsen han fortfarande hade kvar i garaget. Det vågade ingen ha den parkerad härute, granne med galningen. Nån natt kunde ha gå lös på bilen med basebollträ.

Winter vaknade som mitt i en ny dröm. Någon hade sagt något som han inte borde missa, och han missade det. Det var ett svar på en fråga han ställt. Han kunde inte längre ställa om frågan. Allt var borta. Hans drömmar var som avslutade berättelser som följde på varandra. En novellsamling utan tematik. En historia utspelades i himlen, en annan i helvetet. Angela rörde sig bredvid honom. Hon mumlade något, kanske var det svaret. Han kunde inte höra det.

I natt hade han varit... hårdare än på länge, och under längre tid. Han var inte död än. Han kunde fortfarande fungera som en man ska fungera med en kvinna. De hade varit tysta för att inte väcka barnen. Det ökade spänningen. Det förlängde deras njutning. Det var det verkliga livet. Ett läge intill döden. Han uppfattade det som att de nådde klimax samtidigt. Han frågade inte. Det var sådant han inte frågade om. Angela hade somnat nästan omedelbart efteråt och han hade gått upp och druckit ett glas vatten. Han hade funderat på att dricka av rieslingen från middagen som han inte hade ätit, men lät flaskan stå kvar i kylskåpet. Han satt kvar vid köksbordet och såg på natthimlen genom fönstret. De svaga ljusen nerifrån innergården gav fasaden mitt emot ett svagt gult sken. Nattfärger, gult och svart. Men himlen ovanför blev aldrig riktigt mörk. Det var priset man betalade för att bo mitt i en stor stad. Det var fridfullt nu. Han hade inte ont i huvudet just nu. Han skulle inte besöka sjukhuset för att vräkas in i vårdapparaten för att antagligen aldrig mer komma ut. Hans liv – deras liv – skulle inte förändras i grunden. Skälva i grunden. Inte av det där i alla fall, det där som inte var någonting. Och smärtan högg till igen över ögat. Mitt i fridfullheten. Han masserade smärtan, om något sådant var möjligt. Han masserade pannan. Han var lugn. Det skulle gå över. Migrän var obehagligt men ingenting man dog av. Han hade inte behövt oroa Angela i onödan, eller barnen för den delen. Så långt hade det aldrig gått. Han hade löst det själv. Han gjorde det nu. Han masserade bort smärtan. Och mobilen på köksbänken bredvid honom vibrerade till, och lyste upp köket med ett festligt blinkande ljus.

"Ja?"

Bertils nummer.

Winter tittade på klockan på väggen. Halv fyra. Bertil hade jouren igen. Han ville ha den.

"En man har blivit skjuten i en bil i parkeringsdäcket under Pedagogen", sa Ringmar.

"Vet vi vem det är?"

"Bilen är registrerad på Jan Richardsson."

"Det var som fan."

"Jag vet inte om det är Richardsson. Men en del talar väl för det."

"När hände det?"

"Nån gång i natt eller i går kväll."

"När fick du veta det?"

"Bara för en liten stund sen. Jouren ringde. Vaktbolaget slog larm. Vi har spärrat av hela däcket, det är två plan. Jag är på väg."

"Jag också", sa Winter och reste sig.

"Jag är på Övre Husar", sa Ringmar.

"Bra. Hur ser det ut på platsen?"

"Jag vet inte. Torstens folk är väl där nu. Och Pia."

Pia E:son Fröberg var rättsläkare. Hon hade funnits på nästan alla brotts- och fyndplatser Winter hade funnits på under de senaste tio åren. De kunde arbeta tillsammans. De hade haft ett kort förhållande för länge sedan. Ingen av dem ville komma ihåg det.

Parkeringsdäcket under jord var relativt nytt, liksom Lärarhögskolan ovanför. Institutionen hade inte trivts på fälten mellan Frölunda och Åby, den var för fin för det. Nu hade pedagogerna hamnat mitt i stan. Winter var inte säker på hur det skulle påverka utbildningen, men den skulle kanske påverkas, och inte minst av det som skett denna natt rakt under golvet. Verkligheten bröt sig in från underjorden.

Bilen stod i en av rutorna till höger på nedre däck.

Winter och Ringmar väntade medan Torsten Öberg, Lars Östensson och Stefan Arnberg gjorde sitt. Det var den moderna världen. Det var teknikerna som bestämde när kriminalarna släpptes fram till fyndplatsen, sannolikt brottsplatsen. Det här såg ut som brottsplatsen. Någon eller några hade skjutit rakt igenom rutan på förarsidan. Det kunde Winter se från där han stod. Han kunde se en del av ett bakhuvud. Richardsson hade blivit träffad i ansiktet och sannolikt i halsen. Winter var övertygad om att det var politikern. Han hade inte sagt något om det till Bertil. Det var mycket blod. Mannen satt bakåtlutad, som om han tryckts bakåt mot ryggstödet av en stor kraft. Det var också vad som hänt. Han hade fastnat där.

Öberg vände sig om och nickade. Winter och Ringmar klev fram. Ljuset nere i parkeringsdäcket var grått och blått och kallt. Det var en vidrig plats.

"Det är Sellberg!" ropade Ringmar.

Winter såg ett ansikte han inte hade sett förut. Det var förstört, men han kunde åtminstone se att det inte var Richardsson.

Sellberg såg ut att studera en bestämd punkt på betongväggen mitt emot. Han hade ett hål i pannan mitt över vänstra ögat. Det var exakt en sådan punkt Winter masserat för mindre än en timme sedan. Han höll tillbaka en reflex att massera sitt huvud igen.

"Rätt många skott", sa Öberg. "Vågar inte säga hur många än."

Winter nickade.

"Mördaren ville tydligen vara säker", sa han.

"Rena gangstermordet", sa Ringmar.

"Varför säger du så?" frågade Öberg.

"Avrättning är ett slitet uttryck, men jag använder det ändå på det här dådet", sa Ringmar.

"Eller skott i ren desperation", sa Winter.

"I vilket fall handlade det kanske om ungefär det här avståndet. Svårt att bedöma i nuläget." Öberg stod en meter från den splittrade fönsterrutan. Det låg glassplitter överallt på det hårda golvet. Ljuset blänkte till ibland, som om bilen beströtts av en cirkel med ädelstenar.

"Inga vittnen?" sa Winter.

"Nej, inte vad vi vet än", sa Öberg. "Men väktarna såg ju kärran. Dom är här nånstans."

Han såg sig om.

"Är inte det här stället stängt på natten?" sa Winter.

"Stänger visst vid midnatt", sa Ringmar. "Öppnar halv sex."

"Så då kom han möjligen hit före tolv", sa Winter och nickade mot Sellberg.

Winter studerade bilen. Ett av skotten hade träffat karossen strax under rutan.

"Det är den där politikerns", sa Östensson. "Bilen som stod utanför Sellbergs hus när vi var där och kollade den där skottlossningen."

"Richardsson, ja", sa Winter.

"Den här gången träffade skotten Sellberg", sa Ringmar.

"Om dom var avsedda för honom den gången", sa Winter.

"Dom här var det definitivt", sa Ringmar.

"Jag vet inte, Bertil. Richardssons bil. Mördaren kanske trodde det var Richardsson."

Ringmar nickade.

"En död Sellberg. I Richardssons bil", sa Winter. Han tittade på klockan. "Vi får nog störa kommunalrådet i hemmet lite tidigt, är jag rädd."

"Vi har tittat i bagageutrymmet", sa Arnberg. "Det var tomt."

"Så pass mycket gangsteruppgörelse ska vi inte ha här", sa Winter. Han såg sig om. Det stod några bilar här och där, folk med parkeringstillstånd. Det måste vara svindyrt med ett abonnemang. Det fanns säkert fler bilar på nedre däck.

"Vi behöver uppgifter om alla bilägare", sa han. "Och Richardsson kanske hade ett tillstånd. Det kanske finns en mening med att Sellberg parkerade just här." Han såg på Ringmar. "Vi släpper inte iväg nån härifrån i dag."

"Nej. Vi får sätta ett tjugotal man på jobbet."

De behövde hålla garaget avspärrat minst en bit in i nästa dag. De skulle behöva ställa många frågor.

"Jag bärgar bilen till Mölndal med kroppen i", sa Öberg.

Winter nickade. Richardssons bil med Sellbergs döda kropp skulle köras in i en täckt lastbil som under poliseskort skulle köras till undersökningsgaraget som en bisarr begravningskortege.

Ljuset därinne kändes nästan kallt på huden. Winter ryste till. Öberg och hans tekniker hade mycket arbete framför sig. De skulle gå igenom hela däcket, båda planen, men framför allt häruppe. De skulle dammsuga stället. Allting kunde vara av värde. De skulle undersöka portionssnus, fimpar, papper, allt.

De skulle leta efter beteende. Vanligt beteende. Något som någon alltid gjorde utan att tänka på det, oavsett omständigheterna. Det visste varje spanare. Många fall hade lösts tack vare folks vanor. Människor var vanedjur, också onda människor, rädda människor, skrämda människor.

*

De tog Winters Mercedes. Det var fortfarande mycket kvar av natten utanför. Det skulle inte bli ljust på timmar. Om ett par månader skulle det vara årets mörkaste tid, och det gick mycket snabbt dit. Vi reser mot mörkret, tänkte Winter. Det var en melodramatisk tanke, men den var sann. De mötte en ensam taxi, kanske på väg ut till Landvetters flygplats. Annars var det tyst och mörkt.

"In the wee wee hours", sa Ringmar.

"Mhm."

"Jag gillar egentligen att vara vaken före alla andra", sa Ringmar.

"Speciellt när vi är på väg att väcka någon", sa Winter.

"Om han inte redan är vaken."

"Om han är hemma."

Hemma för Richardsson var en lugn gata bakom Ekmanska sjukhuset i Örgryte. Winter visste att den var lugn eftersom han varit där förut, det var länge sedan, kanske han bara promenerat där, kanske med Angela. Ja. Hon hade sagt något om att de kunde köpa ett hus här, det var innan de köpte tomten nere i Billdal. Han tänkte sällan på havstomten i Billdal. Han sköt upp det. Det var ett långt farväl till stan. Om det var ett farväl.

"Nu får vi sköta det här snyggt", sa Ringmar.

"Vi sköter väl alltid allting snyggt, Bertil", sa Winter och svängde av från Danska vägen.

"Ska vi ta med honom med en gång? Det går att göra det snyggt också."

"Vi får se."

"Det vore enklast."

"Vi får se", upprepade Winter.

"Den första frågan jag ställer mig är varför Sellberg hade Richardssons bil."

"Jag pratade ju med Richardsson i går. Han sa att han lånade ut bilen till Sellberg. Sellbergs bil var på verkstad."

"Har vi kollat det?"

"Ja. Bergenhem fick det bekräftat."

"Okej, fortsätt."

"Det är inte så mycket mer. Han hade inte varit i Sellbergs hus, sa han. Han lånade bara ut bilen. Han ville inte prata om det. Han såg ut att önska att Sellberg var på andra sidan jorden. Att de inte hade något med varandra att göra. "

"Hur känner dom varandra?"

"Jag frågade inte."

"Vad bra. Då behöver du inte upprepa det."

"Ja, inte sant", sa Winter och svängde höger och sedan vänster. Det var släckt i alla villorna. Det var ännu lite för tidigt i Örgryte.

"Nån beskjuter Sellbergs hus under natt ett", sa Ringmar. "Richardssons bil står parkerad utanför. Nån skjuter Sellberg under natt två, i centrum. Sellberg sitter i Richardssons bil."

"Den bilen är sannerligen inblandad", sa Winter.

"Hur var Richardsson och Sellberg inblandade med varandra?"

"Snart får vi kanske veta", sa Winter och parkerade utanför familjen Richardssons hus, en vitrappad villa i vacker funkisstil.

Det lyste från ett fönster på nedre våningen.

"Vi är kanske väntade", sa Ringmar.

13

GRÄSMATTAN SÅG NYKLIPPT UT i skenet från gatlyktan som stod direkt utanför grinden. En grusad gång ledde upp till huset. Luften kändes nästan ljummen. Gryningsljuset var på väg från öster. Det varslade om en vacker dag igen. Indiansommaren fortsatte. Folk kunde fortfarande klippa sina gräsmattor. Kanske var det världsrekord för Norden. Winter tänkte plötsligt på palmen i mamma Sivs trädgård i Nueva Andalucia. Han hade alltid tyckt om den palmen. Gräsmattan var inte stor och ibland gulare än grön, men palmen stod för någonting annorlunda. Den var evig sommar och evig sol. En del människor valde ett sådant liv. Han hade gjort det för en tid. Han kunde göra det igen. Det fanns palmer i krukor utmed påfarten till Stena Lines Danmarksfärjor, men det var kanske inte riktigt samma sak. Palmer skulle man ha i sin trädgård.

Ljuset var svagt i ett av husets fönster, men det fanns där. Winter tyckte han såg något röra sig innanför.

"Det är nån som betraktar oss", sa han.

"Jag ser det."

Dörren öppnades redan innan de var framme vid den.

Kvinnan väntade i dörröppningen medan de gick uppför stentrappan. Hon var klädd i en röd morgonrock. Winter kunde se att den var röd eftersom ljuset i hallen bakom kvinnan var tillräckligt bra. Hon ser inte rädd ut, tänkte han. Är inte det underligt? Hon kanske är rädd. Hon ser orolig ut. Hon har inte sovit i natt.

"Vad vill ni?" sa hon. Hennes röst lät tunn och ändå hög, som om hon ställde en fråga hon inte ville ha något svar på. Hon öppnar dörren ut till det okända, tänkte Winter. Till dom okända. Två främmande män i hennes trädgård. Hon måste ha vetat att vi skulle komma. Nej, hon har inte sovit. Sånt lär man sig känna igen.

"Gäller det Jan?" frågade hon.

Winter och Ringmar hade ännu inte sagt något.

Winter kunde se att hennes hand darrade när hon lyfte den, till synes utan mening, som om den fick vingar. Herregud, det här känns som att komma med ett dödsbud. Och det gör vi bara indirekt. Eller betyder det budet nåt annat för henne? Betyder namnet Bengt Sellberg nåt för henne? Det är hennes bil, eller hennes mans bil.

Det var en nödvändig sida av det förbannade jobbet. Att skanna av människan framför sig innan hon yttrat ett enda ord, knappt gjort en gest. Sedan var det svårt att kasta loss det där första intrycket, omöjligt ibland. Det kunde ställa till större skada än nytta. En för tidig uppfattning. En förutfattning. Men hur möta människor som om man varje gång träffade dem för första gången? Du har fortfarande ett rent samvete, en ren själ.

Winter presenterade sig och Ringmar. Det kändes egendomligt formellt.

Kvinnan darrade till igen, mer än handen nu.

"Vad har hänt med honom?" sa hon utan att säga sitt namn. "Var är han?"

"Vem menar du?" sa Ringmar.

"Jan, förstås! Jan! Min man. Är det inte därför ni är här? Polisen. Ni måste väl ha en anledning till att komma hit!?"

Winter och Ringmar tittade på varandra.

"Vi kanske skulle gå in och sätta oss en stund och prata", sa Winter.

"Va?"

Hon verkade inte höra frågan.

"Kan vi få komma in?"

Jacob Ademar slumrade en orolig sömn. Drömmarna kom och gick som suddiga minnen. Det kanske var vad de var. Ett par gånger hade han funderat på att skriva något slags roman som helt skulle utspelas i drömmen, eller i en serie drömmar, men då skulle sannolikt den rest han hade kvar av läsekrets ryka. Fanns det något tråkigare än människor som berättade sina drömmar? En del läsare kanske tyckte att det var tråkigt att läsa honom. Men han brydde sig faktiskt inte om det. Gör nåt annat då! Han ville tro att de som begrep sig på bra skrivande tyckte om hans böcker, och de andra begrep inget i alla fall och kunde därför dra åt helvete.

Han steg upp. Gryningsljuset började flyta in i mörkret därute och mjuka upp svärtan. Så kunde man uttrycka det. Man kunde också säga att världen krälade sig upp för en ny jävla dag. Det berodde på vilket humör man var på. Själv ville han se sitt humör som jämnt och fint – han var alltid förbannad. Men det kanske bara var romantik. Arg ung man. Men det var inte så charmigt att vara arg ung man när man redan passerat de femtio. Han hade inte så mycket att vara förbannad på egentligen. Eller vara lycklig över, för den delen. Han hade inte så mycket överhuvudtaget. Just nu bara det här hyrda huset som han snart skulle lämna och en gammal Saab i ett garage, och en bok som han kanske redan hade lämnat åt sitt öde fast han fortfarande skrev i den, som man skriver i en gästbok – ner med något bara och sedan är pinsamheten över. En nästan död bok. Eller en alldeles levande. Han visste inte längre.

Han stod kvar vid fönstret.

En bil stannade borta hos grannen. Kunde vara samma som tidigare. En dörr öppnades. Han kunde inte se. Han tyckte han hörde steg. Herregud, här står jag igen. Fullkomligt normala ljud blir ljudeffekter i en thriller.

Någon sprang, klackar mot grus. Dörr slog igen. Bilen därute startade. Det kunde han se. Den passerade hans fönster, snurrade i zonen, kom tillbaka. Försvann förbi. Han hade sett profilen på den som körde. Var det en profil han kände igen?

Den fanns någonstans i ett långt minne.

Vardagsrummet belystes bara av en golvlampa borta vid det stora panoramafönstret som vette ut mot baksidan av trädgården.

Winter kunde se en häck tiotalet meter bort. Villan var skyddad. Häckar runt om. Det var inte ovanligt i Örgryte. Många levde som i små kungadömen, i sina borgar, borggårdar. Det var ett annat Sverige. Det var inte Sverige.

Rummet var stort, det verkade täcka större delen av undervåningen. Kvinnan satt ytterst på en tresitssoffa. Hon ser ut som en liten fågel, tänkte Winter. Hon kröp in i sin morgonrock, som om hon frös. Det var morgon nu. Gryningen fanns överallt därute. Tidningsbudet kanske redan hade lämnat GP ute i brevlådan. Winter hade kunnat ta med den in, som en vänlig gest. Det skulle inte stå något om mordet på Sellberg i tidningen. Senare i dag på nätet, men inte riktigt än. Och så lite som möjligt. Winter hade fortfarande Sellbergs huvud på näthinnan, hans förstörda ansikte. Det hade inte funnits någon förvåning i det ansiktet. Det hade förvånat Winter.

Medan de gick in i vardagsrummet hade hon sagt sitt namn: Berit. Berit Richardsson. Det var inte ett namn man omedelbart förknippade med stadsdelar som Örgryte, men de hade antagligen jobbat sig hit. Det kanske började i en lägenhet i Högsbo. Hennes man en ambitiös fritidspolitiker, hon en förhoppningsfull undersköterska. Kanske något sådant. Kanske Winter skulle få veta, behöva veta. Berit Richardsson vred sina händer. Det är ett slitet uttryck, men det var vad hon gjorde.

"När träffade du Jan senast?" frågade Winter.

"I... i går." Hon tittade sig om i rummet nu, som för att konstatera att det inte var kväll där längre, inte ens natt längre. Det gröna började framträda utanför fönstren. Det var mycket grönt där. Färgen gled in i morgonen. Det såg vilsamt ut. Någonstans hade Winter läst att grönt är den mest vilsamma färgen. Man ska tapetsera sitt sovrum i grönt. Han hade sagt det till Angela. Hon hade nickat. En dag skulle han göra det. Men kvinnan som satt framför honom och verkade studera de växande gröna nyanserna utanför fönstret var inte lugn. När Winter följde hennes blick tyckte han att det gröna hade fått en en konstgjord nyans, som någonting falskt.

"Du träffade din man i går?" frågade Ringmar. Frågan lät underlig. Som om Berit och Jan hade ett konstigt förhållande, där de ibland råkade på varandra, kanske i det här rummet.

Hon nickade.

"När var det?" frågade Winter.

Hon svarade inte. Winter upprepade frågan.

Det är nåt konstigt, tänkte han. Det här är konstigt. Det är som om vi talar om nån som ingen av oss känner, hon lika lite som jag. Jag har sett det där uttrycket förut i ögonen på människor som bara tror att dom lever med nån annan, men det är inte så, det var aldrig så.

"Vid niotiden", svarade hon till slut.

"Vad hände?"

"Hur då? Vad menar du med det"

"Din man var här klockan nio i går kväll. Vad hände sedan?"

"Han gick ut. Hur ska jag kunna veta…"

"Vart gick han?"

Hon svarade inte.

"Vart skulle han gå?" frågade Ringmar.

"Jag… jag vet faktiskt inte", sa hon och brast i gråt.

Hon höll sitt ansikte i sina händer.

Hon tittade upp. Winter kunde se tårarna.

"Vad är det som har hänt?" frågade hon. "Var är han?"

"Vi vet inte", sa Winter.

"Men varför är ni här? Hur visste ni…" sa hon och avbröt sig.

"Hur visste vi vadå?" sa Winter.

"Att Jan inte var här."

"När Jan lämnade huset, hur gjorde han det?" frågade Ringmar.

"Jag förstår inte."

"Gick han? Sprang han? Tog han bilen?"

"Nej… den står kvar."

"Står den kvar!?"

Hon hoppade till när Winter höjde rösten.

"Ja", sa hon.

"Står er bil kvar här? Var står den?"

"I garaget. Men va... ja, det är min bil, eller vad man ska säga. Det är en andrabil."

"En andrabil?"

"En Clio. Jag kör den mest."

"Och förstabilen?"

"Det är en Volvo. En V70. Den är inte... den är på service."

Ringmar tittade på Winter.

"Nej", sa Winter. "Den är inte på service."

"Är den inte?"

Men hon såg inte förvånad ut.

"Känner du en person som heter Bengt Sellberg?"

"Mamma? Vad är det? Mamma?"

Winter hade hört stegen bakom sig innan han hörde rösten. Barnrösten.

Han vände sig om.

En flicka stod några steg in i rummet. Hon såg yrvaken ut. Och rädd. Hon var några år äldre än Elsa. Hon kunde vara tio, elva, tolv. Winter var ännu inte så bra på det där. Flickan hade en kudde under armen. Hennes pyjamas var blå som en blek himmel. Vinterhimmel, tänkte Winter.

"Vad är det, mamma? Vad vill dom?"

Berit Richardsson reste sig upp. Hennes morgonrock var hårt knuten kring livet. Den såg ut som en kimono. Hon var mörkhårig, och plötsligt tyckte Winter att hennes drag var asiatiska, att ögonen var sneda. Det kunde vara den hårt spända huden. Eller den hårt spända själen.

"Det är bara ett par... farbröder som ställer några frågor, Tova", sa hon och gick över golvet till flickan. "Kom, vi går upp till ditt rum igen."

"Vad vill dom?" sa flickan och tittade på Winter. "Vad vill ni?"

Hennes mamma vände sig om, och Winter kunde se det förändrade och förvånade uttrycket i hennes ansikte. De hade fortfarande inte talat om varför de kommit dit.

"Var är pappa?" sa flickan. "Är inte pappa hemma?"

"Jag följer med dig tillbaka", sa Berit Richardsson och tog flickans hand.

"Men de…"

"Kom nu, Tova", sa kvinnan och la sin arm över flickans axlar och började leda henne mot dörren.

Winter och Ringmar kunde höra dem gå uppför en trappa.

"Har hon nån aning?" sa Ringmar lågt. "Frun. Berit."

"Jag vet inte", sa Winter.

"Jag menar mordet."

"Hon visste att nån skulle komma", sa Winter.

"Vad menar du?"

"Hon satt uppe och väntade. Hela natten, det är jag säker på. Nån skulle komma."

"Hennes man."

Winter svarade inte.

"Vem annars?"

Han hörde ljud från taket. Flickans golv. Winter tyckte att han hörde röster.

"Det kanske inte är första gången vår politiker håller sig borta på nätterna", sa Ringmar.

"Varför ljög han för henne om att bilen var på service?"

"Det kanske är hon som ljuger för oss."

De hörde steg i trappan igen.

Berit Richardsson kom tillbaka in i rummet. Winter såg att hon satt på sig ett par tofflor. Hon hade varit barfota när hon öppnat dörren.

"Kan ni vara snälla och gå nu?" sa hon. "Nu har min son vaknat också."

"Bara ett par frågor", sa Ringmar och reste sig.

"Men vad är det ni vill? Var är Jan? Vet ni nåt om det så säg det!"

"Er bil har påträffats i natt i ett garage i centrala stan", sa Winter. "En man vid namn Bengt Sellberg satt i den. Han hade blivit skjuten. Han satt i framsätet och någon har skjutit honom och sedan försvunnit från platsen."

Berit Richardsson tittade på Winter som om hon förstod och inte förstod. Det var brutala ord, men på något sätt tyckte Winter att han var skyldig henne dem.

"Är han... är han död?"

"Ja."

Hennes ena hand hade farit upp till hennes mun.

"Tror ni... tror ni att min... att Jan har nåt med... med det där att göra?"

"Vi vet inte", sa Winter. "Vi vet ingenting om det. Men vi vet att det var er Volvo, och vi vill gärna ha ett samtal med din man."

"Han har inget med det att göra! Vad skulle han ha med det att göra!?"

Hennes röst steg. Den hade varit låg förut, nästan mörk, men Winter kunde se att tröttheten och oron och vad det nu var kostade henne lugnet.

Winter reste sig.

"Jag frågade förut om den personen, Bengt Sellberg. Är namnet bekant?"

"Bengt... Bengt vad?"

"Sellberg. S-e-l-l-berg."

Hon skakade på huvudet. Hon ser ut som om hon inte kan komma ihåg ett enda namn i hela världen, tänkte Winter.

"Känner du igen namnet?"

"Nej."

"Är du säker?"

"Vad är det FRÅGAN om? Varför kommer ni till MIG!?"

Rösten gick upp igen i ton, skar sig.

Winter hörde steg i trappan. Flickan var på väg ner igen, eller sonen, eller båda. Det här går inte, tänkte han. Så här kan vi inte hålla på.

"Har du haft nån kontakt med din man under kvällen eller natten?" frågade han snabbt.

"Nej, säger jag ju!"

"Eller und..."

"Vet ni verkligen inte var han är?" avbröt hon Winter.

"Nej."

"Mamma? Vad gör dom?" hörde Winter bakom sig. Han vände sig om. Det var sonen nu. Pojken såg ut att vara i ungefär samma ålder som flickan. Han höll ett baseboliträ i händerna.

14

CHRISTIAN LEJON VISSTE när han blivit gangster. Gangster. Det påminde om filmer han sett. Inte för att han sett så många. Men dom där svartvita, där folk rökte och röken drev som moln över filmduken. Det var snyggt, det gillade han. Och hattarna, han gillade hattarna. Farsan hade haft hatt, det kom han ihåg väl. Det var nåt med söndagarna, dom gjorde nån utflykt nån gång uppåt stan, Guldheden kanske, farmor hade bott där och hon kunde baka, det kom han också ihåg. Det var väl vad han kom ihåg. Nu kunde han höra den förbannade pålkranen utanför fönstret. Han önskade att han kunde glömma den, eller glömma bort att den fanns. Bli döv kanske. Men han ville inte bli döv. Han ville inte ha nåt handikapp och han tänkte inte skaffa sig nåt heller. Det fanns alltid en risk i det här jobbet, men det fanns det i alla jobb. Gubbarna på bygget därute kunde bli krossade, ramla ner från en ställning. Farsan hade gjort det. Dom jävlarna hade tvingat upp honom i stormen och han hade ramlat ner. Det var så det hade gått till. Han visste att det hade blåst den dan. Den dan bestämde han sig för att aldrig tvingas upp på nån jävla förbannad ställning. Den dan bestämde han sig för att aldrig ta nån order från nån. Dom kom från varvet och morsan slängde ut dom. Morsan hade berättat det, eller om det var farmor. Hon slängde ut dom! Han hade alltid beundrat morsan för det. Hon vågade. Och han vågade.

Winter körde genom den tidiga morgonens Göteborg. Sopbilarna var ute. Det var en vanlig dag. De passerade Liseberg. Tornen och tinnarna därinne var en egen stad. Han skulle gå dit med flick-

136

orna den sista helgen för säsongen. Men om den här indiansommaren fortsatte kanske den sista helgen aldrig skulle komma.

"Herregud", sa Ringmar. "När den lille krigaren bara stod där."

Winter sa ingenting. Han svängde höger i Korsvägen. Folk lastade in stora emballerade balar i Svenska Mässan, som om det skulle bli mässa om sjötrafiken, containertrafiken. Det var nya mässor varje vecka. Man kunde hålla mässor över allting. Det påminde honom plötsligt om att han inte varit i kyrkan på länge. Han skulle ta med sig flickorna till Vasakyrkan. Dom skulle gilla sången. Han sjöng högt när han sjöng psalmer. Härlig är jorden, härlig är Guds himmel. De passerade Bergakungens salar. Biografkomplexet var rätt nybyggt, men Winter hade inte varit där ännu. Kanske han aldrig skulle gå dit. Han gillade mest svartvita filmer, men han trodde inte att det visades sådana därinne. Alla var så förbannat snygga i svartvitt. Dom rökte snyggt. Han längtade plötsligt efter ett bloss. Han skulle ta det när han steg ut på den vackra parkeringsplatsen utanför polishuset.

"Herregud", sa Ringmar igen. "Grabben."

"Hade han gjort det förut?" sa Winter.

"Hotat nån med baseballträ? Försvarat sin mor?"

"Både och."

"Var i helvete är karln", sa Ringmar.

Det var ingen fråga. Det lät mer som något som var oundvikligt. Som att Jan Richardsson inte hade funnits där eftersom han inte skulle finnas där. Att det hörde till den här storyn. Winter såg ibland sina fall som stories. Berättelser. De berättades medan han levde dem. Han upprättade sina mordbiblar eller brottsbiblar och han kunde regelbundet eller oregelbundet läsa det som han upplevde. Ibland kunde han lägga till något, eller dra ifrån. Ibland kunde han lägga pusslet. Ibland kunde han försöka tränga in i mysteriet. Det var skillnad mellan pussel och mysterium. I ett pussel fanns allting där, bitarna fanns där, lösningen fanns där om han kunde placera bitarna på deras rätta ställen. Allting fanns tillgängligt, för hans fingrar, för hans hjärna, hans tankar, hans fantasi. Han kunde flytta om och flytta om och flytta om, men det fanns alltid en viss trygghet i arbetet, nej, inte trygghet, ett lugn kanske, något som gjorde att han visste att han till slut skulle lyckas. Men ett mysterium var något annat. Det var inte ens ett pussel som saknar några bitar. Det var värre än så, mer komplicerat än så, det var ett sökande efter svar där det kanske inte fanns svar. Där det aldrig hade funnits några svar, inga svar på "varför?" och "vad?" Ett mysterium var förlängd frustration. Ett pussel var tålamod. Politikerns försvinnande var just nu ett mysterium, kopplat till andra händelser. På det sättet kunde faktiskt ett pussel vara en hel serie små mysterier i en kedja som inte var något annat än bitar i ett större pussel. Så måste man tänka, så tänkte han. Allting kanske hör ihop i ett fall. Allting. Det obegripliga har ett bästföredatum. Sedan blir det som all annan skit. Det blir nästan tråkigt. Vardagligt. Pussel är vardag. Mysterium är lördag hela veckan.

"Hon vet inte var han är", sa Winter. "Annars är hon en mycket duktig skådis."

"Har hon en aning?"

"Kanske."

"Och det vill hon inte berätta för oss", sa Ringmar.

"Nej."

"Hennes man har varit försvunnen hela natten och vi har funnit en mördad man i hans bil", sa Ringmar. "Och hon har kanske en aning om vad allt detta handlar om."

"Ja."

"På vilket sätt?"

"Han har varit borta förut på nätterna."

"Var?"

Winter svarade inte.

"Hon vet vart han går", sa Ringmar.

"Nej, jag tror inte det."

"Hon vet vad han gör."

"Kanske misstänker hon nåt."

"Vadå?"

"Det har med Sellberg att göra."

"Känner hon Sellberg?"

"Nej."

"Är du säker?"

"Jag tror det", sa Winter.

"Men det var ändå nåt där…" sa Ringmar.

"Hur menar du?" frågade Winter.

"Som om hon ändå visste."

"Visste vadå?"

"Att Sellberg bara var ett namn. Förstår du? Att det kunde vara vilket namn som helst, men att hon visste att det… skulle vara ett namn. Att det skulle komma ett namn. Att vi skulle komma dit med ett namn. Som hon inte nödvändigtvis skulle känna igen."

"Att hennes man skulle förknippas med ett namn på nåt sätt? Ett namn som inte skulle finnas. Komprometteras med ett namn?"

"Ja."

"I såna här våldsamma omständigheter?"

"Inte nödvändigtvis. Men att det skulle kopplas ihop med något."

"Richardsson hade hemliga möten", sa Winter.

"Ja."

"Med män."

"Kanske."

"Hemliga möten med män", sammanfattade Winter.

"Han är bög, alltså", sa Ringmar.

"Kanske."

"Det är inget brott."

"Nej. Tack och lov för att vi slipper åtminstone det brottet."

"Då kanske Sellberg också var bög", sa Ringmar.

"Ja."

"Ett passionsdrama?"

"Såg det ut som ett sånt, Bertil?"

"Hur ser såna ut? Dom kan se ut hur som helst."

Ringmar tänkte på parkeringsdäcket. Färgen hade varit grå och blå, men det var inte någon blå timmen-färg. Ingen passion där, ingen romantik, ingen erotik i den bilden. Men det var nu. De hade nyss sett den bilden, men den kändes redan avlägsen, som en annan årstid, eller en annan tid, en bättre tid. Kanske en passionerad tid.

"Misstänkte Berit Richardsson att hennes man hade andra?"

"Ja."

"Andra kvinnor?"

"Nej. Jag tror inte det."

"Varför inte?"

"Jag vet inte, Erik. En känsla."

"Hade han berättat?"

"Nej."

"Det var alltså en hemlighet."

"Åtminstone för henne. Just det var en hemlighet. Men att det var något som pågick visste hon."

"Ett dubbelliv", sa Winter.

"Och nu är han försvunnen. Då får man väl kalla det ett trippelliv."

"Om det är ett liv alls", sa Winter.

"Det är sant. Han kanske också är skjuten."

"Men var? Uppe i Lunden?"

Winters mobil ringde. Samtidigt såg han Aneta Djanali komma emot dem på parkeringsplatsen.

Winter lyssnade på Möllerström, och la på.

"Sellbergs kåk är avspärrad", sa han.

Aneta Djanali satte sig i baksätet. Hon strök bort en hårslinga från pannan.

Winter körde iväg. Han mötte hennes ögon i backspegeln.

"Rikslarmet är ute", sa Aneta Djanali.

"Han kan vara var som helst i landet", sa Ringmar. "Han kan ha hunnit till Osnabrück."

"Varför Osnabrück?" frågade Winter.

"Jag har passerat där några gånger", sa Ringmar.

"Jag med", sa Winter.

"Aldrig åkt in från autobahn", sa Ringmar. "Tänkte göra det en gång men det blev inte av. Körde ju så jävla fort, som vanligt. Man drar ju i början. Har aldrig varit i Bremen heller, för den delen, och av den anledningen."

"Bremen är fint. Men Osnabrück är nog inte så mycket att se."

"Vad snackar ni om?" frågade Aneta Djanali från baksätet.

"Bättre tider", svarade Ringmar.

Blåljusen hade lyst för någon sekund över villaområdet. Den blå timmen, en annan blåtimme. Det är ett ödsligt ställe, tänkte Winter. Ödslighet mitt i stan. Hur kunde det lämnas så orört. Någon höll det hemligt på alla kartor. Lunden var en hemlig stadsdel. Fortfarande upptäcktes oupptäcka bosättningar.

Polisinspektörerna väntade vid radiobilen. Winter tänkte vidare på sin svartvita tanke. När han bestämde sig för att bli polis var polisbilarna svartvita. Det var snyggare. Och det var som om polisen då arbetade för att bevara det som varit bra med den gamla tiden, den som alltid gick i svartvitt.

Gryningen hade helt gått över i morgon, men det var fortfarande inte särskilt ljust. Solen var inte riktigt uppe än. Det skulle bli en ny obegripligt vacker dag.

Huset var i skugga, i en kvardröjande gryning.

"Persiennerna är nerdragna", sa Aneta Djanali.

"Var dom inte det förut?" frågade Winter.

"Nej."

Winter frågade en av radiopoliserna om situationen. Han kände inte igen henne. Hon sa sitt namn men han lyssnade inte efter det.

"Här är lugnt", sa hon.

"Mötte ni nån på vägen upp?"

"Nej. Ingen bil, ingen fotgängare."

"Bra."

"Du kunde gått hit direkt, Aneta", sa Ringmar. "Du hade inte behövt ta dig till polishuset."

"Jag kom från stan", sa hon.

"Jaha?"

"Jag har inte sovit häruppe i Lunden i natt."

"Nehej."

Ringmar tittade på Winter. Winter tittade på Aneta. Hon ville inte titta tillbaka.

"Vi gå väl in då", sa Winter. "Gör er beredda."

Grinden gav ifrån sig ett klagande läte när han sköt upp den. Han höll sin SigSauer i handen, men handen var i fickan.

Ingen öppnade när han ringde på dörren. Det var plötsligt tyst. Väldigt tyst. Det var inte bara i hans huvud. Det hade ringt som en tystnad därinne de senaste minuterna.

Han tryckte ner handtaget, men dörren var låst.

"Kolla om något fönster står öppet", sa han.

De två uniformerade poliserna gick ett varv runt huset. Det gick snabbt, huset var inte stort. Den kvinnliga kollegan skakade på huvudet när de kom tillbaka.

"Vad gör vi?" sa Aneta Djanali.

"Bryter oss in", sa Winter.

15

WINTER BRÖT SIG IN. Det var mycket lätt. När han öppnade dörren slog smärtan till. Som om någon stått innanför dörren och klubbat honom i skallen med ett hårt föremål i den stund som dörren gled upp. Han var kanske en av folket nu. Det gick inte att ha migrän och samtidigt vara en outsider. Hypofystumör, ja. Men inte migrän. Smärta kvalificerade inte för undantag. Han var en vanlig. Han klev in i en vanlig villa. Ägaren var ett vanligt mordoffer. Det var en vanlig morgon på jobbet. Han hörde Aneta och Bertil bakom sig. Han ropade ett "hallå?" och ett till utan att förvänta sig svar. Den som kunnat svara var på annat håll.

"Det lyser nånstans", sa Aneta Djanali.

Winter kunde se sken från elektriskt ljus. Det var fortfarande tillräckligt mycket gryning utanför. En läslampa?

"Hallå?"

Det var Ringmar.

Ingen svarade.

"Ska vi gå in eller ska vi vänta på teknikerna?" sa Aneta Djanali.

"Vi kan väl för fan inte vänta på teknikerna varenda gång vi ska gå in nånstans", sa Ringmar.

"Det är den nya tiden", sa Aneta Djanali.

"Jag trivdes bättre i den gamla", sa Ringmar.

"Schh", sa Winter. Han tyckte han just hört något. Ett skrap, som en rörelse. Huvudet pulserade. Det finns mycket som kan utlösa en migränattack. Den vanligaste orsaken är stress. Däremot brukar inte attackerna komma när man är som mest stressad, utan då man kopplar av. Men han kopplade inte av nu. Han lyssnade efter ljud. Han var beredd på rörelse.

"Jag tar rummet längst bort", sa han och började gå genom hallen. Hans nervsystem var aktiverat. Det var samma system som förmedlade smärta vid till exempel tandvärk. Det var ett samspel mellan blodkärl och nerver. Winter tänkte på Bengt Sellbergs huvud i framsätet på Jan Richardssons bil. Allt var över för Sellberg nu. Richardssons bil skulle inte heller den någonsin bli densamma. Richardsson kanske var i huset nu. Han kanske läste en bok i sovrummet. Det var det elektriska ljuset. Boken kanske var skriven av författaren som bodde i huset intill. Winter skulle prata med honom när de var klara här. Det var ett relativt begrepp: bli klara. De kanske aldrig skulle bli klara. Det var något med det här huset. Allt kändes... ofärdigt här. Han hade en sådan känsla. Som om det inte fanns några svar här. Som om de måste söka på annat håll.

Alla träffades i köket. Det var rent och välstädat. Sådant såg Winter omedelbart. Det fanns inte ens några tallrikar eller glas eller bestick i diskstället på diskbänken. En pedant. Hade han bott ensam? Inte ens det visste de. Winter visste att Sellberg kommit i något slags bråk med grannen. Det kunde betyda ingenting eller allt. Många gånger visste man det först efteråt, när det inte längre behövde ställas några frågor.

"Tomt", sa Aneta Djanali.

Winter såg ut genom köksfönstret.

En man dröjde utanför på gatan. Han bar en svart stickad mössa, mörka glasögon, svart skinnjacka. Han såg ut att vara av medellängd och relativt kraftigt byggd.

"Vem är det där?" sa han och nickade mot mannen som fortfarande stod kvar. "En varvsarbetare?"

Varför kallar jag honom varvsarbetare? tänkte han. Jag vet väl inte hur en varvsarbetare ser ut. Eller såg ut. Dom finns inte mer.

"Det är författaren", sa Aneta Djanali. "Jacob Ademar."

"Han vill visst nåt", sa Winter.

"Han kanske bara är nyfiken."

"På vadå? Skriver han kriminalromaner?"

"Jag vet inte."

Winter gick ut ur huset och fram till grinden. Författaren stod kvar.

"Ademar?"

"Ja?"

"Kan jag hjälpa till med nåt?" sa Winter.

"Jag såg att det kom en massa folk. Vad är det som händer?"

"Blev du nyfiken?"

"Nej."

"Varför står du här då?"

"Är det förbjudet?"

"Vi är på väg in till dig", sa Winter.

"Via grannens kåk?"

"Ja."

"Varför det?"

"Kan vi få komma in till dig lite senare?" sa Winter.

Ademar började säga något.

"Var snäll och gå härifrån nu" sa Winter.

"Vad men…"

"Vi kommer in till dig om en stund", avbröt Winter.

Lars Bergenhem skjutsade sin dotter till ridskolan. Hon hade lovdag. Fälten runt Alleby var lika gröna som i somras, nej grönare. De var gulare i somras, torrare. Det var som en prärie, en stäpp. Lågprisflighterna lyfte från Säve bortanför vallen, men det var onödigt att åka till solen eftersom solen fanns här. Den fanns fortfarande här. Växthuseffekten kanske redan hade gett effekt. Äntligen. Men det är skönt med kallt regn. Öppet ansikte i regn, det är skönt.

Han försökte som vanligt att hjälpa Ada med betslen, men han var för skraj för hästen. Alla hästarna på Alleby var ett gäng cyniska skrittare som försökte lätta upp tristessen med att jävlas med barnens föräldrar under påklädning.

Bergenhem höll ett öga på kusens bakben också. Förr eller senare. Han visste inte exakt hur många som fick skallen insparkad varje år av en korkad och lättskrämd häst, men statistiken var inte bra.

Så var det klart. Ada ledde ut besten. Hon måste ha fått sig till-delat det största exemplaret i Göteborg, tänkte han. Jag ramlade av under ridutbildningen på polisskolan. Inte för att det var mycket till utbildning. Dom sorterade bort mig ganska snabbt.

Barnen radade upp sig med sina hästar. I dag skulle de rida i skogen, eller snarare genom skogsbrynet till en liten äng. Bergenhem och några andra föräldrar väntade på stigen. Ada satte upp som en cowgirl. Hon log och vinkade. Bergenhem vinkade tillbaka. Karavanen satte igång. Hans tioåriga dotter ledde den. Skogsbrynet öppnade sig. Han önskade att tiden skulle stanna just där och just nu. Den behövde aldrig mer röra sig. Aldrig mer. Det här var livet i sitt ljusaste ögonblick.

I bilen mot Torslanda kände han lukten från raffinaderierna i Skandiahamnen. Tio år hade han kört här, ut till radhuset. De hade skaffat det kort innan Ada föddes. Det var hennes enda hem. Hon hade aldrig frågat varför hon inte hade syskon.

Hon drog av sig ridstövlarna. Det var arbetsamt.

"Dom är för små, pappa."

"Allaredan?"

"Ja."

"Okej."

Han kände lukten av häst i bilen. Den var okej, den hörde ihop med ljusa ögonblick.

"Vi köper nya."

"Kan vi det?"

"Det är klart."

"Och sen får vi väl köpa nya igen och igen och igen", sa hon och log.

"Ja, om du fortsätter växa på det här sättet."

"Jag kanske aldrig slutar växa."

"Fyrameterstjejen", sa Bergenhem.

"Jag kan bli världsmästare i basket."

"Du behöver inga medspelare ens."

"Så tråkigt", sa hon.

"Det är sant."

Hon såg ner mot Älvsborgshamnen. Älven glimmade i eftermiddagsljuset. Den fanns överallt. De bodde på en ö som inte kändes som en ö, trots vattnet och färjorna och broarna.

"Man skulle nästan kunna åka och bada", sa hon.

"Mhm. Men det är nog lite kallt."

"Jag menade i badhuset!"

"Ha ha ha."

"Vad ska vi göra i sommar?"

"Oj. I sommar? Jag vet inte."

"Man kan hyra hästar i Frankrike och rida hur långt som helst."

"Ja, det låter spännande."

"Jag har redan pratat med mamma om det."

De kanske skulle göra det. Om han vågade sitta upp i sadeln. Men det skulle bara vara de två. Martina skulle inte vara kvar i hans liv på riktigt, eller han i hennes, inte på det sättet. Men de skulle vara där genom Ada. Plötsligt kände han sig som en skithög. Hans dotter satt bredvid honom och hon visste inte att inom några veckor skulle sannolikt ingenting längre vara som det varit. Hur skulle hon reagera? Sannolikt, det var ett jävla ord.

"Mamma tyckte det var en kul idé", sa Ada och log igen.

Christian Lejon kände vinden från älven. Arbetet på bygget mitt emot låg nere för tillfället. Det var annat för en timme sedan. Han hade sett ett par livsfarliga manövrar därute. Folk kunde dött, tra-la-la. Lejon fick den där ramsan i huvudet då och då, tra-la-la. Kanske var det terapi för migränen. Kanske var det faktiskt det. Den hade kommit smygande men inte så farligt den här gången. Kanske var det mordet som då faktiskt var på gång. Och när han hade bestämt sig för att vänta så hade det lättat. Hade han genomfört det så hade smärtan varit fruktansvärd några timmar efteråt. När allt släppte. En påminnelse. Du skall icke dräpa. Farsan hade gått i kyrkan, och morsan. Det hade inte hjälpt. Gud fanns inte på varvet den dan, han vilade. Lejon vände sig om. Den andre stod i dörren till balkongen. Han såg blek ut, som om han fortfarande väntade. Det måste vara ett fruktansvärt liv, att vänta, och kanske veta att allt går åt helvete till slut. Jag skulle inte vilja leva så. Jag skulle göra nåt åt det. Men det kan han inte. Och det är som den andre stackaren. Han hade ett val en gång och sen var allt för sent.

"Så här kommer det att låta i framtiden", sa Lejon.

"Vad… menar du?"

Lejon slog ut med handen.

"Tystnaden, förstås."

Den andre lyssnade efter tystnaden. Den fanns där. Fartyg rörde sig ute på älven, men också det tillhörde tystnaden. Måsarna skrek och skrattade, men det var i tystnaden, det var först i tystnaden man kunde höra dem. Så var det med de flesta ljud som tillhörde det riktiga livet. Det var detta han älskade. På kvällarna när byggjobbarna gått hem återvände tystnaden. På dagarna stängde han av, eller höll sig borta. Han höll sig nästan alltid borta. Skulle bygget fortsätta på kvällarna fick han göra något åt det. Han kunde göra något åt det, han kunde göra något åt allt.

"Jag fick alltså min bil skadad häromdan", sa Lejon.

Den andre sa ingenting.

"Jag tyckte inte om det."

"Nej."

"Det kör omkring en bil därute med min lack på sig", sa Lejon.

"Ja."

"Jag kommer alltså att hitta den bilen."

"Ja."

"Det ser jag fram emot."

"Jag… måste gå nu."

"Var försiktig", sa Lejon och brast i skratt.

Aneta Djanali och Winter stod utanför Sellbergs hus nu. De hade inte hittat något därinne, varken levande eller dött. Winter gnuggade en punkt över ögat. Aneta Djanali sa ingenting. Winter tog ner näven från tinningen.

"Hur är det med er, Aneta? Dig och Fredrik?"

Hon ryckte till, som om han hade stuckit henne med något spetsigt.

"Prövar du dina förhörsmetoder på mig?" sa hon.

"Nej. Jag kom bara att tänka på det. Jag ville veta."

"Varför?"

"Varför? För att jag bryr mig om er, förstås. Men du behöver inte svara."

Hon såg ut som om hon funderade på om hon behövde svara. Winter kunde se Ringmar genom ett av fönstren. Han verkade studera något på golvet i köket. Författaren hade gått iväg från sin plats utanför staketet. Winter hade betett sig lite dumt emot honom. Det var mycket ovanligt. Han höll på att bli en annan. Det var tillfälligt. Det tillhörde jobbet. Det tillhörde absolut inte jobbet. Han gick igenom en kris. Han gick inte igenom nån kris. Han tappade bara humöret helt kort. Han kände smärta. Den släppte nu.

"Jag vet inte", sa Aneta Djanali till slut. "Jag vet inte om jag... flyttat, till exempel." Hon skrattade till. "Det låter som nån som inte vet var hon bor överhuvudtaget, va?"

"Ja", sa Winter och log.

"Herregud", sa Aneta Djanali. "Jag vet inte vad det är som händer."

Winter sa ingenting.

"Jag... bodde hemma hos en kompis i natt. Nere på stan. Och jag vet egentligen inte varför."

"Hände det nåt?"

"Med Fredrik, menar du? Hur menar du?"

"Hände det nåt... särskilt?"

"Nej, inte på det sättet. Inget jag kan peka på. Det blev bara... jag vet inte. Jag vet faktiskt inte."

"Vad händer nu?"

Hon väntade med att svara. Dörren öppnades och Ringmar kom ut.

"Jag ska... vi ska prata om det i kväll", sa hon.

"Huset verkar förberett för lång bortavaro för den som bodde där", sa Ringmar.

"Jag är inte riktigt säker på att jag förstår", sa Winter.

"Som om Sellberg skulle hålla sig borta härifrån länge", sa Ringmar. "Som en lång resa."

"På ett sätt stämmer det ju också", sa Winter.

Ademar öppnade dörren innan de hunnit knacka.

"Jag såg att ni kom", sa han.

Det var Winter och Aneta Djanali. Ringmar hade åkt tillbaka till polishuset.

"Jag ber om ursäkt för att jag var lite brysk förut", sa Winter.

"Det är okej. Det är väl jobbigt med alla jävla nyfikna. Stig på."

Hallen var stor.

"Ni kan lägga kläderna på stolen där", sa Ademar.

Han visade in i ett vardagsrum med fönster som vette mot gatan.

"Varsågod och sitt. Vill ni ha kaffe eller nåt?"

"Nej tack", sa Aneta Djanali.

"Var du nyfiken?" frågade Winter.

"Eh… du menar därute. Nej, egentligen inte."

"Har du hört eller sett nåt?"

"När då?"

"När som helst", sa Winter.

"Var det där ett skämt?" sa Ademar.

"Nej."

"Jag har inte sett nåt sen min granne uppträdde hotfullt mot mig."

"Jaså?"

"Ja."

"Berätta."

Ademar berättade. Det var en ganska kort berättelse, den hade mest en början och ett slut.

"Varför är ni här?" frågade han när han berättat.

Winter berättade så mycket han kunde och ville om mordet.

"Jag vet inte vad jag ska säga", sa Ademar. Aneta Djanali tyckte att han faktiskt bleknat när Winter berättade. Som om det är jag, tänkte hon att han tänkte. Som om det kunde vara jag.

"Var det du som gjorde det?" frågade Winter.

"Gjorde vadå?"

"Sköt honom."

"Varför skulle jag göra det?"

"Han kanske förföljde dig. Du var rädd."

"Jag har inget vapen", sa Ademar. Det här är väl hans metod, tänkte han. Jag är inte förvånad. Hoppas jag inte ser för lugn ut.

Kommissarien såg inte glad ut. Han hade presenterat sig. Han såg ut som om han hade ont någonstans. Ademar visste vem han var. Han hade varit med i tidningarna, nån gång i teve.

"Berätta om den där biltrafiken", sa Winter.

Ademar berättade.

"Vad skriver du?" frågade Winter.

"Förlåt?"

"Du är visst författare. Vad skriver du?"

"Allt möjligt."

"Som vadå?"

"Är det här en del av förhöret?"

"Nej, jag är bara nyfiken", sa Winter.

"Läser du mycket?"

"Mindre än jag vill."

"Har du läst nåt av mig?"

"Tyvärr."

"Jag skriver inte deckare", sa Ademar.

"Det läser jag inte ändå."

"Jag trodde alla poliser läste deckare."

"Jag har nog med jobbet", sa Winter.

"Jag jobbar faktiskt med nåt åt… det hållet", sa Ademar. "Men mer åt det dokumentära hållet, tror jag. Jag vet faktiskt inte."

"Jaha?"

"En händelse ute på en av öarna. I södra skärgården. Det var för trettio år sen."

"Jaha?"

"Det fanns en koloni därute då. Sommarkollo."

Winter nickade.

"Du känner till det?"

"Om du menar kollot på Brännö så känner jag till det. Det finns inte kvar längre. "

"Det hände nåt där", sa Ademar.

Han passerade torget, kaféet, hotellet. Vinden blåste in från älven. Den hade inte varit där för bara några minuter sedan. Vattenytan krusades, som på en flod. Han svängde av på Dockpiren och ställde sig i väntkuren. Älvsnabben var på väg därute, den skulle var här om ett par minuter.

Ombord vände han sig om och såg mot Sörhallskajen när de fortsatte in mot city. Solen lyste på husen från väster. Det såg ut som en annan stad, ett annat land. En annan värld. Jag har tillhört den världen, tänkte han. Det var inte så länge sen. Nu är allt det där borta. Nu kan jag aldrig komma tillbaka. Det finns nån annan som vet, tänkte han också. Det kan inte rädda mig.

Den lilla färjan la till vid Klippan. Han gick österut, förbi Tysklandsterminalen. I kväll skulle Stenafärjan gå till Kiel som alla andra kvällar. Han kunde vara ombord. Det var bästa vägen ut. Men det skulle inte hjälpa. Det skulle inte hjälpa någon. De skulle hitta honom där, redan innan färjan var framme. Han skulle hamna i havet. Han skulle ändå hamna i havet. Det skulle dränka honom.

Han svängde upp på Karl Johansgatan. Han hade inte varit tillbaka här på länge. Men det mesta såg likadant ut. Ett par affärer hade slagit igen, ett par andra hade öppnat. Chapmans torg var lika tegel- och betongtätt som förut. Biblioteket fanns kvar. Det var öppet. Han gick in och passerade expeditionen. Ingen av de två kvinnorna innanför disken tittade på honom. Han var glad för det. Han skulle vara glad om ingen någonsin tittade på honom mer. Tidningshyllorna var kvar där de alltid hade varit, vad han mindes. Han läste. Han läste om sig själv. Det var inte mycket.

Dom visste inte mycket. Ingen visste mycket, mer än dom som inte skulle veta. Hur kunde dom veta, hur kunde dom ha kunnat veta? Han visste kanske svaret på det också. Han la ifrån sig tidningen i hyllan och gick ut därifrån. Det låg fler restauranger på torget än förut, många fler. Det stod en telefonkiosk i ena hörnet. Han hade hoppats att den fanns kvar. Stans enda kvarvarande. Han gick in i den och såg att den fortfarande fungerade. Han slog numret. Han väntade i växeln. En kvinna svarade.

"Jag söker kriminalkommissarie Erik Winter", sa han.

HON FRÖS. De gick i skuggorna nu, det var kallare där än det såg ut. Vattnet hade inte torkat riktigt på hennes kropp.

Solen var borta från himlen men det var fortfarande ljust som på dagen, inte riktigt kanske, men nästan.

Och så var de ute ur skuggorna. Nu var det klippor överallt. En del var hårda och andra såg mjuka ut, som kuddar, eller långa sanddyner. Men det fanns ingen sand som man kunde se. Den fanns under vattnet. Det blänkte i viken därnere, och ut över havet. Kanske var det solen som lyste upp vattnet underifrån när den sjönk.

"Man kan se långt härifrån", sa han.

Hon nickade.

"Fryser du?"

"Nej… inte nu längre."

"Hör du?" sa han och höll ut en hand mot havet.

"Nä, vadå?"

"Det låter som om det kommer nån", sa han.

Hon lyssnade igen. Kanske var det ljudet av en motor. Men hon kunde inte se något.

"Det är en båt", sa han.

Nu kände hon en vind. Den var kall, som om det plötsligt blivit höst, på sekunder bara.

"Vi går tillbaka", sa hon. "Jag vill gå tillbaka nu."

"Det är långt att gå", sa han.

"Hur ska vi annars komma tillbaka?" sa hon. Hon huttrade till. "Nu fryser jag."

Båten dök upp därnere, bakom klippan som såg ut som ett hästhuvud. Den såg ut som ett hästhuvud från alla håll. Hon kallade den Hästberget, men hon visste inte om den hette så. Den hette kanske ingenting.

Hon såg ansiktena i båten, De var som lysande prickar, det måste vara reflexerna från det glittrande havet.

"Vi har visst besök", sa han.

Båten gled in i viken. Hon hörde motorn slås av. Hon såg en åra stickas ut från relingen. Båten var av plast, den var inte större än en eka. Motorn var nästan större än båten.

"Känner du dom?" sa hon.

"Gör inte du det?" sa han och vände sig mot henne.

16

SÅ ÅKTE WINTER UPP I SIN HISS på Vasaplatsen igen. Det var kanske femtusende gången. Han kände varje rynka hos Harry Hiss, som flickorna kallade honom nu. Först Elsa och sedan Lilly. Harry Hiss. Han var alltid klädd i mahogny. Han suckade när han drog dem upp till fjärde våningen. Tack ska du ha, sa Winter när han gick ut och stängde den vackra grinden bakom sig. Den bussiga hissen kanske var det största skälet till att det aldrig blev av med flytt från Vasaplatsen. Tomten nere vid havet var en bra strand. En egen strand. Låt det stanna vid det.

Huvudet höll sig stilla just nu. Smärtan hade dragit iväg till någon annan stackare, men bara för en kort stund. Finns det en enda smärta som flyter runt mellan oss? Som en enda ondska. Men ondskan är ju vi själva. Då är smärtan det också. Så kunde en kriminalkommissarie tänka när han steg över sin tröskel. Lilly väntade redan i hallen. Han lyfte upp henne och kysste henne. Han andades bakom hennes öra och hon kiknade av skratt.

Angela kom ut från köket med en handduk om håret. Hon såg ut som någon från öknen, en kvinnlig shejk.

"Var är Elsa?" sa Winter.

"Jag lovade att hon skulle få äta middag hemma hos en kompis."

"Vem då?"

"Clara. Dom på Erik Dahlb…"

"Jag vet", avbröt Winter.

"Förlåt då."

"Du behöver inte bli sur för det."

"Jag är väl inte sur? Vem är det som är sur här?"

"Menar du att jag skulle vara sur?" sa Winter och lyfte ner Lilly.

Hon såg plötsligt orolig ut. Ett par fingrar hade åkt in i munnen som tröst för det som kanske skulle komma. Tjurig farsa, tjurig morsa. Vilket var det? Winter kände en irritation krypa över skallen. Han ville inte ha den där. Han kunde inte stoppa den.

"Jag kanske ska gå igen?" sa han.

"Vad är det för snack?" sa Angela. "Jag trodde att vi inte skulle hålla på med såna barnsligheter."

Lilly tittade upp på honom. Hon såg ut som Angela hade sett ut en gång. Lilly hade Angelas näsa och haka. Han visste inte vad hon hade fått från honom. Ögonen, kanske. Ormögonen. "Snake eyes", hade en indisk spåman sagt till honom en gång när han satt på flygplatsen i Palermo av alla platser. Han hade gått förbi och tittat på Winter och sagt det där och visat ett sorgligt leende. Det var som i en dröm, en riktig dröm. Eric "Snake Eyes" Winter. Han gjorde en rolig min mot Lilly. Nej, det där var inga ormögon, herregud. Han var ingen orm, ormen i paradiset. Han gick ut i köket och la paketet med bergtungorna och räkorna på bordet.

"Jag köpte ingen dill", sa han. "Jag tänkte jag skulle fräsa räkorna med lite curry till fisken."

"Jag är redan hungrig", sa Angela.

"Åt du ingen lunch?"

"En macka i kafeterian."

"Vet inte doktorn om att man ska äta sunt mitt på dan?"

"Vill du ha ett glas vin?" sa hon.

"På tal om sunt – ja."

Han grillade bergtungorna i grillpannan och fräste räkorna snabbt med en skivad vitlök i smör och solrosolja och singalesisk curryblandning. Han hällde räksmöret över fiskarna när de låg på de varma tallrikarna. Det hade funnits okra i saluhallen och han hade kort kokat den. Angela halverade några plommontomater. Winter stampade potatismoset och drack lite mer vin. Dagen utanför fönstret var borta nu. Himlen var underbart blåsvart. Kanske årets bästa färg.

157

Lilly gillade allt.

"Till och med okra", sa Angela.

"Det är vad jag nästan mest förknippar med indisk mat", sa Winter.

"Mhm."

Lilly höll på att somna nu.

Winter reste sig och lyfte upp henne och bar in henne i hennes rum. Hon hade velat ha eget rum för några månader sedan och hon hade fått det. Lägenheten räckte till för allt. Bara det.

Angela satt kvar vid bordet.

Winter satte sig och hällde upp ett glas till av gewurztraminern. Den började förlora sin svalka.

"Blir du inte trött i morgon?" sa hon.

"Jag är redan trött."

"Vad är det för svar?"

"Och sen tänker jag dricka en whisky och då blir jag ännu tröttare."

"Ja, ja."

"Vad menar du med det? Ja, ja?"

"Ingenting, Erik. Börja inte nu igen."

"Ingenting? Börja inte nu igen? Vad menas med det?"

Han kände en dragning i skalpen igen, som ett nät av stål över bakhuvudet. Det var inte migrän nu. Det var annan skit.

Angela reste sig tvärt och gick ut från köket. Han satt kvar och tömde glaset och vägde det sedan i handen och funderade på om han skulle vräka det mot mosaikväggen över arbetsbänken. Han blundade och satte ner glaset på bordet och reste sig.

Angela satt i vardagsrummet. Han kunde inte se hennes ansikte. Hon hade inte tänt ljuset.

"Det finns alltså läkemedel", sa hon. "Herregud, Erik."

"För vadå?"

"Migränen förstås. Det här är ju inte klokt. Jag har alltså skrivit ut åt dig men du hämtar det inte."

"Jag har inte migrän nu."

"Det verkar nästan så."

"På vilket sätt då?" sa han.

Hon svarade inte. Han såg fortfarande inte hennes ansikte. Han satte sig.

"Okej, okej då", sa han.

Hon vände sig i fåtöljen. Han såg att hon grät. Han kände sig som det svin han var. Ett barnsligt svin. Han förtjänade sin jävla huvudvärk. Kom, ljuva smärta, kom för evigt. Han kunde inte röra sig. Inte ens det kunde han göra, resa sig och gå fram och hålla henne hårt. Vad är det som händer? Vem är jag nu? Utlösande faktorer: för lite eller för mycket sömn, starkt eller blinkande ljus, slarv med måltider, mat som starka ostar, choklad, citrusfrukter eller rödvin, tunga dofter, väderomslag. Ingenting av det. Telefonen ringde. Signalen ljöd skarp genom rummet. Han gick ut i hallen och lyfte telefonen från väggen. Den hade hängt där i åratal, till och med innan Angela flyttade in. Innan de var en familj. Väggtelefonen var en anakronism och snart är jag det också. En kliché, en barnslig kliché.

Det fanns ingen display på den antika tingesten. Han var inte orolig. Det var ett hemligt nummer, ett av flera i rad.

"Ja, det är Erik."

"Pappa! Får jag sova över hos Clara!?"

"Jag… vet inte, gumman."

"Kan jag inte få det! Jag får för hennes mamma!"

"Vad säger hennes pappa då?"

"Han säger också att jag får!"

"Är det verkligen sant, gumman?"

"Klart att det är sant!"

"Vänta lite. Jag ska fråga Angela."

"Jaha", sa Elsa. "Varför ska du alltid fråga henne?"

"Det gör jag väl inte alltid?"

"Du kan aldrig bestämma nåt själv", sa hon.

Han tittade på Angela. Hon log, hon hade hört. Kanske var det så. Han hade bestämt allting själv så länge i sitt arbete att han inte ville bestämma någonting alls när han var med sin familj. Kanske en liten detalj när det gällde middagsmaten, men inte mer.

"Okej", sa han.

"Får jag?" sa hon.

"Ja."

"Jaaa!"

"Och jag har inte ens frågat Angela", sa Winter.

Han hade bara druckit en whisky, eller om det var två. Relativt små var de också. Angela hade inte sagt något. Hon sa något nu:

"Du har börjat dricka mer, Erik."

"Har jag?"

"Vet du inte det? Har du inte tänkt på det själv?"

"Vem var det som frågade mig i kväll om jag ville ha ett glas vin?"

Hon svarade inte.

"Jag dricker inte mer än jag gjort förut."

Hon svarade inte på det heller.

Han kanske tog en whisky extra nån gång, men det var ren medicin. Hade han ont i huvudet nu, till exempel? Nej. Men han skulle få ont om hon fortsatte.

Han reste sig och tog whiskyflaskan från bordet, gick ut i köket, ställde flaskan på bänken och gick tillbaka.

"Ingen mer whisky i kväll, alltså. Blir det bra så?"

Hon svarade inte. Han satte sig igen.

"Vill du ha bråk?" sa hon.

"Vadå?"

"Det verkar som om du vill sätta igång bråk. Det kvittar vad jag säger."

"Jag vill inte sätta igång nåt bråk. Jag har bråk så det räcker i jobbet."

"Är det några problem?"

"Jag sa i jobbet. Inte på jobbet."

"Förlåt så mycket då."

"Vem är det som bråkar nu?"

"Bråkar jag?" sa Angela.

Han svarade inte.

De satt tysta. Han kunde höra trafiken från Vasaplatsen. Han brukade inte höra den. Den hade blivit en del av alla ljud i hans värld. Han hade trott att det aldrig skulle upphöra. Men nu blev han plötsligt irriterad på ljuden därnere. Varför i helvete kunde folk inte hålla sig hemma på kvällarna? Varför skulle dom köra runt nedanför hans balkong, varv efter varv runt Vasaplatsen? Han reste sig igen.

"Jag går ut ett tag", sa han.

"Vad ska du göra?"

"Gå ut, sa jag ju. Jag behöver luft."

"Jag behöver också luft", sa Angela och reste sig. "Jag behöver det mer än du. Jag har varit inne mer än du. Jag går ut ett tag."

"Vad ska du göra?" sa han, och den repliken hade han hört nyss.

Hon svarade inte.

Efter några minuter hörde han ytterdörren slå igen. Han hade stått kvar hela tiden där han rest sig. Han var paralyserad.

"Var har du varit?"

Han visste inte hur länge hon varit borta. Han hade gått in till Lilly och suttit en stund och tittat på barnet som sov de oskyldigas sömn. Men kanske alla var oskyldiga när de sov, det var inte bara barnens privilegium. Kanske var han själv oskyldig när han sov.

"Jag gick runt kvarteret", sa hon.

"Var det nåt folk ute?"

"Nästan inga."

"Man ska inte gå ut ensam på kvällen."

"Jag höll mig till dom upplysta delarna."

Det där var inte sant. Vasastan kunde vara en mörk plats. Husen var för höga och för gamla.

"Då är det min tur", sa han.

"Vad menar du?"

"Att gå ut, förstås. Jag behöver också luft. Det är fler härinne som behöver andas."

"Herregud, Erik." Hon tog ett steg mot honom. De stod i hallen.

Han hade just gått ut ur Lillys rum när Angela låste upp ytterdörren. "Hur är det med dig egentligen?"

"Bara bra om jag får lite frisk luft."

"Är du deprimerad, Erik? Hur mår du?"

"Vad är det för jävla fråga? Deprimerad? Varför skulle jag vara deprimerad?"

Luften var inte så frisk som han hade trott. Kanske var han inte så frisk som han ville vara. Deprimerad, inte var han deprimerad. Vad var det? Han visste inte ens vad det var. Det var väl när ingenting var riktigt roligt eller spännande eller intressant, men det var inte hans värld. Här var allt en utmaning. Varje dag var spännande som fan. Roligt var det också. Han skrattade varje dag. Han lekte med sina barn om dom inte hade somnat. Han hällde upp en liten whisky när mörkret hade kommit för länge sen. Roligt.

Han gick över den livsfarliga Allén. En favoritboulevard för folk som tyckte det var roligt att köra mot rött ljus. Där kom en. Winter hade inte gått över på övergångsstället fast han hade grön gubbe. Här borde göras razzia varje jävla kväll. Idioter.

Han gick Raoul Wallenbergs gata över kanalen och tog vänster på Sahlgrensgatan och fortsatte förbi det gamla Sociala huset. Nu hade det blivit lärarhögskola. Ett nybygge kom här, på andra sidan Viktoriagatan. Glas och betong, mest glas. Upplyst som ett akvarium, kanske fanns det nån symbolik i det.

Parkeringsdäcket låg under akvariet. Han tittade på sitt armbandsur, en timme till midnatt. Han gick in. Ljuset var lika blått och lika kallt som alltid i ett parkeringsdäck. Det fanns en anledning till att så många filmthrillers började eller slutade i ett parkeringsdäck. I den här befinner vi oss mitt i, tänkte han.

Han gick förbi raderna av bilar, svängde vänster, fortsatte ner i underjorden. Avspärrningen såg ut som ett litet tältläger i bortre delen av den stora hallen. Där fanns ingen personal nu. Torsten och hans folk hade gått över golvet och väggarna. Bilen var naturligtvis inte längre kvar. Mordoffret var inte längre kvar. Bengt

Sellberg. Han är i dom sella jaktmarkerna nu. Winter stod framför tältet som rests över brottsplatsen. Han tog fram sin mobiltelefon. Ingen anknytning härnere. Han såg sig om. Det var någonting i vänsterögat. En rörelse. Vad i helvete. Bakom en pelare, en rörelse. Winter kände blodet i huvudet. Det fanns ingen huvudvärk nu. Han hörde något, ett skrap. Han hade sin pistol i handen. Han vände sig sakta om, som om rörelsen skulle lugna alla som fanns därnere. Skuggan, det fanns en skugga. Hans försiktiga rörelser skulle lugna både honom och skuggan. Någon hade skuggat honom. Han hade inte hört några steg när han gick mellan betongkolonnaderna.

"Hallå!?" ropade han. "Hallå, polis!"

Hans röst lät stark och hård. Bra akustik därnere.

"Hallå! Vem är det?"

Han visste att det inte fanns några övervakningskameror. Han var inte på film.

Därborta! En rörelse bakom pelaren, en skugga av en rörelse. Mördaren återvänder alltid till brottsplatsen, tänkte han. Det var så, det visste alla poliser. Förr eller senare. Men Winter hade inte räknat med ett besök i kväll. Han hade räknat med att få vara ensam härnere med tankarna. Det fanns många tankar, alla handlade inte om jobbet, men det här handlade om jobbet.

"Kom fram!"

Någon sprang! Winter hörde stegen innan han såg någon. Dunk-dunk-dunk mot betonggolvet. Hårda klackar, nästan som hans röst nyss.

Därborta!

"Stanna!"

En rygg, en rock av något slag, rörelser på väg bort från honom. Bakom sig hade Winter trapporna och hissen, därborta fanns uppfarten för bilarna. Skuggan var på väg uppför där. Winter hörde fortfarande stegen mot golvet. Snart skulle de höras snett över honom om han inte gjorde någonting. Han sprang bort till glasdörrarna, och uppför trappan till parkeringsdäckets gatuplan. Han andades häftigt. Det var inte ansträngningen, det var spänningen.

Glasdörrarna öppnades automatiskt och han sprang in och bort mot uppfarten.

Han kom för sent. Porten till Sahlgrensgatan hade släppt ut skuggan hur lätt och snabbt som helst. Han sprang ut på gatan. Det hördes inga steg. Skuggan kunde ha tagit sig vart som helst hur snabbt som helst. Winter gick några steg fram och tillbaka men han såg inte en enda människa. Han gick fram till kanalkanten och kikade ner mot vattnet. Ingenting där. Bara svärta. Plötsligt tänkte han på smärta, det rimmade, svärta-smärta. Han kände ingen smärta. Han hörde sin egen andhämtning. Hans mobiltelefon ringde. Han var ute i täckningslandskapet igen.

"Ja?"

"Vad är det, Erik?" Det var Angela. "Har det hänt nåt?"

"Vadå?" stötte han fram. Det var svårare att tala än han hade trott. "Det är… det är inget."

"Springer du?"

"Har. Har sprungit."

Han gick. Han pratade i sin telefon. Ringmar hade inte låtit sömnig när han svarade.

"Det kan vara den där Ademar", sa Winter. "Författaren."

"Varför det?"

Winter svarade inte.

"Men varför smet han då?" sa Ringmar.

"Vi får fråga honom. Kan du skicka dit en bil, är du bussig. Till hans hus. Batteriet krånglar."

"Vänta", sa Ringmar och försvann. Winter kunde höra hans röst i bakgrunden. "Den är på väg till Lunden", sa Ringmar i luren. "Vill du att jag plockar upp dig?"

"Du behöver inte ge dig ut också, Bertil."

"Jag hade ändå inget för mig."

"Vad gör Birgitta?"

"Ingen aning."

"Är hon inte hemma?"

"Inte vad jag vet."

"Är det problem?"

"Jag är där om tio minuter", sa Ringmar. "Kommer du ner?"

"Jag går inte upp", svarade Winter.

Författarens hyrda hus var lika svart som dödsboet intill.

"Jag avstår helst från att ringa på", sa Ringmar.

"Du har alltid varit skraj för att bli prickad, Bertil", sa Winter och steg ur Ringmars bil. Han gick in genom grinden och fram till dörren och ringde på. Han väntade och ringde på igen.

"Ingen hemma", sa han när han kom tillbaka till bilen.

"Ska vi bryta oss in?" sa Ringmar.

"Här också? Snart har vi gått igenom hela kvarteret."

Ringmar ryckte på axlarna.

"Undrar var han är", sa Winter. "Författaren."

"Hoppas inget har hänt", sa Ringmar.

"Är du orolig?"

"Inte tillräckligt."

"Det kunde ha varit Richardsson", sa Winter. "I parkerings-däcket."

"Det kunde ha varit vilken stackare som helst. Nån som råkade vara där."

"Nej. Han följde efter mig. Han gömde sig."

"Du kanske skulle bli robbad. Han trodde du var en rik snobb, lite dragen också kanske."

"Där hade han rätt", sa Winter.

"Jag tyckte du luktade whisky."

"Det var länge sen."

"Vad gör vi nu?"

Winter svarade inte. Ringmar upprepade frågan. Winter verkade vara någon helt annanstans.

"Det hänger ihop", sa han efter en stund.

"Vilket då?"

"Det är det jag försöker se. Det finns nåt samband här som jag inte riktigt kan se. Men det finns."

"Det är ett pussel, menar du?"

"Ja. Jag tror det."

"Vi ska bara hitta bitarna?"

"Ja."

"Om dom inte finns då?"

"Då är det inget pussel, Bertil." Winter log. "Då är det ett mysterium."

"Okej, vad och vilka hänger ihop?"

"Vi har en tom bil på Älvsborgsbron. Stulen. Inga spår av tjuvarna. Inga spår av nån. Öppna dörrar, motorn igång. Inga spår av nån i vattnet."

"Inga kroppar", sa Ringmar.

"Nej, inga kroppar. Inte förrän Bengt Sellberg hittas perforerad i Jan Richardssons bil."

"Som han lånat."

"Som han lånat, ja."

"Och Ademar hade haft nåt slags bråk med Sellberg tidigare", sa Ringmar.

"Hänger det ihop?"

"Sa du inte att allt hänger ihop?"

"Vad finns det mer som hänger ihop?" sa Winter.

"Richardssons försvinnande."

"Naturligtvis."

"Och sen då?"

"Vi får prata lite mer med Richardsson."

"Om vi kan."

"Mhm. Om vi kan."

"Han kanske är vår pusselbit", sa Ringmar. "Sen är det klart."

"Vilket då?"

"Mordet", förstås. "Han gjorde det. Passionsdrama."

"Man kan hoppas", sa Winter.

"Det sista som överger en är hoppet", sa Ringmar.

"Vad är det mellan dig och Birgitta?"

"Hon är väl trött på skiten", sa Ringmar.

"Vilken skit?"

"Mig, till exempel."

"Ja, det kan man ju förstå."
"Ska vi åka?"

Winter stirrade ut i natten. Det var formellt natt nu, klockan var över midnatt. Trafiken var gles på Skånegatan. Ullevi med sina svarta strålkastare såg ut som kranarna ute vid de döda varven. Vattnet hade tidigare inneburit liv för varven. Han tänkte på vatten. Han tänkte på Ademars bok. Han tänkte högt:

"Hon skulle kanske simma över viken", sa han. "Hon kanske hade bestämt sig för det."

Ringmar körde förbi Bergakungens salar. De livsfegas tempel. Han hade i stort sett slutat gå på bio. Han var för lat.

"Vem pratar du om, Erik?"

"En flicka. En flicka som försvann från kollot på Brännö. Det fanns ett kollo därute då. När jag var grabb."

"Har jag hört talas om det? Försvinnandet?"

"Jag vet inte, Bertil. Jag hade nästan glömt det själv. Jag hade faktiskt glömt det. Ademars projekt påminde mig."

"Vad håller han på med egentligen? Skriver han om ett försvinnande?"

"Ja."

"Vad är det för flicka?"

"Hon var på kollot. Jag var aldrig där, men jag passerade ju ute i viken ibland med nån jolle. Jag kände inga av barnen eller ungdomarna på kollot. Vi hyrde på Tången."

"När var det här?"

"Sjuttifem, tror jag. Jag var i så fall femton."

"Nån försvann alltså?"

"En flicka gav sig iväg för att simma och sen försvann hon. Jobbade inte du här i stan då?"

"Nej, inte här. Inte då. Jag var uppe i Södertälje. I uniform."

"Hon hittades aldrig", sa Winter.

"Jaså?"

"Det gick rykten att hon hade rymt från kollot. Det hände visst rätt ofta. Det var inget roligt ställe."

"Det har man ju hört talas om. Fångläger för barn."

"Hon försvann."

"Varför kom du att tänka på henne nu, Erik?"

"Ademar försöker skriva en bok om det där."

"Hur vet du det?"

"Han berättade det."

"Då kanske han har en del svar?"

"Nej, knappast."

"Inga pusselbitar?"

"Där verkar det vara ett äkta mysterium, Bertil."

"Vad hette hon?"

"Beatrice. Det är det enda jag vet om henne."

MORGONDIMMAN SÅG UT som ett skydd. Frågan är för vem, tänkte Winter när han svängde in från Sankt Sigfrids plan. Dimman från skogarna flöt runt hela Örgryte, gav sig in mellan husen. Det kanske skulle bli en vacker dag när den lyfte ut över havet. Det kanske var den nya tidens ordning. Det kanske var växthuseffekten. Det fanns många växthus i Örgryte. Villatomterna var tilräckligt stora för det, och de som bodde där var tillräckligt sofistikerade för att driva egna små växthus. Smaka på dom här tomaterna. Det här är vad jag kallar pumpa, raring.

Richardssons villa var invirad som i en segerhuva. Jag föddes med segerhuva. Det betyder nåt särskilt. Mamma Siv berättade det för mig många gånger när jag växte upp. Dom med segerhuva blir nåt särskilt. Berömda, dom blir berömda människor. Jag är berömd på hela Skånegatan, i Örgryte, i andra hörn och mittpunkter i den här berömda stan i världens mittpunkt i utkanten av Ishavet.

Winter bröt segerhuvan och ringde på dörren. Ringklockan såg ut som äkta guld. Richardsson var kommunalråd med ansvar för något slags sociala frågor, men han kunde knappast tälja guld med det jobbet. Winter hade skickat ut folk att ställa frågor om honom bland de andra politikerna, men ingen verkade veta exakt vad Richardsson gjorde. Tjänstemännen på kansliet var lite svävande de också. Det var visst vanligt. Om ingen visste vad man egentligen gjorde var det lättare att fortsätta att göra det som ingen egentligen visste vad det var. Så kunde man hålla sig fritt flytande under mycket långa perioder. Det talades ofta om politikerförakt, men Winter hade ingen självklar åsikt i frågan. Möjligen definierade han uttrycket som politikers förakt för folket som valt dem, men han behöll definitionen för sig själv.

Han ringde på dörren igen. Något hade rört sig bakom ett fönster på andra våningen, ett nästan omärkligt gung i gardinen. Sånt såg man som polis. Värdelös kunskap när pensionen kom. Det skapade bara paranoia. Det skapade paranoia nu. Eller depressioner. Rörelser registrerade i ögonvrån. Alltid. Kunde det aldrig bli lugnt i världen.

Dörren öppnades av Berit Richardsson. Hon stod kvar inne i hallens halvdunkel, som om hon hade öppnat dörren med en käpp.

"Får jag komma in?" frågade Winter.

Hon svarade inte.

"Du känner väl igen mig?"

Hon nickade.

Winter steg över tröskeln. Kvinnan backade ifrån honom. Det var en kuslig rörelse, som om han hade hotat henne. Som om han kommit med besked som förstörde hennes liv. Det kanske redan var förstört, det kanske hade varit förstört länge. Winter stängde dörren efter sig. Hallen blev mörk. Kvinnan gick därifrån. Det fanns ljus längre bort, som i änden av en tunnel. Winter följde henne. Hon hade satt sig i soffan i vardagsrummet. Dagen gled in genom fönstren. Den var fortfarande grå. Winter satte sig i en av fåtöljerna. Berit Richardsson dolde ansiktet i händerna. Det var tyst i huset. Barnen måste vara i skolan. Det kunde inte ha varit roligt att gå till skolan. Farsan efterlyst. Hur fan skulle man kunna koncentrera sig på det så kallade skolarbetet.

Hon lyfte sitt ansikte ur händerna. Winter kunde se de mörka ringarna under ögonen, som en misslyckad sminkning: upp blev ner, svärtan sjönk.

"Om du tänkte fråga om Jan hört av sig så är svaret nej."

"Jag hade inte tänkt fråga det."

"Vad hade du tänkt fråga då?"

"Hur är det med barnen?"

"Barnen? Vad menar du? Barnen?"

"Är dom i skolan?"

"Ja… och nej. Tova är i skolan. Erik är ledig."

"Var är han?"

"Vad spelar det för roll?"

Ingen eller väldigt stor, tänkte Winter. Men jag får låta det vila just nu. Det kommer tillbaka. Eller så slipper vi det.

"Har du tänkt på var Jan kan vara just nu?"

Hon skrattade ett kort skratt. Hennes röst lät plötsligt hes.

"Det låter som en dum fråga", sa Winter, "men jag vet ingenting om din man. Till skillnad från dig."

"Vad skulle jag veta?"

Hon såg plötsligt ut som om hon inte visste mer än Winter gjorde. Det kanske var så. Det var först nu som hon lärde sig saker om sin man. Hon gjorde det tillsammans med Winter. Det han fann var också nyheter för henne. Dåliga nyheter.

"Finns det nåt särskilt ställe där han kan vara?"

Hon svarade inte.

"Har ni nåt lantställe eller liknande?"

"Nej."

"Vänner? Släkt?"

"Jag tror inte dom gömmer honom", sa hon med klarare stämma. "Då hade dom ringt mig. Både släkten och… vännerna."

Hon drog på det sista. Winter läste i hennes ansikte. Vännerna var inte så många. Richardsson hade inte flytt åt det hållet.

"Om han inte lever då?" sa hon mycket lågt.

Hon sökte ögonkontakt med Winter nu.

"Varför skulle han inte göra det?"

"Är det vad ni tror. Egentligen? Att han inte lever?"

"Vilka skulle… hur ska jag uttrycka det… vilka skulle önska honom död?"

"Herregud", sa hon. "Vilket samtal."

"Finns det någon som hotat din man?" fortsatte Winter.

Hon skakade på huvudet.

"Eller dig? Familjen?"

"Nej."

"Ingenting som du kan komma på? Det kan vara vad som helst. Det kanske inte ens kändes som ett hot överhuvudtaget. Men nåt som du tänkt på efteråt."

"Nej."

"Har Jan aldrig nämnt något hot? Att han hade problem med nåt? Med någon?"

"Nej…"

Men det fanns en tvekan i hennes svar. Hon hade kanske frågat sin man något. Eller undrat något, för sig själv.

"Vi undrar hur din man kände Bengt Sellberg."

"Jag vet inte." Hon sa det snabbt.

"Du vet ingenting om honom? Nu när du fått tänka lite på det. Har du aldrig hört namnet förut?"

"NEJ!"

Hon skrek. Winter ryckte till. Hon dolde ansiktet i händerna igen. Det var som om hon ville komma undan allt det här. Huvudet i sanden, huvudet i händerna.

"Nej", sa hon inifrån händernas skydd. "Kan du inte lämna mig ifred nu?" Orden var som slutna av händerna, som om de kom inifrån en tunnel, ett slutet rum. "Kan jag inte få vara ensam nu?"

Hon har varit där förut, tänkte Winter. Hon har sökt skydd där förut, inne i den tunneln. Hon har behövt skydd. Kanske hela familjen. Sonen, Erik. Dottern. Vem har dom behövt söka skydd ifrån? Vad har dom försökt skydda sig ifrån?

"Är du rädd för nåt som har med Sellberg att göra?" frågade Winter.

Hon svarade inte. Winter kunde inte se hennes ansikte. Han ställde frågan igen. Hon skakade på huvudet som fortfarande var nersjunket i händerna. Händerna skakade. Winter kände sig plötsligt rädd för vad som kunde hända här. Vad han skulle kunna ha orsakat, vad han kanske redan orsakat. Han reste sig snabbt och gick bort till kvinnan och la en hand på hennes axel. Hon ryckte till. Hon tog bort händerna från ansiktet.

"Gå härifrån", sa hon.

"Har du ingen som kan vara här?" frågade Winter. "Du ska inte vara ensam."

"Erik och Tova kommer hem snart."

"Du ska inte vara ensam alls", sa Winter. "Finns det ingen du kan ringa? Jag kan be nån komma hit."

Hon skakade på huvudet. Jag kan inte tvinga henne, tänkte Winter. Men det är egendomligt att hon är ensam här. Varför är hon ensam? Han höll kvar handen på hennes axel. Hennes kropp var varm. Det kanske är mina händer som är kalla, tänkte han. Varför är hon så rädd? Det handlar inte bara om att hennes man är försvunnen. Det är nåt annat. Hon vet nåt. Hon har vetat det länge.

Berit Richardsson rörde sig. Winters blick drogs till brösten utan att han kunde hindra det. Hon var i hans ålder, något yngre eller äldre. Hon hade ett vackert ansikte. Till och med nu var det vackert. Winter kände fortfarande värmen från hennes kropp. Hon tittade plötsligt upp på honom. Han fick en impuls att sträcka fram den andra handen och torka hennes kinder rena från tårar. Han släppte handen från hennes axel och vände sig om, mot fönstret. Han såg ett ansikte i fönstret. Erik mötte hans blick. Pojken hade stått därute Gud vet hur länge. Winter höjde handen till hälsning. Pojkens ansikte försvann. Solen fanns därute nu. Det skulle bli ännu en obegripligt vacker dag.

Det gjorde ont i ögonen när han började gå från bilen till polishusets ingång. Han gick tillbaka och hämtade solglasögonen. Smärtan försvann omedelbart när han satte på sig dem.

Han såg Halders vänta vid portarna.

"Hur är det med skallen?" sa Halders när han kom fram.

"Tackar som frågar", sa Winter och tog av sig glasögonen.

"Det är inget fel med min skalle", sa Halders och strök sig över den glatta hjässan.

"Bra."

"Det är inget fel på nåt."

"Bra."

"Allt är fruktansvärt bra", sa Halders. "Jag har inte mått bättre i hela mitt liv än denna underbara vackra höstmorgon. Fan, man kan ju inte ens säga att det är höst." Han log. "Det är fantastiskt att få uppleva detta, eller hur?"

"Verkligen", sa Winter.

"Har du pratat med Aneta?"

"Förlåt?"

"Aneta. Aneta Djanali som jobbar på den här roteln. Svart kvinna. Påstår att hon är född på Östra sjukhuset. Som jag är sambo med. Eller var sambo med. Har du pratat med henne? Har hon sagt att hon flyttat hemifrån?"

"Knappt", svarade Winter.

"Knappt? Vad i helvete betyder det?"

"Hon vill inte prata om det, Fredrik."

Halders studerade himlen. Obegripligt blå. Lika obegripligt som det fruktansvärt fantastiska livet. Winter visste inte vad han skulle säga. Eller vad han skulle göra. Skulle han se till att Halders fick förflyttning? Han ville inte splittra laget efter alla dessa år, men laget kanske höll på att splittra sig självt. Det var inte starkare än sin svagaste länk och så vidare och så vidare. Han kanske själv var den svaga länken just nu. Eller hade varit. Han kände sig plötsligt starkare. Ögonen gjorde inte ont, inte skallen. Migränen var på väg till nån annan stackare under nån annan himmel, en grå. Sjukdomen kanske aldrig skulle komma tillbaka.

"Hon har rätt. Det är inget att prata om", sa Halders.

"Fredrik..."

"Jag vet vad du ska säga", avbröt Halders. "Men jag är professionell, och det är hon också."

"Det var inte vad jag skulle säga", sa Winter.

"Det är ett jävla ord förresten", fortsatte Halders. "Professionell."

"Jag har aldrig tyckt om det heller", sa Winter och log.

"Det är ju som om man skulle sluta tänka eller nåt. Som om man var en maskin. Som om allt gick ut på det."

"Ibland verkar det göra det", sa Winter.

"Inte för mig. Men ibland önskar man ju att man var det. En maskin."

"Vad gör du i kväll?" sa Winter.

"Va… jag är väl hemma. Jag har liksom ett par barn hemma. Varför frågar du?"

"Vi kanske skulle gå ut nån timme. Ta ett glas, bara."

"Du och jag, menar du?"

"Ja."

"Herregud, Erik, har du nånsin frågat nåt sånt förut?"

"Det vet jag inte. Det har jag väl."

"Inte vad jag kan komma ihåg."

"Vad säger du? Kan du skaffa barnvakt nån timme eller två?"

"Jag kan ju fråga Aneta", sa Halders och brast ut i ett hysteriskt skratt.

Telefonen ringde när Winter var tillbaka på sitt rum. Signalen lät ödslig, som om någon flyttat bort möbler och inventarier i rummet medan han varit därifrån. Ett eko över stora avstånd. Men det fanns inte mycket att flytta undan. Det var ett torftigt rum. Det var ett rum för professionellt arbete. Det enda utanför den sfären var ett tvättställ och den smått antika Panasonicen som stått på golvet under de senaste tio åren och spelat musik under arbetet. Han hade precis tänkt lägga på en skiva när telefonsignalerna kom.

"Winter."

Det var växeln.

"Här är nån anonym som sökt dig ett par gånger."

"När?"

"I går, och dan före."

"Hur många gånger?"

"Två."

"Det är inte direkt ovanligt", sa Winter.

"Nej. Men du vill ju veta."

"Ja. Tack."

Han la på luren. Anonyma telefonsamtal, de flesta rensades bort innan de nådde honom. Men han ville veta. Ibland betydde det något, en gång på miljonen ungefär. Den miljonte gången betydde det allt.

Telefonen ringde igen.

Winter stod mitt i tekniska rotelns heliga. Han kände alltid en fascination när han kom dit. Han kunde ta sin intuition och fantasi och yrkeserfarenhet och skicklighet som spanare så väldigt långt det gick, men han kunde inte nå hela vägen. Han måste arbeta tillsammans med teknikerna, och det blev alltmer så, när metoderna blev alltmer sofistikerade. DNA-tekniken gjorde framsteg varje månad nästan, uppfanns på nytt. Kanske kan vi, en liten stund, vara ett litet steg före, hade han tänkt för inte så länge sedan. Kanske någon mer som inte kommer undan nu. Det förflutna hinner upp ett monster till.

Torsten Öberg pekade på fotografierna på bordet framför dem.

"Skytten stod nära dörren", sa Öberg. "Utanför."

Winter nickade.

"Hur många skott?" frågade han.

"Fyra." Öberg pekade. "Här, här, här och här."

Winter nickade igen.

"Ser ut som 9-millimeters här också", sa Öberg. "Eller Tokarev."

"Vi får visst vänja oss", sa Winter.

"Det har vi gjort länge", sa Öberg. "Vi är fortfarande lite osäkra på det där huset." Han tittade på Winter. "Men tre skjutningar på kort tid. Min nyfikenhet stiger. Bilar inblandade, på olika sätt. Samma bil vid två tillfällen. Samma person, Sellberg."

"Kulor från tre tillfällen", sa Winter.

"Har gått iväg till SKL", sa Öberg som för sig själv. "Dom kollar ju bommärkena."

Winter nickade igen. Bommärken var resultatet av kulans vridning i pipan, kulan snurrade runt sin egen axel genom räfflorna, och vad SKL kunde hjälpa till med var uppgiften om det var samma vridning, om flera kulor skjutits ur samma vapen.

In your dreams, tänkte han.

John Coltrane blåste "Resolution." Winter hade spelat *A Love Supreme* sedan han kom tillbaka från Öberg. Musiken var en del av rummet. Den var en del av honom. Resolution. Lösning. Han studerade fotografierna framför sig: Den ensamma bilen på bron. Sellbergs hus. Den mördade Sellberg i Richardssons bil. Den ensamma bilen på bron igen. Den hade en ägare, men han hade ingenting med någonting att göra. Eller tvärtom. Winter var inte säker på någonting som rörde Roger Edwards. Bilen stals, kanske för ett särskilt ändamål. Det uppnåddes, eller så uppnåddes det inte. Bilen stals inte. Men den bilen hängde ihop med vad som senare skedde. Det hängde ihop, genom personerna, genom händelserna, brotten. Offret. Eller offren. Det kanske fanns fler offer. Det kanske fanns något bakomliggande. Det kanske fanns en mening med bron, med huset, med parkeringsdäcket, med bilarna. Var det något hans arbete lärt honom så var det att brottsplatsen sällan var en tillfällighet. Han studerade fotografierna igen. Ljuset i bilderna från bron var enastående vackert. Det hade varit tidig gryning när fotografen från tekniska kom dit. Hon var duktig. Erika Djurberg hette hon. De här bilderna kunde hon ha vunnit pris för om hon varit i den kommersiella världen. Han dröjde länge vid speciellt ett fotografi: den ödsliga bilen var bara en del, en detalj, fotografiet innehöll också bakgrunden, bockkranen vid Västra Eriksberg, de nya husens skyline som ett just funnet utopia. Den nyfödda solen i öster som började skära sig igenom glaset och betongen och skapa vassa reliefer i svart och rött och guld. Älvens svarta vatten. Den magnifika bron. Det var en fantastisk bild. Den var också fruktansvärd i sin rakbladsvassa verklighet. I sin brutala elegans. Det var nästan så att Winter ryste där han satt i sitt trygga rum. Bilden visade avgrunden. Då tänkte han inte på djupet under bron. Det var en annan avgrund han tänkte på. Bakomliggande. Utomliggande. På andra sidan bron mynnade älven snart i havet. Mynningen gick inte att se på fotografiet framför Winter, men den fanns där. Havet, skärgården, den norra, den södra. Öarna, Winter tänkte på öarna i den södra skärgården. Brännö. Kollot på Brännö. Han hade sett det på avstånd när han var mycket ung, som man betraktar en anstalt, ett fångläger, nej, han var inte en ung man då, han var en tunn femtonåring, en pojke som inte visste var han skulle hamna i den här världen, eller i några andra. Han hade drömt om andra världar, han måste ha gjort det, men han mindes inte just nu och det irriterade honom. Han blinkade och fixerade blicken på fotografiet från bron igen. Man skulle minnas sådant, steget ut i vuxenlivet, precis som man skulle minnas sin första skoldag. Livet började om några gånger, just i livet, tidigt, och senare, och de få tillfällena måste man minnas. Det var en chans som inte kom tillbaka, eftersom livet aldrig innehöll några repriser av det som verkligen betydde någonting. Det fanns alltid bara en chans. Allt det andra var inte så viktigt, det som sedan hände, när man blev äldre, när livet sakta stelnade. Han kände det ju. Han behövde inte lyfta handen, eller röra sina skuldror. Han kände sig fortfarande stark, men rörelserna stelnade sakta. Hur många gånger till skulle han uppleva ögonblick som man måste minnas? Han blundade. När han tittade igen hade solen på fotografiet stigit ett stycke till över himlen.

Christian Lejon studerade listan på personer som innehade parkeringstillstånd dygnet runt i garaget på Nordenskiöldsgatan. Abonnemang i mån av plats, som det också hette.

Lejon hade fått listan strax före lunch. Inte för att han skulle äta lunch i dag. Det fick bli i kväll, och sent. Trettio personer. Det var inte så många, men det var inte heller ett så stort garage. Och det var dyrt att stå parkerad där. Tillkom de som hade stått tillfälligt, för ett par timmar. Men han måste börja någonstans, han skulle börja med det första namnet på listan. Namnen stod i bokstavsordning. Det första var Aare, det andra Ademar och så vidare.

Ändlösa promenader genom staden, under den djupa himlen. Han kunde inte minnas när himlen varit så blå förut. Hade det med hösten att göra? Blev himlen blåare på hösten? Han kunde fundera på det i en timme, eller två, och på allt det som fanns bakom det blå. Det gav något slags lindring att tänka på allt som fanns bakom. Som om det inte riktigt kändes så smått och sjaskigt härnere på jorden om man tänkte så. Men egentligen var det ju tvärtom. Tänkte man så blev det verkligen småttigt och sjaskigt och meningslöst med allt härnere.

Han gick österut utefter älven. Han skulle snart vara framme vid piren. Han hade försökt bestämma sig för om han skulle göra det.

Han skulle få ett nytt uppdrag.

Han hade trott att de redan skulle ha dödat honom. Men han var fortfarande användbar.

Han kände solen i ansiktet. Han gick ut på piren.

18

RINGMAR STEG IN utan att knacka och satte sig på stolen framför Winters skrivbord. Winter höll upp ett av fotografierna.

"Vad säger oss det här?" sa Winter.

"Vilket då?"

"Scenen. Bilden. Motivet. Händelsen."

"Var det en händelse?"

"Nån lämnar sin stulna bil på Älvsborgsbron med motorn igång och försvinner. Är inte det en händelse?"

"Sin stulna bil? Du sa 'sin' stulna bil."

"En stulen bil är att betrakta som egendom för den som tillförskaffat sig den", sa Winter.

"Aha."

Winter la ner fotografierna. Det fick vara nog med skönhet.

"Sellberg kanske hade snott bilen", sa Ringmar. "Tillfälligtvis. Richardssons bil alltså. Vår politiker verkar inte vara mycket att lita på. Han kan ha ljugit om att Sellberg lånat kärran."

"Varför?"

"Enklaste vägen ut. Dom kanske hade en konflikt."

"Mhm."

"Richardsson kanske inte ens är i denna värld längre", sa Ringmar. "Vad sa frun?"

"Ingenting. Men det betyder ju inte att hon inte vet nåt."

"Gör hon det då?"

"Mannen hade nåt fuffens för sig."

"Fuffens? Det är ett fint gammalt uttryck. Jag trodde det var utdött."

"Jag lärde mig det av dig, Bertil."

"Kanske hade Richardsson ett förhållande med Sellberg", sa Ringmar. "Ingen har sagt nåt om det hittills." Han tittade på klockan. "Bergenhem pratar väl med folk nere på kansliet i detta nu."

Inte riktigt. I detta nu korsade Bergenhem Gustav Adolfs torg. Kungen pekade som vanligt med hela handen i riktning mot älven. Göteborg var kungens stad, men den hade anlagts av holländska ingenjörer, samma gäng som hade anlagt Jakarta. Bergenhem hade läst det någonstans. Han hade inte varit i Indonesien, men det kanske var dit han borde resa när han lämnade allt. Någonstans där han liksom hittade direkt i innerstan.

Tänker jag annorlunda än andra människor, tänkte han när han gick uppför trapporna. Alla normala människor som jag möter hela tiden.

Richardssons sekreterare tog emot på sitt lilla kontor. Hon såg misstänksam ut, kanske rädd, ja, rädd. Bergenhem hade känt blickarna på sig från folk han mötte när han gick genom politikerpalatset. Alla visste, förstås. Herregud, här! Hos oss! Vad är Janne inblandad i? Var är Janne?

"Jag vet ingenting", var det första hon sa.

"Jag har inte frågat nåt än", sa Bergenhem.

"Det är fruktansvärt", sa hon och lyfte högerhanden till halsen och började snurra sitt halsband med fingrarna som ett radband.

Hon vet väl sitt namn i alla fall, tänkte Bergenhem och frågade om det.

"Lena Jarlert." Hon såg rädd ut också när hon sa sitt namn. "Jag kommer väl inte i tidningen?"

Lena Jarlert hade läst tidningarna. Ett spektakulärt mord i ett parkeringshus. Fotografierna från utsidan av underjorden. En man försvunnen. Hennes chef. Luftiga spekulationer i kvällstidningarna.

"Jag är inte journalist", sa Bergenhem.

"Men i… rapporten eller så? Din… rapport? Om journalisterna läser den?"

"Den är hemligstämplad."

Det var ett bra uttryck i sammanhanget. Hemlig. Stämplad. Hon såg lugnare ut.

"Har Jan Richardsson sagt nåt om att han kände sig hotad?"

"Nej."

"Såg han hotad ut?"

"Jag förstår inte…"

"Verkade han nervös? Rädd?"

"Nej."

"Sa han nåt om det? Den senaste tiden, kanske?"

"Nej, aldrig."

"Förändrat beteende under senaste dagarna? Det kan vara vad som helst. Minsta detalj som du kanske tänkt på nu."

"Nej, jag såg ju inte mycket av honom. Han var inte här mycket."

"När menar du då?"

"Senaste… senaste dagarna, som du frågade."

"Var var han då?"

Hon svarade inte.

Bergenhem upprepade frågan.

"Jag kan inte veta allt", sa hon.

Det var en lite underlig kommentar.

"Hur menar du?" frågade Bergenhem.

"Jag bokar in möten, men inte alla."

"Har du en förteckning?"

Hon sträckte sig framåt och lyfte en mapp. Den låg överst i en liten hög, som om hon nyss gått igenom den.

"Jag skulle just arkivera det här", sa hon.

"Kan jag få kopior?"

"Behövs det?"

"Ja."

När Ringmar gått reste sig Winter och gick bort till cd-spelaren och tryckte igång Coltrane igen. När han reste sig upp slog huvudvärken till som en slägga. Det skarpa ljuset genom fönstret brände till i hans pannlob. Det skulle inte hända nu. Han hade medicin mot migränen. Han hade verkligen hämtat ut den och börjat ta den. Den hjälpte inte. Han hade alltså inte migrän. Det var vad han hade misstänkt. Han hade nåt allvarligare, dom hittade det inte bara. Det var alltid så, det visste varenda människa, alla riktigt allvarliga sjukdomar fanns bara inte i debutstadiet, ingen hittade nåt, alla tester var negativa.

Bultandet i huvudet blev långsamt svagare. Vad *är* det här? Hans syn hade blivit dimmig för ett ögonblick, Fattighusån därborta såg ut att flyta som dimma mellan de gula tegelbyggnaderna bakom vattnet. Träden i parken var svarta varelser som rörde sig i utkanten av hans synfält. Han blundade och världen blev röd. Han öppnade ögonen och allt var fortfarande rött omkring honom. Han hörde ett nytt bultande i huvudet, nej, det var öronen, det var inget bultande, det var ett ringande, det kom från bakom honom.

Winter tog ett steg tillbaka från fönstret och hörde telefonen. Han kände inte längre smärta. Den hade lämnat honom lika snabbt som den kommit, som en av de blixtrande solstrålarna därute. Han gick bort till skrivbordet och lyfte luren.

"Ja?"

"Ja... det är Ademar. Jacob Ademar."

"Var har du varit?"

"Vadå har varit? Jag har varit iväg."

"Var då?"

"Vad är detta? Jag har varit iväg på lite research. För boken. Vad är det?"

"Har du ringt hit förut?" sa Winter. "Senaste timmarna?"

"Nej..."

"Har du varit hemma i huset i natt?"

"Nej."

"Var är du nu?"

"På väg till Sto..." och rösten försvann. Winter hade hört bruset genom ledningarna. Ademar satt på tåget till Tokholm.

Winter ringde upp och läste in ett meddelande i Ademars resdöda mobiltelefon. Det var inte läge att dra i handbromsen än.

183

Det ringde igen.

"Ja?"

"En kvinna härnere frågar efter dig."

Det var receptionen.

"Vem är det?"

Winter hörde röster i bakgrunden. Kvinnan i receptionen kom tillbaka:

"Hon säger att hon heter Sellberg. Marie Sellberg."

"Jag kommer ner!"

Kvinnan väntade i receptionen. Hon stod bredvid den vackra galonsoffan. Winter sträckte fram handen.

"Erik Winter."

"Marie Sellberg."

Samma familjenamn. Winter såg ingen ring på hennes finger. Hon var i hans ålder, runt fyrtiofem, lång, ett smalt ansikte, blont hår, och ingenting hos henne påminde om brodern. Men Winter hade bara sett hans dödsmask.

"Vad handlar det här om egentligen?" frågade hon.

"Vi åker upp till mig", sa han.

"Men vad gäller det? Hur dog han?"

"Den här vägen", sa Winter så mjukt han kunde.

Hon sa ingenting i hissen. Hon stirrade in i väggen. Hon vet, tänkte Winter. På något sätt har hon fått veta.

Winter erbjöd henne stolen framför skrivbordet. Den såg plötsligt onödigt hård ut.

"Vill du ha nånting? En kopp kaffe?"

Hon skakade på huvudet.

"Kan du berätta nu?" sa hon.

Winter berättade det nödvändigaste. Hon såg ut som om hon inte trodde honom.

"Jag beklagar", sa han.

Hon tittade på honom som om han skojade med henne. Hon hade ryckt till när han sagt det: jag beklagar. Eller om han verkligen menade att han var ledsen för det som hänt.

"Tack för att du kom", sa han.

Hon nickade nästan omärkligt på huvudet.

"Jag hörde ju på telefonsvararen att han dött."

"Ja."

De hade vetat så mycket som att Sellberg haft en syster. Föräldrarna var döda. Systern bodde i Göteborg. Möllerström hade ringt men ingen hade svarat.

"Jag har varit bortrest", sa hon.

Winter nickade.

"Är det verkligen han?" sa hon.

"Ja."

"Jag behöver inte... identifiera honom eller så? På bårhuset eller så?"

"Nej, nej."

Winter såg att hennes blick sökte sig till Panasonicen på golvet. Ja, den såg märklig ut.

"Jag spelar inte in det här", sa Winter och nickade mot Panasonicen.

Hon svarade inte.

"Jag vill att du berättar om din bror."

"Vad ska jag berätta?"

"När träffade du honom senast?"

"Det var rätt länge sen."

"Hur länge sen?"

Hon svarade inte.

"När träffade du honom senast?" upprepade Winter.

"Jag kommer inte ihåg."

"Denna veckan? Förra veckan? Förra månaden?"

"Förra året", svarade hon.

19

BERGENHEM GICK TILLBAKA över torget. Han kunde inte se kungen längre. Han hade stigit ner från sockeln och gått in på något av kaféerna utefter Hamngatorna. När kungen kom till stan för första gången fanns inte många av de kaféer som låg där nu. De måste utöva en ständig lockelse för honom där han stod på sin sockel. Bergenhem försökte föreställa sig kungen vid ett bord därinne men misslyckades. När han tittade igen var kungen tillbaka som om ingenting hänt. Han pekade i Bergenhems riktning, som om han försökte visa vägen. Bergenhem försökte föreställa sig sin egen framtid men misslyckades. Han gick utefter Norra Hamngatan, gick över bron, passerade Fiskekrogen, fortsatte förbi landshövdingeresidenset ut mot älven, gick över Oskarsleden, som nu bara var en skugga av förut sedan Götatunneln byggts. Plötsligt hade det blivit tyst här. Plötsligt var trafiken väck. Plötsligt kunde omkringboende ta av gasmaskerna. Bergenhem följde älven västerut förbi parkeringspråmen till Rosenlund. Vattnet i älven hade samma färg som himlen ur Bergenhems perspektiv. Det gick inte att se var det ena började och det andra slutade. Älvsnabben väntade på honom. Han steg ombord och färjan la ut. Han stod kvar ute på däck tillsammans med en flicka med cykel. Hon såg ut som en student, kunde inte vara mer än 20–21. Hon har hela livet framför sig, tänkte han. Hoppas hon tror på det. Det gjorde jag, då gjorde jag det. När jag var 21 hoppades jag att jag skulle träffa nån som jag ville leva med, och det gjorde jag. Det var inte långt efteråt jag gjorde det. Och nu står jag här och tror inte längre på det. Kanske har jag aldrig gjort det. Han såg Dockpiren dyka upp som om den var på väg mot båten och inte tvärtom. För en sekund trodde han att Älvsnabben skulle vräkas in i stenpiren, men den slog av på farten och gled upp mot landgången. Flickan ledde över sin cykel och hoppade upp och cyklade bort mot Sannegårdshamnen. Var det Halders som hade sagt att han ville komma tillbaka som en damsadel i nästa liv? Måste ha varit han, för länge sen. Halders sa sällan idiotiska saker numera. Det var nästan så man saknade det. Han blev äldre, dom blev alla äldre. Tröttare, kanske. Mindre desperata. You're losing all your highs and lows, ain't it funny how the feeling goes, det var Eagles, "Desperado", västkustmusik. Västkust som västkust, tänkte Bergenhem och passerade Eriksbergstorget och fortsatte bort på Maskinkajen. Husen tog slut. Det skulle snart komma fler, det byggdes i fruktansvärt hög takt rakt framför honom. Han kunde se Älvsborgsbron torna över Färjenäs. Bron var enorm i ljuset från solen och reflexerna från vattnet, den såg ut att vara på väg hela vägen till himlen. Bergenhem gick in på Sushi och satte sig vid ett bord. Han var ensam i lokalen. En kvinna med orientaliskt utseende kom fram till bordet med en meny. Bergenhem gjorde en avvärjande liten rörelse: Jag väntar på en person.

Marie Sellberg ville inte se sin brors kropp. Hon trodde på Winters ord. Han såg inga tårar. Det betydde ingenting.

"Han kanske hade fiender", sa hon. "Det måste han ju ha haft."

"Av vilken orsak?"

"Han var en aggressiv person."

"På vilket sätt?"

"Tja... han blev förbannad, bara. Väldigt snabbt. Från noll till hundra, som man säger. Han hade ingen impulskontroll. Det är väl så det heter."

"Vet du vilka han bråkat med?"

Hon skrattade till, ett väldigt kort och hårt skratt.

"Det har varit många genom åren."

"Den senaste tiden?"

"Det vet jag inte. Jag har ju inte träffat Bengt på ett år nästan."

"Varför blev han så arg?"

"Jag är ingen psykolog."

"Du måste ha funderat på det."

"Det har väl med vår uppväxt att göra."

"Hur menar du?"

"Den var inte rolig, om man säger."

Winter sa ingenting. Han väntade på att hon skulle fortsätta. Han hörde ljudet av en helikopter i himlen utanför fönstret.

"Vår pappa slog oss."

Winter nickade.

"Och vår mamma gjorde ingenting åt det." Marie Sellberg tittade på Winter. Hon hade dittills tittat ut genom fönstret, den blå himlen, solskenet, allt det vackra därute. "Hon vågade väl inte. Hon orkade inte. Jag vet inte. Jag har inte förlåtit henne för det. Jag vet inte varför jag berättar allt det här för dig."

"Jag frågade dig."

"Han… förgrep sig på oss. Vår pappa."

Winter nickade igen.

"Känns det igen?" sa hon. "Har du hört sånt förut?"

"Ja."

"Det var bara vi två, Bengt och jag. Vi var ju så små. Men… jag vet inte… vi kunde inte hålla ihop sen. Det har bara inte gått."

Winter kunde se smärtan i hennes ansikte när hon sa det. Det var någonting hon aldrig skulle komma ifrån. Det fanns inga medicinska preparat för det. Samtal, kanske. Men bara till en viss gräns. Han kunde känna den gränsen omkring henne, som ett stängsel. Hon satte upp det, och det hade hon varit tvungen till sedan barndomen. Men hon hade inte haft någon dyrbar barndom. Sådant gick också att se. Den hade stulits från henne, och om Winter hatade några av de brottslingar han jagade, verkligen hatade, så var det de som stal barndomar.

"Vad är dina föräldrar i dag?"

"Dom är döda, båda två är döda. Jag är glad för det. Det är den enda glädje jag har i livet."

*

Helikoptern surrade fortfarande över centrala Göteborg. Winter visste inte varför. Han gick ensam under träden i polisparken. Hans mobil ringde.

"Jag är framme nu", sa rösten i andra änden.

"Det har du väl varit ett tag."

"Vad är det du vill?"

"Sellberg har skjutits ihjäl, och du lämnar stan."

"Hade jag reseförbud?"

"Nej. Men jag bad dig stanna kvar för eventuella frågor."

"Du kan ställa dom nu."

"Var är du?"

"På hotellrummet."

"Jag ringer upp dig om några minuter. Vilket hotell, vilket rum?"

"Hotell Stockholm. Rum 189."

"Okej."

"Litar du inte på mig?" sa Ademar.

"Jag vill inte prata i mobil mer än nödvändigt. Strålningsrisken."

"Driver du med mig?"

Men Winter hade tryckt av innan han hann svara. Han gick tillbaka till Polishuset och åkte upp i hissen. Han tänkte på Marie Sellberg. När hon gått från hans rum hade hon sett ut som den ensammaste i världen. Nu fanns ingen kvar mer än hon. Hon kände ingen glädje över broderns våldsamma död. Hon var en värdig representant för tragedin som är livet. Winter hade känt sig ledsen när hon gått. Det var en känslighet som ökat med åren. Snart skulle han börja gråta under förhören. Förhörspersonerna skulle få trösta honom. Världen är för ond. Är mänskligheten värd att rädda? Ska jag fortsätta att försöka göra det? Alla sådana tankar som han försökt sprida ut ifrån sig bland de ensamma träden i parken nyss. Se dem segla bort i röken från hans Corps. Cigarren var ändå något att hålla fast vid. Världen förgår, Corps består.

Han slog numret till Ademars hotell och väntade medan han kopplades vidare till rummet.

"Ja?"

"Hur går det med boken?"

"Hur så?"

"Jag är intresserad."

"Varför?"

"Är det så konstigt? Det här är ju ett gammalt mysterium som aldrig blev löst. Det var före min tid, men det är aldrig roligt för polisen när försvinnanden inte klaras upp."

"Är det inte vanligt?" sa Ademar.

"Nej. Det händer, men de flesta hör av sig förr eller senare. Eller hittas, på ett eller annat sätt."

"Kanske är det inte ett mysterium", sa Ademar.

"Hur menar du?"

"Det kanske är ett pussel."

"Intressant att du säger det", sa Winter. "Jag tänker själv i dom banorna ibland. Är det ett pussel så måste man bara hitta alla bitar."

"Det är inte så bara."

"Är det vad du försöker göra? Hitta pusselbitarna?"

"Jag vet inte. Jag vet faktiskt inte. Man vet ju aldrig om alla bitar finns."

"Hur många har du hittat?"

"Inte så många."

"Så boken har inte kommit så långt?"

"Nej."

"Är det en ren dokumentär?"

"Vad är det?"

"Jag vet inte", sa Winter.

"Om du menar att det ska bygga på fakta så är det väl dokumentärt. Men det finns ju inte så mycket fakta. Så jag funderar fortfarande på om det ska bli en roman till slut."

"Jag förstår", sa Winter.

"Bra."

"Har du själv nån anknytning till det där kollot?" frågade Winter. "Eller Brännö?"

"Du menar personligen? Nej…"

"Varför forskar du i det här?"

Ademar svarade inte.

"Har du kollat eventuell polisutredning?" frågade Winter.

"Nej, inte än."

"Jag kan ta en titt", sa Winter. "Om det finns nåt."

"Varför skulle du göra det? Du hinner väl inte med det? Du har ju ett mord att utreda."

"Jag kollar inte just nu, kanske. Men… jag vet inte. Jag vet faktiskt inte varför jag är intresserad."

Det var något. Något i honom sa till honom att han borde vara intressad av det här, av den här flickans försvinnande. En aning. Det var kanske det som kallades intuition. Det som inte gick att förklara, rationellt, logiskt. Det var kanske mer fiktion än dokumentation.

"Men jag har väl en anknytning…" sa Ademar efter en lång paus.

"Ja?"

"Beatrice var min syster."

Halders och Aneta Djanali undvek varandra tills det inte längre var möjligt. Det var inte längre möjligt i Anetas bil, på väg tillbaka till Sellbergs hus. De passerade korsningen där en av gatorna ledde till Halders hus. Halders och Djanalis hus, det var så han hade sett det de senaste åren. Hur många år var det som de hade bott i huset tillsammans. Tre? Fyra? Han mindes inte. Han ville inte.

"Vad är det som händer?" sa han.

Hon svarade inte.

"Jag vill att du svarar."

"Jag vet inte, Fredrik."

"Det duger inte."

"Vad vill du att jag ska säga?"

"Säg NÅNTING för helvete!"

Hon ryckte till av kraften i hans röst. Hon kände att hon vinglade till på vägbanan och grep hårdare om ratten.

"Ta det lugnt, Fredrik."

"Tror du det här är nån jävla lek?"

"Varför skulle jag tro det?"

"Om du vill flytta så ha åtminstone anständigheten att säga det! Och göra det. Det duger inte att bara smyga iväg på kvällen utan att säga nåt."

Hon sa inget.

"Vad tror du Hannes och Magda säger? Va? Vad dom tycker?"

"Jag... tänker på det, Fredrik."

"Jaha? Hur då?"

"Ge mig bara lite tid", sa hon.

"Till vadå? Det har jag inte tålamod till. Det är det jävligaste som finns. Du känner mig. Nej, det gör du nog inte. Det var bara nåt jag trodde. Som vi trodde. Stanna bilen."

"Vad?"

"Stanna bilen!"

Hon bromsade in och stannade vid vägkanten. Det var mitt för en liten lekplats. Tre små barn gungade i var sin gunga. Skratten trängde in i bilen. Halders öppnade dörren, steg ur, slängde igen dörren efter sig utan att säga ett ord, började gå. Han vände sig inte om. Det duger inte att bara gå iväg, tänkte hon.

Winter körde Långedragsvägen förbi Hagenskolan, tog till höger på Krokebacksgatan, vänster på Fullriggaregatan och vidare in i Hagen. Gatorna var delar av hans barndom. Han hade haft en bra barndom. Ingen i hans familj hade våldtagit honom. Han hade fått en bra start i livet. Han parkerade Mercedesen på gatan utanför barndomshemmet. Hans storasyster Lotta bodde kvar med flickorna, även om Bim var på väg ut i det egna livet nu. När han öppnade grinden undrade han varför det dröjde så länge mellan varje besök. Han tyckte om Lotta. Han tyckte om hennes flickor. Han var inte så förtjust i huset, han visste inte varför. Det var en ordinär rappad villa som Bengt och Siv köpt när pengarna börjat rulla in och de bestämt sig för att flytta från Kortedala och komma närmare havet. Det var nära till havet. Winter hade som barn och ungdom uppskattat det. Familjen Winter hade hyrt i skärgården. Han hade bott på klipporna. De hade haft en segelbåt, men han hade aldrig blivit så mycket seglare att han själv ägde en båt. Det var kanske märkligt. Han borde ha en båt, på samma sätt som han borde ha ett hus nära havet, på tomten ute i Billdal.

Dörren öppnades innan han var framme.

"Erik."

Hon kramade om honom.

"Jag kände först inte igen rösten när du ringde."

"Ha ha."

"Var det förra året vi sågs?"

"Om året består av en månad."

"Jag ser mer av Angela och flickorna än jag ser av dig."

"Vad ska jag svara på det?"

"Men kom in. Vill du ha kaffe?"

"Varför inte."

"Eller whisky?"

"Ser jag ut att längta efter whisky just nu?"

"Kanske inte. Kaffe alltså. Det får bli pulver. Espressomaskinen har lagt av."

"Du använder den för sällan. En espressomaskin måste vara igång varje dag."

"Jag vet, men Bim och Kristina dricker inte kaffe längre. På samma sätt som dom inte äter kött. Eller ägg. Eller dricker mjölk. Och framför allt dricker dom inte espresso."

"Cappuccino då?"

"Det är espresso med mjölk. Lika giftigt."

"Herregud. Var är dom? Jag får prata med dom."

"Skolan är inte slut än."

Winter tittade på klockan. Eftermiddagen började bli sen. Det började skymma. Himlen därute sjönk in i sig själv till ett djupare blått. Han kunde se de gamla päron- och äppelträden i trädgården. Grenarna sträckte sig åt alla håll. Han kom fortfarande ihåg var hans pappa hängt upp en gunga.

"Du borde beskära träden, Lotta."

"Var det inte du som lovade att komma hit och göra det i våras? Eller februari?"

"Jag var i Marbella i februari. Det borde du väl veta eftersom ni var nere och hälsade på under lovet. "

"Då var det året innan."

"Jag gör det kommande februari."

"Jag pratade med mamma."

"Ja, hon ringde mig också. Hon vill visst komma hem."

"Under lite längre tid", sa Lotta. "Hon kan bo här. Hon får gärna bo här."

"Bra."

"Hon är ensam."

Han nickade.

"Det är helt rubbat att hon ska sitta ensam därnere i Nueva Andalucia-ghettot medan hela hennes familj finns häruppe i Göteborg."

"Hon kanske hoppas att vi alla flyttar dit."

"Ja, ni är ju på god väg i alla fall."

"Nej. Det var sista gången i vintras. Åtminstone på ett tag."

"Se där. Det där är precis vad hon vill höra. 'Åtminstone på ett tag.' Hon väntar på er."

"Hon är utlandssvensk. Dom är inte som du och jag, Lotta."

Hans syster brast i skratt.

"Jag gör i ordning kaffet."

"Du ser lite trött ut, Erik. Förlåt att jag säger det."

"Det blir bättre om nåt år eller så."

"Är det ett skämt?"

"Inte helt. Det är ansvaret. Birgersson har slutat. Jag får sköta hela roteln nu."

"Har du inte alltid gjort det?"

Han svarade inte.

"Hur många är ni på din avdelning? Roteln heter det ju."

"Femtiosju män och kvinnor."

"Hur många är kvinnor?"

"Jag... låt mig tänka... jag vet inte exakt. Tjugofem procent kanske. Trettio procent."

"Kristina pratade häromkvällen om att bli polis."

"Vegan och polis?" sa Winter och log. "Den kombinationen finns inte."

"Hon skojade kanske."

"Avråd henne i vilket fall."

"Varför det?"

"Det blir inte bättre. Det blir inte lättare. Och för många psykopater på polishögskolan."

"Är detta polisens officiella hållning?"

"Det är min."

"Varför lägger du inte av med en gång?"

Han rörde i koppen, såg mjölken blandas med pulverkaffet till en ljusare nyans. Han hade bitit i en bulle hon tinat i mikron. Hon hade bakat den själv. Den var het och lös i konsistensen efter några sekunder för länge i mikron.

"Jag gillar fortfarande jobbet", sa han.

"Det låter inte så."

"Jag skulle inte vilja göra nåt annat."

"Du hatar ju det förbannade jobbet."

"Man kan älska och hata på samma gång."

"Låter som nåt av mina gamla förhållanden."

Nu var det Winters tur att brista i skratt.

"Hur är det med flickornas pappa?" frågade han.

"Han är samma idiot som alltid. Det kom ett vykort till jul. Från Australien den här gången."

"Vill dom inte söka upp honom på allvar? Prata med honom på allvar?"

"På allvar? Vad menas med det?"

"Ställa den jäveln mot väggen, för att använda en sliten klyscha. Konfrontera honom. Han svek sina barn när dom var små och snart är dom stora nog att berätta det för honom."

Hon svarade inte. Han kunde se att hon hade tänkt på det. Att det skulle komma en sådan tid. Att det var nödvändigt. Att det kanske kunde ha undvikits. Om hon hade varit en annan. Om han hade varit en annan. Och sedan var det för sent.

"Jag har försökt skydda dom mot det", sa hon.

"Det finns nog inget sånt skydd", sa han.

"Jag är inte säker på att jag förstår. Men om Bim eller Kristina börjar prata om det på allvar så får vi väl göra nåt åt det."

Han nickade, och drack en klunk av kaffet. Mörkret rullades snabbt ut över gräsmattan i trädgården. Färgerna försvann. Den gamla lekstugan borta vid häcken blev grå. Han hade övernattat där många gånger, precis som Lottas flickor hade gjort det, och hans egna. Bim och Kristina var som storasystrar till Elsa och Lilly. Ibland ville dom inte lämna gräset alls, eller lekstugan. Han fick bygga kojor åt dom när dom kom hem. Ett slipat trägolv kunde vara lika bra som en gräsmatta. Lite hårdare, men lika bra.

De satt i halvdunklet, kurade skymning. Hans systers anletsdrag suddades ut lite. Det gick inte längre att se vad hon tänkte på.

21.40

HON HADE SETT DOM GÅ ILAND. Det tog lite tid innan plastbåten var förtöjd. Nu blåste det lite mer, det var som silver runt hela båten när vågorna krusades.

Hon kände igen två av dom.

Hon kom ihåg den enes namn. Han var rätt snygg. Nu log han. Det blänkte till, som nere på vattenytan. En blixt. En blixt från klar himmel, tänkte hon. Himlen var så klar den kunde bli, och blåare än för en timme sen.

Nu stod dom bara där.

Han som hon hade kommit gående hit med började gå ner mot båten.

"Hallå", sa hon.

Han vände sig inte om.

Hon började gå.

"Vänta lite nu", sa den snygge.

"Vadå", sa hon.

Ingen av de andra rörde sig. Han hade hållit ut en hand, men han hade inte rört henne. Den var som ett stängsel ändå, handen och armen. Ett osynligt staket, tänkte hon.

"Jag vill inte vara kvar här längre", sa hon. "Jag fryser."

"Det är inget att vara rädd för", sa en av de andra.

"Rädd för vadå?" sa hon.

Ingen svarade. Hon såg ryggen på honom som var på väg ner till båten. Båten guppade fram och tillbaka. Kanske hörde hon kluckande ljud därifrån. Han var nästan där nu. Hon ville vara där. Hon ville sitta i båten på väg från Hästberget. Så långt bort iväg från Hästberget som det gick, till andra sidan jorden. Den sluttade ner till andra sidan inte långt bort därifrån.

Plötsligt förstod hon. Varför har jag inte förstått förrän nu? Är jag en idiot?

Men det kan väl inte vara så. Det kan det väl inte. Det kan inte vara så. Jag känner dom, dom känner mig, ett par av dom. Jag har kanske sett dom andra. Dom har varit på kollot. En av dom andra har varit där säkert. Jobbat med nåt, jag har sett han där med en hammare.

Hon tittade på den snygge som höll ut handen. Han såg inte elak ut. Han höll fortfarande ut handen, som om han ville känna på den ljumma vinden så länge det var möjligt.

En av dom andra tog ett steg framåt. Han hade ljust hår. Det var han med hammaren. Han hade hammaren i handen!

Den snygge svängde runt med sin hand och grep tag i hennes arm som med grova rep.

20

BERGENHEM SÅG DEN ANDRE utanför fönstret. Han måste ha kommit runt hörnet från Maskinkajen. Plötsligt var han där. Bergenhem såg sig om, som om någon annan också såg. Det var några andra gäster i restaurangen nu. Men vem skulle bry sig?

Mannen kom in. Han hade sett Bergenhem genom glasväggen. Han sträckte fram armarna, som till omfamning.

"Inte här, Samuel", sa Bergenhem.

Den andre log.

"Det där är en av jordens vanligaste repliker", sa han.

Bergenhem satte sig.

Den japanske hovmästaren kom fram till bordet igen. Bergenhem antog att hon var japanska. Det var första gången han var på en japansk restaurang. Det var egentligen märkligt. Sushi hade blivit nästan lika vanligt i Sverige som halv special. Men Bergenhem hade avstått. Det var något med rå fisk. Han var hopplöst ute där. Rå fisk och kallt ris och klibbig tång. Han förstod det inte. Speciellt rå lax. Den var jävlig nog ändå i lagat tillstånd.

"Vad vill du ha?" frågade Samuel.

"Finns det nåt annat än sushi?"

Japanskan höll fram matsedeln. Hon rörde inte en min. Samuel tog den.

"Nåt tillagat", fortsatte Bergenhem.

"Förolämpa henne inte", sa Samuel.

"Gjorde jag det?" Bergenhem tittade på kvinnan. Hon log. Samuel tittade snabbt i den tunna mappen som var klädd i något glänsande som var rött och vitt.

"Ta en maguro no teriyaki", sa han.

"Vad är det?"

"Stekt tonfisk. Den steks i ett slags lag av soja och japanskt vin."

"Stekt tonfisk? Ska inte den vara rå i mitten?"

"Självklart. Annars är den oätlig."

"Det vill jag inte ha."

Samuel räckte tillbaka matsedeln till kvinnan.

"En sushi medium och en yakitori", sa han.

"Vad är det?" frågade Bergenhem med misstänksam min.

"Grillade kycklingspett. Okej?"

"Om dom är genomstekta."

"Det är dom till och med här", sa Samuel och log.

"Bra."

"Vad vill du dricka?"

"Mineralvatten. Naturell."

Samuel beställde detsamma, och kvinnan gick sin väg.

"Så du äter inte sushi", sa Samuel. "Du skulle inte överleva lång tid ute i gayvärlden med ett sånt handikapp."

"Jag tänker inte leva där", sa Bergenhem. "Än mindre överleva."

"Jaså?"

"Har du nåt åt mig?"

Samuel tittade ut på byggaktiviteten på andra sidan gatan. Det såg ut som om en hel stad skulle anläggas. Det var också sant. Här skulle en ny stad växa upp, skild av älven från den gamla. Göteborg skulle börja om härute. Kanske skulle det gå bättre den här gången.

"Richardsson är inte okänd", sa Samuel med blicken fortfarande på byggkranar och schaktmaskiner.

"Trodde jag inte heller."

"Den andre vet jag mindre om."

"Sellberg. Han heter Sellberg."

"Om dom hade ett förhållande så vet jag inte om det. Ingen annan jag frågat heller."

"Hur många har du frågat?"

"Dom som kan svara på frågor", sa Samuel och vände blicken mot Bergenhem.

"Du har kanske träffat honom?" frågade Bergenhem. "Richardsson? Har du det?"

"Är du svartsjuk, Lars? Du låter svartsjuk."

"Jag är inte svartsjuk."

"Har du inte träffat honom själv?"

"Vad menar du?"

"Du kanske har träffat honom. Du vet vad jag menar."

"Håll käften."

"Ska jag hålla käften? Jag trodde du ville ha information."

"Håll käften och ge mig informationen."

"Är det inte det som kallas buktalning?"

"Richardsson. Vad har du på honom?"

"Han tycker om pojkar."

"Det har jag förstått."

"Unga pojkar."

"Sellberg är inte nån tonåring precis."

"Dom kanske hade en business ihop."

"Business? Vad för business?"

"Kan du inte tänka själv?"

"Vi har kollat den där kådispolitikern", sa Bergenhem. "Han finns inte med i några utredningar. Han hade ingenting i sina datorer. Spanarna på gatan känner inte till honom."

"Har ni hunnit kolla allt det?"

"Ja."

"Tja, jag vet inte", sa Samuel och tittade efter hovmästaren. Hon log och nickade bortifrån baren.

"Ingen av dina vänner som kan gissa var han kan vara nu?" sa Bergenhem.

"Inte hittills."

"Jag tror han är i stan", sa Bergenhem.

Samuel lyfte sitt vattenglas.

"Ska vi åka hem till mig en stund efter lunch?" sa han.

*

Lotta Winter hade fortfarande inte tänt några lampor. Men han var bekant med det här köket. Lotta hade bytt ut kyl och frys och ugn och spis, men han kunde ha vandrat runt här blind utan att slå ihjäl sig.

"Vi brukade sitta så här förr", sa hon. Rösten lät onödigt hög i dunklet och stillheten.

"Hur då?"

"Kura skymning, förstås. Du och jag. Vi gjorde det säkert minst en gång i veckan. Satt och väntade på att det skulle bli mörkt, utan att tända några lampor."

"Hade vi ro till det?"

"Tydligen."

"Jag kommer inte ihåg det."

"Gör du verkligen inte det?"

"Jag... tror inte det. Jag kommer inte ihåg så mycket från när jag var barn. Jag gillar inte att jag inte kommer ihåg. Jag borde komma ihåg mer."

"Du brukar ju komma ihåg allting."

"Det kanske är nåt fel på huvudet."

"Fel?"

"Jag har en jävla huvudvärk ibland. Den kommer och går."

"Hur länge har du haft den?"

"Några månader."

"Det låter ju inte bra. Vad säger Angela?"

"Vi... hon trodde det var migrän. Jag har medicin. Men det verkar vara nåt annat."

"Nu blir jag riktigt orolig."

"Det är inte nån tumör."

"Hur vet du det?"

Han svarade inte.

"Herregud! Och du har inte sagt nåt till mig! Har du sagt nåt till mamma?"

"Nej. Det är ju ingenting."

"Dessa jävla män! Nåt är det ju. Du har ju ont."

"Det är bara stress. Jag är själv inte stressad, men huvudet är tydligen det ibland."

"Sånt kan leda till hjärnblödning. Eller stroke."

"Tack."

"Det var du som började berätta. Jag blir ju orolig, fattar du väl."

"Hur kom vi in på allt det här?"

"Det var du som sa det. Du sa att du kanske hade nåt fel på huvudet."

"Det har jag glömt."

"Driver du med mig, Erik?"

"Bara lite."

"Om huvudvärken också?"

"Nej, inte den."

"Ni måste ju göra nåt."

"Det finns inget. Det är inget. Det kommer att gå över."

"När?"

"Visste jag det skulle jag redan vara där."

"Det lät poetiskt. Att vara där *när* är."

"När hörde du från Benny senast?" frågade Winter.

"Vad? Vad pratar du om nu?"

Hennes ansikte var inte längre möjligt att se. Hon satt längre bort från fönstret än han gjorde. Belysningen ute på gatan var svag. Detta var fortfarande en gammal utkant av centrala staden. En del härute ville gärna bli bortglömda. De ville leva i det som var.

"Jag vill inte prata om Benny", sa hon. "Det vet du. Jag vill aldrig mer prata om Benny."

Benny Vennerhag. En av de klassiska gangstrarna i Göteborg. En gangster i Göteborg på den gamla tiden var en svensk, kanske någon gång polack. Winters syster hade fallit för Benny. Det var innan hon fått barn, förstås. Men Benny hade inte glömt. Han hade gjort något misstag i deras relation som han grubblade på och ville gottgöra. Det fortsatte i flera år efter att Lotta gjort slut. Benny hade inte gjort slut. Men till slut hade han upphört med sina "meddelanden", som han kallade dem. Och Winter hade en gång nästan slagit ihjäl Benny i hans egen swimmingpool, nästan dränkt honom där. Det var för sju eller åtta år sedan. Det var när de letat efter Halders, som kidnappats av andra gangstrar. Benny hade vetat åtminstone något. Han kanske visste nu, visste något om det som rörde Sellberg och Richardsson. Om vapnet. Vad Winter förstod visste Benny fortfarande mycket om vad som rörde sig i Göteborgs undre värld. Han var något av en svensk gudfader. Winter hade inte träffat honom sedan dess. Han visste att Benny hade regelbunden kontakt med polisen, men Winter höll sig borta från honom. Nu hade han börjat tänka på Benny. Det handlade om vapnet. Och om mysteriet han stod inför. Eller pusslet. Om det bakomliggande.

"Jag tror jag kanske vill prata med honom", sa Winter. Det lät väl inlindat nog? tänkte han.

"Håll mig utanför."

"Naturligtvis."

"Du tror att du har... tillgång till det där svinet genom... mig. Jag tycker inte om det, Erik. Kan du inte låta bli att träffa honom? För min skull? Är det verkligen nödvändigt att prata med honom?"

"Gör jag det så kommer inte ditt namn att nämnas."

"Tror du han skulle låta bli?"

Och just då öppnades dörren ut i hallen. En röst flög in i köksmörkret som en ljuskägla:

"Morbror Erik!"

Vinden strök över Saltholmen. Han hade gått från Långedrag utefter Saltholmsgatan där de rika bodde. När han var ung hade han sprungit här som ingenting, de snabba stegen mot livet som knappt hade börjat. Nu orkade han knappt gå. Vad var det för mening? Den som körde förbi honom kunde vara en fiende. Fienden fanns nära honom. Den hade tagit över honom. Vad han än gjorde hade den tagit över honom.

Han väntade på färjan. Det var fortfarande en kvart kvar. Några andra väntade på att få komma iväg från fasta land. Han såg inte på dem. De kände inte igen honom. Det hade märkts. Han såg sig om. Man är inte paranoid om man verkligen är förföljd. Han såg ut över viken. Han kunde se toppen av ön på andra sidan. Där hade han stått en gång för tusen år sedan. Då hade det känts som att stå på toppen av världen.

Han gick ombord och fortsatte uppför trappan på öppet däck. Han var ensam däruppe. Himlen över honom var lika blå som på sommaren, blåare. Det blåste men han frös inte. Färjan la ut och gled genom hamnkanalen. Måsar kretsade över honom. Han såg någon stå på klipporna till vänster. Det var en man. Han höjde handen, som till hälsning. Det är till mig, tänkte han. Det är ett tecken. Mannen på klippan stod kvar med armen lyftad. Han hälsade inte tillbaka. Båten ökade farten. Han kände vinden i håret. Det var som att vara ute på öppet hav, men det riktiga havet fanns längre ner, söder om Vrångö. Ett tag hade han funderat på att bosätta sig därnere. Komma så långt bort som det var möjligt utan att lämna stan helt. Men det var förut. När han hade ett eget val.

Hans mobil vibrerade i hans bröstficka. Han hade inte hört den. Han ville inte höra den. Han var tvungen att bära den, och höra den.

"Ja?"

"Var är du?"

"Ingenstans."

"Jag hör en motor."

"Det gör inte jag."

"En båtdiesel. Du är på väg ut dit, eller hur?"

Han svarade inte.

"Blir det första gången? Sen sist, menar jag."

Han svarade inte på det heller.

"Jag tror inte det kommer att hjälpa dig."

"Vad kommer att hjälpa mig?" frågade han. Han fick nästan skrika orden. Han kanske skrek. Ingen hörde honom häruppe. I södra skärgården kan ingen höra dig skrika. Ha ha ha.

"Det är inte över", sa rösten i telefon, det kunde han höra. "Det trodde du väl inte heller, eller hur?"

*

Lasten kom in under avtalad tid. De körde bakgatorna till magasinen. Varje gång han kört här hade han förundrats över att de här få gatorna faktiskt var kvar. Det var som i gamla tider, varvens tider. Han hade följt med pappa hit. Han hade åkt på de här gatorna som grabb. Han glömde det inte. Han skulle också bygga fartyg, som pappa. De skulle bygga tillsammans. Pappa skulle alltid finnas där.

Omlastningen skulle ta ungefär en timme. Han ville vara med den här gången. Han visste egentligen inte varför. Han kände sig otålig bara. Kanske var det för att det var en vacker kväll. Det blev aldrig riktigt svart. Det behövdes inte. Ingen skulle söka efter dem här. Ibland förvånade det honom. Någon måste känna någon. Polisen strök inte förbi härute. Det kanske var för uppenbart. Och de skulle kunna ta hand om det. Portarna gled upp. Han körde rakt in, steg ur bilen, såg sig om. Det luktade järn och damm. Han kom ihåg den lukten från förr, från barndomen. Han hade suttit på pappas skuldror. Järn, damm, eld. Enorma eldslågor. Larmet. Tusen man som arbetade härinne i sitt anletes svett. I-sitt-anletes-svett. Det hade han aldrig gjort. Han svor på att han aldrig skulle göra det, svor på elden. Han skulle aldrig arbeta för det här samhället, för det här landet. Han skulle arbeta emot det. Han glömde aldrig mannen som kommit hem till dem från direktionen. Han hade varit tillräckligt stor då för att känna föraktet. Han skulle aldrig förlåta det. Han skulle ta hämnd, på sitt sätt. Han blev bra på det.

Ingen sa något därinne. Han kunde se paketen blixtra i det kalla ljuset när de liksom flög genom luften. Femton tjugo man, ett par ansikten han inte sett förut.

"Nöjd, Lejon?"

Han ryckte nästan till. Han hade inte varit beredd på att han stod så nära. Han hade följt arbetet.

Han nickade nu till svar.

"Vi är klara om en kvart."

"Bra."

"Följer du med till hotellet?"

"Nej."

"Hur går det med bilen?"

"Bilen?" Han vände sig om. Mannen log. Det var alltså ett slags skämt. Han tyckte inte om det. "Det är inga problem med bilen."

"Har du hittat smitaren?"

"Inte än."

"Lycka till."

"Jag behöver ingen lyckönskan."

Winter körde hem från Hagen. Det var ett par andra saker han hade velat prata med Lotta om, men det blev inte tid. Eller så drog han medvetet ut på det så länge att det blev för sent.

Men han körde inte hem. På Sprängkullsgatan fortsatte han rakt fram och tog höger in på Allén. Han körde förbi Heden, Ullevi, uppför backarna till Lunden. Skyn ovanför honom var ljusblå, det var svarta moln, en höstskymning.

Han parkerade utanför Sellbergs hus. Avspärrningsbanden i skogsdungen till höger lyste i kvällsljuset som en del av himlen ovanför, blått, vitt, svart. De fanns kvar men det var också allt. Han trodde inte att de skulle finna någonting mer där. En hylsa, det var bra nog. Det kanske skulle vara tillräckligt. Winter gick dit. Han ställde sig framför trädet. Här hade skytten stått. Winter såg gatan, trädgården, huset, träden bakom huset. Han tog fram sin egen SigSauer och lyfte den och siktade. Han hoppades att han inte hade någon publik. I hans sikte saknades en detalj. Författaren. Jacob Ademar. Om han verkligen hade stått där. Det kanske var påhitt. Lögn. Fiktion. Winter sänkte sin pistol. Varför skulle Ademar hitta på det? För att skydda sig själv? Hade Winter släppt iväg honom för lätt? Nej, han fanns kvar. Han var visserligen i Stockholm, men det var inte riktigt ett annat land. Stockholmarna ville gärna se det så, men huvudstaden hängde fortfarande ihop med övriga landet, åtminstone på kartan. Winter stoppade in vapnet i axelhölstret och gick över gatan. Avspärrningen runt tomten såg robustare ut här, som om detta var mera på allvar. Kanske var det bara mängden band. Huset såg ut som om det firade något, bröllop, dop, jämna år, examen. Begravning, tänkte han. Det är pyntat för begravning. När nån dör kommer polisen och smyckar i blåvitt.

Winter gick den markerade stigen fram till huset och dröjde utanför dörren. Winter hade inte sett Sellberg i levande livet. En hetlevrad karl, som det hette. Men han hade sökt något slags frid här. Kanske han hade försökt skydda sig från sig själv. Det hade inte hjälpt.

Winter hade burit med sig nycklarna till huset. Han låste upp dörren och steg in i hallen som egentligen inte var en hall, mer ett rum som fortsatte till ett större rum som vette mot den bakre trädgården. Winters ficklampa skar sjok av mörkret därinne. Den gula färgen. Den fega färgen. Han fortsatte framåt. Det var helt tyst överallt. Eftersom gatan utanför låg så isolerad var det som på den avlägsna landsbygden. Helt tyst.

Tystnaden bröts brutalt av signalen från hans mobiltelefon.

"Ja?"

"Hej, det är en representant för din familj."

"Jag hör det."

Han hade sänkt ficklampan, den belyste hans skor. De såg mer välputsade ut än de var. Men det var dags för nya par. Det var ändå dags för en ny resa till London. Han skulle ta med Steve till lästmästaren i Mayfair. Steve skulle få sig ett gott ironiskt skratt, om inte annat. Sen kanske han skulle beställa själv. Fötter var för viktiga för att pressas ner i anonyma skor. Det var som att dra på sig en kostym från Dressmann.

"Var är du, Erik?"

"Jag står i ett tomt och mörkt hus. Ett dödsbo, skulle man kunna säga."

"Låter mysigt."

"Jag är snart hemma."

"Det var för en timme sen."

"Förlåt."

"Flickorna orkade inte vänta."

"Det kommer en kväll i morgon också."

"Det kommer nya dödsbon."

"Jag fick en… jag vet inte. Du vet."

"En släng av intuitionen?"

"Ja."

"Vad sa den?"

"Att jag skulle åka till det här huset. Sellbergs hus. Han som blev mördad."

Han sa inte att han kvitterat ut nycklarna tidigare. Det kanske också var en del av intuitionen.

"Varför skulle du åka dit?"

"Det… vet jag inte än."

"Godnatt, Erik."

Och hon la på. Han tittade på den lilla apparaten. Den slutade lysa. Han stoppade ner den i kavajfickan och lyfte ficklampan. Varför skulle han åka hit? Därför att det fanns många frågor kring det här huset, och få svar. Om någon ville skjuta Sellberg… varför först avlossa varningsskott i huskroppen? Winter trodde inte att skotten var avsedda för Ademar. Inte nu, inte än. Inte än? Var han ändå inblandad på något sätt? Nej, inte mer än att han bodde i huset intill. Han hade sagt att han skulle flytta därifrån snarast, men han hade inte flyttat. Kanske Sellbergs död hade givit honom ro. Den enes död. Det lät som en titel på en deckare. Winter kunde tipsa Ademar om den. Men Ademar skrev inte deckare, hade han sagt. Han skrev dokumentärromaner. Han skrev om döden, den verkliga döden. Han skrev om sin syster.

Winter dröjde i köket. Vad var det för lukt? Han hade inte känt någon lukt alls när han steg in i huset. Damm, kanske. Eller bara en kall lukt av ingenting. Men det fanns någonting i luften här… det flöt som en tunn hinna inne i köket. Winter lät ficklampans stråle glida över väggarn…

En dörr slets upp i huset!

Winter höll på att tappa ficklampan. Strålen gjorde gula sick-sackmönster, som om någon pissade våldsamt på köksväggen.

Han rusade ut i hallen. Ytterdörren var stängd. Han kände en vind mot sitt ansikte. I det svaga ljuset såg han en ljusare rektangel borta i vardagsrummet. Vinden kom därifrån. Han höjde ficklampan. Det var en altandörr, den stod öppen, den svängde i vinden. Det hade börjat blåsa därute. Winter hade inte känt något drag när han kom. Han borde ha märkt om dörren stått öppen, självklart. Han tänkte detta medan han rusade in i vardagsrummet och fortsatte genom altandörrens öppning. Han svängde ficklampan fram och tillbaka, den reflekterade träd, buskar, en gräsmatta, en bit himmel. Ingenting annat. Han stannade och försökte hålla sin andning och lyssnade. Var det steg? Steg ute på gatan? Visst fan var det det! Winter sprang till vänster och rundade huset och såg sin bil på gatan under en dyster gatlampa. En gestalt avlägsnade sig. Gestalten var som en skugga hela vägen upp över den lilla höjden mot skogsdungen.

"Hallå!" skrek Winter. "Hallå! Stanna! Polis!"

Det var naturligtvis meningslöst. Den som varit i huset visste att han varit där och sannnolikt också vad han var. En polis, och ingen stannade för polisen om det inte var under hot.

Winter sprang efter gestalten. Det fanns villor på båda sidor. Winter sprang till vänster, hoppade över en häck, fortsatte på en gräsmatta, hoppade över en häck till, nådde den borte delen av dungen, den var inte mer än några hundra kvadratmeter. Det låg fler villor där, de sluttade ner mot staden, Winter kunde se ljusen som en stjärnhimmel. Han lyssnade efter steg men hörde ingenting nu. Det var svårare att höra någonting distinkt, stadens monotona brus fanns överallt här. Skogsdungen hade skyddat den norra sidan från bruset. Gestalten hade kommit undan. Winter visste det men fortsatte ändå i en halvcirkel runt dungen. Han tog fram mobilen och slog numret till LKC. Han kände sin andhämtning. Det sträckte i vaderna. Han hade inte hunnit stretcha. Man borde ges tid till det även när man jagade undflyende gestalter. Någon hade bosatt sig i dödsboet. Där fanns kanske ännu en titel till en deckare. Dödsboet. Han informerade vakthavande om det viktigaste. Han slog ett nytt nummer.

"Ringmar."

"Jag har just sprungit tvåhundra meter häck", sa Winter.

"Vad är klockan?"

Ringmar lät sömnig. Hade han redan gått och lagt sig? Winter tittade på sitt armbandsur. Oj.

"Det fanns nån i Sellbergs hus", sa han.

"Är du där?"

"Nån smet ut."

"Åh fan. Smitare gillar vi inte."

"Är du inte nykter, Bertil?"

"Absolut. Nån var där, alltså?"

"Nån var där. Höll sig gömd där, skulle jag säga."

"Låter märkligt. Kanske det bara var en inbrottstjuv."

"Kanske. Eller en mördare."

"Eller en politiker."

"Det kanske är samma sak."

"Richardsson? Men varför skulle han ta sig till Sellbergs hus av alla ställen?"

"Han kanske inte hade nåt annat ställe, Bertil."

Winter tänkte på lukten han känt i huset. Det var rädsla. En svag lukt av kall svett.

21

RINGMAR FÖRBLEV STÅENDE i Winters rum. Han hade kommit in och ställt sig. Winter visste att han satt allt mindre på baken. Det var ryggen, eller något ännu värre: pensling med jod. Allt sittande bakom ett skrivbord. Det var slut med det. Nu stod de upp vid skrivborden. Winter stod redan när Ringmar kom in.

"Det mesta tyder väl på att Sellberg sköts före midnatt", sa Ringmar. "Evas rapport säger ju också att det är möjligt. Till och med troligt."

"Han kunde ha tagit sig ut efteråt", sa Winter.

"Mördaren?"

"Nej, jag menar naturligtvis den mördade."

"Du menar när portarna stängts?" sa Ringmar utan att bry sig om Winters kommentar. "Tja, bryta sig ut. Kanske. Men det har vi inga tecken på."

"En nyckel", sa Winter.

"Det får vi ta upp med vaktbolagen i så fall."

"Har vi inte redan gjort det?"

"Naturligtvis", sa Ringmar och log.

"Hur är det med bilägarna?"

"Har du inte läst rapporterna, Erik?"

"Jag tänker högt."

"Det kan jag göra också. Okej. Det finns 72 avgiftsbelagda platser på övre däck, plus en förhandsbokad plats för Pedagogen och två handikapparkeringar. På nedre däck finns 121 platser. I mån av plats kan folk få köpa parkeringstillstånd dygnet runt. Just nu finns det 57 såna. Abonnemanget kostar 1 500 spänn i månaden."

Winter nickade.

"Reagerar du inte på det, Erik?"

"Reagerar på vadå?"

"Kostnaden. 1 500 spänn i månaden för en parkeringsplats."

"Det är inte så farligt, tycker jag."

"Vi lever sannerligen i olika världar du och jag, Erik."

"Welcome to my world."

"Stället stod färdigt förra året. Ja, det vet du kanske redan. Och det finns inga övervakningskameror."

"Vilket kanske är lite synd i det här fallet", sa Winter.

"Lagstiftaren tycker väl att vi ska jobba lite också."

"Ja, fy fan vad enkelt det här jobbet skulle vara om allt i samhället övervakades."

"Och tråkigt", sa Ringmar. "Så in i döden tråkigt."

Winter nickade. Det skulle göra världens roligaste jobb mycket tråkigt. Då skulle den slogan som fått honom att bli polis inte längre gälla: Bli Snut – Se Undre Världen. Nån annan – en kamera – skulle redan ha sett den.

"Av dom 57 personerna med p-tillstånd hade 32 sina bilar därnere den natten. Jag snackade med Möllerström innan jag stegade in här och vi har visst förhört allihop nu. Och ingen vet naturligtvis nånting."

"Fanns det nån kvarglömd kärra därnere? Nån stackare som fick bilen inlåst efter tolv?"

"Nej."

"Det var synd."

"Inte mer än Richardssons bil. Och Sellberg."

"Vem var det som spionerade på mig?" sa Winter och sträckte ut ena armen från kroppen som en klassisk hälsning. Det kändes som om armen hade somnat.

"Morituri te salutant", sa Ringmar.

"Skoja inte om sånt", sa Winter och tog ner armen igen. Han tog upp handen till pannan och masserade den en kort stund.

"Gör det ont?" sa Ringmar.

"Bara när jag gråter."

"Bra."

"Jag är säker på att det var nån som var där för min skull."

"Varför."

Winter svarade inte. Han hörde måsarna skratta utanför fönstret. Han hade aldrig hört en mås gråta. Alla dessa barn- och ungdomsår på klipporna i den södra skärgården men aldrig en gråtande mås.

"Varför var han där för din skull, Erik?"

"Han ville mig nåt."

"Vad ville han?"

"Ett budskap", sa Winter "Han ville berätta nåt som hör ihop med allt det här."

"Han kanske ville skjuta dig."

"Nej. Då hade jag varit skjuten."

"Vad är 'allt det här'?"

Winter svarade inte på det heller. Han hörde en siren därute nu, ett klagande läte. Någon var i knipa.

Han vände sig mot Ringmar.

"Du kommer ihåg dom här anonyma telefonsamtalen, till mig och till dig. Nån vill oss nåt."

"Som hör ihop med mordet?"

"Ja. Och det andra."

"Det är ren intuition som talar nu."

Winter svarade inte.

"Ren intuition", upprepade Ringmar.

"Nej…"

"Hör mordet ihop med det andra? Vad är det andra?"

"Skotten. Mot huset. Kanske på bron."

Winter tittade på sitt armbandsur.

"Torsten borde få nåt från SKL i eftermiddag."

"Mhm."

"Då kanske det inte blir intuition längre", sa Winter och log.

"Här finns nåt jävligt otäckt bakom det här", sa Ringmar.

"Vad är 'det här'?" sa Winter och log igen.

"Du träffade aldrig Bengt Sellberg", sa Ringmar. "Jag önskar du hade gjort det."

"Hur menar du då?"

"Det var nåt med den där karln. Jag förstod inte varför han skulle ha blivit så förbannad på grannen."

"Fortsätt."

"Eller förbannad alls."

"Varför inte?"

"Han verkade inte vara sån egentligen. Det kändes på nåt sätt spelat."

"Enligt systern hade han problem", sa Winter. "Svårt med impulskontrollen."

"Det var som ett spel", sa Ringmar som om han inte lyssnade på Winter.

"För vem?"

"För oss."

"Men vi var ju inte med i spelet när han var hotfull mot Ademar."

"Där sa du det själv – spelet."

"Okej, pusslet då."

"Nej, nej, så enkelt ska du inte få göra det."

"Det är inget enkelt pussel."

Winter hörde måsarna utanför fönstret igen. De hade också lurats av indiansommaren. Han tänkte på klippor och hav och sol. Han tänkte att han skulle göra en utflykt.

"Ett par av dom synliga bitarna är Richardsson och Sellberg", sa Ringmar. "Den ene är försvunnen och den andre är död. Kanske båda är döda."

"Nej", sa Winter.

"Om du säger det så."

"Vi har fortfarande inte kunnat fastställa relationen mellan Janne och Bengt", sa Winter.

"Kallar du dom så?"

"Bara den här gången."

"Fastställa om dom var bögar, menar du? Förälskade i varandra?"

"Ja."

"Vi försöker. Men du vet hur det är. Sånt hålls hemligt."

"Jag vet inte hur det är, Bertil."

"Du kan föreställa dig."

"Hur klarade sig Sellberg?" sa Winter och gick tvärs över rummet till tvättstället och slog på kranen. Han betraktade sitt ansikte medan han tvättade händerna. Det var som en reflex. Han tvättade händerna när han tänkte. Hans ögonvitor hade ett par fina röda trådar var, som om han behövde vila. Men han behövde inte vila, inte mer än vilken annan småbarnsförälder som helst. Han hade en ung och stark fru. Han var inte ens femtio än. Han höll igen med whiskyn den här veckan.

Han vände sig om.

"Sellberg hade inget jobb. Han hade ingen arbetslöshetsförsäkring. Han hade inte socialhjälp. Inga bidrag. Men han ägde ett hus sedan fem år och han betalade regelbundet sina amorteringar och räntor."

"Nån hjälpte honom", sa Ringmar.

"Vem? Richardsson?"

"Inte som vi kunnat se. Inga märkliga uttag från hans konton."

"Undangömda pengar."

"Från vem? Frun?" sa Winter.

Ringmar ryckte på axlarna.

"Eller kriminella pengar", sa Winter. "Skattefria inkomster. Hemliga inkomster."

"Stora inkomster", sa Ringmar.

"Han verkade inte rik."

"Det vet vi inget om."

"Vi vet inte mycket om honom."

"Hans bakgrund", sa Winter. "Vad gjorde han för för tio år sen? Tjugo år sen? Trettio år sen?"

"Vem ska ta reda på det?"

"Det ska jag göra", sa Winter.

Han körde Danska vägen och förberedde sig för att svänga upp mot Lovisagatan när telefonen ringde. Han körde intill vägkanten och parkerade framför ett hembageri. Han kände doften av nyba-kat när han lyfte mobilen.

Det var Öberg.

"Håll i dig, Erik", sa han.

"Jag sitter alldeles stilla."

"Samma vapen", sa Öberg. "Tokarevpistol."

"Kåken och garaget?"

"Ja. Och bilen på bron!"

"Skojar du?"

"Inte om sånt."

"Så du säger alltså att samma vapen har använts i alla tre skjut-ningarna?"

"Det är SKL som säger det. Jag är bara budbäraren. Så skjut inte på mig."

"Det får räcka med skjutningar", sa Winter. "Men jag tror inte vi har sett den sista."

"Jävla egendomligt", sa Öberg. "SKL håller på och kollar i den nya internationella databasen nu."

Winter visste vad det kunde innebära. Det kunde finnas andra kulor på andra ställen från samma vapen.

Men det räckte för tillfället med vad de visste nu.

Han tänkte på Roger Edwards, ägaren till Lexusen som stått en-sam på bron i den vackra gryningen. Han hade fått tillbaka sin bil, tagit emot den nästan motvilligt. Det var också egendomligt, som om den stod för någonting han inte ville veta av. Det var kanske så. Det kanske var Edwards som någon siktat på. Eller Edwards som siktat på någon. Men vilket var sambandet med Sellberg? El-ler/och Richardsson? Författaren Ademar? Fanns där något mer än en konfrontation grannar emellan? Men Winter visste också att det var farligt i en förundersökning att söka samband som aldrig hade funnits. Edwards bil stals och hamnade i något främmande. Den undre världen var ändå inte större än att den kunde rymma samma pistol vid tre olika tillfällen. Brott var i de flesta fall tillfäl-lighetens konstart. Brott var nästan aldrig rationellt, inte utifrån övre världens begreppsvärld.

"Tack, Torsten", sa han och tryckte av. Han måste ha tryckt ner fönstret på förarsidan medan han pratade med Torsten. Doften från bageriet var stark. Den var svår att motstå. Han steg ut och gick in i butiken och köpte en pariserbulle.

Han gick ut på trottoaren och tog upp bullen ur påsen. Pariserbulle var en favorit: sockerytan, den mjuka konsistensen, vaniljkrämen därinne som ännu en belöning. Han tog en tugga. Han kände sockret på läpparna. Några minuter tidigare hade han längtat efter en Corps, men det här var nyttigare, åtminstone för lungorna. Bullen tillfredsställde ett oralt behov som kunde tillfredsställas på många olika sätt. Han tog en tugga till och såg Berit Richardsson passera i en blå Clio.

Det var hon. Han såg hennes profil men hon verkade inte ha sett honom. Han stod under hembageriets markis, som under skydd. Det var total skugga där. Solen var stark utanför. Asfalten såg nästan vit ut. Solen hade riktat in sig på Berit Richardssons ansikte som en strålkastare. Hon kunde inte se mycket därinne i bilen under solskyddet. Men hon såg tillräckligt för att köra ut i vägdelaren och blinka vänster. Hon bor inte däruppe, tänkte Winter. Det är vägen upp till Lovisagatan. Sellbergs hus. Det var dit jag var på väg. Han stoppade ner resten av bullen i påsen och gick ut i det obarmhärtiga skenet och satte sig i bilen och svängde ut. Berit Richardssons Clio var på väg uppför backen. Han svängde av från Danska vägen och körde efter henne. Hon svängde höger och vänster och höger igen och in på Lovisagatan. Winter stannade tiotalet meter före korsningen, bakom en parkerad bil. Han kunde se tvärs över trädgårdarna. Berit Richardsson körde förbi Sellbergs avspärrade hus. Dödsboet, tänkte Winter. Hon passerade Ademars hus, vände i zonen och körde tillbaka igen. Hon körde långsamt. Winter kunde inte se om hon tittade in mot husen hon passerade, motljuset var för starkt. Hon hade det fortfarande i ögonen när hon passerade Winter. Han gjorde sig så liten han kunde i framsätet.

När hon var borta vände han bilen.

Nere på Danska vägen kunde han se henne köra förbi Katolska

skolan och fortsätta mot Bö, samma väg hon antagligen kommit. Det var inte långt från hennes hem upp till Lovisgatan, inte fågelvägen och inte med bil.

Hans mobiltelefon ringde.

"Ja?"

"Erik!"

"Hej, mamma."

"Det har strulat lite med flighterna, men nu har jag hittat en till i morgon kväll redan."

"Bra, mamma."

"Det ska bli så roligt."

"Ja, verkligen."

"Hur är det, Erik? Du låter lite frånvarande."

"Jag har just skuggat en person, mamma."

"Usch. Säger man så fortfarande? Att man skuggar nån?"

"Åtminstone i dag", svarade Winter. "Det är mycket skuggor i Göteborg i dag."

"Har ni fortfarande det fina vädret?"

"Det ska hålla på i veckor. Det kanske aldrig släpper."

"Då blir det ju som härnere", sa Siv Winter.

"Det blir ju som att komma hem", sa hennes son.

"Ja... ja, det blir det ju. I vilket fall kommer jag! Lotta är snäll och låter mig stanna hos henne i början."

I början. Det lät som början på resten av livet. Kanske var det bra. Det var något annat. En förälder i samma land. Det var länge sedan för honom. Det var många år.

Han rörde sig så försiktigt han kunde. Hade den andre sett honom? Nej. Det gick inte att se honom där han stod. Och den andre stod i skuggan, han var svart, en svart gestalt.

Nu gick den andre därifrån. Han vek av efter hundra meter och fortsatte uppför backen. Han verkade inte ha någon brådska. En gång stannade han till och det såg ut som om han pratade för sig själv, men det var mobilen, en mikrofon. Det var inte så länge sedan folk som pratade för sig själva ute på gatorna var stollar, men nu var de uppblandade med andra som pratade rakt ut i luften.

Jag har ett uppdrag igen, tänkte han.

Jag måste genomföra det.

Jag vill inte göra det.

Jag har inget val.

Den andre hade plötsligt vänt sig om uppe på krönet, som om han anat att han var förföljd.

Men han ser mig inte.

Ingen ser mig.

Ingen hör mig.

Men det kommer inte att fortsätta att vara så.

Winter körde förbi Richardssons hus. Genom grinden kunde han se Clion. Det var samma registreringsnummer.

Han vände i nästa korsning och körde tillbaka. Han parkerade sin Mercedes utanför huset.

Ingen svarade när han ringde på dörren. Han försökte igen men ingen öppnade.

Det löpte en stensatt stig till vänster från trappan. Winter klev ner och följde stigen. Den verkade löpa runt huset. Han följde den till baksidan. Det fanns en patio där, den gav nästan ett tropiskt intryck. Det växte bambu och något som kunde vara palmer, ett slags dvärgpalmer.

Gräsmattan var grön och välklippt hela vägen till en stor häck som vette mot granntomten. Winter såg sig om. Det var här han hade sett pojken mycket hastigt, vad hette han... just nu kom han inte ihåg det.

Något rörde sig i hans högra ögonvrå.

Han vände sig om.

Pojkens ansikte fanns innanför glasrutan.

22

WINTER STOD STILLA. Pojkens ansikte försvann. Hade Winter verkligen sett honom? Ibland kunde en stark sol skapa bilder som inte fanns. Det behövde inte vara i en sandöken.

Winter väntade på att få se ansiktet igen. Det var andra gången det plötsligt hade funnits där, nej, tredje gången. Han mindes, som man minns en kall vind, när pojken stått inne i rummet med ett vapen till försvar för sin mor. Var det modern han skulle försvara? Eller var det självförsvar? Hade han gjort det förut?

"Vad vill du nu?"

Hon stod bakom honom. Winter hade inte hört hennes steg på stenplattorna. Han vände sig om. Berit Richardsson bar inte några ytterkläder. Hon var barfota. Det såg utlämnande ut, skyddslöst, tänkte Winter. Som om hon rusat ut ur sitt hus med en rädsla.

"Förlåt", sa han. "Jag trodde att du var här på baksidan."

"Vad vill du?"

Det var en bra fråga. Han kunde svara att han var kriminalpolis och därmed ägde tillträde till vilken miljö som helst när som helst hos vem som helst, det var i princip sant, med det hade inte varit ett bra svar.

"Jag ville prata med dig lite."

"Om vad?"

"Om din mans försvinnade."

"Har ni hittat honom? Var är han?"

"Vi har inte hittat honom."

"Jag vet ingenting."

Nej, hon var inte barfota, hon hade något slags tofflor som nästan hade samma färg som hud. Winter tittade på hennes fötter. Hon sänkte blicken, och tittade upp igen.

"Borde du inte vara ute och leta efter honom i stället för att komma hit? Han är inte här. Du kan komma in i huset och leta om du vill."

"Det behövs inte."

"Han är inte här", upprepade hon.

"Och han har inte ringt?"

Hon skakade på huvudet.

"Jag hoppades att han kanske skulle ringa", sa Winter.

"Det hoppades jag också."

En fågel flög över deras huvuden. Den utstötte ett läte som lät högt och tomt, som ett rop i en öken. Det var en svart fågel, kanske en skata eller kråka. Winter var usel på fåglar. Han förstod inte varför. Kanske var han rädd för dem. De höll sig alltid i närheten av honom var han än var, betraktade honom, lyssnade, skrattade, ropade.

Berit Richardsson huttrade till. Winter kände vinden. Solen nådde inte ända ner hit. I skuggorna hade hösten kommit.

"Jag kanske kunde få komma in i huset en stund i alla fall."

Hon vände sig om utan att svara och började gå tillbaka mot framsidan. Winter tittade mot det stora fönstret igen, men pojkens ansikte fanns inte där. Kanske det aldrig hade funnits där.

"Är din son hemma?" frågade Winter när de stod nedanför den lilla trappan upp till ytterdörren.

"Nej... varför frågar du?"

"Jag bara undrar."

"Jag är ensam", sa hon och gick uppför trappan.

Skuggorna därute hade nått in i vardagsrummet nu. Winter satt i en av de två fåtöljerna. Berit Richardsson satt i tresitssoffan. Hon hade inte erbjudit honom en kopp kaffe, eller något annat. Det var bra. Det fanns ingen anledning att välkomna honom.

"Jag måste fråga dig igen", sa Winter. "Har du aldrig hört talas om Bengt Sellberg?"

"Hur många gånger ska jag svara på det?"

"Jag tvingas ibland att ställa samma fråga flera gånger", sa Winter.

"För att du tror att folk ljuger?"

"Ibland. Och ibland för att dom helt enkelt inte vill berätta det dom vet."

"Vad tror du om mig? Ljuger jag? Eller vill jag inte säga vad jag vet?"

"Du vill inte säga det", sa Winter.

"Är inte det samma sak som att ljuga?"

"Jag vet faktiskt inte."

"Nehej?"

"Ibland vill man inte säga nåt för att man inte vågar", sa Winter.

Hon svarade inte på det. Hennes blick sökte sig ut i trädgården. Häcken på andra sidan gräsmattan såg ut som en svart mur nu, ogenomtränglig. Trädgården såg inringad ut, som om den inte kunde erbjuda någon frihet. Den öppnade sig inte åt något håll.

"Jag såg dig", sa Winter.

"Förlåt?"

"Jag såg dig utanför Sellbergs hus."

"Sellbergs hus? Jag? När då?"

"För ungefär fyrtiofem minuter sedan. Jag var själv på väg dit. Jag såg dig köra dit."

"Jag vet inte ens var det ligger!"

"Du var där."

"Herregud, om du menar att jag körde fel uppe i Lunden så är det vad det handlar om. Jag körde fel! Jag fick svänga runt och köra tillbaka."

"Det där kallar jag faktiskt att ljuga", sa Winter.

"Du får kalla det vad du vill", sa hon, men det fanns ingen kraft i rösten. Det är jobbigt att ljuga, tänkte Winter. Tvingas ljuga.

"Varför vill du inte prata om det? Om Bengt Sellberg? Din mans relation till Sellberg?"

Hon svarade inte.

"En man har skjutits i din mans bil. Din man är försvunnen. Det kan inte bli allvarligare. Jag vill att du säger något om det. Det hjälper oss. Det hjälper dig."

"Hur kan det hjälpa mig?"

"Vill du inte att din man ska komma tillbaka?"

Hon sa något som Winter inte kunde höra. Han tyckte att hon sa något.

"Förlåt? Sa du nåt?"

"Han kommer inte tillbaka", sa hon.

"Sa hon så?" Ringmar snurrade på sin kontorsstol. En dag skulle han snurra av. "Sa hon verkligen så?"

"Ja. Hon var säker."

"Ibland känner man nog på sig sånt", sa Ringmar." En kvinna känner på sig när mannen är borta."

"Är det bara kvinnor som gör det, Bertil?"

"Var det där nåt slags sarkasm?"

"Borta?" sa Winter utan att låtsas om kommentaren. "Borta på vilket sätt? Borta för alltid?"

"Ja."

"Död?"

"Inte nödvändigvis."

"Håller sig borta?"

"Han kanske har varit borta för henne länge", sa Ringmar.

"Varför säger hon det inte?"

"Hon är rädd."

"För vem?"

Ringmar svarade inte. Han reste sig. Stolen snurrade fortfarande, som om den var på väg någonstans, uppåt troligtvis.

"Rädd för den som mördade Sellberg", sa han.

"Okej, hon tror att hennes man står i tur."

"Kanske."

"Eller hon själv. Att hon själv står i tur."

"Nej, vi säger Richardsson."

"Varför?"

"För att han har gjort nåt som Sellberg också har gjort. Det är därför Sellberg blev skjuten."

"En hämnd?"

"Kanske."

"En vedergällning?"

"Kanske."

"För mig är Richardsson fortfarande huvudmisstänkt", sa Winter.

"Då är hans fru rädd för honom."

"Det kan hon ha varit länge."

"Är du övertygad om att hon vet mer än hon säger?"

"Hon körde inte vilse uppe i Lunden, Bertil."

"Hon kanske bara var nyfiken. Hon visste att det var Sellbergs hus och ville titta."

"Nej. Det är inte officiellt. Huset. Hon måste ha vetat från förut var det låg."

"Okej, hon kanske vet lite, men inte mycket. Hon vet att hennes man träffade nån annan, men det är allt hon tror, eller vet. Möjligen var nånstans det var."

"Hon vet mycket mer", sa Winter.

Den inbillade sjuke kom hem med räkor, oliver, manchego, rökt gåsbröst och ett par hekto sobrasada. Den bredbara korven från Mallorca var god på osaltat bergsbröd. Winter hade också köpt vin, vitt och rött.

"Jag tänkte vi skulle ha lite tapas", sa han. "Solen skiner fortfarande därute."

"Det är kallt på balkongen."

Angela höll en rödgråten Lilly i famnen.

"Hon har feber."

Elsa satt vid köksbordet med kritor och papper. Hon tittade upp när Winter ställde flaskorna på bänken.

"Jag ritar hästar", sa hon. "Lilly har skrikit en massa timmar."

"Får jag se."

Han lyfte upp en teckning. Hästen var mycket stor. En ballerina gjorde piruetter på hästens rygg. Det såg mycket svårt ut.

"Det är jag", sa Elsa.

"Hur har du lärt dig det där?"

"På cirkus!"

"Okej." Han tog upp varorna ur påsarna. "Vill du ha tapas med ost eller räkor?"

"Ost!"

"Oj, vad högt du ropar."

"Har du ont i huvet, pappa?"

"Nej, inte längre. Det var bara inbillning."

"Vad betyder inbillning?"

"Att man tror nåt som inte finns, gumman."

Morgonen var lika mycket indiansommar som alla de andra. Winter cyklade över Heden. En pojke flög en drake högt över de vita husen på andra sidan. Den svängde i sin cirkel. Linan måste vara femhundra meter lång. Pojken log när Winter passerade. Draken var röd högt i den blå himlen, som en nedgående sol.

På rummet ringde han Birgerssons hemnummer. Det var första gången sedan chefen lämnat dem. Winter var långtifrån säker på att han skulle få svar. Det kanske aldrig skulle ske. Birgersson kunde vara i Lappland, eller på Timor. Nu skulle han resa så mycket han orkade, hade han sagt: man dör lite långsammare då.

"Hallå?" hörde Winter en avvisande röst efter bara tre signaler.

"Sture? Hej, det är Erik."

"Hej, Erik."

"Hur har du det?"

"Lugnt och skönt ända tills nu."

"Stör jag, Sture?"

"Klarade du dig inte själv längre?"

"Nej, Sture."

"Jag måste släppa taget nån gång, Erik. Du måste växa upp och axla ansvar. Jag är på väg ut på en lång resa."

"Vart?"

"Den börjar i Malaysia. Sen får jag se."

"Bertils son är kock på ett hotell i Kuala Lumpur."

Birgersson kommenterade det inte.

"När åker du?" frågade Winter.

"I morgon."

"Jag skulle vilja träffa dig en liten stund. Jag har nåt jag vill fråga dig."

"Hon försvann", sa Birgersson och satte ner tekoppen. Han följde en förbipasserande kvinna med blicken. Efter tio meter vände hon sig om, som om hon hade ögon i nacken. "En sommarkväll. Juli, tror jag. Detaljerna får du kolla upp. Men hon försvann."

"Hur gick det till?"

Birgersson höll kvar blicken utanför på gatan, eller bortom, långt bortom, han kanske redan var på plats på Eastern & Oriental Hotel i Georgetown.

Han vände tillbaka blicken mot Winter.

"Det är ingen som vet, Erik. Vi fick ju lägga ner fallet. Det var inget fall förresten, hann inte bli det."

"Varför inte?"

"Varför inte? Därför att det inte fanns nåt offer." Birgersson hade höjt rösten, han lät nästan irriterad. "Nån kropp. Det fanns ingen som visste nåt om vad som hade hänt flickan."

"Beatrice."

"Hette hon så? Det hette hon kanske. Beatrice. Ja. Och nåt konstigt efternamn."

"Ademar. Beatrice Ademar. Men hon kallade sig Beatrice Kolland."

"Hon var ung. Femton, tror jag, kanske fjorton. Jag kommer visst ihåg mer än jag trodde." Birgersson lutade sig framåt. "Varför frågar du om det här? Det var före din tid. Långt före."

"1975", sa Winter. "Jag var själv femton."

"Så ung har jag aldrig varit", sa Birgersson.

"Hennes bror skriver en bok om det."

"Om försvinnandet?"

"Ja."

"Han var väl inte där? På kollot? Jag minns inte att det fanns nån bror."

"Han var inte där, Sture. Inte vad jag vet. Men det var hans syster."

"Känner du honom?"

"Egentligen inte."

"Vad är det för svar?"

"Han figurerar i utkanten av ett fall vi jobbar med. Några fall. Det utgår från mordet i garaget under Pedagogen."

"Ja, det. Jag läste om det. GT sket nästan på sig dom första dagarna." Birgersson drack en klunk te igen. Han gjorde en grimas. Teet hade kallnat. "Det låter som om det bli en kort bok han skriver. Det fanns inte mycket att ta på. Det var ett mysterium."

"Är du säker?"

"Vad menar du, Erik?"

"Jag vet inte, Sture. Säker på om det verkligen är ett mysterium? Jag vet inte varför jag frågar om det här. Det är… det är bara nåt som jag inte kan sluta tänka på. Som om det hör ihop. Som om allt hör ihop."

"Allt hör ihop, grabben. Det har jag predikat för dig i femton år eller vad det är. Mysterier eller pussel, allt hör ihop under Gud."

"Så vad hände därute på Brännö?" sa Winter. "Hur mycket fick ni fram? Vad fick ni veta?"

"Nästan ingenting, som jag sa. Flickan försvann på kvällen, från kollot. Från sovsalen, tror jag. Dom fick visst lägga sig tidigt, kolloungarna. Jag vet förresten inte om det finns några kollon kvar. Det tillhör väl den gamla onda världen. Okej, ett vittne tror sig ha sett henne gå en stig från kollot nere i Sandvik och upp över berget till Husvik. Han såg i alla fall en flicka gå där ensam. Den har ett speciellt namn. Kärleksstigen. Känner du igen det?"

"Jag har gått där själv många gånger", sa Winter.

"Jahaja, det kan jag kanske tänka mig. I vilket fall såg nån en flicka gå i skymningen eller kvällningen från Kärleksstigen ner mot Husviksvägen." Birgersson höll upp en hand i luften, som en stoppskylt. "Där slutar också alla spår."

"Alla spår?"

"Allting. Hon återfanns aldrig. Vi har aldrig hittat henne."

"Hur var hon klädd när hon försvann?"

"Enligt den där personalen på kollot måste hon ha haft bad-kläder på sig, och nån badrock som tillhörde kollot. Det var det enda som saknades i hennes garderob. Eller väska eller vad det var. Hennes baddräkt."

"Hon skulle alltså gå och simma", sa Winter. "Bada."

"Det verkar så. Men då smet hon iväg från kollot. Det var inte tillåtet efter klockan sex, eller sju. Jag kommer inte ihåg vilket."

"Hon kanske faktiskt gjorde det. Gick iväg och simmade. Jag menar att hon hoppade i vattnet."

"Allt är möjligt, Erik."

"Men varför badade hon inte i Sandviksdalen? Det fanns en riktig badplats där då, om jag minns rätt. Den kanske finns kvar."

"Vi sökte efter henne överallt, Erik. Gud, vi kammade igenom hela ön, vad jag kommer ihåg. För att inte tala om draggningen i hela sundet. I vikarna, mellan Husvik och Sandvik. Vi gick över holmar-na och småöarna i större delen av sundet. Källö sund. Södholmarna, Svensholmen, Stenskär... känner du till skärgården därute?"

"Det är det jag gör, Sture. Vi hade sommarhus nere i Tången på Styrsö några år. Jag kunde se Stora Källö från verandan. Fan, jag levde flera somrar i det där sundet. Jag var *där*, Sture. Den som-maren när hon försvann var jag där. Jag kanske kajkade förbi med en jolle just den kvällen."

"Är det därför du är så intresserad?"

"Jag vet inte, Sture. Jag vet faktiskt inte."

"Vi fick släppa det. Det var som om hon plötsligt hade dragits ut till havs. Eller försvunnit upp i himlen. Det kändes inte bra. Vi kunde inte hitta nåt, men jag har alltid trott att det var brott inblandat. Hon gav sig inte bara iväg av fri vilja."

"Vad sa dom andra barnen på kollot? Eller ungdomarna?"

"Ingen visste nåt."

"Hade hon ingen förtrogen? Nån bästis?"

"Det minns jag inte, Erik. I så fall finns det i vittnesmålen. Men jag kan inte minnas nåt som står ut där." Birgersson gav ifrån sig något som lät som en suck. En kraftig utandning. "Det var inte det första försvinnandet jag var med om, och sannerligen inte det sista, men det kändes naturligtvis mycket otillfredsställande."

Winter nickade. Människor försvann. En seriös spanare glömde det aldrig. Var fanns personen, han eller hon? Och varför? Var det i döden eller i livet de skulle söka?

"Vad sa personalen på kollot?" frågade Winter.

"Inte så mycket. Ungefär det jag sagt. Ingen visste vad som hände efter det att hon lämnat kollot."

"Vad hände innan då?"

"Hur menar du?"

"Innan hon försvann? Timmarna innan. Eller minuterna innan. Hände det nåt? Var det nåt som fick henne att sticka? Kanske fly? Kanske ge sig iväg för att hon var förbannad?"

"Inget som jag kommer ihåg", sa Birgersson. "Men jag sitter just och tänker på din författare. Kan inte han svara bättre än jag på dina frågor? Ge dig fler svar?"

Winter svarade inte på det. Han tänkte på flickan som gick på stigen minuterna innan hon försvann från jorden. Kärleksstigen. Den vindlade sig över berget, från vik till vik. Från det ena havet till det andra, om man såg det så. Ibland hade han sett det så. Han hade gått där under dygnets alla timmar under några år mellan barndom och ungdom. Han skulle gå där igen. Han skulle åka dit så fort han kunde.

"Eller vad tror du?" hörde han Birgersson säga.

"Jag vet inte vad dom svaren egentligen är värda", sa Winter.

"Nehej."

"Jag skulle vilja veta vilka som jobbade där då", sa Winter. "På kollot."

"Där räcker mitt minne inte till, Erik. Men arkivet finns ju kvar."

"Vad hette vittnet? Den sista personen som såg Beatrice?"

"Minns inte. Det var en grabb, tror jag."

TREDJE DELEN

23

LOVISAGATAN VILADE i samma stillhet som alltid. Winter stod utanför grinden till Ademars hus. En gång hade lugnet brutits här, på ett kanske våldsamt sätt: Ademars bråk med Sellberg. Vad hade egentligen hänt? Hade det ens hänt? Var det en fantasi drömd av författaren? En lögn. Varför i så fall? Ademar kunde inte veta vad som senare skulle hända Sellberg. Eller så kunde han veta. Winter fann mannen oåtkomlig, men det gällde de flesta människor han träffade i sitt arbete. Det var som om deras arbete var att vara oåtkomliga. Deras jobb var att vara främlingar. Ademar var en främling. Han skrev om sitt livs tragedi, eller sin familjs tragedi. Hans berättelse verkade störa honom själv. Det var Winters intryck. Men inte bara på grund av att han skrev om sin systers försvinnande. Och det var hans syster, det hade Winter kontrollerat så gott det var möjligt. Modern var död. Det hade visst inte funnits någon fader. Han hade försvunnit tidigt ur deras liv, och alla andras tydligen.

Varför störde Ademars berättelse honom? Visste han något han inte ville skriva? Ville han inte komma nära det? Fanns det någonting som ändå tvingade honom?

Winter öppnade grinden. Den gav ifrån sig ett rostigt klagande läte. Huset var rappat i vitt som under åren förvandlats till det grå som finns i en mulen vinterhimmel. Himlen ovanför Winter var blå, lika obegripligt blå som under de senaste veckorna. Det fanns inga moln längre. Barnen hade glömt vad moln var.

Ademar kom ut på trappan. Han hade vit skjorta och svarta byxor, som om han var klädd för någon ceremoni. Han gjorde ingen gest till hälsning. När Winter gick den smala grusgången till trappan tyckte han att Ademar såg annorlunda ut, som om något hade hänt. Ett ansikte som inte riktigt var detsamma. Winter hade lärt sig att se sådant under åren. Ibland betydde det något.

"Vad vill du?" frågade Ademar.

Han såg inte ovänlig ut. Det var inte en ovänlig ton.

"Stör jag i skrivandet?" frågade Winter.

"Ja."

"Jag ska inte uppehålla dig länge. Men det handlar om det."

"Handlar om vad?"

"Ditt skrivande."

"Kom in", sa Ademar och vände sig om. Dörren stod öppen bakom honom. Winter följde efter uppför trappan och in i hallen. Ademar fortsatte in i ett rum till vänster. Winter kunde se ett stort skrivbord med en iMac och nästan ingenting annat. Inga högar av papper, inga böcker, bara en liten prydlig manusbunt bakom datorn.

"Jag vill ha ett rent skrivbord när jag arbetar", sa Ademar.

"Jag också."

"Skriver du?"

"De blir nåt varje dag", sa Winter.

"Önskar att jag kunde säga detsamma."

"Går det trögt?" frågade Winter.

"Trögt… ja, det kanske man kan säga." Ademar såg ut genom fönstret. Sellbergs hus syntes bakom en syrénhäck, bara ett hörn, det kunde tillhöra vilket hus som helst på lugna gatan. "Hur går det själv?"

"Jag vet inte", sa Winter. "Det vet man aldrig när man är mitt inne i det."

"Är du det? Mitt inne i det?"

"Det vet jag inte heller", sa Winter och log.

"Låter som ett seriöst författarskap", sa Ademar.

"Jag skapar ingenting", sa Winter.

"Frågan är om jag gör det."

"Jag är här för att prata om din bok", sa Winter.

"Min bok? Det finns ingen bok än."

”Du vet vad jag menar.”

”Vad vet du då egentligen?”

Ademar höll kvar blicken på huset på andra sidan syrénhäcken.

”Jag vet att din granne fanns på kollot på Brännö när din syster var där.”

Om Winter förväntat sig något slags reaktion såg han den inte. Han kunde se Ademars profil, men han var inte ens säker på att mannen hade blinkat.

”Visste du det?”

Ademar svarade inte. Han fortsatte att titta på Sellbergs hus.

”Är det en egendomlig tillfällighet?” sa Winter.

Ademar vände sig mot honom. Han såg ut som en äldre version av sig själv. Ja, så var det. Det var vad Winter sett när han kom. Något hade hänt.

”Vad menar du med tillfällighet?”

”Att du bor... bodde granne med Sellberg.”

”Jag hade ingen aning.”

”Om vad.”

”Att han var min granne.”

”Det andra då?”

”Jag såg namnet. Jag hörde namnet.”

”När då?”

”Inte så länge sen. Då var det bara ett namn. Det kanske fortfarande bara är ett... namn.”

”Hur fick du veta att Sellberg jobbat på kollot den där sommaren?”

”Det finns listor på anställda. Det finns ett arkiv. En del kollon hade som en gemensam organisation.”

”Var?”

”I Stockholm. Den finns i Stockholm.”

”Vad har du fått veta om honom? Om Sellberg?”

”Ingenting mer. Han jobbade i köket. Kanske du vet mer än jag. Du har polisrapporterna.”

”Hade du inte tänkt läsa dom?”

”Jo...”

"Jag kan skicka över dom."

Ademar svarade inte.

"Sköt du Sellberg?" frågade Winter.

Ademar stirrade in i sin datorskärm. Winter stod så till att han kunde se Ademars spegelbild i det svarta glaset. Ademar såg ut som om han letade efter något därinne. Sin berättelse.

"Varför skulle jag göra det?" sa Ademar in i skärmen. Winter kunde se hans mun röra sig.

"Han hade något att göra med din lillasysters försvinnande."

"Det har jag ingen aning om."

"Kan jag få läsa vad du skrivit hittills?"

"Nej."

"Varför inte?"

"Det är för dåligt."

"Jag bryr mig inte om litterär kvalitet just nu."

"Det finns inget du behöver veta där."

"Låt mig avgöra det."

"Jag kanske har förstört manuskriptet", sa Ademar.

"Är du egentligen riktigt klok?" frågade Winter.

"Nej."

"Vi ska göra en resa tillsammans", sa Winter.

De stod uppe på Skarvens däck när den la ut från Saltholmen 14.10. Nio minuter senare la den till vid Alberts brygga på Asperö, tog ombord en man med cykel, la ut igen, fortsatte runt ön och in i Skutviken. Winter kunde se får beta på Rivös sluttningar, som var brunröda genom hans svarta glasögon. Indiansommaren tog aldrig slut. Han kände solen på huvudet. Ademar bar också solglasögon. Han hade inte sagt ett ord under resan. Han sa ingenting när de steg av på Brännö Rödsten tillsammans med två kvinnor med matkassar, och två tonåringar som hämtades av en annan tonåring med flakmoped. De körde iväg under skratt. Ademar tittade efter dem. De kanske var fjorton, femton. Winter sa ingenting. De började gå Rödstensvägen söderut.

De passerade kyrkan.

"Hur många gånger har du varit härute senaste tiden?" frågade Winter när de gick förbi affären.

"Ingen alls", svarade Ademar.

"När var du här senast?"

"1975."

Winter stannade. Han kunde se värdshuset. Det hade fått en tillbyggnad som såg ny ut.

"Jag trodde…"

"Jag har inte varit mogen för att åka hit än", sa Ademar. "Det kanske du inte förstår. När jag skrivit mig fram till den stunden skulle jag också åkt ut hit."

"Vilken stund?"

Ademar svarade inte.

De fortsatte att gå Husviksvägen mot sydväst. Den kantades av gamla trävillor som kunde statera som kråkslott i vilken berättelse som helst. Vägen började luta ner mot havsviken. Winter kände igen ett par av husen när han såg bryggorna.

"När var du här själv?" frågade Ademar plötsligt.

"Det var länge sen", sa Winter.

"Hur länge sen?"

Winter stannade. De var framme vid Husvik. Det fanns en väntkur för direktfärjan från stan till Brännö brygga. Södra skärgårdens mest berömda brygga. Berömd i hela landet. Det är dans på Brännö brygga, en gammal och kär tradition. Bryggan låg till höger. Winter kunde höra hammarslag. Brännöföreningen renoverade redan inför nästa säsong. I ungdomen hade han hoppat av nån båt borta vid Sandviksbadet och sedan gått hit och glott på folket. Han mindes inte om han hade dansat. Han mindes inte så mycket. Det hade varit varma kvällar. Jo, han hade dansat med nån flicka. Ett undantag.

"Många år sen", sa han.

"Jag tror att hon simmade förbi här", sa Ademar.

Christian Lejon hade fått nog av dom, åtminstone för tillfället. Ta albanerna, till exempel. Det fanns gangstrar och det fanns gangstrar. En del gick inte att prata med överhuvudtaget. Det fanns ingen återhållsamhet. Vem ville inte ha heroinet ute på gatorna så fort som möjligt? Men man fick tänka lite också. Kanske supplera lite mindre först för att öppna dammluckorna sen. Det handlade om planering. Om strategi. Om att helt enkelt ligga först.

Han svängde av från Danska vägen. Det var mycket sällan han befann sig i dom här trakterna, Redbergslid, Lunden, Härlanda. Han kände några stycken gamla gangstrar som suttit på Härlanda, men nu var bygget något annat och trevligare. Anstalternas tid var förbi. Dårarna och tjuvarna var tillbaka på gatorna. Det var medeltid igen. Ha ha. Han svängde in på Lovisagatan. Han körde förbi huset, jaså, han bodde i det där. Det stod ingen bil utanför. Han måste ha hans bil, eller hur? Kanske var det den, kanske var det han, tra la la.

Hans huvud började plötsligt dunka, inte högt, inte så intensivt. Smärtan var som en liten våg som sköljde mellan ögonen. Det var inte enbart obehagligt.

De stod ute på klipporna intill bryggan. Udden såg ut som den italienska klacken. Eftermiddagssolen var stark. Winter kisade över mot Svensholmens skrovliga hätta. Bortanför till vänster kunde han se Stora Källö, och bortanför den ett par höga hus på Tången, Styrsös norra del. Där fanns delar av hans barndom och ungdom. Där, och här. Han hade tältat på Svensholmen. Han hade rört sig inom Källö sund som om det varit hans eget.

Varför hade han inte tänkt på den här flickans försvinnande, då? Eller hade han gjort det men glömt det?

Ademar nickade tillbaka mot vägen.

"Hon kom ner därborta."

Winter nickade. Hammarslagen bakom klippan fortsatte tungt och regelbundet, som om en klocka tickade fram tiden. Snickaren kunde sitt jobb. En liten fiskekutter puttrade förbi ute i sundet. Ljudet var mjukt över vattnet, som någonting lugnande.

"Tänker polisen öppna det här fallet igen?" sa Ademar.

"Det är preskriberat, tyvärr", sa Winter. "Men jag är ju härute med dig."

"Ja, det är klart att det är preskriberat."

"Kärleksstigen", sa Winter och nickade bort mot vägen. "Låt oss gå."

De gick Husviksvägen en liten bit tillbaka och tog höger in på Ramsdalsvägen, som ledde ner till den allmänna badplatsen. Efter hundratalet meter delade sig vägen. Kärleksstigen löpte till vänster, upp över berget. Någon hade vänt skylten bakochfram, men Winter kunde vägen, Ademar också. Kärleksstigen nådde krönet och fortsatte sedan ner mot Sandviksdalen. Skogen var tät däruppe. Winter kände inte igen den. Det var mer än trettio år sedan han hade gått där. Det fanns ett skjul på krönet, som en liten kiosk. Det såg mycket gammalt ut. Winter kom ihåg det. Han kom inte ihåg vad det hade använts till. Det såg övergivet ut, som en raststuga som förlorat sin betydelse.

Och Sandviksdalen var inte länge densamma. Sandvik fanns kvar, havsviken, men vassen var tät där det tidigare röjts för badplats mitt i viken. Kollot var borta. Som om det aldrig existerat. På den stora ängen betade några får. I ena änden hade man byggt en boulebana. Ovanför låg några båtar med kölen mot himlen. Lite längre bort fanns en tennisbana. Winter hade sett kollot på avstånd från vattnet och det hade sett stort ut då, med flera byggnader. Nu återstod ingenting, och ingenting hade ersatt det.

"Dom rev skiten i början av 80-talet", sa Ademar.

"Det visste jag inte."

"Sommarkoloniernas tid är över." Ademar kisade ut mot viken. Vassen var som en ridå. "Och lika bra är det."

En flicka i tonåren cyklade i hög fart på en av de små vägarna längre bort. Hon försvann bakom klipporna. Winter hörde måsarnas skratt. Han kände solen på hjässan. Det hade börjat värka över ena ögat, och sedan över det andra, medan de gick över berget. Smärtan var svag, nästan mild. Den rörde sig fram och tillbaka mellan ögonen. Han tänkte på flickan som hade rört sig här, kanske mellan vikarna, kanske inte.

"Varför simmade hon inte här?" sa han. "Här i viken? Varför badade hon inte här?"

"Jag har ställt mig den frågan några gånger", sa Ademar.

"Vad svarar du då?"

"Hon hade stämt möte med nån", sa Ademar.

"Vet du det?"

"Nej. Jag tror det. Men jag vet inte."

"Visste du verkligen inte att Sellberg bodde granne med dig?"

"Nej. Det är absolut sant."

"Jag är misstänksam mot absoluta sanningar", sa Winter. "Vad vet du om Sellberg? Hans arbete härute?"

"Ingenting. Han jobbade i köket. Nån handräckning. Ett par kvällar i veckan."

"Vi håller på att kolla hans bakgrund."

"Vad har ni hittat?"

"Ska du använda det i boken?"

"Den känns avlägsen just nu", sa Ademar.

"Sellberg hade inget jobb", sa Winter. "Inte ens handräckning."

"Nehej."

"Han kom från stan. Han verkar inte ha haft nån anknytning härute." Winter tittade på Ademar. "Har du en förteckning över alla som jobbade här den sommaren?"

"Ja. Vad den nu är värd."

"Vad menar du med det?"

"Namnen, menar jag. Kan man lita på vad folk heter?"

De tog Skarven tillbaka från Brännö Rödsten 16.50. En kvinna i Winters ålder gick av vid Asperö Norra och ställde en cykel på bryggan och gick ombord igen. Hon nickade och log när hon passerade Winter där han stod i fören.

"En bekant?" sa Ademar.

"Ingen jag minns", sa Winter.

Han vände sig om, men kvinnan hade gått in. Den vita järndörren var stängd.

De steg av på Saltholmen. När Winter låste upp sin bil såg han kvinnan igen. Hon var på väg bort mot spårvagnarna. Han kanske kom ihåg henne. Han kom inte ihåg hennes namn.

"Är jag misstänkt?" sa Ademar i bilen på väg in till stan.

"För vad?"

"Utreder du inte ett mord?"

Han körde genom Allén när mobilen ringde.

"Ja?"

"Är du på väg, Erik?"

"På väg vart, Angela?"

"Landvetter, såklart. Din mamma landar om en halvtimme."

"Herregud, jag visste att det var nåt."

"Jag visste att du inte visste."

"Jag glömde."

"Ska jag ringa när hon landat och be henne ta en taxi?"

"Nej, nej, jag kör ut. Hej."

Winter trängdes i ankomsthallen med andra väntande. Han tyckte han kände igen några ansikten, kanske fler än så. Det var många göteborgare som hade hus på Costa del Sol. Det var bara några år sedan han delvis blivit en i familjen. Men han kysste aldrig på kind.

Siv Winter kom ensam genom tullen. Hon hade flera väskor på vagnen. Hon tänker verkligen stanna, tänkte hennes son. Hon har flyttat tillbaka till Costa del Regn. Men det var inte regn nu. Det var Sol, en evig Sol. Den sken rakt igenom hela flygterminalen. Dammet dansade som guldstoft i de diagonala solstrålarna. Det var en gyllene hemkomst.

"Erik!"

Hon ropade hans namn onödigt högt. Några vände sig om och log. Han lyfte handen till hälsning. Det var en lam rörelse.

Hon kysste honom på kinden när hon kom fram. Vagnen gled iväg. Han fångade in den innan den krossade någon.

"Erik! Så roligt att vara tillbaka igen!"

Igen? Han kom inte riktigt ihåg när hon varit i Göteborg senast.

Det var länge sedan. Han och hans familj hade varit desto flitigare resenärer i andra riktningen. Mot solen. Hon hade inte haft något emot det. Hon hade aldrig gnällt. Sedan Bengt Winters död hade hon blivit farmor och mormor på ett helt annat sätt. Lottas barn hade märkt skillnaden, de var äldre. Hon hade delvis bytt ut drinkshakern mot brödkaveln. Hon hade faktiskt bakat något. Någon form av bullbak. Det var första gången för Winter. Att han fick uppleva det före sin 50-årsdag. Medan han ännu var barn.

Han lotsade mor och vagn ut till parkeringsplatsen på gaveln.

"Vilket väder! Vilken himmel!"

Han nickade. Två väskor fick plats i bagageutrymmet, de andra knuffade han in i bilens baksäte.

"Jag visste inte hur länge jag skulle stanna", sa hon.

"Så länge du vill", sa han och körde tillbaka vagnen till uppsamlingsplatsen borta vid terminalen.

Hon stod och rökte en cigarrett när han kom tillbaka.

"Jag trodde du hade slutat", sa han.

"Det har jag nästan", sa hon.

"Det finns inget nästan, Siv. Antingen röker man eller så röker man inte."

"Du låter anklagande, Erik. Men du kastar faktiskt lite sten i glashus."

"Kastar sten i glashus? Det säger vi inte längre här i Sverige."

"Vad är det, Erik? Du låter arg."

Hon släppte den halvrökta cigarretten på asfalten och trampade sönder den med ena hälen på de halvhöga skorna. Det var så nära hon någonsin nådde marken i ett par skor. Han mindes de sylvassa klackarna han sett som barn. Skorna i garderoben såg ut att kunna borra sig ner till andra sidan jorden. Det var hundratals av dem. Han hade provat ett par en gång. Han hade nästan slagit ihjäl sig när han försökt gå över rummet.

"Så lite folk här är." Siv Winter såg sig om, ut mot Sverige. "Så lite bilar."

De var ute på motorvägen nu. De passerade Landvetter samhälle. Bullerplanken skyddade allting från insyn. Det kunde bo en miljon därinnanför, men man såg dem inte.

"Så tänker jag varje gång jag kommer hem", sa hon. "Så tomt det är. Så tyst det är."

"Men det är sant", sa Winter. "Det är lite folk i Sverige. Lite folk, och lite mer bilar."

"Vår är staden som Volvo kommer ifrån", sa hon med den lite klumpiga syntax som utlandssvenskar använder. "Det ska vi vara stolta över."

Det vi ska vara stolta över är över, tänkte han. Du tronar på minnet från fornstora dar.

"Det ska vi verkligen."

"Och ändå kör du Mercedes, Erik."

"Och ändå bor du utanför Marbella", sa han.

"Nu var du orättvis."

"Ja."

"Bra att du erkänner", sa hon och log.

"Jag kanske byter", sa han.

"Gör det."

Han klättrade uppför berget nu i sin tyska bil. Klipporna på båda sidor var som den branta engelska sydkusten. Han tänkte på vita klippor utanför Dover. Han tänkte på havet utanför Göteborg. På segel. På segelbåtar. Sommaren. En sommar för länge sedan.

"Hyrde vi segelbåt när vi hyrde hus ute på Styrsö?" frågade han när de passerade Mölnlycke.

"Vad?"

"Hyrde vi segelbåt?"

"Ja... det gjorde vi väl."

"Gjorde vi det eller gjorde vi det inte?"

"Det gjorde vi. Det borde du väl komma ihåg. Du var ju den som använde den."

"Var det bara jag?"

"Lotta ibland, kanske. Du och hon var väl ute några gånger i sundet tillsammans."

"Sundet?"

"Ja, sundet. Sundet utanför Källö. Det heter väl Källö sund."

"Mhm. Men jag kommer inte ihåg om det var vår båt eller inte. Det är konstigt, men jag gör inte det."

"Varför frågar du om det här?"

"Jag vet inte riktigt det heller."

"Nehej."

"Jag minns nåt annat", sa han när de närmade sig Kallebäck.

"Minns nåt annat?"

"Jag minns att jag var ute med en segelbåt. Jag minns inte vilken sommar. Det var nån gång i mitten på 70-talet, det måste det ha varit. Jag skulle nog börja gymnasiet, tror jag. Eller om det var sommaren innan. Det var en av dom där fina dagarna. Nej, det var kväll förresten. Men det var fortfarande som på dan. Det var varmt. Jag minns att en motorbåt for förbi. Jag… jag tror jag vinkade. Det satt en flicka i båten. Det var väl henne jag vinkade till. Den var rätt liten, en plastbåt med ratt. Det såg ut som om den hade en röd flagga som for ut när båten hade kört förbi. Den körde fort." Winter tittade på sin mor. "Jag minns nåt rött."

24

WINTER HITTADE RICHARDSSONS namn i den nedlagda utredningen kring Beatrices försvinnande. Det tog några sekunder innan han registrerade det. Det var i början av läsningen. Det var samma namn. Det var ingen tillfällighet.

Jan Richardsson var vittnet som hade sett Beatrice den sista gången.

Winter kände nackhåren resa sig. Det var en verklig känsla. Det han läste kändes overkligt. En ung man vid namn Jan Richardsson hade sett flickan någon minut. Han hade kommit nedför Husviksvägen. Hon hade kommit ut från Kärleksstigen. Hon hade fortsatt bort mot viken, och försvunnit bakom ett hus. Sedan hade han inte sett henne mer. Nej, han kände inte igen henne. Han visste inte vem hon var. Polisen som hållit förhöret hade inte frågat vad Richardsson gjorde där, varifrån han kom, vart han var på väg. Jävla klåpare. Trettio år senare kunde en sådan uppgift betyda allt. Winter läste namnet på polisassistenten: Hans Bergfeldt. Han kände inte igen det, och lyfte telefonluren. I samma sekund knackade det på hans dörr. Den öppnades direkt, och Ringmar steg in.

"Jag skulle just ringa dig", sa Winter.

"Jag vet. Därför kom jag hit själv."

"Sätt dig och sluta prata skit, Bertil."

"Vad finns det annars att prata om?" sa Ringmar och satte sig.

"Ingen depression i det här rummet, tack. Jag orkar inte med det." Winter höll upp papperet han just läst. "Vi kan prata om vår politiker, Jan Richardsson. Han var vittnet som såg Beatrice Ademar den sista gången."

"Beatrice?"

"Flickan som försvann på kollot. Brännö. Hon som aldrig har återfunnits."

"Javisst, hon."

"Där fanns ett vittne. En ung man på tjugo. Han hette Jan Richardsson."

"Är det vår man? Vår egen försvunne?"

"Det är väl klart som fan att det är vår man, Bertil."

"Hur ve…"

"Kom inte in hit med några jävla depressioner, sa jag! Antingen är du med i den här förundersökningen eller så kan du dra…"

Winter tystnade.

"Så kan jag vadå, Erik?"

"Förlåt mig, Bertil."

"Så kan jag dra åt helvete? Gärna för mig. Det är inte långt dit. Jag behöver bara stiga ut genom dörren. Kanske inte ens det."

Ringmar reste sig.

"Snälla Bertil, jag bad ju om ursäkt. Det är klart att vi ska kolla vilken Richardsson det här är. Åldern stämmer. Men vi ska kolla. Okej? Men vad jag ville fråga dig om är polisen som gjorde förhöret. Hans Bergfeldt. Han är inte här. Jag känner inte igen namnet. Vart tog han vägen?"

"Han är i himlen", sa Ringmar. "Jag tror inte han hamnade i helvetet."

"Han är alltså död."

"Hjärntumör. Det gick fort på slutet. Det var flera år innan du började här. Han blev inte ens fyrtio."

Winter kände ett järnband över pannan. Det började dunka över vänstra ögat. Han kände en svettdroppe i tinningen.

Han reste sig.

"Vad är det, Erik? Du ser inte ut att må bra."

"Jag mår bra."

Winter gick bort till handfatet. Han sköljde ansiktet med vatten. Han torkade pannan. Bandet över pannan hade släppt. Ansiktet såg blekt ut, men det var det förbannade solljuset, det letade sig

in mellan persiennerna. Fortsatte det så här fick han skaffa mörk-
läggningsgardiner.

"Det är dags att hitta den där jävla Richardsson", sa han till sin
egen spegelbild.

Bergenhem hade fått det akuta jobbet att söka i Richardssons för-
flutna. Listorna på hans möten i tjänsten hade inte gett något.

Winter studerade fotografierna från Älvsborgsbron igen. Hur
man än såg på det så var det där som allt började. Det var så han
tänkte. En övergiven bil på en ensam bro. Bergenhem kom förbi.
Han slog larm. Vi hittade en kula i bilen. Roger Edwards Lexus.
Stulen från Långedrag. Det var i alla fall vad han påstod. Am-
munitionen Tokarevkaliber. Den dyker upp i skottlossningen mot
Sellbergs hus. Den dyker upp i Sellberg själv. Samma vapen har
sannolikt använts. Kulorna har kommit ur samma vapen. Vi vet
ännu inte var det vapnet använts tidigare. Vi vet inte var det finns.
Vi vet inte om samma hand höll i kolven. Vi vet inte vems hand.
Vilkas hand. Vems hand. Det är en. Det är inte tillfälligheter här.
Det finns ett syfte. Annars vore det som om det bara fanns en
Tokarevpistol i Göteborg. Den användes av alla vid alla tillfällen.
Gick runt. Ha ha ha. Richardsson sköt Sellberg. Kärleksgnabb.
Kärleksgnabb på Kärleksstigen. Gatan var mest som en stig, över-
given, tyst. Sellbergs hus var som skjulet på toppen av Kärleks-
stigen på Brännö. Richardsson ville skrämma Sellberg med dom
första skotten, men han lät sig inte skrämmas. Han fick ta bilen
till sin egen död i stället, Richardssons bil. Richardsson väntade
på det uppgjorda stället, garaget. Lexusen då, Älvsborgsbron? Var
den jävla politikern där också? Var Sellberg där? Hade dom snott
Edwards bil för att åka upp på bron för att sedan hoppa i älven,
hand i hand? Men nåt gick snett? Lägg av nu, Erik. Var försiktig
med hjärnan. Tänk på pistolen. Hur fick Richardsson tag på en
Tokarev? Hur fick nån tag på en Tokarev? Vem höll bästa koll på
sånt? En gangster. Han kände flera gangstrar. Speciellt en kände
han, nån som varit familj ett tag.

Telefonen ringde på skrivbordet.

"Ja?"

Det var växeln.

"Här är nån som söker dig. En man."

Vad heter han?"

"Han vill inte säga det."

"Okej, jag tar det."

Winter hörde skrapet i luren, ett sus av något slag, och sedan en annan sorts sus. En tystnad med ljud i bakgrunden.

"Hallå?" sa han. "Hallå?"

Han hörde bara tystnad.

"Hallå, vem är det? Det här är kriminalkommissarie Erik Winter."

Nu hörde han andningen. Det fanns någon där.

"Winter", hörde han.

Rösten lät tunn, som om den flöt runt i vinden En mansröst. Winter kunde höra trafik, det lät som trafik. En mobiltelefon kanske, mannen stod på gatan.

"Ja, det är Erik Winter. Vem är det här?"

"Jag… ville inte göra det."

"Förlåt? Vad sa du? Jag uppfattade inte. Vad sa du?"

"Jag… vill inte göra det. Jag vill inte! Hjälp mig!"

Och rösten försvann. Linjen var död.

Winter stirrade på telefonen i sin hand. Han höll den mot munnen och ropade.

"Hallå!? Hallå!?"

De spårade samtalet till en telefonkiosk på Chapmans torg. Mynttelefon.

"Herregud, finns såna här kvar", sa Ringmar när de stod på torget och stirrade på telefonkiosken.

"Dom glömde den här", sa Winter.

"Vi får spärra av", sa Ringmar.

En kvinna i röd skinnjacka var på väg mot dem, och telefonkiosken. Hon skulle ringa. Hon hade redan en portmonnä i handen. Så mynttelefonen användes faktiskt.

"Polis", hörde Winter Ringmar säga. "Den här telefonkiosken är avstängd för tillfället."

Teknikerna arbetade med telefonkiosken. Öberg hade inte sagt något, varken blivit glad eller ledsen. Det var inte första gången, även om det var ett tag sedan.

"Idéer, tack", sa Winter.

Gruppen hade samlats i konferensrummet. Ingen visste varför det hette så, det hölls aldrig någon konferens där. Men i eftermiddag skulle Winter hålla presskonferens. Det skulle också vara en icke-händelse. Han visste inte så mycket mer än journalisterna, och det lilla han visste skulle han inte säga. Sellbergs identitet var känd, men Richardssons hade de hittills lyckats skydda. Var det rätt uttryck, skydda? Skydda från vem? Kanske Winter skulle ge dem namnet. Kanske han behövde göra det namnet officiellt. Household name, som hans vän Steve Macdonald sa, kriminalkommissarien i Croydon. Hushållsnamn.

Var det Richardsson som hade ringt?

Winter hade spelat in samtalet. Han spelade in alla samtal, alltid. Något hade han lärt sig.

Han hade spelat upp det för gruppen:

"Hallå? Hallå? Hallå, vem är det? Det här är kriminalkommissarie Erik Winter."

"Winter."

"Ja, det är Erik Winter. Vem är det här?"

"Jag... ville inte göra det."

"Förlåt? Vad sa du? Jag uppfattade inte. Vad sa du?"

"Jag... vill inte göra det. Jag vill inte! Hjälp mig!"

"Hallå!? Hallå!?"

Han säger ditt namn, sa Aneta Djanali. "Han upprepar ditt namn."

Winter nickade.

"Det låter som om han får en bekräftelse av dig. Han konstaterar att han har kommit rätt."

"Han ville ju komma rätt", sa Halders. "Han sökte ju Erik."

"Han kanske tog ett namn ur högen."

"Högen? Finns det nån hög med kriminalkommissarier?" sa Halders.

Nu är det väl nån som säger att jag gärna skulle vilja hamna i den högen, tänkte Halders.

"Jag tycker också att det låter som om han blir lugnad av att det är Erik", sa Ringmar.

"Han ville komma fram till just mig, vi säger det." Winter nickade mot bandspelaren. "Nåt annat?"

"Han byter... tempus, om man kan kalla det så här", sa Bergenhem. "Först säger han att han inte 'ville' göra 'det' och sen säger han att han inte 'vill' göra det."

"Han upprepar det där sista", sa Aneta Djanali. "Att han inte vill."

"Först ville han inte göra det, och nu vill han inte göra det", sa Ringmar.

"Han vill ha hjälp med att inte göra det", sa Halders.

"Göra det igen", sa Ringmar.

Winter nickade.

"Han vill inte göra det igen", sa han.

"Han har alltså gjort nåt som han inte vill göra om", sa Aneta Djanali.

"Ja."

"Vad är det?"

"Skjuta nån", sa Halders.

"Hör det ihop med Sellbergfallet?" sa Aneta Djanali.

"Varför inte?" sa Halders.

Benny Vennerhag hade flyttat sedan sist. Nu bodde han i ett av de få husen utmed Järkholmsvägen, ett utslag från Hovås golfbana i öster. Havet fanns på andra sidan cykelvägen. Winter hade förr brukat cykla hela vägen ner till den lilla badplatsen bortanför Järkholmen. Det var där han återhämtade sig. Nu ställde han bilen där och gick upp till Vennerhags hus. Hus och hus. Det var ett strandpalats som måste kosta minst 20 miljoner. Det fanns två pooler. Båda var tomma. Soldäcken löpte runt huset som på en atlantkryssare. Det mesta påminde om en kryssare. Winter ringde på dörren. Signalen var behaglig, något slags klockspel. Ingen öppnade. Winter hörde ett rop bakom sig. Han vände sig om och såg en figur vinka till honom från andra sidan vägen. Mannen stod på en brygga, intill ett lusthus. Det låg en stor motorbåt och en ännu större segelbåt förtöjd vid bryggan. Mannen var en silhuett i det starka solljuset. Silhuetten höjde handen.

"Erik! Härute! Kom ut!"

Winter gick över vägen och ut på klipporna. Han steg ner på bryggan. Mannen stod kvar. Benny Boy. En av de obehagligaste människor Winter någonsin känt. Kanske berodde det på svinets tidigare kontakt med hans syster. Kontakt. Winter visste inte vad det skulle kallas. Angrepp. Våldtäkt. Överfall. Hypnos.

Winter kunde se nu att Benny var klädd i enbart badbyxor. Han såg ut att vara i bra form. Han log ett vitt leende. Han var mycket solbränd.

"Herregud, Erik. Slutet av oktober och rena högsommaren. Har du lust att hoppa i?"

"Nej."

"Det finns badbyxor i skjulet."

"Skjulet?"

"Lusthuset då, badhuset. Du kan byta om därinne. Hoppa i, för fan! Det gör dig gott. Jag har simmat här varenda dag sen i maj."

"Har det gjort dig gott, Benny?"

"Va? Det kan du ge dig fan på, grabben. Byt om nu!"

Varför inte. Han kanske skulle må bra av det, bli klar, bli skarp. Historien upprepade sig. Förra gången han besökt Benny Boy, för flera år sedan, i Bennys villa inne i stan hade han också lånat badbyxor, och simmat i Bennys swimmingpool.

Senare hade han försökt dränka Benny i poolens grunda del.

Benny var inte långsint.

"Se där", sa Benny när han kom ut från badhuset. "Nu dyker vi i."

Benny dök, och Winter dök efter. Vattnet var en första isande

251

sensation, och sedan något ljuvligt. Han simmade några tag med solen i ansiktet. Han kände saltet på läpparna. Han kände sig klar, han kände sig skarp.

Vennerhag trampade vatten tio meter längre ut.

"Finns inget skönare än det här", sa han när Winter simmade närmare.

"Det ligger nåt i det", sa Winter.

"Varför kommer du inte hit lite oftare, Erik?" Vennerhag log igen. "Vi kan bilda en klubb. Vi kan ta ett eftermiddagsdopp varje dag. Kvällsdopp."

"Jag visste inte att du bodde härute, Benny. Inte förrän nu."

"Nej, du sa det när du ringde." Han började simma. "Hörde att du köpt strandtomt nere i Billdal. Men det blir visst inget bygge."

"Jaså?"

"Inte vad jag hört."

"Håller du koll på mig?"

"Skojar du? Det är klart att man håller koll på dig. Du är berömd."

"Det finns väl andra orsaker", sa Winter.

"Vad menar du?"

"Man håller väl alltid koll på fienden."

"Fien…" sa Vennerhag och stannade och började trampa vatten igen. "Vad säger du, Erik? Skulle du och jag vara fiender? Varför skulle vi vara det? Jag har ingenting med mitt gamla liv att göra längre. Det var ungdomsförvillelser. Det vet du, Erik. Du vet allt om mina ungdomsförvillelser."

Han log igen. Han är inte rädd, tänkte Winter. Jag skulle kunna dränka honom igen.

"Hälsa Lotta när du ser henne", sa Vennerhag och log ännu bredare.

"Nej", sa Winter och vände tillbaka till bryggan.

"Fryser du, Erik?" hörde han bakom sig men svarade inte.

*

De soltorkade sina kroppar på bryggan. Vennerhag hade hämtat två flaskor mellanöl ur kylskåpet inne i badhuset. Winter drack med tvekan, men han skulle kanske stanna ett tag. Solen glimmade över klipporna på andra sidan Askimsfjorden. Klipporna var den södra skärgården. Han kunde se den också från sin egen tomt längre söderut. Han tänkte på Beatrice. Hon hade kanske aldrig fått göra sin sista simtur, eller så var det just det hon hade gjort. Han var övertygad om att hon var död. Hennes kropp fanns någonstans. Stoftet av den. Benny Vennerhag höjde ölflaskan till hälsning och drack. Han såg ut som en lycklig idiot. Men han var ingen idiot. Han kanske var lycklig, och han var också livsfarlig. Ett perfekt exempel på en sociopat.

"Du har kommit upp dig ännu mer i världen, Benny", sa Winter och nickade bort mot huset. Det svävade i det brandgula eftermiddagsljuset, som om det skulle lyfta från klipporna. "När köpte du det där?"

"Tja, tre år sen, tror jag."

"Vad betalade du?"

"Tjugosju miljoner."

"Inte mer?"

"Det var nån som hade bråttom att flytta." Benny Boy log igen. "Så jag fick det billigt, kan man säga."

"Ja, verkligen." Winter drack en klunk igen. Ölet var torrt och mycket beskt. Jever. "Jag antar att du betalade kontant."

"Naturligtvis. Men det var inte jag. Det var mitt bolag."

"Vilket av dom?"

"Spelar det nån roll?"

"En del business i den här stan har gått förbannat bra senaste åren", sa Winter.

Två kvinnor cyklade förbi ute på vägen. De bar bredbrättade solhattar. Kjolarna flög i vinden. Det såg ut som om en av kvinnorna höjde handen till hälsning. Hon hade en näpen cykelkorg på styret.

"Ibland bjuder jag in nån liten söt förbipasserande", sa Vennerhag och följde kvinnorna med blicken. "Ibland kan det till och med bli två."

"Har du aldrig tänkt på att skaffa dig familj, Benny?"

"Jo." Vennerhag sökte Winters blick. "En gång. Men hon ville inte ha mig. Först ville hon, men sen ville hon inte."

"Nehej."

"Mycket hade kunnat vara annorlunda då, Erik", sa Vennerhag och ställde ifrån sig flaskan. "Tänk vad roligt du och jag hade kunnat ha. Samma familj och allting."

"Vi har roligt nu, Benny."

"Ja, har vi inte. Men hur roligt har du, Erik? Är det så roligt att ha familj egentligen?"

"Vad är det för jävla fråga?"

"Du verkar tillbringa en del tid på ett par av stans barer. Det låter som om du både vill ha kakan och äta den."

"Skuggar du mig, Benny?"

Vennerhag svarade inte.

"Jag sa nyss att en del business i regionen har gått väldigt bra senaste åren."

"Mycket går bra just nu", sa Vennerhag.

"Trafficking? Väpnade rån? Prostitution? Narkotikasmuggling? Langning? Beskyddarverksamhet? Mord?"

"Det där är din bransch, Erik."

"Vår bransch, Benny. Det är vår bransch tillsammans."

"Är det nåt särskilt du vill med det här trevliga besöket, Erik? Naturligtvis blev jag glad när du ringde, men du berättade aldrig ditt ärende."

"Är vi överens om att vi är i samma bransch, Benny? Det är det första." Winter gjorde en stor gest med ena armen. "Herregud, se dig om. Vi är ensamma. Vi är ensamma i hela världen. Jag har bara ett par badbyxor på mig. Jag har ingen inspelningsutrustning. Jag är här på en simtur, och för en flaska öl."

"Försöker du med det säga att detta är off the record?" sa Vennerhag.

"Sannerligen."

"Du vet att jag inte är en tjallare, Erik. Inte för att jag har anledning att bli det. Inte för att det finns nåt att tj…"

"Pistoler", avbröt Winter. "Tokarev närmare bestämt. En särskild Tokarev ännu närmare bestämt."

"Vad är det med den?"

"Den är het, den ryker."

"Jaha."

"Jag vill ha den."

"Varför?"

"Läser du tidningarna?"

"Rätt sällan. Men jag läser nyheterna på nätet ibland."

"Mordet under Pedagogen."

"Vet jag absolut inget om, Erik. På heder och samvete. Jag läste om det, men det är också allt."

"Jag talar inte om din eventuella skuld där, Benny. Men pistolen användes i mordet. Och den har använts vid ett par andra tillfällen som kan höra samman med fallet."

"Fallet? Skjutningen nere i underjorden?"

"Ja."

"Så vad vill du ha av mig?"

"Uppgifter om vapnet."

"Vet du hur många Tokarev det finns på drift i den här stan?"

"Inte exakt."

"Det är en jävla massa."

"Den här har kanske varit ovanligt mycket på drift."

Vennerhag svarade inte.

"Vilket kan göra det lättare att hitta den", sa Winter.

"Då borde ni väl fixa det själva?"

"Det är det jag håller på med just nu, Benny."

"Varför skulle jag hjälpa dig?"

Winter svarade inte. Han drack det sista av Jevern. Han kunde tänka sig en till, men han ville inte lämna bilen här, i skuggan av Vennerhags hangarfartyg.

"Senast vi sågs försökte du dränka mig, Erik. Slå ihjäl mig. Och så kommer du här igen och ska ha hjälp."

"Jag trodde inte du var långsint, Benny."

Vennerhag gav upp ett stort skratt. Det kastades över fjorden, bort mot klipporna på Brännö. En flock måsar lyfte från de närmaste klipporna under höga skrin.

"Jag gillar dig, Erik. Du är en av oss. Vi är i samma bransch. De icke långsintas bransch. Okej, jag ska försöka hjälpa till. Jag lovar ingenting, men träffar jag nån som träffat nån som träffat nån, och så vidare."

"Bra."

"Har du nåt åt mig i så fall?"

"Nåt åt dig? Det finns väl ingenting under solen som du behöver, Benny? Som jag kan göra för dig?"

"Det finns en sak, Erik."

21.55

VATTNET VAR STILLA över hela sundet. Hon kände vinden i håret. Han hade släppt greppet direkt. Det var inte så farligt. Det var bara på skämt.

Båten gjorde en sväng runt holmen.

Han som satt i fören vände sig om.

"Vad heter den där?" ropade han.

"Svensholmen", ropade han som satt bakom henne.

"Den var inte stor."

"Nej."

De fortsatte mellan småholmarna. Hon vände sig om. Han som satt bakom henne log. Han sa någonting som hon inte hörde.

"Va?"

"Har du varit här förut?" ropade han.

Hon skakade på huvudet.

Han slog ut med handen.

"Man får se upp med grunden."

"Ska vi vända?" ropade hon.

"Snart."

De hade en större ö till vänster.

"Stora Källö", ropade han och vinkade mot ön.

De fortsatte ner i sundet. Mitt emot kunde hon se bostadshus, stugor och villor. Hon visste att det var Styrsö. Kollot hade gjort en utflykt dit. Det hade varit roligt först, men sedan blev det tråkigt. Hon fick ta hand om småbarnen och det blev jobbigt. Många började gråta när de blev trötta. Det fanns bara två fröknar. Fröknarna ville helst sitta på sin egen filt och röka. Barnen fick klara sig själva. Hon tyckte inte om det. Barnen var för små för att klara sig själva. Att de inte begrep det på kollot. Det var ju deras jobb.

"Styrsö", ropade han som satt bakom henne.

"Jag vet!" ropade hon tillbaka.

Föraren vände båten i sundet. Han stod tyst bakom ratten. Han hade inte sagt något sedan de gått ombord. Han hade inte tittat på henne en enda gång när de var ute på havet, inte som hon sett i alla fall. Men hon hade sett honom komma till kollot flera gånger. Hon visste inte vad han gjorde. Han lämnade väl grejer. Det kom flakmopeder ibland med varor. Dom kom väl från färjorna. En gång hade hon tänkt smyga iväg och hoppa på en färja in till stan, men hon vågade aldrig.

Jag skulle gjort det, tänkte hon nu.

De mötte en segelbåt. En kille stod längst fram i fören och drog i ett rep. Han tittade upp när de passerade. Plötsligt slängde han upp en hand till hälsning. Den var till henne, det var så hon kände det. Han tittade på henne. Hon såg hans ögon. Han var i hennes egen ålder. Hon slängde upp sin hand. Badrocken for iväg som en röd flagga, killen i fören vinkade igen. Hon vände sig om när de hade passerat. Han fortsatte att vinka. Han höll sig i en mast. Segelbåten krängde i svallvågorna efter motorbåten. Hon märkte att hennes badrock fortfarande var en flagga.

25

LARS BERGENHEM BESTÄLLDE en vanlig kopp svart kaffe. Winter beställde caffè latte. Han kunde se Masthuggskyrkans kraftiga silhuett på andra sidan älven.

De var ensamma på Villans uteservering i utkanten av Eriksbergstorget. Solen var fortfarande stark, men utesäsongen var över på den norra älvstranden. I kväll skulle utemöblerna plockas in.

Servitrisen gick iväg med deras beställningar. Hon hade hälsat på Bergenhem som om hon kände honom. Winter följde henne med blicken. Hon verkade bekant för honom, som någon man minns minnet av. Han träffade mycket folk. Ansikten lånade till slut drag av varandra.

"Jag går hit ibland", sa Bergenhem.

"Mhm."

"När vi flyttade ut till Torslanda fanns bara varvet här. Inte ens det, förresten."

"Nej, stan har blivit en annan."

"Åtminstone här."

"Ja."

"Jag har flyttat hemifrån", sa Bergenhem. "I går."

Servitrisen var på väg tillbaka med en bricka.

"Här kommer kaffet", sa Winter.

Hon satte ner kopparna och gick därifrån.

"Har du flyttat ut hit?" sa Winter.

"Ja. Till en väns lägenhet. Så länge."

"Vad säger Martina?"

"Vad fan tror du?"

Winter svarade inte.

"Jag har inte kunnat förklara för henne", sa Bergenhem. "Inte än."

Älvsborgsbron i väster verkade sakta lösas upp av solljuset. När Winter kisade lite grand försvann den helt. Den stora kranen försvann också. Allt försvann.

"Vad är det du ska förklara?" sa Winter och vände ansiktet mot Bergenhem.

"Nåt... jag själv inte begriper", sa Bergenhem.

"Vad heter din vän?" sa Winter.

"Varför ska jag berätta det?"

Winter svarade inte. Två män kom gående bortifrån Kvarnpiren och satte sig vid ett bord på andra sidan uteserveringen. De var i Winters ålder, äldre än Bergenhem. Den ene var klädd i svart kostym, kanske en Zegna. Den såg dyr ut. Den andre bar skinn, svarta skinnbyxor, svart skinnjacka. Hans huvud var rakat. Han hade svarta glasögon. Winter kände inte igen honom. Han kände igen mannen i kostym.

"Det där är Christian Lejon", sa han.

Bergenhem följde hans blick.

"Han i kostymen? Ja, det kanske är han."

"Det är han. Stans bästa gangster."

Bergenhem gav ifrån sig ett kort skratt.

"Vad är det för kriterier?"

"Stora affärer", sa Winter. "Aldrig åka fast."

"Har han aldrig åkt fast?"

"Nej."

"Han kanske inte har gjort nåt fult", sa Bergenhem.

Winter såg att Lejon tittade åt hans håll. Lejon kände säkert igen honom. Det betydde ingenting nu. Nu höjde Lejon handen till hälsning. Winter höjde sin hand och vinkade tillbaka. Skinnhuvudet bredvid Lejon log. Allt var skinn hos honom. Lejon viftade till med handen en sista gång och tog ner den.

"Arrogant jävel", sa Winter.

"Jag tror jag har sett honom härute förut", sa Bergenhem.

"Jag tror han bor här", sa Winter. Han vände sig mot Bergenhem. "Som du just nu."

Lejon och hans kompis hade rest sig och gått därifrån utefter Sör-hallskajen. De hade inte vänt sig om. En sekund trodde Winter att de skulle komma fram och ta i hand. Det fick räcka med Benny Boy. Han kände ett lätt illamående när han tänkte på att behöva tala civiliserat med ännu ett gangstermonster. Han fick inte ont i huvudet. Lejon hade blivit en knarkbaron. Någon gång skulle flickorna och pojkarna på narkotikaroteln gripa honom. Men det var inte så lätt. Det var ibland en lång väntan. Det handlade om tålamod och lugn. Lejon hade tålamod. Winter visste inte så mycket om hans lugn. Det var något med hans lugn, eller bristen på lugn. Lejon var en mördare. Winter hatade mördare. Det var som en passion. Han skulle kunna slå ihjäl en mördare. Han kanske skulle göra det. Han hade tänkt på det. Hur det skulle kännas när det hände. Sekunden när det hände.

"Jag vet inte vad jag ska göra", sa Bergenhem.

"Prata med Martina", sa Winter. "Det är väl vad du ska göra först."

"Herregud, Erik, det är lätt för dig att säga. Och sen är det Ada."

"Det är ditt val, Lars. Det här är ditt val."

"Är det ett val? Jesus, om jag kunde välja! Vad tror du jag skulle välja?"

"Du har väl ändå valt. Du har flyttat."

"Jag kan flytta tillbaka."

"Ja."

"Jag kan göra det med en gång."

"Ja."

"Då gör jag det."

Winter svarade inte.

"Jag slutar", sa Bergenhem.

"Det är ett dåligt val."

"Nej. Jag passar inte för det här jobbet. Jag har känt så länge. Jag måste göra nåt annat."

"Det är ett dåligt val, Lars", upprepade Winter.

"Nej."

"Vad känner du för den här killen? Samuel. Vad betyder han för dig?"

"Han… betyder mycket."

"Ja, du har ju flyttat hem till honom. Men betyder han allting? Måste du bli nån annan för att du har valt att leva med honom? Om du har valt att leva med honom."

"Jag kan inte svara på det, Erik. Inte än, i alla fall."

"Kan du inte vänta tills du kan svara på det?"

"För fan, Erik. Folk skulle prata. Herregud! Hur skulle jag ens kunna visa mig på jobbet?"

"Du är inte ensam."

"Inte ensam? Vad menar du? Menar du att jag har dig som försvarare?"

"Nej. Jo, det är klart. Men jag menade inte det."

"Menade du att det finns fler bögar som är poliser?"

"Om det är det du är så är det vad jag menade", sa Winter och log.

"Jag känner inga", sa Bergenhem. "Jag vill inte känna några."

Danmarksfärjan passerade ute i älvens mittfåra. Den påminde om husen som växte upp utefter älvstränderna. På kvällarna glittrade fartygen och byggnaderna ikapp med varandra. Staden blev vackrare, speciellt på nätterna. Alla ljusen.

Winter drack en klunk ur sitt latteglas. Kaffet hade kallnat. Han hade glömt bort det. Det smakade sött och klibbigt. Han svalde under protest.

"Jag är inte säker på att Sellberg var bög", sa Bergenhem.

Winter nickade. Bergenhem hade tagit av sig sina solglasögon. Han kisade mot himlen. Ett flygplan passerade ljudlöst ovanför dem.

"Jag har pratat med folk. Det verkar inte som om han rörde sig i samma kretsar som dom."

"Okej."

"Så då är frågan vad han var", sa Bergenhem.

"Sexuellt, menar du?"

"Ja."

"Vilken betydelse det har för mordet på honom?"

"Ja."

"Och vilken betydelse det har för Jan Richardsson."

"Där har det klarnat lite mer", sa Bergenhem.

"På vilket sätt?"

"Han har synts på ett par ställen. Nån natt, eller två."

"Vad betyder det?"

"Att han inte kan hålla sig därifrån, antar jag."

"Behöver man det?"

"Nej."

"Var Richardsson mer seriös i relationen än Sellberg?" sa Winter. "Mer allvarligt syftande?"

"Frågar du mig, Erik?"

"Jag frågar väl mest mig själv."

"Så allvarlig att han sköt honom?"

"Ja."

"Jag hoppas inte det."

"Varför inte?"

"Bögar som mördare? Det är inte bra för oss, som folkgrupp betraktad. Som minoritet."

Berit Richardsson ringde Winter när han körde av Götaälvbron.

"Jag tror inte han lever", sa hon. "Jan."

"Varför tror du inte det?"

Winter navigerade sig förbi vägarbetena runt Nordstan. Han fick stanna mitt i rondellen. En taxi blockerade trafiken. Winter justerade mikrofonen till telefonen.

"Han hade hört av sig", sa hon. "Till mig. Till oss. Det gör han alltid."

"Vad menar du med det, Berit? 'Det gör han alltid'? Brukar han försvinna?"

Hon svarade inte. Taxin rörde på sig. En bilist framför Winter lyfte handen från signalhornet. Taxichauffören gjorde ett fult tecken, och en rivstart.

"Var är du nu, Berit?"

"Jag är hemma."

"Jag kommer dit."

Skuggorna var skarpa över Örgryte. Berit Richardsson väntade vid grinden. Hon hade svarta glasögon. De gav alltid sin bärare ett arrogant uttryck. Det var ett slags skydd. Men hon var inte arrogant. Hon tog av sig glasögonen och de vackra ögonen var mörka, som om glasen sotat av sig.

Vad förde dom samman? tänkte Winter. Vem är hon?

"Vi kan sätta oss på altanen", sa hon och började gå därifrån.

Winter följde henne till baksidan av huset. Trädgården såg lika innesluten ut som tidigare. Den grova häcken var tätare än sten. Dessa människor vill leva utan nån insyn, tänkte han. Men så blev det inte. Det blev jag i stället.

"Vill du ha nåt att dricka?" frågade hon.

"Nej tack."

Hon satte sig på en trädgårdsstol.

"Vill du inte sitta?" sa hon och gjorde en gest mot stolen mitt emot.

Winter satte sig.

Hon såg ut som om hon hade något att säga.

"Jan... försvann ibland", sa hon. "Han gav sig iväg."

Winter nickade.

"Det var bara några gånger."

En förmildrande omständighet. Winter hade sett det förut. Det som hade skett i det förflutna var ingenting. Det hade inte med framtiden att göra. Ingenting som skett hade med framtiden att göra. Så såg en av livets stora lögner ut, kanske den största.

"Varför gav han sig iväg?"

Hon svarade inte.

"Vart gav han sig iväg, Berit?"

"Jag vet inte."

"Det tror jag inte på."

Hennes ögon var någon annanstans nu. Kanske där hennes

man var, eller hade varit. Nej. Hon hade inte tillträde dit. Hon ville inte vara där. Winter hade också sett sådant förut. Hon ville just nu inte vara någonstans i det här livet. Det fanns inget skydd någonstans.

"När skedde det senast?"

"Senast?" Hon tittade på Winter. "Det var kanske för ett år sen."

"Hur länge var Jan borta då?"

"Bara... nån natt. Två dygn, kanske."

"Vad sa han när han kom hem?"

"Att han... bara kört runt. Kört runt och tänkt."

"I två dygn?"

"Ja."

"Bodde han i bilen?"

"Det vet jag inte."

"Frågade du inte?"

"Nej."

"Varför inte?"

"Därför att jag inte ville veta!" sa hon med högre röst.

"Vad ville du inte veta, Berit?"

"Kan du inte vara tyst!? Kan du inte gå härifrån!?"

Rösten var ännu högre nu. Grannarna. Winter tittade på muren, häcken, inhägnaden. Vad skulle grannarna säga? Vad sa dom nu? Han hade inte pratat med några grannar. Polisen hade ännu inte några användbara uppgifter från grannar. Berit Richardsson tycktes glömma grannarna nu. Glömma skammen. En man på rymmen. Alla visste, även om hans namn inte var offentligt. Alla visste sånt omedelbart. Vem han var, vad han hade gjort. Richardssons barn visste. Dom försökte försvara sig. Försvara sig mot sitt liv, tänkte Winter.

"Vill du att jag går?" sa Winter och reste sig. "Du ringde mig."

Hon svarade inte. Han kunde inte se hennes ansikte. Hon hade vänt ryggen mot honom.

"Jag har skickat ut folk för att fråga efter honom på Brännö", sa Winter. "Leta efter honom."

Hon vände sig om. Winter såg något i hennes ansikte. Var det förvåning? Nej, något annat. Förtvivlan? Nej. Förvåning. Ett slags förvåning.

"Tror du att han kan gömma sig på Brännö?"

"Han har inte varit på Brännö på trettio år", sa hon. "Eller mer."

"Han kommer därifrån."

"Han har inte varit där. Vi… har aldrig varit där."

"Varför inte?"

"Han har ingen familj kvar där."

"Vad hände?"

"Vad menar du?"

"Vad hände med hans familj?"

"Dom dog", svarade hon. Sedan lät det som om hon skrattade till "Det gör alla. Dom dör."

"Hans föräldrar?"

Hon nickade.

"Har Jan några syskon?"

"Inte vad jag vet."

"Finns huset kvar? Där han växte upp?"

"Jag vet inte. Jag har inte varit där, som jag sa. Han pratade aldrig om det. Jag vet ingenting om den ön. Jag frågade aldrig. Han ville inte att jag skulle fråga."

"Det låter väldigt underligt", sa Winter.

Hon svarade inte.

"Det måste finnas en anledning."

"Är inte allting ofta underligt?" sa hon. "Finns det alltid anledningar?"

"Du sa att han är död", sa Winter. "När du ringde."

"Jag sa att jag inte tror att han lever."

"Är inte det samma sak?"

"Nej. Du får det att låta så definitivt."

"Vad fick dig att säga det du sa?"

"Att han inte hört av sig."

"Har han alltid gjort det förut?"

"Åtminstone ett telefonsamtal."

"Men ingenting den här gången?"

"Nej."

"Skulle du vilja följa med mig ut till bilen ett ögonblick?"

"Varför det?"

"Jag har något jag vill att du lyssnar på."

"Jag... ville inte göra det."

"Förlåt? Vad sa du? Jag uppfattade inte. Vad sa du?"

"Jag... vill inte göra det. Jag vill inte! Hjälp mig!"

Hon tittade på Winter. Något hade hänt med hennes ansikte medan hon lyssnat.

"Vad vill du att jag ska säga?"

"Känner du igen rösten?"

"Nej."

Winter spelade upp den korta sekvensen en gång till. Han betraktade hennes ansikte. Det såg ut som om hon inte ville lyssna. Hennes händer verkade vara på väg upp till öronen.

Han tryckte ut cd:n.

"Det är inte Jan som pratar, om du tror det."

"Nej, jag känner inte igen rösten heller. Du har inte hört den? Hos nån ni är bekanta med?"

"Nej."

"Okej."

"Vad är det han pratar om?"

"Jag vet inte", sa Winter.

"Vad är det han inte vill göra?"

"Jag vet inte det heller."

Hennes hand for plötsligt upp till hennes mun. Hon blev vit i ansiktet, alldeles vit.

"Det är Jan", sa hon.

"Vad menar du?"

"Han ska döda Jan."

"Varför tror du det?" sa Winter.

"Det finns ingen annan han kan mena."

Hon hade greppat tag om Winters arm. Greppet var hårt.

"Du måste lyssna på honom igen", sa hon. "Försöka få tag på honom."

"Vi försöker", sa Winter.

Färgen började återvända till hennes ansikte.

"Är du säker på att du aldrig hört den där rösten?" frågade Winter.

Hon svarade inte.

26

RINGMAR SÅG UT SOM om han hade sovit i sina kläder.

Utomhus.

Han hade inte rakat sig på ett par dagar.

"Hur är det, Bertil?"

"Det är utmärkt."

Ett par damer vände sig om efter honom när de gick till stambordet på Ahlströms.

"Jag skulle tagit en napoleon också", sa Ringmar och tittade på Winters assiett.

"Ta min."

"Nej, du gillar inte sommarbakelser."

"Jag gör det nu. Det är fortfarande sommar, eller hur? Titta, det finns blåbär i den. Hit med den."

"Okej, okej, okej."

De bytte assietter. Damerna tittade på dem. De såg ut som riktigt fint folk. Det var ofta fint folk som gick till det här konditoriet. Winter och Ringmar var lite udda, speciellt Ringmar, speciellt i dag.

Ringmar log mot damerna: Är ni också stamgäster?

"Hur är det med livskrisen, Bertil?" sa Winter.

"Hur är det med huvudet, Erik?"

"Tack bra."

"Tackar själv som frågar."

Winter tittade på sin sommarbakelse. Den såg oskyldig ut. Den påminde om barndom. Bakelsen var det oskyldigaste i den här stan just nu. Och snart skulle den vara borta. Han skulle ha förtärt den.

Han la ner sin tårtgaffel.

"Berit Richardsson är mycket rädd", sa han.

"Det låter så." Ringmar försökte perforera sin napoleon med sin gaffel utan att trycka sönder hela smördegsplattan, men han förstörde allt. Bakelsen såg ut som om han hade mosat den med knytnäven. "Jävla skit."

"Vem är det hon är rädd för?"

"Det kanske är flera", sa Ringmar.

"Vilka?"

"Hennes man. Det som fick honom att fly. Sellberg."

"Sellberg?"

"Den han var."

"Vem var han?"

"Vet vi det så löser vi det här, Erik."

"Är det så enkelt?"

Ringmar svarade inte. Han tittade dystert ner på sin assiett.

"Jag förstörde din bakelse, Erik."

"Den är din nu, Bertil. Du är själv ansvarig för dina handlingar."

Ringmar tittade upp.

"Vem är det vi ska lyssna på, Erik? Hon sa att 'du måste lyssna på honom'. Hon menar antagligen rösten på bandet."

"Det var vad hon menade. Sa hon."

"Vem fan är det?"

"Tror du att vi känner honom?"

"Ja."

"Att vi redan känner honom?"

"Ja."

"Nån som förekommer i utredningen?"

"Det kan vara Richardsson själv", sa Ringmar.

"Då förställer han rösten rejält."

"Är det så svårt?"

"Nej."

"'Det finns ingen annan', sa hon. Vad menade hon med det?"

"Att det inte finns nån annan som ska mördas. Att Richardsson är nästa offer. "

"Är du säker?"

"Nej. Jag är inte säker på att nån ens ska dö."

"Det är jag", sa Ringmar.

"Jag är bara nästan säker", sa Winter.

Det ringde på Ademars dörr. Han såg upp från datorn. Det stod en bil han inte kände igen utanför grinden. Han hade uppsikt över halva gatan från sitt arbetsrum. Han hade skrivit om Beatrice sommaren innan hon åkte till kollot på Brännö. Då fanns det ingen som tänkte på något kollo. Kollovistelsen var en följd av vad som hände senare, i familjen. Hade det ena inte hänt så hade det andra aldrig hänt. Det var så livet var. Det var så döden blev. Det var så.

Dörrklockan klämtade igen. Den klämtar för mig, tänkte han. Ha ha ha.

Han reste sig.

När han var i hallen ringde det för tredje gången.

Han öppnade.

Slaget kom innan han hann se det.

Han vaknade i mörker. Först kändes det som en dröm, någonting som man var på väg ifrån. Sedan försökte han röra sig. Sedan mindes han: fragment av ett ansikte, en snabb rörelse, smärta. Framför allt smärta. Det gjorde ont nu. Hans huvud bultade. Det var inte vanlig huvudvärk.

Han låg på ett golv. Det gjorde ont i axlarna. Han kände sina händer bakom sin rygg. Han hade svårt att röra fingrarna. Det var nästan som om de inte fanns. Det luktade damm och något sött, något han inte kände igen. Något klibbigt. Det fanns i hans ansikte.

"Hör du mig?"

Rösten fanns någonstans bakom honom. Den verkade dämpad, som om den som pratade höll någonting framför sin mun.

"Kan du höra mig?"

Han försökte röra på huvudet. Det bultade hårdare, boom-boom-boom. En hand på hans axel. Han vreds runt. Det gjorde fruktansvärt ont i axeln och armen. Han skrek.

"Gör dig inte till. Det där är ingenting mot vad du kommer att känna snart. Om en liten stund."

Mannen framför honom var tio år yngre än han kanske. Han var klädd i en mörk kostym. Hans hår var mörkt, eller om det bara var det svaga ljuset därinne som tog bort allt som var ljust.

Ademar satt på golvet nu. Händerna var låsta bakom ryggen. Det var hans arbetsrum. Den andra måste ha släpat in honom dit efter att han slagit ner honom.

Han försökte säga något. Det var som att prata för första gången i livet. Det kom först inget ljud.

"Va... va... vad vill du?" frågade han efter flera försök.

"Förstår du inte det?"

"Du kan... jag har ingenting du kan ta." Han försökte nicka bort mot skrivbordet. Det gjorde ont. Han måste låta bli att röra huvudet. "Du kan ta datorn. Det är det enda jag har."

"Jag har redan flera datorer. Fler än jag behöver."

"Vad vill du?"

"Tror du jag är en tjuv?"

Ademar svarade inte.

Christian Lejon satte sig plötsligt på huk framför Ademar.

"Tror du jag vill stjäla nåt från dig?"

Ademar svarade inte. Den andre var obehagligt nära honom nu. Han verkade lugn. De var de värsta. Sociopaterna kunde vara kolugna medan de sågade sönder lilla mamma. Sedan kunde de gripas av sorg ett kort ögonblick.

"Jag... vet inte."

"Förstår du varför jag är här?"

"Nej."

"Om jag säger Nordenskiöldsgatan."

"Nordenskiöldsgatan?"

"Ja. Känner du till den gatan?"

"Ja..."

"Det finns ett garage där. Mitt emot Manfreds Brasserie. Känner du till det?"

"Manfreds?"

"Ja. Men framför allt garaget."

"Vad ska jag säga?"

Lejon slog till honom över kinden med öppen handflata. Ljudet var värre än slaget.

"Du ska säga att du känner till garaget."

"Jag känner till det."

En galning. Han hade fått in en galning i sitt hus. Det här var en gata som Gud glömt och Djävulen hittat. Först Sellberg, och nu den här. Han skulle ha stuckit härifrån direkt efter uppgörelsen med Sellberg. Han skulle ha stuckit från stan. Hans bok kändes nästan som en död bok ändå. Det fanns något i den andres blick som sa att en författare inte skulle få se gryningen. Det betydde aldrig mer. Rör på skallen för sista gången. Det gör ont, men det är bättre än den stora sömnen. Ska han strypa mig? Skjuta mig?

Men varför?

Den andre ställde sig upp.

Sparka ihjäl mig?

"Vad är det för speciellt med det garaget?" sa han.

Ademar tittade på hans knän. Han ville inte se honom i ansiktet. Han började känna sig rädd. Fruktansvärt rädd.

"Svara!"

"Min... bil", svarade han. "Min bil står där."

"Rätt."

"Vad... är det med den?"

"Jag har varit där. Jag har undersökt din bil. En Saab. Vit, dessutom. Det underlättade. Vet du varför det underlättade?"

"Nej. Nej, jag vet inte."

"Det var lättare då att se delarna från min bil som satt fast på din bil!"

Och han sparkade honom i bröstet.

Det kändes som om hjärtat stannade.

"Hör du mig, din jävel! Du körde på min bil!"

Han fick en spark till, på höften nu. Han kände den inte. Han tänkte på döden, det som redan väntade. Han tänkte framåt, han tänkte på framtiden. Skulle man inte alltid göra det, vad som än hände?

"Du körde på min bil!"

Han fick en spark till. Den tog i baken. Den andre hade gått runt honom. Han ville sparka på honom ur alla vinklar. Det var så det skulle gå till. Till slut skulle han sparka av honom huvudet. Han kom inte ihåg vad den jäveln hade för skor, men de var vassa.

"Vän... vänta", sa han. "Jag har inte kört på nån bil!"

"Ha!"

En spark till. Han försökte röra sig ifrån sparkarna, men det var naturligtvis meningslöst. Han kunde inte komma bort från det här rummet. Det här rummet skulle bli hans sista.

"Du smet därifrån!"

Ännu en spark. Den tog på axeln. Snart skulle det vara över. Han blundade. Låt det gå fort. Låt mig bli medvetslös direkt. Jag har gjort nåt som jag inte vet vad det är. Jag har inte kört på nån bil. Inte som jag märkt. Märker man inte sånt? Har jag snuddat vid nån när jag kört ut från garaget? Var det förra veckan? När var det? Fick jag ett samtal när jag körde ut? Hände det nåt när det ringde? Fumlade jag till med ratten? Det kanske jag gjorde. Jag märkte inget. Om jag fumlade. Jag hörde inget. Vem var det som ringde? Var det Stefan? Ja, han ringde när jag körde ut därifrån. Jag kommer ihåg. Helvete. Det kanske hände nåt. Den här som snart kommer att vara mördare hade parkerat där. En kriminell, det är uppenbart. Livsfarlig. Han har sökt upp mig. Alla tiotusentals bilar i hela stan och det var hans. Jag kommer inte ihåg den. Det är som om jag kört över hans mor och far. Men det är en bil, bara en satans jävla bil. Ska man dö för en bil? Ska man döda för en bil?

"FÖRLÅT!"

Han hoppade nästan till av sin egen röst. Den var högre än han någonsin hört den förut. Den lät som en signal från ett horn på ett skepp. En mistlur.

"FÖRLÅT!"

"Det är för sent att be om förlåtelse."

Han fick en spark till, på axeln.

"Jag ger aldrig förlåtelse."

"Det… det var… jag minns inte! Jag märkte det inte. Jag svär! Hade jag märkt det hade jag stannat. Jag hade lämnat en lapp!"

"Ha! Hade du gjort det? Lämnat en lapp? Stannat till?"

Lejon sparkade igen, på axeln igen.

"Ska… ska du sparka ihjäl mig?"

"Ja!"

"Är… är du så feg? Är du så jävla feg!?"

Ademar väntade på sparken mot huvudet. Han blundade. Han försökte tänka på ingenting. Bara en enda sista explosion i huvudet och sen är det över. Sen är allt borta.

"Vad sa du? Sa du feg?"

"Ja."

Han hade fortfarande inte fått den sista sparken. Vad väntade han på?

"Vad väntar du på, din jävel!? Sparka då, din fege jävel! Sparka! Sparka!"

Han sparkade själv. Han märkte det inte först: han sparkade med sina egna fötter i golvet, doonk-doonk-doonk-doonk. Det var ett ihåligt ljud. Som sparkar mot ett huvud. Mot hans ihåliga huvud. Han var en patetisk figur. Han hade levt färdigt sitt patetiska liv. Han hörde hemma nere i jorden, underjorden. Han skulle aldrig ha kommit upp. Han var inte till glädje för nån, hade aldrig varit det. Han var till skada.

"Sparka ihjäl mig då!"

Det kom ingen spark. Han blundade hårt. Det här var värre än sparkar. När skulle den komma?

Han hörde steg.

Stegen var på väg bort.

Tog han sats?

Det var svårare än den jäveln trott att sparka ihjäl en människa. Det krävdes stor kraft.

Stegen hördes inte nu. Den andre fanns någonstans bakom honom. Han visste inte var han själv befann sig i rummet. Han hade sparkats runt som en fotboll. Han öppnade ögonen. Han låg närmare dörren nu. Den andre måste befinna sig borta vid skrivbordet. Jag vill inte röra mig. Jag vill inte försöka vända mig. Jag vill inte se nåt mer. Ser jag nåt mer dör jag.

Han hörde ljudet av papper. Ja. Den andre måste stå vid skrivbordet. Han måste hålla i nåt manuspapper. Det låter så. Det ligger en hög bredvid datorn. I morse hade han tagit fram hela manuset så långt han kommit och börjat gå igenom det.

Det senaste han skrivit fanns i datorn. Det fanns på skärmen. Han hade skrivit om Kärleksstigen när det ringde på dörren. Det var nyss. Det var för hundra år sen. Det var i en annan värld. Den kändes overklig nu, som en dröm. Den här världen var verkligheten. Allt annat var en dröm.

Han hörde ljudet av papper igen. Det lät som det föll till golvet, seglade som svalor. Swisch. Han hörde steg. Nu kommer det. Stegen stannade.

"Vem är du?"

Han visste inte om han hörde. Han väntade på döden. Han hörde inte. Han blundade.

"Vem är du!?"

Högre nu. En uppmaning. Något annat, en annan sorts röst. Han ville veta. Kan jag tala. Nu försöker jag svara. Det går inte. Jag försöker igen.

"Jac... Jac..."

"Jag vet att du heter Jacob", sa den andre. "Jag vet att du heter Jacob Ademar. Hur tror du jag hittade dig? Men vem är du?"

"Vad.. vad menar du?"

"Vad gör du? Vem är du? Vad skriver du?"

Ademar låg fortfarande med ansiktet mot dörren. Den andre verkade inte röra sig. Han stod stilla. Han väntade på svar. Han kanske var inne i en annan fas just nu. Han hade glömt varför han kommit dit. Snart skulle han komma ihåg igen.

"Jag är författare."

"Författare ? Vad skriver du?"

"Allt möjligt. Vad… varför frågar du?"

Vad spelar det för roll? tänkte Ademar. Men om jag säger det så kanske han kommer ihåg att det inte spelar nån roll och börjar döda mig igen. Jag kommer inte ihåg hans ansikte. Han är som en ansiktslös.

"Vad är det du skriver nu? Vad är det som ligger på skrivbordet?"

Ademar svarade inte.

"Och i datorn. Det är en text på datorn."

Det var något med rösten. Den var annorlunda. Nyfikenhet? Nej. En annan sorts sadism? Nej. Något annat. Förvåning? Kanske. Rösten innehöll förvåning. Förundran. Det kanske var ordet. Förundran.

"Har… har du läst?

Den andre svarade inte. Ademar hörde ljudet av papper som veks igen, som rördes vid.

"Vad vet du om kollot på Brännö?"

"Vad menar du?"

Plötsligt fanns stegen där igen, snabba steg mot honom över det hårda golvet. Han försökte dra samman kroppen. Det kom ingen spark. En hand på hans axel igen. Han vreds runt. Inte lika brutalt som tidigare. Den andres ansikte. Det var som om han såg honom för första gången. Hans händer. Han hade ett manuspapper i ena handen. Han höll fram det. Det fanns fortfarande något slags förundran där.

"Du skriver om henne. Du skriver om Beatrice."

"Va… vad?"

"Du skriver om Beatrice. Du har skrivit om Beatrice här!"

"Ja? Vad me…"

"Varför har du gjort det?" avbröt Lejon.

"Kände du henne?" frågade Ademar.

Den andre svarade inte. Han tittade ner på papperet igen, som för att kontrollera namnet. Han tittade upp.

"Varför skriver du om Beatrice?"

"Kände du henne?"

Lejons näve for upp. Han grep Ademar om halslinningen.

"Varför skriver du om henne!?"

Ademar försökte säga något, men halsen kändes som avskuren. Han gav ifrån sig ett rosslande ljud. Lejon släppte greppet.

"Varför!? Varför skriver du en bok om henne!?"

Ademar rosslade. Han hostade till, och harklade sig.

"Hon försvann", sa han.

"Varför skriver du om det?"

"Vad spelar det för roll för dig?"

Lejons näve for framåt igen. Han slog till Ademar på halsen. Det var inte över. Det skulle inte vara över på lång tid. Men slaget snuddade bara.

"VARFÖR!?"

"Hon var min syster!"

Mannen mitt emot fick något i ögonen, som om de plötsligt fyllts med luft. Spärrats upp som en ballong.

"Din syster? Din SYSTER? Nej, nej, nej."

"Varf…"

Ademar avbröts av ett nytt slag mot ansiktet.

"Hon hette inte Ademar! Beatrice hette inte Ademar. Hon hette Kolland! Beatrice Kolland!"

"Det var vår mammas namn", sa Ademar.

"Du ljuger!"

"NEJ!"

Den andre stöttes liksom bort en bit av kraften i Ademars röst. Plötsligt fanns kraften där.

"Hon ville inte behålla pappas namn. Hon kallade sig Beatrice Kolland."

Den andre tittade på honom som om han såg honom för första gången. Det var som om han letade efter något i Ademars ansikte. Något annat än han, någon annan.

"Är du hennes bror? Är du verkligen det?"

"Ja."

"Hennes storebror?"

"Ja."

Den andre tittade på honom igen. Samma förundran. Samma sökande. Samma tvekan. Hans händer och fötter var stilla nu. Dom är inga vapen nu, tänkte Ademar.

"I så fall har vi nog träffats förut", sa han dröjande. "För många år sen."

27

HELA FAMILJEN STEG UR BILEN utanför Lotta Winters hus i Hagen. Det hade tagit lite tid. Lilly hade fastnat i barnstolen med en fot och stortjöt när Lotta öppnade dörren.

"Lilly, Lilly!" ropade Siv Winter. "Vad gör dom med dig!?"

Hon lyfte flickan ur Winters famn. Nu var barnet tryggt. Det var i säkerhet. Farmor var tillbaka. Lilly slutade omedelbart att skrika. Angela skakade på huvudet. Lotta skrattade till. Lottas flickor busade med Elsa. Winter kände sig plötsligt hemma.

Lotta hade lagat havets wallenbergare, med pepparrotsmos, smält smör, gröna bönor. Före det hade de ätit färska räkor, som alla skalade vid bordet och doppade i aioli. Bim och Elsa Winter hade doppat brödet i en sardellröra i stället. Det var okej.

"Pepparrot är nog det jag saknar mest nere i Spanien", sa Siv och hällde upp till alla av vinet. Det var en sancerre. Lotta Winter var som sin bror. Livet var lite för kort för slarvig mat och dåligt vin.

"Det är mycket svenskt", sa hennes son.

"Tyskarna använder det också", sa Angela.

"Mycket svenskt och mycket tyskt!" sa Elsa.

Winter smakade på vinet. Det var svalt, inte för kallt. Han höjde glaset mot sin mor.

"Välkommen hem."

Hon log.

"Välkommen hem!" sa alla unisont.

De drack.

"Det låter som om jag är hemma för gott", sa Siv och satte ner glaset.

"Är du inte det då?" sa Kristina.

"Vill du det, gullet?"

"Ja."

"Men huset nere i Spanien då?" sa Bim.

"Dit kan vi väl åka på semester!" sa Kristina.

"Det är en bra idé", sa Lotta.

"Man ska inte göra sig av med ett sånt hus när man nu har det", sa Winter.

"Nä!" sa Elsa.

"Nä!" sa Lilly.

Alla skrattade.

"Vi får se", sa Siv. "Först måste jag hitta nånstans att bo här i Göteborg."

"Du bor ju här", sa Lotta.

"Så kan vi väl inte ha det hela tiden."

"Varför inte? Det finns plats. Det här är ju ditt hem också. Du bodde ju här förut."

"Så du tänker verkligen stanna", sa Angela.

"Jag tror det."

"Bra."

"Tycker du det?"

"Varför skulle jag inte tycka det?"

"Jag tänkte ni kanske flyttar ner igen. Att du börjar jobba därnere mer permanent."

"Jag tror inte Erik vill pensionera sig redan nu", sa Angela.

"Varför inte?" sa Winter och ställde ner sitt glas. "Jag är snart femtio."

"Pension vid femtio?" sa Bim. Hon skulle fylla sjutton. Man kunde tro att femtio år för henne var en ålder nära döden. "Är det ändå inte lite tidigt?"

Winter log.

"Du har rätt. Jag ska jobba på tills jag blir åttio." Han lyfte glaset igen. "Jag tror jag skålar för det. Jag började som landets yngste kommissarie och jag kommer att sluta som den äldste."

"Lycka till", sa Lotta och höjde glaset.

"Dom här fiskbiffarna är verkligen underbara", sa Siv.
"Det är lite färsk chili i", sa Lotta. "Men bara lite."
"Så det inte blir för svenskt", sa Bim.

"Kommer du ihåg kolonin på Brännö?"
De stod ute i trädgården. Lekstugan i västra änden började förlora sina färger i skymningen. Det var barndomens hus för Winter. Han hade tillbringat många nätter därinne som pojke. Han hade gått ut och tittat upp på stjärnorna. Lukten därinne var densamma nu som då. Den försvann aldrig. Det räckte med att han stack in nosen så kom alla barndomsminnen tillbaka. En doft och han var i ett annat land. Han hade varit för snabb med att lämna det. Nu började han tänka så. Han skulle ha kämpat emot mer.
"Kolonin?"
"Ja. Kollot på Brännö. När vi hyrde på Styrsö fanns det ett kollo där. Tvärs över, i Sandvik."
"Ja, ja."
"Kommer du ihåg det?"
"När du säger det. Varför frågar du?"
"Kommer du ihåg en flicka som försvann? Det var 1975. Hon bodde på kollot."
"En flicka? En flicka som försvann?"
"Det var i juli. Den 23 juli."
"Herregud, såna datum kan jag inte minnas."
"Nej, nej. Men det var då. Hon skulle gå iväg för att simma. Tydligen nere i Husvik. Men hon försvann. Det var på kvällen. Hon har aldrig hittats."
"Har hon aldrig kommit till rätta?"
"Nej."
Siv Winter tog ett par steg på gräsmattan. Det var hit hon kommit med Bengt i det tidiga 60-talet, och med de två små, Erik och Charlotta. Det var här de hade tänkt stanna, för all framtid. De hade sagt så. De hade använt just de orden: för all framtid. Och nu var den här. Framtiden var här igen.
Hon vände sig mot Winter.

"Jag kommer ihåg det", sa hon. "Det stod rätt mycket i tidningen om det."

"Ja."

"Varför frågar du mig om det?"

"Jag vet inte. Det hör på nåt sätt ihop med ett fall vi arbetar med. Eller så gör det inte det. Jag vet faktiskt inte."

"På vilket sätt kan det höra ihop med ditt fall?"

Winter svarade inte. Han tittade på lekstugan igen. Den var svart och grå nu. Det var likadant med träden i trädgården. Och gräsmattan. Det hade blivit kallt i luften, som en plötslig påminnelse om vintern. I år passerade de hösten utan att stanna. Från sommar direkt till vinter.

"Jag tror att det gör det", svarade Winter, "det hör ihop. Men jag vet inte hur." Han vände sig mot henne. "Pratade jag om det? Då? När det hände? När jag var femton?"

"Nej", svarade hon. "Inte vad jag kommer ihåg."

"Borde jag inte ha gjort det, mamma? Är det inte konstigt? Borde jag inte ha pratat om nån som var jämngammal med mig som försvann bara några hundra meter från vårt hus?"

"Det var väl inte bara några hundra meter."

"Över sundet var det det."

"Jaha."

"Jag kunde ju nästan se kollot från vårt hus!"

"Du kanske ändå pratade om det, Erik."

"Nej. Jag tror inte jag gjorde det. Och jag kanske såg henne. Jag kanske träffade henne."

"När skulle du gjort det? Den sommaren?"

"Ja, naturligtvis."

"Sånt borde du väl komma ihåg. Om du träffade henne."

"Det är just det. Jag borde komma ihåg det."

"Då finns det nog inget att komma ihåg, Erik."

"Jag är inte säker."

"Det låter som om du tar på dig en skuld för vad som hände."

Han svarade inte.

"Jag kom hit för att ge dig en läxa."

Christian Lejon hade låst upp Ademars handbojor. Var kom de ifrån? Järnet hade skavt av det yttersta skinnet på Ademars vänstra handled. Det blödde inte. Han masserade sin axel. Det värkte på andra ställen på kroppen också. Samtidigt kände han sig förvånad över att det inte var värre. Förundrad.

Han satt fortfarande på golvet. Skjortan var täckt med damm. Så blir det när man slarvar med städningen.

"Sparka ihjäl mig, menar du?"

"Bland annat."

Det verkade som om den andre log. Det var svårt att se genom rummet. Det hade inga färger. Kvällen var där nu. De hade kurat skymning tillsammans de senaste timmarna. Det måste ha varit flera timmar. Ibland flög tiden.

"Skulle det vara värt det?" frågade Ademar.

"Ja."

"Varför?"

"Har du sparkat ihjäl nån nån gång?"

"Nej."

"Det är en känsla som inte liknar nån annan."

"Det kan jag tänka mig."

"Du har tänkt tanken, eller hur?" sa Lejon.

"Aldrig."

"Jag tror dig inte."

"Jag har funderat på basebollträ, eller skjutvapen, men aldrig sparkar", sa Ademar.

Nu log den andre verkligen. Leendet var ett ljus i mörkret. Han hade verkligen bra tänder.

"Har du ont?" sa han.

"Bara när jag ler."

Den andre log för tredje gången.

"Jag gillar dig. Jag är glad att jag inte sparkade ihjäl dig."

"Så jag får gå nu?"

"Det här är ditt hus. Du stannar. Jag går."

"Tack."

"Varför skriver du din bok?"

Ademar försökte resa sig. Höften ville inte. Han hade fått några tunga sparkar där. Den kändes inte bruten, men något var fel. Han tog stöd med högra handen mot golvet. Det gick inte heller bra.

"Varför skriver du den?" frågade Lejon.

"Varför frågar du?" sa Ademar. "Vem är du egentligen?"

"Lejon. Christian Lejon."

Ademar kom upp på fötter. Det snurrade till i huvudet. Han kände sig plötsligt mycket lätt. Kanske han höll på att falla. Något fångade upp honom.

Lejon hade tagit tre snabba steg framåt. Han höll honom försiktigt och ändå fast över axlarna och midjan, som en sjukvårdare. Han verkade kunna sina saker. Det snurrade fortfarande i skallen. Den andre hade sagt nåt. Han hade sagt sitt namn.

"Jag känner igen ditt namn."

"Jaså?"

"Jag vet vem du är", sa Ademar.

Lejon hade fortfarande inte släppt taget. Det blev ännu fastare nu.

"Eller vem du var. Du var ett av barnen på kollot. Eller ungdomarna."

"Ja."

"Du undrar inte hur jag vet?"

"Det finns väl listor. Förteckningar."

"Ja. Du finns med i dom. Lejon. Christian Lejon."

Lejon släppte taget.

"Kan du stå utan hjälp?"

"Jag tror det."

Lejon tog ett steg ifrån honom.

"Jag var där den sommaren. Morsan blev sjuk och kommunen skickade ut mig." Kanske log han igen. Ademar stod så nära att han såg att leendet inte nådde ögonen. Hans leenden var mer som en reflex, kanske ett tic. "Man hade inte mycket att säga till om. Då. Dom fattiga ungarna hamnade på kollo."

"Ja."

"Var ni fattiga?"

"Ja. Min far lämnade oss. Min mor hade inget arbete."

"Kan du gå bort till stolen där?" sa Lejon. "Du ser ut som om du behöver sätta dig."

Han ledde Ademar bort till kontorsstolen. Han höll emot så att den inte rullade iväg medan Ademar satte sig. Ademar kände sig nästan bländad av ljuset från datorskärmen. Det var den enda ljuskällan därinne. Den var som en näve fosfor.

"Så… varför skriver du den här boken? Vad handlar den om?"

Ademar såg in i skärmen. Boken. Den fanns där. Men den var inte färdig. Den kanske aldrig skulle bli klar. Den var som ett pussel. Alldeles för stort, med för många bitar.

"Förstår du inte det?"

"Du skriver om hennes försvinnande."

"Ja."

"Vad vet du?"

Ademar svarade inte. Han fortsatte att stirra in i skärmen. Men där fanns inte tillräckligt med svar. Meningen var att man skulle mata datorer med uppgifter och med hjälp av dessa kunde datorerna ge svar. Men han hade inte tillräckligt många uppgifter. Det fanns stora hål. Pusselbitar som saknades.

"Vad vet du?" upprepade Lejon.

"Vad vet du själv?" sa Ademar och lyfte blicken från datorskärmen.

Lejon svarade inte.

"Är det nåt du kan berätta för mig?"

"Gör jag det måste jag kanske sparka ihjäl dig i alla fall."

"Jag säger inget."

"Nej. Men du skriver."

"Vad hände? Vad hände den sommaren?"

"Kan jag få läsa det du skrivit hittills?"

"Varför?"

"Får jag läsa?"

"Jag uppskattar att du frågar. Du kan ju bara döda mig och sno materialet."

"Jag är ingen tjuv."

"Jaså?"

"Jag tar bara det som är mitt", sa Lejon. "Och jag pratar inte om den här boken."

"Det är ingen bok än. Det kanske aldrig blir nån."

Lejon tog upp ett papper från skrivbordet. Han höll det i handen medan han tittade på Ademar.

"Du har ingen aning om vad som hände, eller hur?"

"Jag försöker. Det är det enda jag kan göra."

Lejon stirrade ner på texten. Men han såg inte ut att läsa. Han tittade upp igen.

"Vi håller på att ställa saker till rätta", sa han.

"Vad menas med det? Det är ett konstigt uttryck. Att ställa till rätta."

"Inte för mig", sa Lejon. "Jag är noga med vad som är rätt och fel. Ibland får man göra det som är fel till rätt."

"Går det?"

"Man kan försöka."

"Vad gör du då?"

"Vad vet du om din granne?"

"Va?"

"Din granne. Han som bor i huset bredvid." Lejon pekade genom väggen, mot söder. "Var är han?"

"Han är död. Han blev skjuten häromveckan."

Lejon nickade.

"Vet du nåt om det?"

"Jag såg nyheterna."

Ademar böjde sig framåt. Det stramade över halsen. Det högg till över bröstet. Det släppte. Han lyfte en arm. Det var som om den hölls nere av tyngder.

Han loggade ut.

Skärmen blev svart.

Rummet blev svart. Det var som om han tryckt på en strömbrytare.

"Varför frågar du om honom? Sellberg?"

Det var som att plötsligt börja prata för sig själv i det svarta rummet.

"Det vet du. Så mycket hann jag läsa."

"Visste du att Sellberg jobbade ute på kollot den sommaren?" sa Ademar. "Att han var nåt slags handräckning."

Lejon svarade inte. Ademar kunde se honom nu, men bara som en silhuett. Gatlyktan utanför hade slocknat. Kanske Lejon hade slagit sönder den innan han kom in hit. Kastat en sten.

"Sellberg var inte ensam", sa Lejon.

"Vad menar du med det?"

Lejon svarade inte. Han vände sig mot fönstret. Han blev en silhuett.

"Beatrice var min flicka", sa han.

Siv Winter hade gått in i huset. Winter hörde ett skratt från någon av flickorna därinne. Sju flickor. En man. Sju mot ett på att han skulle ha något att säga till om här.

Han gick bort till lekstugan. Han öppnade dörren och kröp in. Han kunde ligga raklång därinne utan att fötterna stack ut. Han kom inte ihåg om stugan hade funnits där redan när de flyttade in eller om pappa hade byggt den. Troligtvis inte. Bengt Winter byggde inte saker. Han förvaltade dem. Pengar. Det kunde knappast kallas saker. Det ledde till saker. Man köpte saker för pengar. Erik hade varit en av de mest skyldiga. Han började komma över det. Kanske var det en sjukdom. Han behövde bara den här lekstugan. Det var stilla i hans huvud. Han låg på bomull, mitt ibland moln. Kanske han redan sov. Han drömde om havet. Det var stilla. Allt var stilla. Solen var på väg ner bakom klipporna. Det var stilla timmen, som följde direkt på lyckliga timmen. Happy Hour. Timmar med sådana namn måste vara dygnets bästa.

Någon talade.

Han lyfte på huvudet.

"Ja?"

"Det lät som om du sov. Du snarkade."

"Det var inte jag."

"Nehej." Hon kröp in och la sig bredvid honom. Det fanns precis plats för två.

"Här har jag inte varit på åratal."

"Och ändå bor du här."

"Sen flickorna blev större står huset tomt."

"Det var tråkigt att höra."

"Det lever upp mest när dina små kommer hit."

"Mhm."

"Och ändå är det du som gömmer dig här."

"Jag gömmer mig inte."

Lotta Winter la en hand på sin brors arm.

"Hur är det mellan dig och Angela?"

"Vad menar du?"

"Det verkar inte riktigt bra."

"Vilket då?"

"Du vet vad jag pratar om, Erik."

"Det är bra. Allt är bra."

"Om du säger det så."

"Varför skulle det inte vara bra?"

Han försökte fixera blicken på ett hål i taket. Det kunde vara en kvistning i plankan. Det lyste genom hålet. Det måste vara månen.

"Gör inget dumt", sa hon.

"Varför skulle jag göra nåt dumt? Jag gör aldrig nåt dumt."

"Det är farligt att tänka så. Att man aldrig gör nåt dumt."

Han svarade inte. Månen lyste genom hålet som en ljusstråle från en stark ficklampa. Den hade sökt upp honom.

"Gör inget dumt", upprepade hon.

"På tal om det. Jag sökte upp honom tidigare i dag."

"Vem? Honom?" Hon reste sig på armbågen. "Honom!? Du menar väl inte Benny!?"

"Jo."

"Varför i helvete då för?" Hon lutade sig framåt. Hennes hår hamnade under belysning. Det hade samma färg som hans. Det fanns inte mycket grått hos någon av dem. De skulle aldrig bli riktigt grå. Vi blir aldrig grå, tänkte han.

"Det var jävligt dumt gjort!" sa hon. "Jag bad dig ju att inte göra det!"

"Jag behövde prata med honom."

"Varför det?"

"Han kan lämna en del information. Vi behöver information just nu."

"Det kan väl vilken jävla gangster som helst i stan. Varför just han?"

"Vad du svär."

"Jag svär väl så jävla mycket jag vill. Du svär själv."

"Jag är man. Du är kvinna. Det passar sig inte."

"Det här är fel plats och fel tid för ironier, Erik."

"Fel plats är det väl inte?"

Hon klippte till honom över skallen. Slaget kanske träffade i pannan, eller i tinningen. Det gjorde inte så ont. Han blev mest överraskad.

"Jag vill inte bli påmind om honom!" sa hon. "Du lovade att inte träffa honom."

"Vi glömmer det."

"Glömmer det? Först berättar du och sen ska vi glömma?"

"Förlåt."

Hon sa ingenting.

"Jag säger inget mer", sa Winter.

"Finns det nåt mer att säga då?"

"Han svarade inte.

"Erik!"

"Han vill träffa dig. Bara fem minuter."

Hon klippte till honom rakt över näsan.

290

28

WINTER HÄLLDE UPP EN Glenfarclas men lät glaset stå på bordet utan att dricka. Vasaplatsen var stilla. Han öppnade balkongdörren och gick ut. Stjärnhimlen var klar. Han identifierade Karlavagnen och De tre vise männen.

Han hörde Angela bakom sig. Elsa hade inte velat släppa taget i kväll. Någonting oroade henne.

Huvudvärken hade kommit tillbaka de senaste två timmarna. Den vandrade från sida till sida, men höll sig också kvar över vänstra ögat. Som om den byggt bo där. Som om den ville vara överallt samtidigt, både ge sig iväg på vandring och stanna kvar. Det var så han hade tänkt tidigare i kväll. Han kände inget illamående. Kanske det skulle komma med whiskyn.

"Det har blivit kyligt", sa hon. "Brrr."

Han blundade. Det lindrade.

"Hur är det, Erik?"

Han öppnade ögonen. Inga blixtar, inget dunder.

"Du tar väl tabletterna?"

"När det behövs."

"Erik."

"Ja, vad är det?"

Hon svarade inte.

"Det är väderomslaget", sa han. "Du sa det själv. Det blir kallare. Du är läkare. Du borde veta att väderomslag kan framkalla en migränatt…"

Hon gick därifrån mitt i meningen.

*

Ademar satt kvar framför sin döda dator. Skulle han någonsin slå på den igen?

Lejon hade åkt. Han hade bara gått ut från rummet, och huset, Ademar hade sett honom genom fönstret, under den trasiga gatlyktan. Han hade gått mitt i en mening, som om han tröttnat på alltihop. Eller om det var något annat. Han hade inte sagt något mera om Beatrice. Bara att hon var "hans flicka". Vad i helvete betydde det? Han hade inte sagt något mera alls om den sommaren, om ön. Ademar hade inte frågat mer. Det kanske skulle komma mer. Ademar var inte säker på att han ville veta. Han såg sin svarta spegelbild i den svarta ytan. Kommer jag att skriva mera? Detta hade varit en nära döden-upplevelse. Han tvivlade inte på att Lejon hade kommit dit för att döda honom. Han hade pratat om kärlek. Det var vad han hade pratat om. Ett slags kärlek. Kanske hade han pratat om hämnd, utan att prata om det. Att det handlade om hämnd. Att mordet på Sellberg handlade om hämnd, och att det handlade om Beatrice, om Brännö, om kollot. Om hennes försvinnande. Hennes död. Ademar hade aldrig tänkt på hennes död. Han ville inte se den. Han ville inte gestalta den. Den döden hade ingen plats i hans bok. Han kanske kunde komma fram till en berättelse som slutade när döden tog över, men aldrig längre än så. Ingen hade kommit längre än så. Polisen hade lagt ner undersökningen innan den ens kommit igång, Det hade inte funnits någonting att undersöka. Inga spår. Det fanns inga spår i luft, eller i vatten. Beatrice gick upp i rök. Eller föll till botten. Den där kommissarien… Winter… han skulle inte komma längre. Han höll på med mordet. Hade Lejon dödat Sellberg? Var det hämnden? Visste han vad Sellberg gjort? Dog Sellberg för att han gjort nåt med Beatrice? Eller för att han visste nåt, nåt han inte skulle veta. Nåt han burit med sig genom åren. Men jag tror inte Lejon dödade Sellberg. Han lät nån annan göra det. Om han ens är inblandad. Han kanske bara bär runt på det där minnet av min syster. Det är allt, det var allt. Hon försvann bara. Lejon hade tagit med sig manuskriptet. Han hade sagt sitt namn. Lejon. Han var stolt över det.

Telefonen på skrivbordet skrällde till. Det var en gammaldags signal, hög och rostig i det tysta mörkret. Telefonen fortsatte att skrälla, tystnade, började skrälla igen: Jag vet att du är där.

"Ja!?"

Han hade slitit den till sig. Något gick sönder i axeln när han gjorde det. Gick sönder lite till.

Det brusade i luren. En bil på väg.

"Vad gör du nu?" frågade Lejon.

"Ingenting. Jag försöker få ihop dom olika kroppsdelarna. Det blir inte helt lätt."

"Jag ber om ursäkt för det."

Ademar kommenterade det inte. Han såg billyktor ute på gatan. Var Lejon kvar? Nej, det var inte hans Chrysler. Det här var en mindre bil, löjligt liten. Den passerade.

"Det kunde varit värre", sa Lejon.

"Vad vill du?"

"Du förstår att vi håller vårt möte för oss själva? Det förstår du, va?"

"Om du säger det."

"Jag säger det. Jag har aldrig träffat dig. Du har aldrig pratat med mig. Jag har ingen anknytning till nåt vi pratade om. Eller nån. Så är det, eller hur?"

"Så är det."

"Bra."

"Vad händer nu?"

"Ingenting. Jag hör av mig. Jag ska läsa."

"Jag kanske lämnar stan. Och landet."

"Inte än."

"Hotar du mig?"

"Inte mer än förut", sa Lejon.

"När hör du av dig?"

Men samtalet var brutet. Nu fanns där bara brus. Ademar såg den lilla bilen köra förbi därute igen. Den försvann. Han höll fortfarande luren i handen. Handen började skaka våldsamt. Han tappade luren på skrivbordet, ett elakt ljud. Det lät som en spark mot skallen.

Lars Bergenhem lyfte telefonluren. Han var ensam i lägenheten. Eriksberg var en stenöken på kvällarna. Gick någon förbi ekade stegen mellan husen som långa rop. Det hade ännu inte blivit stad därute. Det skulle ta lång tid. På ett sätt passade det honom. Han var på väg att bli en annan. Han var ingenting just nu. En öken bara. Han slog numret. Efter tredje signalen fick han svar.

"Ja?"

"Det är Lars."

"Ja?"

"Hur har det gått?"

"Inte så bra."

"Nån måste väl för helvete veta nåt."

"Du behöver inte svära, Lars."

Han stod inte ut med den andres röst. Det var nog det värsta. Han hade aldrig stått ut med rösten hos en del av dom. Ett jävla tonläge som var hundra procent tillgjort. Det efterapade något som inte fanns. Det var inte en identitet.

"Han kan inte bara ha försvunnit", sa Bergenhem. "Inte utan nåt spår."

"Varför inte? Folk försvinner."

"Han måste ha pratat med *nån* innan dess."

"Han kanske inte hann, Lars."

"Vad menas med det?"

"Varför skulle inte han... råka illa ut, precis som den andre."

"Då hade vi hittat honom. Kroppen. Då hade det blivit som med det första offret."

"Du sa 'det första offret', Lars."

"Offret då."

"Mhm. Jag ska fråga vidare. Hur går det för dig nu då?"

"Vadå för mig? Hur menar du?"

"Vad säger dom?"

"Vilka dom? Vad pratar du om?"

"Du vet vad jag pratar om, Lars."

"Ge fan i att kalla mig Lars hela tiden! Dra åt helvete!"

Det blev tyst i luren. Det kom ett brus. Den andre hade lagt på. Han hade lytt. Bergenhem slängde på luren. Vad säger dom? Det visste han inte. Han ville inte veta. Han ville aldrig aldrig aldrig prata om det. Han reste sig. Det kändes som en plötslig feber i kroppen. Det kliade över skuldrorna, i huvudsvålen. En man som inte vill vara i sitt eget skinn, tänkte han. Det är jag. Jag vill inte vara nånstans. Vad säger dom? Ha! Jag vet fan vad dom säger. Det har redan kommit ut. Det har kommit ut fast jag inte har kommit ut. Jävla uttryck. Kommit ut. I går blev det tyst nere på häktet när jag gick förbi. Det blev tyst i receptionen. Alla vet nu. Besökarna vet, alla från cykeljuvar till domare. Dom informeras med flygblad innan dom kommer in i polishuset. Alla får veta, alla känner till det, det pratas om det överallt.

Hans mobil ringde. Den låg på sängen. Han kände igen numret. Han svarade inte. Det ringde igen. Han stirrade på displayen. Det var hans nummer. Eller hans före detta. Det var hans familj som ringde. Det kunde vara Ada. Nej, det var för sent för det. Det är för sent för allt, tänkte han. Martina. Gode gud, låt natten gå, så man får jobba. Jag sticker iväg med bilen. Det är bättre än att sitta här, allt är bättre. Jag kanske hittar en övergiven bil till. Det ringde, ringde.

"Ja?" sa han.

"Det… är jag."

Hon lät mycket tyst. Det var en viskning.

"Martina."

"Vad gör du, Lars?"

Hon kallade honom Lars. Det var ett annat Lars. Det var något han kände igen.

"Jag gör ingenting."

"Är du ensam?"

"Ja."

Tystnad. Vad skulle hon säga? Vad skulle han säga?

"Hur är det med Ada?" frågade han.

"Jag… vet inte, Lars. Vad tror du?"

Ansvaret på honom. Men det var rätt. Det var hans ansvar, hans fel. Det var honom det var fel på. Det var inte dom. Det hade aldrig varit dom. Det var bara han. Han förstod nu. Han hade inte förstått förut, men nu var det klart som himmelhelvetet dom senaste veckorna. Solen fräste ner på honom som strålar från en helikopter. Det var han, han, han. Det är du, du, du.

"Jag ska ringa henne i morgon."

"Ska du bara ringa?"

"Det är klart jag ska träffa henne också."

"När då?"

"Snart..."

"Vad ska du säga?"

Han svarade inte.

"Hittills har du inte sagt nåt om att du gav dig iväg. Hon har inte fått ett ord av förklaring från dig. Det har inte jag heller. Nästan ingenting, i alla fall. Men Ada..."

Hennes röst bröts. Han kände igen tårar när han hörde dem. Det var som om de brände sig igenom telefonen. Att han skulle tvingas släppa greppet.

"Jag ska prata med henne", sa han.

"Vad ska du säga?"

"Jag ska prata med henne."

"Jag har inte sagt nåt alls om det. Jag orkar inte mer."

"Jag ska prata med henne", sa han för tredje gången.

"Var nånstans? Var ska du träffa henne?"

"Det... vet jag inte. Vad spelar det för roll?"

"Hon säger att du aldrig mer kommer hem", sa Martina.

Vad ska jag säga? Det är ju sant. Jag kommer aldrig mer hem. Inte till detta hem. Men det finns andra hem. Inte det här, inte Samuels. Men jag får nåt eget. Nån gång får jag det. Det får jag väl? Om jag är värd det. Men jag är inte värd det. Ett eget hem? Ha ha.

"Tror du inte jag förstår?" sa hon.

*

Klockan halv sju steg Winter upp. Han hade inte fått mycket sömn. Angela hade inte fått mycket sömn. In i natten hade de pratat om vad som skulle hända nu. Vad var det för väg det här? Något hade hänt och de visste inte vad. Jag är rädd, hade hon sagt. Det finns inget farligt, hade han sagt. Du är inte densamme, hade hon sagt. När är man det? hade han svarat. Bli inte nån annan, hade hon sagt. Han hade inte svarat. Huvudvärken hade glidit bort som dimma under vargtimmarna. Den kunde komma tillbaka. Kanske var det så enkelt. Han hade blivit annorlunda för en kort period på grund av att hans kropp skapat den här smärtan. Den hade gjort det för att något var fel. Vad var fel? Var det hans fel? Var det hans arbete? Var det ett större ansvar nu? Men ingenting hade förändrats.

Han hade tagit fram fotografiet av det lilla kors de hittat i Roger Edwards bil. Winter hade ännu inte frågat Edwards något mer om det. Han hade velat vänta tills de identifierat korset. De hade inte gjort det. Inga jämförande fingeravtryck ännu. De hittade inget som liknade det, men ingen hade hunnit lägga ner så mycket arbete på det. Han hade tänkt skicka någon till Sjöfartsmuseet. Winter höll upp bilden av korset i gryningsljuset. På något sätt kändes det bekant. Stjärnan i korset, som ett vapen för korsfarare. Det vakande ögat mitt i stjärnan. Ett kors i en bil mitt på en bro över en älv intill ett hav. Korsfarare. Han tänkte korsfarare. Hav. Han tänkte havsfarare. Sjön. Havet kallades sjön här. Sjöfarare. Ett kors för sjöfarare. Det fanns sådana kors ute i landets skärgårdar. Gjorde det inte det? Jo. Han hade själv sett dem ute i södra skärgården. Ett ute i havsgränsen söder om Vrångö. Ett kors. Ett sjömärke. Det markerade något: Vi har varit här. Någon har varit här.

Har jag sett det här?

Han blundade. I ett av rummen hörde han Lillys rop. Hon skrek inte när hon vaknade. Hon ropade. Det betydde: Här är jag. Finns det nån hemma? Angela skulle vakna och se att han var ur sängen, hon skulle titta på klockan och förstå att han fortfarande var hemma. Hon skulle rulla över på andra sidan och låta honom ta morgonpasset.

Det blåste ett plötsligt drag när han gick genom hallen, som om ytterdörren stått öppen. Göteborgs-Posten låg på hallmattan. Mordet på Sellberg hade flyttats från förstasidan, sedan från sidan fyra, för att snart försvinna ur medievärlden. Det hade inte gått lång tid, men sådant gick fort. Ingen reporter hade kopplat Richardssons försvinnande till mordet. Kanske fanns det ingen koppling. Bara en besynnerlig tillfällighet.

Lilly stod redan redo i sängen.

"Pappa, pappa, pappa!" ropade hon. "Flyga, flyga, flyga!"

Och då kom han ihåg var han hade sett korset förut.

Vinden hade flugit i seglen. Det hade varit stark vind men en varm dag. Sol överallt. Det var som om Maxin hade lättat från ytan. De hade seglat runt Brännös västra klippstränder, upp mot Dana fjord. Var det väster om Södholmarna? Det måste det ha varit. Var det den sommaren? Det kunde det ha varit.

Winter cyklade över Heden, ständigt denna cykelväg över Heden. Det hade blåst upp. Grus yrde över fotbollsplanerna. Himlen var fortfarande blå men inte i samma obegripliga nyans.

De hade seglat i Mats båt. Han kunde segla vart som helst. Han hade sagt att han skulle göra det också. Han gjorde det, men inte tillräckligt. När var det de höll begravningen ute på ön? Tretton år sen, tolv. Som i en annan värld och en annan tid, hårdare, mjukare. Flera sjukdomar i en, han höll ut länge, inte så effektiva bromsmediciner då.

Winter cyklade uppför Bohusgatan. Bertil hade varit med på Mats begravning. De hade pratat på färjan tillbaka. Han kom ihåg. Han kom faktiskt ihåg varje ord.

"Sa du inte att han hade pratat om att han ville bli polis? När han var ung?" hade Bertil sagt.

"Har jag sagt det?"

"Jag tror det."

"Kanske var det när jag började polisskolan. Eller när jag snackat om att söka."

"Kanske."

"Det är ett tag sen."

"Ja."

"Han hade varit välkommen."

Sedan hade han sagt:

"Jag läste att dom annonserar efter homosexuella poliser i England."

"Är det homosexuella poliser dom vill ha i ny tjänst eller är det bögar som dom vill utbilda till poliser?" hade Winter frågat.

"Spelar det nån roll?"

"Förlåt."

"Den mångskiftande kulturen är mer utvecklad i England", hade Bertil sagt. "Det är ett rasistiskt och sexistiskt samhälle, men man inser att man behöver olika sorter också bland poliserna."

"Ja."

"Vi kanske får en bög hos oss också."

"Tror du inte vi redan har det?"

"En som vågar stå för det."

"Hade jag varit bög hade jag stått för det nu, efter i dag."

"Mhm."

"Kanske innan med. Ja, det tror jag."

"Ja."

"Det är fel att hålla sig utanför. Det blir bara som att bära på en jävla gemensam skuld. Du bär också en skuld."

"Ja", hade Bertil sagt, "jag är fylld av skuld."

Dagen hade varit halvgammal och grå, mindes Winter. Däcket hade blänkt dovt som kol. Klipporna runt fartygskroppen hade haft samma färg som himlen. Det hade inte varit alldeles lätt att säga var det ena slutade och det andra tog vid. Plötsligt är man i himmelriket utan att veta det, hade han tänkt. Ett språng från klippan och så är man där.

Han låste cykeln utanför ingången till polishuset. Han ville inte gå in. Halders kom gående från den mindre parkeringen.

"Man skulle börja hoja", sa han och nickade mot Winters cykel.

"Gör det då."

"Varje kväll tänker jag så, och varje morgon tänker jag annorlunda. Dessutom skjutsar jag ungarna till skolan. Det är inte lätt med en cykel. Men dom kan ju cykla själva, förstås. Men ibland regnar det. Och så vidare."

Winter nickade.

"Nej, Aneta har inte flyttat hem igen", sa Halders.

"Jag frågade inte om det."

"Bara så du vet", sa Halders och började gå in genom porten. Han såg ut som om han hade sjunkit ihop den senaste tiden, inte mycket, men axlarna och ryggen föll framåt.

"Vänta, Fredrik", ropade Winter efter honom. "Vi ska göra en tur i skärgården."

Halders parkerade utanför Sjöpolisens kontor vid Nya Varvet. Winter hade ringt och de hade tur. Efter några minuter var de iväg.

"Jag är ingen seglare", hade Halders sagt i bilen. "Jag skulle aldrig känna igen det där korset."

Nu passerade de redan Asperö. Himlen var lika vansinnigt blå igen som under hela den senaste månaden. Klipporna blänkte som järn. Måsarna kretsade över sundet som väktare. Polisbåten kryssade mellan Brattholmen och Långholmen. Det fanns en Långholmen här också. De passerade Skarvorna.

"Vi pratade om att hyra nåt här nästa sommar", sa Halders.

"Var? Asperö?"

"Tja, var som helst. En sommar i skärgården. Jag har aldrig gjort det. Man bor så nära havet, men det kunde lika gärna vara i Småland."

"Det är en bra idé. Det ska nog inte vara några problem att hitta nåt bra."

"Ja, det vet väl du. Du bodde väl härute som grabb?"

"Ja, på sommaren."

"Men nu blir det inget", sa Halders. "För oss alltså."

"Du kan väl göra det själv", sa Winter. "I absolut värsta fall. Du och barnen."

"Det blir inte detsamma."

De passerade Sandvik.

"Därinne låg kollot", sa Winter. "Som flickan försvann ifrån."

Halders nickade. Han satte handen ovanför ögonen som sol-skydd.

"Ett av dom få mysterierna", sa han, "för oss."

"Om det är så mystiskt", sa Winter.

Han kunde se några som gick på bryggorna som byggts runt hela klippan bort mot badplatsen. Det såg ut som gångbroar i en annan del av världen. Han kunde se hopptornet, det hade funnits där så länge han kunde minnas. Han hade dykt från det tidigt när han var grabb.

De passerade Husvik. Viken innanför Södholmarna var lugn och tom. Hade hon simmat över den? Varför visste ingen? Varför hade ingen sett det?

För att hon aldrig simmat där, tänkte han.

Hon hann inte.

De vände ut mot öppnare hav.

"Korset sitter därborta", sa föraren och pekade.

29

BÅTEN CIRKLADE MJUKT runt korset. Därifrån såg det ut som vilket sjömärke som helst. Jag måste ha kommit närmare då, tänkte Winter. När jag var ung. Men jag kommer inte ihåg det. Jag kommer bara ihåg att jag har sett stjärnan.

"Kan vi komma närmare?" sa han.

Föraren nickade.

"Vi kan lägga till", sa han.

Lägga till vid ett kors.

Några minuter senare gjorde de det.

Det var samma stjärna, samma bild.

"Varifrån kommer det?" sa Halders.

"Jag vet inte."

"Nån måste veta."

"Varför låg det här i bilen?" sa Winter och höll upp sitt eget kors.

"Nån tappade det."

"Eller planterade det."

Föraren hette Lars Ward. Han hade gjort så många nattliga patrulleringar i skärgården att han numera kallades Nattwarden.

"Såna här kors sattes upp förr som sjömärken efter expeditioner eller nåt", sa Nattwarden. "Sen har det fortsatt, tror jag, som nån tradition."

"Vem håller på med sånt?" sa Winter.

"Ingen aning."

"Det är väl några gamla stofiler", sa Halders. "Flottans Vänner. Gamla Sjöpojkar. Nån gammal orden. Finns det inte nån gammal sjöorden i Göteborg?"

"Var det inte nåt om det i samband med Ostindiefararen?"

Winter betraktade korset på dess påle. Vattnets rörelser gjorde att det såg ut att guppa på vågorna som en boj. Solen träffade plötsligt ögat i stjärnans mitt. Reflexen från det träffade Winter rakt i ansiktet. Ögat stirrade på honom. Vågorna kretsade runt korset som en centrifug. De verkade ha en egen rörelse därute, på trots mot det övriga havet.

"Draggade dom här", sa han och vek undan ansiktet från ljusstrålen.

"Förlåt?" sa Nattwarden.

"Jag tänkte högt", sa Winter.

De hade vinden i ryggen under färden tillbaka till Saltholmen. Vinden i ryggen och solen i ansiktet. Det var fortfarande förmiddag.

Halders slog ut med handen.

"Egentligen skulle man bosätta sig härute."

"Jaså?"

"Det är friskt."

"Inte för alla."

"Vad menade du med det där om draggning? Du tänker väl inte dragga efter henne?"

Winter svarade inte. En koloni måsar lyfte från Pineskär och flög mot land. Formationen bildade ett trasigt nät över himlen. Måsar kom alltid i form av trasiga nät, eller en och en. De var havets bohemer.

"Drunknade hon där finns hon inte kvar på botten", sa Halders. "Då måste det ha krävts tyngder."

"Det kanske var vad som krävdes."

Winter möttes av Öberg i korridoren. Teknikern såg lugn ut, som om han redan visste allt. Det var kanske en förutsättning för jobbet.

"Vill du ha fingeravtryck så har jag fingeravtryck", sa han. "Några tusen."

"Telefonkiosken?"

"Yes."

"Nåt annat?"

"Tänker du på nåt särskilt?"

"Nej."

Då har jag inget särskilt. Bara det vanliga: hår, tyg, fimpar, snus, tändstickor, damm, tvestjärtar, kondomer. Inget användbart DNA alls."

"Kondomer?"

"Tror du man bara ringer i en telefonkiosk? Och apropå det: det fanns inte många mynt i boxen. Sju spänn närmare bestämt. Mynttelefonen måste ha glömts bort av stan. Eller tömts nyligen."

"Fingeravtryck?"

"På mynten? Svårt, nästan omöjligt."

"Ja."

"Ge mig en pistol", sa Öberg.

Han höjde handen till avsked och fortsatte bort mot hissarna.

Aneta Djanali steg ur en av dem. Hon fick syn på Winter, viftade till med handen, gick bort till honom.

"Hörde att du var ute i skärgården", sa hon.

"Yes."

"Du låter som Torsten."

"Ibland."

"Det där korset. Jag tror jag vet var det kommer ifrån. Vad det är."

"Vi går in till mig", sa Winter.

Det luktade instängt i rummet. Winter öppnade fönstren. Indiansommaren smög in, en mild vind som var en annan än den ute i havsbandet. Löven låg i röda travar i polisparken. De var perfekta att sparka runt i. Det kanske var perfekt terapi.

Han vände sig om.

"Varsågod och sitt, Aneta."

"Coldinuorden", sa hon och satte sig i stolen på andra sidan skrivbordet. Den hade varit hård förut, men Winter hade bytt ut den gamla mot en halvhård. "Känner du till den?"

"Nej."

"Jag visade korset för en man uppe på Sjöfarts. Pensionerad intendent." Hon tittade i sin anteckningbok. "Perners. Sven Perners. Han sa att det var ett kors från Coldinuorden."

"Vad är det?"

"En gammal sjöfararorden med rötter från medeltiden. Och Medelhavet. Den hade visst som bruk att sätta upp dom här korsen på olika ställen i världen. En tradition som fortsatt." Aneta Djanali vände blad i anteckningsboken. "Den började med Henrik Sjöfararen, en prins i Portugal under 1400-talet. Det var han som började skicka ut expeditioner i världen, ja, du vet." Hon tittade upp. "Alla portugisiska kolonier. Portugiserna var först från Europa. Och så satte dom upp dom här korsen som sjömärken, eller landmärken, för att visa för andra sjöfarare att platsen var utforskad."

"Okej."

"Det kallades korsplantering. Först var korsen av trä och sen av järn."

"Och ett av dom hamnade som miniatyr i en stulen bil på Älvsborgsbron", sa Winter.

"Och då blir det ännu intressantare", sa Aneta Djanali. "På 1760-talet bildades en Coldinuorden i Sverige, i Stockholm. Sen fick den en avknoppning i Göteborg."

"I Göteborg?"

"Ja. Göta Coldinu Orden. Det är ett mycket hemligt ordenssällskap. Perners visste ingenting om dom. Ingen vet nåt om dom. Och vad namnet betyder är en hemlighet det med. För övrigt är Sverige enda landet i världen där orden finns kvar."

"Finns den ens kvar? Eller är det en hemlighet också?"

"Tja, Göta Coldinu Orden finns listad på en adress i Haga. Bellmansgatan 12. Dom har ett telefonnummer också. Jag gick dit men det går inte att lista ut var dom håller till i huset. En hemlighet till. Jag har ringt numret några gånger men inget svar. Ingen telefonsvarare."

"Du vet inget om antalet medlemmar?"

"Den senaste uppgiften är från 1906", sa Aneta Djanali och log. "Tvåtusen medlemmar i hela Sverige."

"Det gänget är borta", sa Winter. "Frågan är hur det är med återväxten."

"Om man kan kalla det så", sa Aneta Djanali. "Vilket gäng."

"Ordnar är nåt för sig", sa Winter.

"Borde inte du vara med i Rotary eller Frimurarlogen eller nåt sånt?"

"Varför det?" Winter kände sig genuint förvånad av hennes fråga.

"Du ser förolämpad ut."

"Jag är förolämpad."

"Är inte det status? Är inte Göteborg en sån stad? Folk i ledande befattningar är med i såna där fjantiga sällskap."

"Jag har aldrig ens tänkt tanken att vara med", sa Winter.

"Om Göta Coldinu hör av sig då?"

"Ja, det kanske är tillräckligt hemligt. Då vet ju ingen om att man är med."

"Perners nämnde en sak till. Han visste inte om själva orden var inblandad, men det skedde en sån där korsplantering ute på Eriksberg 1997."

"Finns det ett Coldinukors på Eriksberg!?"

"Ja. Den 18 augusti 1997 planterade man ett kors, som det heter."

"Man? Vilka är 'man'?"

"Jag vet inte."

Den 18 augusti 1997. Winter kände igen det datumet. Det var ett av de få datum han kunde komma ihåg, som man kom ihåg en egen födelsedag. Den 18 augusti 1997 hade de begravt hans vän Mats.

"Det var vid dåvarande Ostindiefararvarvet ute på Eriksberg", sa Aneta Djanali. "Det är en av pirarna. Pir 4, trodde Perners." Aneta Djanali tittade ner i sin anteckningsbok igen. "Man sköt nio skotts salut."

*

Winter gick in i Ringmars rum utan att knacka. Dörren stod på glänt. Ringmar stod vid skrivbordet. Det såg ut som om han var på väg ut. Han hade jackan på.

"Ska du gå ut?"

"Nej, jag kom nyss."

"Åtta skott", sa Winter.

"Förlåt?"

"Det hör ihop! Vi måste prata om det här. Kan du inte ta av dig jackan?"

"Du verkar upphetsad."

"Jag kanske har anledning. Jag vet inte riktigt. Jag försöker se samband. Jag behöver hjälp med det."

"Okej", sa Ringmar och tog av sig jackan och hängde den på kroken på väggen.

"Jag pratade med Öberg nyss. Vi har åtta skott. Det har skjutits åtta skott med samma pistol. Det är vi alltså helt övertygade om nu. En kula satt i bilen på Älvsborgsbron, tre satt i, och runt, Sellbergs kåk och fyra satt i Sellberg själv. Det är åtta skott. Återstår ett."

"Återstår ett? Vad menar du med det?"

"Det finns ett skott kvar att skjuta ur den pistolen! En Tokarev har plats för åtta skott i magasinet, det vet jag, men det finns liksom möjlighet att ladda om."

"Nu är jag faktiskt inte med, Erik."

Winter återberättade Aneta Djanalis berättelse.

"Nio skotts salut", upprepade han.

"Drar du inte det här en smula för långt?"

"Det gör jag kanske. Men jag... Det måste finnas en mening med att det där korset låg i bilen." Han tog fram fotografiet ur fickan. "Det här korset. Det hänger ihop. Det är nåt slags meddelande."

"Från vem?"

"Jag vet inte."

"Mördaren?"

Winter svarade inte.

"Vill mördaren berätta nåt för oss?"

"Vad vill han i så fall berätta, Bertil?"

"Jag vet inte, Erik."

"Är han rädd?"

"Rädd för vem?"

"Sin… uppdragsgivare."

"Vad menas med det?"

"Han är tvingad att utföra det här."

"Utföra vad?"

"Mordet på Sellberg."

"Men det andra då? Dom andra skjutningarna?"

"Jag vet inte."

"Lämnade han korset i bilen."

"Han kan ha gjort det."

"Den där jävla bilen är ett mysterium. Hur hamnade den där? Varför? Av vem? Hur tog dom sig därifrån?"

"Lars såg inget."

"Nej."

"Han borde ha sett nåt."

"Varför det?"

"Jag vet inte."

"Nu är jag inte med."

"Vi glömmer det", sa Winter. "Vi tittar på Roger Edwards i stället. Det är hans bil. Den stals. Han påstår det i alla fall. Det kan vara hans kors."

"Du har ju inte ens frågat honom i detalj."

"Jag ville vänta."

"På vad?"

"På det här", sa Winter. "På uppgifterna om Coldinu."

"Han kanske är medlem i den hemliga orden."

"Vi får fråga."

"Om han inte vill säga det då?"

"Kanske är det dags att plocka in honom", sa Winter. "På allvar."

"På vilka grunder?"

"Vi får se. Vi får kolla DNA på honom."

"Tänker du på telefonkiosken?"

"Ja, bland annat. Och det här korset." Han höll upp fotografiet igen. Det glimmade inte nu. Ljuset i Ringmars rum var dovt. Rummet vette mot öster. Solen var på andra sidan huset.

"Ska vi göra en husrannsakan hemma hos honom?" sa Ringmar.

"Det är möjligen en bra idé."

"Vi hittar kanske en pistol."

"Nej."

"Inte?"

"Nej. Den finns inte där."

"Var finns den då?"

Winter svarade inte.

"Är den dumpad nånstans?"

"Nej, inte än."

"Inte än? Den är inte dumpad än men den kommer att dumpas?"

"Ja. Den ska avlossa ett skott till. Nio skott totalt."

"Mot vem?"

"Om vi visste det så är pusslet löst. Och vi förhindrar ett mord."

"Borde vi veta det, Erik? Borde vi kunna gissa det? En bra gissning? Tänka fram det?"

"Nej. Inte än."

Aneta Djanali tittade upp från datorn. En skugga hade fallit över skrivbordet.

"Vill du att jag ansöker om förflyttning?" sa Halders.

"Varför skulle du göra det, Fredrik?"

"Det begriper du väl!"

Hon såg sig om. Ett par kolleger hölls borta i andra änden av kontorslandskapet. De verkade inte ha hört. Många hade flyttats ihop i det här landskapet när polishuset börjat renoveras. Aneta Djanali hade börjat gilla det. Det var inte privat, men hon ville inte vara privat på jobbet, inte på det sättet. Och framför allt inte nu.

"Vi går ut", sa hon och reste sig.

"Du behöver inte", sa han.

"Jag vill det."

Ingen av dem sa något när de gick genom tegelkorridorerna. De måste vara de fulaste korridorerna i världen, men skulle de inbegripits i renoveringen, bytts ut, hade det betytt att hela huset fallit samman. Det kanske hade varit en bra sak. Det var ett mycket fult hus. Ibland gjorde det människor som arbetade i det fula. Aneta Djanali trodde på sådant. Ett hus var en del av en människas själ. Hon hade burit med sig den tron från sina afrikanska föräldrar. Men då handlade det inte om design och sådant, heminredning. Det var något annat och större.

Nu hade hon inte ens ett hem.

Hennes föräldrar skulle ha sagt att hon därför inte fanns just nu. Att det mesta av henne just nu var borta.

De gick ut ur porten och fortsatte bort i parken.

Halders började sparka runt i löven.

"Det är skönt", sa han. "Man blir av med sina aggressioner."

"Jag har inga aggressioner."

"Nej, just det. Du har ju inte det."

"Vad menas med det, Fredrik?"

"Ingenting. Ingenting alls."

"Ska vi hålla på så här kan vi lika gärna gå in igen."

Halders sparkade iväg ett fång löv till. Han borde vara försiktig. Det var som att sparka luft. Inget motstånd. Knäna höll inte för sådant.

Han stannade.

"Jag var ute i skärgården i dag. Södra skärgården."

"Jag har förstått det. Med Erik."

"Skit i honom nu. Vad jag menar är att jag såg ljuset. Jag förstod att det är så man ska leva. Nära havet."

"Göteborg ligger nära havet. Men du menar väldigt nära havet."

"Jag menar väldigt nära havet."

"Det har du aldrig pratat om förut, Fredrik."

"Jag såg ljuset först i dag."

"Det kan kännas isolerat att bo så."

"Det känns isolerat att bo som jag gör nu", sa han.

Hon sa ingenting.

"Kom hem, Aneta."

Hon sparkade själv till en liten lövhög. Det var bara en liten passiv spark. Hon kände fortfarande inga aggressioner.

"Eller följ med ut på en tur i skärgården bara. Vi kan sticka ut i helgen. Du och jag och ungarna. Dom frågar efter dig."

"Okej", sa hon.

22.15

DE VAR PÅ VÄG TILLBAKA TILL ÖN. Nu hade hon Stora Källö på vänster sida. Det fanns fortfarande sol kvar på himlen. Det var så hon tänkte: sol kvar på himlen.

Hon kunde se kollot. Det såg ut som ett fängelse. Det såg ut som om det fanns en mur runt om. Det fanns ingen människa där nu som man kunde se. Alla hade fått gå och lägga sig nu. Det spelade ingen roll om man var sömnig eller inte.

Men hon kunde se någon stå längst ute på bryggan. Det var långt bort. Den som stod där kunde inte se henne. Eller känna igen henne.

Hon fnittrade plötsligt till. Hon kunde inte hindra det.

"Vad är det?" sa han som satt i fören. Båten gick långsammare nu, motorn lät inte så högt. Man behövde inte ropa.

Hon svarade inte på vad han sagt.

Han tittade bort mot kollot och bryggan.

"Dom kanske börjar leta efter dig snart." Han log. "Ni måste väl gå och lägga er nu?"

Hon svarade inte. De hade fortsatt förbi kollot, runt den stora klippan. Hon såg badplatsen. Bryggorna. Det var ju dit hon skulle ha gått. Plötsligt hade hon gått till höger i stället för till vänster. Hon hade varit uppe på toppen. Hade hon letat efter en annan stig däruppe som gick ner till badet? Hade hon inte gått den förut?

Och plötsligt hade hon varit på andra sidan ön. Det fanns hav på andra sidan också. Hon kunde bada där också.

Han hade sagt att det gick bra nere i viken. Bakom bryggan. Det är ändå inte dans i kväll, hade han sagt. Det är ingen där.

Gå dit bara. Jag kan visa dig.

Och nu satt hon i den här båten. De körde förbi hopptornet. Hon hade dykt från högsta. Alla tyckte att det var bra gjort. Det skulle jag aldrig våga göra, hade någon av de minsta sagt. Aldrig! Det gör du när du blir stor, hade hon sagt. Stor. Hon hade tänkt på sig själv som stor. Det var inte svårt att känna sig stor på kollot. Det fanns bara några till som var stora, om man kunde kalla dom det.

Kanske bara en.

Plötsligt ville hon att han skulle sitta med i den här båten.

Varför hade hon inte bett honom att följa med i kväll? Han skulle ha följt med.

Nu sköt båten fart igen. Hon kände det i hela kroppen. Den reste sig nästan halvvägs ur vattnet.

Och plötsligt förstod hon vem hon sett på bryggan.

Det var Christian.

Han hade stått där och spanat efter henne.

30

WINTER PASSERADE EDWARDS HUS två gånger. Ett stort hus för en ensam man. Kanske hade det inte varit så förut. Det var dags att ta reda på det.

Han parkerade utanför. Inga spår av Edwards bil. Det fanns ett garage. Kanske han gömde den där. Han hade sagt att han inte ville ha tillbaka bilen. Poststöldstress, eller något annat.

Winter ringde på. Dörrklockan lät som en gong-gong. Han hade förväntat sig ett torrare ljud i det här huset. Han tryckte på knappen igen. Den var enkel, av plast. Inte heller den passade till ljudet.

Dörren öppnades. Edwards verkade först inte känna igen honom. Men det var inte det. Han tittade på något bakom Winter. Winter vände sig om. En bil passerade, en Corolla. Han noterade registreringsnumret. Var det värt att komma ihåg? Han såg de snabba profilerna på en man och en kvinna. Sedan blev bilen allt mindre på väg ner mot Långedragsskolan.

"Nån du känner?"

"Nej."

Edwards tittade på honom nu.

"Vad vill du?"

"Har du tid en liten stund?"

Edwards blick flög iväg igen. Den flackade inte, den flög.

"Nej", sa Edwards.

"Förlåt?"

"Jag har inte tid."

"Vad ska du göra?"

"Jag måste ge mig iväg. Affärer."

Edwards var klädd i shorts och en skrynklig linneskjorta. Han var barfota, och orakad. Winter kände lukten av alkohol från hans andedräkt, men han verkade inte berusad.

"Inget skitsnack nu", sa Winter. "Alla har tid med mig. Antingen kommer jag in och vi pratar en stund, eller så följer du med mig."

"Vart?"

"Hem till mig, förstås. Men inte hem hem. Det blir ett samtalsrum på polishuset."

"Samtalsrum? Heter det så nu?"

"Ja. Vad säger du, Edwards?"

Edwards backade från dörren. Winter steg över en tröskel som inte fanns. Hallgolvet var lagt med ljusblå plattor. Sannolikt golvvärme, Edwards såg inte ut att frysa om fötterna.

"Den här vägen", sa han.

Han visades in i ett stort rum som gick ihop med köket. Det fanns en utgång till trädgården. Där fanns nästan inget gräs, mest stenplattor. Praktiskt om man reste mycket.

Edwards blev stående mitt i rummet. Hans blick flög ut mot trädgården, som saknade träd.

Winter tog fram korset, fortfarande i sin plastpåse. Han gick ett par steg mot Edwards och höll upp det.

"Vad är det här?" frågade han.

Edwards blick verkade ha svårt att fastna på korset. Den flög, flög.

"Ta det", sa Winter och lämnade över korset. Edwards tog emot det med en automatisk rörelse. "Titta på det."

Edwards tittade på det. Han tittade på Winter.

"Vad är det?" frågade han.

"Jag tänkte du skulle hjälpa mig med det."

"Jag kan inte hjälpa dig. Jag vet inte vad det är."

Han försökte lämna tillbaka korset, men Winter tog inte emot det.

"Det är ett kors", sa Winter.

"Ja, så mycket kan jag se. Men det är väl inte vad du frågar om."

"Nej."

"Vad frågar du om?"

"Det låg i din bil", sa Winter.

Edwards svarade inte.

"Vi hittade det när vi gjorde teknisk undersökning", sa Winter.

Edwards tittade på korset igen, mycket kort. Blicken flög, nu verkade den vara på väg ut till havet i väster. Det var inte långt dit, några hundra meter måsvägen.

"Ja, jag har ingen aning", sa Edwards. Han gick några steg och la ner korset på ett bord eftersom Winter inte ville ta emot det. Han ville inte hålla i det längre. Kanske brände det hans fingrar. Winter såg honom stoppa ner handen i en av shortsens stora fickor.

"Min bil stals", sa han. "Det måste ju vara nån av tjuvarna som glömde det."

"Det är en orden", sa Winter.

"Förlåt?"

"Korset tillhör en orden. Den heter Coldinuorden. Den finns här i stan. Den har anknytning till havet."

"Jaha?"

"Känner du till den?"

"Nej."

"Är du medlem i Coldinuorden?"

"Inte vad jag vet."

Det såg inte ut som ett skämt. Inget av vad Edwards sa var skämtsamt. Winter fick intrycket av att Edwards pratade utifrån ett manuskript. Att han redan visste sina repliker. Några gånger förut hade Winter träffat på det. Allting verkade... förberett. Som om personen visste att han skulle komma, och vad han skulle säga. Vad han skulle fråga om. Vad det handlade om.

"Du kanske inte vet själv", sa Winter. "Det är ett mycket hemligt sällskap."

"Ska det där föreställa ett skämt?"

"Ja. Har du anknytning till havet, Roger?"

"Nu förstår jag inte."

"Havet. Det ligger därborta." Winter nickade mot väster. "Håller du till där? Seglar du, till exempel?"

"Inte nu längre."

"Har du en segelbåt?"

"Nej."

"Varför slutade du segla?"

"Vad i helvete har det med nånting att göra?"

"Svara bara på frågan."

"Slutade segla? Jag tyckte inte det var roligt längre. Seglar du själv?"

"Inte nu längre."

"Se där."

"När jag var ung höll jag till en del ute i södra skärgården", sa Winter. "Vi hade hus på Styrsö." Han gjorde en paus. Han var inte säker på att Edwards lyssnade. Karln lyssnade efter något annat. Det var som om någon annan stod i rummet och talade till honom. Kanske var han galen. Lyssnade till olika röster samtidigt. Det fanns något vansinnigt över honom. Han hade en märklig glöd i ögonen.

Den hade djupnat när Winter nämnt södra skärgården. Och hans blick föll till golvet. Winter tittade på golvet. Det var gjort av slipade granplankor. Det var säkert mjukt och varmt under Edwards fötter. Edwards höll kvar blicken på det.

"Har du nån ankytning till skärgården, Roger?"

Edwards svarade inte. Han skakade bara på huvudet, med blicken kvar i golvet. Det såg egendomligt ut.

"Har du aldrig haft det?"

Edwards tittade upp. Han såg ut att tänka på vad han skulle svara. Det var inte så enkelt som "ja" eller "nej". Men den egendomliga glöden i hans ögon fanns kvar.

"Jag… har aldrig haft det", sa han.

"Vilket då?"

"Det du frågade om. Om skärgården."

"Det lät som om du tvekade."

"Ibland glömmer man. Man kommer inte ihåg allt från förr."

317

"Vad har du glömt?"

"Vad är det för fråga? Man kommer väl inte ihåg vad man har glömt?"

"Det händer att man gör det", sa Winter. "Till slut kan man göra det. Det kan komma en tidpunkt när allt kommer tillbaka."

Edwards svarade inte. Han vet vad jag pratar om, tänkte Winter. Ja, jävlar, han har varit därute. Det är en del av hans förflutna. Han hör ihop med det här.

Edwards såg ut att vilja sjunka genom grangolvet nu. Hela hans gestalt var hopsjunken, som om han inte längre orkade hålla den uppe. Han såg ut som om han var på väg att försvinna. Som om det inte är mycket liv kvar, tänkte Winter. Som om han nästan har slutat andas.

"Brännö", sa Winter.

Han kunde inte se Edwards blick nu. Den hade också sjunkit rakt genom golvet. Winter tvivlade på att den skulle komma tillbaka.

"Har du nån anknytning till Brännö?"

Edwards verkade först inte reagera. Sedan skakade han på huvudet. Plötsligt tänkte Winter på hans röst. Han ville höra hans röst igen. Det var nåt med hans röst. Den hade förändrats under samtalets gång. Förhörets gång. Den hade sjunkit den också, nästan försvunnit. Den hade blivit någon annans.

Winter hade hört den förut.

Plötsligt kände han en kyla över kroppen.

Den strömmade upp genom golvet. Som om han stod på is.

"Berätta om Brännö", sa han.

"LÅT MIG VARA IFRED!" skrek Edwards. Han hade fortfarande inte höjt blicken. Han såg ut att vara färdig för tvångströja, men han rörde sig inte. Och rösten hade stigit, inte sjunkit. Jag gick för långt, tänkte Winter. Jag får gå tillbaka.

Han satte sig på soffan. Den kunde vara från House. Bordet också. Edwards hade pengar, eller hade haft.

Edwards tittade upp.

Han såg lugnare ut igen. Tillbaka i det trekvartsdöda tillståndet.

"Förlåt", sa han.

"Finns inget att be om förlåtelse om. Det är inte lätt att hänga med i mina frågor. Mina tankar, ska jag väl säga."

"Jag är bara lite trött."

"Du var ju inte beredd på besöket", sa Winter. "Var har du bilen, förresten?"

"Vad?"

"Din bil. Var är den?"

"Jag har sålt den."

"Okej."

"Jag klarar mig utan bil."

"Ingen idé med bil om dom stjäls, eller hur?"

"Nej."

"Vad gjorde du förresten den där morgonen?" frågade Winter.

"Vilken morgon?"

"När din bil var borta. När min kollega upptäckte den på Älvsborgsbron."

"Det har jag väl berättat."

"Jag har glömt", sa Winter och log.

"Jag gick omkring lite. Jag gör det ibland. Jag har svårt att sova."

Winter lyssnade på hans röst, på melodin, om den skulle kunna kallas så. Han kände inte igen det han hade hört förut. Det hade bara varit ett kort ögonblick. Det hade sjunkit undan. Kanske det aldrig hade funnits.

I bilen in mot stan ringde mobilen. Han svarade. Han hörde en röst han kände igen.

"Kan vi ses nånstans?" frågade Benny Vennerhag. "Där jag inte behöver skämma ut mig."

"Har du nåt att skämmas för?"

"Att ses tillsammans med dig på offentlig plats kan vara dumt. Folk kan få fel uppfattning."

"Vilket folk?"

"Svenska folket, naturligtvis. Jag vet ett ställe, förresten."

Stället låg på Smithska udden. Winter parkerade på en öde parkering. Han gick bort till skjulet som fungerade som kafé under säsong. En racercykel stod lutad mot väggen. Det såg stylat ut, en ny racer mot en sliten vägg. Det hängde en metallicröd cykelhjälm på styret.

Vennerhag satt på baksidan med ansiktet mot solen, lutad mot väggen. Han var klädd i slimmad cykeldräkt. Han hade gått ner i vikt. Bredvid honom stod en ryggsäck i mjukt skinn. Han log när Winter klivit runt hörnet.

"Dags för fika", sa han och sträckte sig efter ryggsäcken.

"Du verkar ha all tid i världen", sa Winter.

"Det är bara fråga om planering, Erik. Och det är lugnt just nu." Vennerhag lyfte upp en påse. "Jag köpte både mazarin och wienerbröd. Du kanske vill ha både och?"

Winter svarade inte. Han satte sig på fällstolen bredvid Vennerhag. Dörren till skjulet stod öppen. En tunn nyckelknippa satt i. Stolarna måste komma därinifrån. Det kanske var Bennys nya business. Den var lugn just nu.

Vennerhag höll upp en stylad termos.

"Caffè latte på termos."

"Kan det vara nåt?"

"Utvecklingen går framåt."

Vennerhag tog fram två vita porslinsmuggar och satte dem på en fläckig bleckbricka han måste ha hämtat inifrån kaféskjulet. Muggarna såg ut att komma från NK. Det var en bra kontrast, helt modern.

"Vilken utveckling, Benny? Har du nåt åt mig?"

"Kaffe och wienerbröd", sa Vennerhag och log. Han lyfte upp bakverken och la dem på brickan. "Varsågod, som svartskallarna säger."

Winter skrattade till.

"Herregud, Benny, du kan vara hur stylad och modern som helst, men grottmannen i dig är aldrig långt borta."

Vennerhag skruvade av det översta termoslocket. Han reagerade inte på Winters kommentar.

"Du borde cykla du också, Erik", sa han.

"Det gör jag. Nästan varje dag när det är väder."

"Det är aldrig en fråga om väder. Vad har du för cykel?"

"Det kommer jag inte ihåg. En Crescent, tror jag. Treväxlad. Tio år gammal."

Vennerhag gjorde ett smackande ljud med tungan mot gommen. Han skruvade av det inre locket, och hällde caffè latten i kopparna. Vätskan var ljusbrun. Mulattbrun, tänkte Winter.

"Jag kan fixa nåt bra åt dig, Erik. Den där skiten kan du inte ha. Du såg min. Du behöver nåt sånt."

"Nej tack."

"Kom igen nu."

Han räckte en kopp till Winter.

"Fortsätter du så där kan jag inte ens ta emot den här koppen", sa Winter och tog emot koppen.

"Du behöver röra på dig, Erik."

"Sluta kalla mig Erik, är du snäll."

"Det är ju ditt namn", sa Vennerhag oberört och tog en klunk. "Aaahh, det har hållit värmen bra. Ta socker. Det ligger där." Han nickade mot brickan, tittade upp, log mot Winter. "Cykling är bra motion. Jag tycker faktiskt du börjar se lite pussig ut."

"Vill du ha stryk en gång till?"

"Det är inte så farligt. Jag menar inte så. Men när man kommer upp en bit i ålder är det bra med rörelse."

Han skulle kunna få se på rörelse, tänkte Winter, men det skulle vara barnsligt. Och han har rätt. Det går inte bara med whisky och vin. När jag fyller femtio har jag i så fall ett ansikte jag förtjänar. Whisky och racercykling kanske är en bra kombination, det ena först och det andra sen.

"Vad har du åt mig, Benny?"

Han tog en klunk av kaffet. Det var bra.

"Det ryktas om nåt kontrakt."

"Kontrakt? Menar du mord?"

"Ja."

"Vad är det för rykten?"

"Rykten, rykten. Du vet hur rykten är."

"Dom kan vara rätt solida. Var kommer dina ifrån?"

"Tror du jag svarar på det?"

"Vad säger dom?"

"Att den där... Sellbergs död var en beställning."

"Från vem?"

"Vet ej."

"Vem utförde det."

"Vet ej."

"Vem vet?"

Vennerhag tog en klunk igen. Det var mycket stilla vid hus-
väggen. Det hade varit mycket tyst medan de suttit där, men den
senaste minuten hade hammarslag kommit från bakom berget.
Någon arbetade med sin fritidsstuga. En del av stugorna därute
hade sakta och diskret byggts om till villor. Ingen från stadsbygg-
nadskontoret vågade sig längre dit med några frågor. Kanske Ben-
ny Boy ägde hela Smithska udden. Svarta udden.

"Hänger det ihop med den övergivna bilen på Älvsborgsbron?"
frågade Winter.

"Vet ej."

"Sluta låta som en jävla militär!"

"Ta det lugnt, Erik."

"Kontrakt, kontrakt. Varför? Varför skulle nån beställa ett mord
på Sellberg?"

"Det är väl inte alltför ovanligt."

"Jo. I min värld är det det, Benny Boy. Mord sker ofta i hastigt
mod. I din värld är det säkert annorlunda."

"Vi lever i samma värld, Erik."

"Håll käften."

Han visste att Vennerhag hade rätt.

"Ska du inte ha ditt wienerbröd, Erik?"

"Finns det fler kontrakt därute?"

"Kanske."

"Kanske? Nu börjar vi närma oss nåt."

"Jag pratar alltså om rykten."

"Hör det nya kontraktet ihop med det gamla?"

"Jag vet inte, Erik."

"Kan du försöka ta reda på det?"

"Det är farligt. Jag har frågat runt för mycket redan."

"Farligt? Farligt för dig?"

"Ja."

"Det tror jag inte på."

"Det här kommer från... källor nära dom tunga gossarna."

"Gossarna?"

Vennerhag lyfte sin mazarin och studerade den och la ner den igen.

"Där är jag bara en liten skit", sa han. "Tro mig, Erik."

"Talar du knarksmuggling nu, Benny?"

Vennerhag svarade inte. Det var också ett svar.

"Är det i dom kretsarna kontraktet upprättats?"

"Jag vet inte om det är just i dom kretsarna. Men informationen kommer därifrån."

"Vem är det?"

"Vadå vem? Jag avslöjar inga källor. Det vet du väl, för fan."

"Vem kretsar informationen kring? Vem är den tunge gossen? Den tyngste?"

Vennerhag svarade inte.

Winter ställde ner koppen. Han hade hållit i den länge, hållit upp den. En muskel på armen hoppade till. Han hade hållit på att tappa koppen.

"Benny. Jag ber dig inte avslöja nån källa. Eller vem som la ut kontraktet. Eller vem..."

"Det vet jag inte", avbröt Vennerhag. "Och jag vill inte veta."

"Nej. Men jag vill bara höra vilket namn som finns med här. Det måste finnas nåt namn. Det finns det alltid, det vet du. Ett namn. Ett oskyldigt namn."

Vennerhag skrattade till. Det lät mycket högt i stillheten och tystnaden. Hammarslagen hade upphört tidigare. De kunde sitta på den yttersta udden i världen. Det var samma värld för dem båda.

Vennerhag såg nervös ut för första gången. Han bet i sitt wienerbröd och började tugga utan att se ut som om han kände någon smak. Winter hade ingen aptit. Och latten måste ha kallnat. En klunk, eller två. Det var inte nog för bestickning.

Vennerhag svalde.

"Jag behöver inte ge dig nåt namn, Erik. Du kan tänka själv."

"Det finns många namn i den världen, Benny."

"Allt fler", sa Vennerhag.

"Är du ett av dom?"

"För helvete, Erik!"

"Du verkar ju kunna röra dig där."

"Jag ångrar att jag nånsin hjälpte dig. Att jag kom hit." Vennerhag hällde ut resten av sin latte i gräset. "Tack för i dag."

"Jag uppskattar din hjälp. Benny."

"Genom att kalla mig knarkbaron?"

"Det sa jag aldrig."

"Du menade det."

"Nej. Jag tar tillbaka. Du är en av dom goda i din värld, Benny. Annars hade jag inte suttit här nu. Vi har nåt gemensamt där, Benny. Det är du och jag mot dom."

"Ha ha ha."

"Kanske kan vi klämma åt dom den här gången."

"Hur?"

"Kontraktet."

"Det har inget med knarket att göra."

"Jaså? Det vet du?"

Vennerhag svarade inte. Det var också svar nog.

"Vem är baronen?" frågade Winter.

Vennerhags blick flög bort över berget. Winter kunde se stigen mot badet. En del av det var nakenbad. Han hade aldrig varit där. Han förstod inte nakenbad. Hammarslagen började igen. De var mer regelbundna nu, som om snickaren till slut funnit sin rytm.

"Pratade du med Lotta?" frågade Vennerhag, med blicken kvar på berget.

"Ja."

"Vad sa hon."

"Hon vill lämna det förflutna bakom sig."

"Man behöver inte lämna allt", sa Vennerhag.

"Lämna det här, Benny. Gå vidare."

"Jag är en annan nu, Erik. Det vet du. Det ser du. Och jag talar inte bara om vikten. Om hon bara kunde se mig. Om jag bara fick träffa henne fem minuter. Du vet att jag inte har ringt henne. Inte en enda gång. Jag skulle kunna göra det. Men jag gör det inte."

"Jag kan inte tvinga henne, Benny."

"Fråga henne en gång till."

"Det är meningslöst."

"En gång till."

"Vad ska jag fråga?"

"Om jag bara får ringa henne. Först. Bara ett par minuter. Ett par ord. Funkar det inte ska jag aldrig mer prata om det. Det är borta. Jag har lämnat det." Vennerhag lutade sig framåt. Cykeldräkten stramade över hans axlar. Den såg ut som skinn. Svart skinn. "Du vet att jag håller ord. Hur farligt kan det vara? Ett par ord bara."

"Okej. Jag ska fråga henne. Men det blir sista gången. Och hon kanske aldrig vill prata med mig mer sen."

"Hon kan väl inte förskjuta dig också? Sin egen bror?"

"Jag ska fråga henne."

Vennerhag nickade. Han reste sig.

"Ska du inte ha nåt av dom goda bakverken?"

"Jag är inte sugen, Benny. Det kändes för sött."

Winter reste sig från stolen.

Vennerhag vek ihop sin stol och ställde in den i skjulet. Winter gjorde detsamma. Det luktade förfluten sommar därinne, riktig sommar, inte indiansommar. Försluten sommar. Det luktade barndom.

De klev ut. Vennerhag vände sig mot honom.

"Lejon", sa han. "Christian Lejon."

31

DYKARNA GICK NER I LUGN SJÖ. Winter stod på polisbåten och såg solen gå ner bakom dem. Korset blänkte rött, som ett stopptecken. Winter hade beställt dykare från Kustbevakningen.

"Hur djupt är det här?" sa Ringmar.

"Inte så många meter", sa Winter. "Det är ju fortfarande så gott som inomskärs."

Ytan var lugn nu efter dykarna. Det kunde inte gå att förstå att det fanns människor därnere, levande eller döda.

Winter tände en Corps. Han blåste rök som drev bort över skären.

"Jag trodde nästan du slutat", sa Ringmar.

"Varför trodde du det?"

"Jag har inte sett dig röka på länge."

"Jag röker. Det finns fortfarande dom som inte gör allt rätt."

Ringmar skrattade till. Skrattet fångades av vattnet och löstes upp. Ringmars skratt kunde ha varit en mås skratt. Det fanns gott om dem ovanför båten. De kretsade runt och väntade, som alla andra här.

Ringmar viftade till mot korset. Det hade förlorat sin röda färg nu när solen sjunkit en bit till. Korset var svart, som en taggig kontur.

"Vi får se om det här är rätt", sa han.

"Rätt eller fel, det spelar ingen roll. Det måste göras, Bertil."

"Kanske låter vi den här korshistorien driva oss för långt."

"Vad menar du med det?"

"Det förutsätter att allt är planerat."

"Allt är planerat?"

"Ja, planerat från början. Av någon. Den som la korset i bilen förutbestämde utvecklingen. Han förstod att vi skulle förstå, eller få veta vad det var för kors. Och att vi skulle komma ut hit till slut. Och att vi skulle dra dom slutsatser vi drog."

"Har du dragit slutsatser? Jag har inte dragit några."

"Ta dom där nio kanonskotten", sa Ringmar. "Jag kommer faktiskt ihåg det. Tror till och med att jag hörde om tillståndet att få skjuta av dom. Det väckte lite munterhet."

"Varför?"

"Det kommer jag inte ihåg", sa Ringmar och log.

"Vad är det med skotten?"

"Verkar det inte lite väl sofistikerat att det handlar om nio skott här också? I det här fallet, eller fallen? Att vi skulle räkna ut det?"

"Det är inte så svårt att räkna till nio. Eller åtta."

"Jag menar själva kopplingen."

"Du sa ju själv att allt var förutbestämt, eller hur? Planerat."

"Då kanske det är för enkelt att det handlar om det nionde skottet."

"Eller så är det just så enkelt", sa Winter.

"Dom kanske vill att vi ska fokusera på det. Det räknar dom med. När det egentligen handlar om nåt helt annat."

Winter svarade inte.

"Nåt helt annat", upprepade Ringmar. "Dom visste vad vi skulle få veta, och vad vi sannolikt skulle tro."

"Vi söker oss fram, Bertil. Det är det enda vi kan göra."

"Lägger pussel, menar du?"

"Ja. Det här börjar alltmer likna ett pussel."

"Ligger en av bitarna därnere?" sa Ringmar och nickade mot vattenytan. Den var fortfarande lika kusligt stilla. Vattnet såg ut som en målning i järn och bly.

Den bröts av en krusning. En dykares huvud blev synligt. Winter höll upp en hand. Dykaren skakade på huvudet.

Korsplantering. Pistolplantering. Skulle de följa planen var det dags att söka på älvens botten. De följde planen. Nästa dag stod Winter på Pir 4 och såg ner i det svarta vattnet inomstads. De hade inte funnit någonting på havsbotten. Han hade inte trott det heller. Det var värt ett försök. Hon låg inte där, men hon låg någon annanstans. Korset visade vägen, men en annan väg.

Halders drog ett djupt andetag.

"Aahhh, det är friskt", sa han. "Vinter i luften."

Winter nickade. Det hade funnits något som liknade frost över stan när han körde från Vasaplatsen. Staden hade sett pudrad ut från Älvsborgsbron. Västerut såg älven ut som ett delta av is. Det är hav överallt, tänkte han, i olika former. Det här handlar om havet.

De stod ytterst på piren. Coldinukorset satt på en stång som gjutits i en sten oformlig nog att orsaka grundstötning. Men här, mitt i stan, behövdes ingen vägvisning för sjöfarare. Det var för honom. Skulle det här korset vara vägvisning för honom? Han tittade neråt igen. Det var samma dykargäng. Den här gången letade de efter en annan typ av döda ting.

"Varför inte", sa Halders och tittade efter dykarna. Man kunde se deras rörelser därnere, som skuggor. "En bra plats att dumpa ett vapen."

"Inte än", sa Winter.

"Vad?"

"Det är inte dags än. Pistolen ska avlossa nio skott först."

"Det kanske den redan har gjort."

"Nej, vi får veta det. Vi blir dom första att veta."

"Låter inte bra, Erik. Låter som om du står i skottlinjen."

"Nej, inte jag."

"Och ändå står vi här", sa Halders, "och stirrar ner i vattnet."

"Jag kan ju ha fel", sa Winter.

"Då drar vi en vinstlott", sa Halders. "Det bästa som kan hända är att du har fel."

"Ja."

"Intressant metod."

"Jag kan lära dig den, Fredrik."

"Då kanske jag kan bli kommissarie."

"Det blir du ändå."

"När då? Nej, tåget har gått." Han lyfte blicken över älven. Älvsnabben passerade därute, på väg mot Klippan. "Färjan har gått."

"Nästa år vid den här tiden har du så att säga en extra stjärna på axelklaffen, Fredrik."

"Tror du det? Då kanske dom skjuter salut för mig."

"Stå inte i skottlinjen bara."

"Här kommer Stewe", sa Halders.

Dykarens huvud blev synligt. Det rann svart vatten över cyklopet. Han gjorde tummen ner.

"Dom har sin lokal på Bellmansgatan", sa Aneta Djanali. "Coldinuorden."

"Har du varit där?" frågade Winter.

"Stängt. Men jag fick tag på en man i styrelsen. Bertil nånting."

"Bra."

"Han ville inte lämna ut medlemsmatrikeln."

"Så det finns alltså en sån."

"Ja. Dom är rätt många i den där orden."

"Där ser man."

"Men jag fick en kopia till slut."

"Det räknade jag med, Aneta."

"Så här är den."

Hon lämnade över papperen. Det var tre eller fyra.

"Har du läst?"

"Ja. Jag kände inte igen nåt namn."

"Kanske kör dom med hemliga namn", sa Winter.

Hans Norling ringde minuten efter att Aneta Djanali lämnat Winters rum. Kriminalkommissarien på narkotikaroteln var en gammal bekant. De hade patrullerat tillsammans när poliser fortfarande patrullerade till fots. Norling hade kört motorcykel och brutit benet på ett komplicerat sätt. Han sparkade aldrig kring i löven.

"Du hade sökt mig, Erik."

"Ja. Vad har du på Christian Lejon?"

"Lejon? Tja, mycket och lite, om man säger så. Han är inblandad i mycket, men vi vet lite om det."

"Hur kan det komma sig?"

"Skojar du?"

"Vad har han för front?"

"Ingen. Han bara glider runt, kan man säga."

"Import and export?"

"Det kan man säga. Det är en arrogant fan. Han vet att vi vet och så vidare."

"Vad vet vi? Eller ni."

"Han är sannolikt inblandad i den senaste heroinvågen över stan."

"Har du tagit in honom?"

"Några gånger. Det är som att prata med en orm."

"På vilket sätt?"

"Han väser, på nåt kusligt sätt. Han verkar livsfarlig. Är det, sannolikt. Vänlig och mild och livsfarlig. Vet du hur många inom knarkhanteringen som avlidit senaste året?"

"Nej."

"Fyra. En här och tre utomlands. Om Tyskland och Danmark längre räknas som utomlands."

"Stod dom nära Lejon?"

"Ingen står nära honom, Erik. Han verkar tycka illa om alla."

"Varför?"

"Samhällets fel, naturligtvis. Hans familj blev illa behandlad av samhället och nu ger han tillbaka."

"Har han sagt det?"

"Ja."

"Bara rakt ut så där?"

"Absolut. Han verkar stolt över det."

"Stolt över att vara kriminell", sa Winter. Han tänkte på Benny Vennerhag. Cykel-Benny, Vättern runt-Benny.

"Ja. Än en gång: han vet att vi vet."

"Har han nåt kontor?"

"Inte vad jag vet. Han brukar hålla hov ute på Hotell 11 på Eriksberg."

"Okej."

"Han bor i närheten. Styrfarten. Styrfarten 20, närmare be-
stämt. Tyvärr har jag aldrig varit inbjuden dit."

"Du kunde bjuda in dig själv."

"Det har varit frestande. Men vi har legat nära ett par tillslag
och, tja, det har inte fått äventyras."

"Avlyssning?"

"Vad tror du?"

"Och?"

"Han är hal, som sagt. Smart. Det är många telefoner. Andras
telefoner. Satellit ibland. Eller så ringer han inte på veckor."

"Skuggning?"

"Ibland. Alltid oskyldiga möten. Men dom han möter är ju inte
alltid så oskyldiga."

"Har du nån förteckning?"

"Över vilka han mött? Ja, så gott vi kunnat se."

"Kan jag få den?"

"Visst."

"Vet du var han är nu? I dag? Är han i stan?"

"Varför är du så intresserad av honom?"

"Hans namn dyker upp på olika ställen. Också hos oss."

"Nåt särskilt?"

"Det handlar om mordet på Bengt Sellberg."

"Ja, ni hörde ju av er om honom. Men han var ju inte nåt namn
hos oss."

"Nej, men han är det här."

"Så Lejon skulle vara inblandad i det mordet? Det låter inte likt
honom. Han tar inga risker."

"Han kanske var beredd att göra det den här gången."

"Varför?"

"Jag tror det är nåt personligt", sa Winter.

"Jaha?"

"Då är man alltid beredd att ta risker."

"Så kan det vara."

"Är det nåt särskilt jag bör veta om Lejon, Hans? Nåt som ligger
utanför hans vanliga CV."

"Hur menar du?"

"Nåt personligt. Nåt privat. Nåt som han håller för sig själv om han kan."

"Ska du söka upp honom?"

"Jag tror det."

"Ja... nåt privat... Han verkar inte tänka med kuken. Han knarkar inte. Han super inte så mycket. Han spelar inte. Han verkar ha humör men håller det i schack. Han bråkar inte med några grannar."

"Verkar vara ett helgon."

"Tydligen har han huvudvärk ibland. Det har visst ställt till det för dom jävlarna några gånger. Avbrutna affärer."

"Huvudvärk?"

"Migrän. Svår migrän."

Halders och Bergenhem gjorde sällskap in i polishuset. Receptionen var fylld av det vanliga patrasket, en blandning av jurister, tjuvar, oskyldiga.

De gick in genom spärrzonen och väntade framför hissen. Tre ordningspoliser steg ur. Flyktigt bekanta.

"Halders, hallå."

"Hej, Matte."

Matte log. De andra två kom Halders inte ihåg namnet på. En av dem hade ett brett flin klistrat över ansiktet. Han mumlade något till kompisen som Halders inte uppfattade. De var unga, femton år yngre än han, kanske tjugo, och tio femton år yngre än unge Lars. Flinet var en och nittio lång. Han flinade igen.

"Nåt som är roligt?" sa Halders.

Flinet skakade på huvudet. Han strök sig över munnen, men han lyckades inte helt torka bort flinet. De stora läpparna fladdrade som i vind.

"Tala nu om vad som är så jävla roligt!"

Matte såg plötsligt orolig ut. Han kände Halders.

"Det handlar inte om dig", sa Flinets kompis.

"Inte om mig. Nehej, tack för det. Vem handlar det om då?"

De tittade på Bergenhem, alla tre. Det var som en automatisk rörelse.

"Är det Lars ni gör er roliga över?"

"Nu åker vi, Fredrik", sa Bergenhem och tryckte på hissknappen. Hissen hade glidit igen medan de stod där.

Flinet mumlade någonting igen. Halders uppfattade vad det var. Han såg att Lars hade hört. Hissdörren gled upp. Lars var på väg in. Det fanns något i hans ögon som Halders aldrig tidigare hade sett. Det var inte sorg, inte rädsla. Det var skräck. Fröken Lars, hade Flinet sagt. Fröken Lars.

Halders knytnäve träffade Flinet rakt över kuken. Han kunde se hur all färg försvann ur den jävelns nylle. Den långa kroppen vek sig som ett rö för vinden. Halders körde näven i hans mellangärde. Flinet snappade efter luft. Smärtan skulle dröja några sekunder till.

"Fredrik!"

Bergenhem var ute ur hissen. Han greppade om Halders axlar. Men Halders rörde sig inte mer. Han tänkte inte slå något mer.

Matte och den andre knäböjde vid Flinets kropp. Den hade dråsat mot marken. Han låg i fosterställning.

"Det här är min bög!" sa Halders. "Det här är min vän!"

Matte tittade upp.

"För helvete, Fredrik!"

"Låt det bli känt", sa Halders. "Låt detta bli känt!"

Han tittade ner på Flinet.

"Du ska väck ur kåren, din jävla fascist. Säger du inte upp dig i dag anmäler jag dig."

"Han kan anmäla dig", sa Flinets kompis. "Det borde han göra."

"Ska du också ha stryk?"

Halders tog ett steg framåt.

Bergenhem slet in honom i hissen. Dörrarna stängdes. De var på väg upp.

Halders skrattade till.

"Bögkramare!" sa han. "Nu är man bögkramare."

"Du är fan inte klok, Fredrik."

"Nej!"

"Jag kan ta hand om mig själv."

"Jag vet, Lars. Det var en ren reflex." Han tittade på högra handen. Han knöt den. "Skönt att reflexerna fortfarande funkar."

"Efter det här är det jag som får säga upp mig", sa Bergenhem.

"Jag begriper mig inte på Edwards alls", sa Winter. "Det är mycket egendomliga signaler han ger ifrån sig."

"Är det signaler?" sa Ringmar.

"Ja. Han signalerar nåt."

"Vad är det?"

"Det är det jag inte vet. Inte förstår."

"Skuld?"

"Ja, kanske. Skuld."

"För vad?"

"Han var där", sa Winter. "Han var på bron. Han var i sin bil. Han tog sig därifrån. Lars kom dit före honom. Edwards hade gått hem."

"Har du sagt allt detta till Edwards?"

"Inget av det."

"Varför inte?"

"Jag visste det inte förrän nu!"

"Sköt han?"

"Det ska jag fråga honom."

"Sköt han efter någon?"

Winter svarade inte.

"Eller satte han bara ett skott i sin egen bil?" sa Ringmar.

"Intressant, är det inte?"

Ringmar strök sig över halsen. Den såg sargad ut, som om han rakat sig med en vessla. Huden var röd och skuren. "Vad säger du om det här med Fredrik och Lars då?"

De hade hört det för bara en halvtimme sedan. Halders och Bergenhem hade lämnat huset. Bergenhem has left the building. Frågan var om han skulle komma tillbaka.

"Åhlander har repat sig i alla fall", sa Ringmar. "Offret."

"Kommer han att göra anmälan?"

"Jag vet inte, Erik. Det är ju allvarligt. Det är typiskt Halders men det är fruktansvärt allvarligt." Kanske Bertil log. "Så här kan vi ju inte ha det."

Winter svarade inte.

"Enligt Mattelin blev dom provocerade", sa Ringmar. "Alltså Fredrik och Lars. Eller Lars. Mattelin är ju en ärlig själ. Åhlander måste ha sagt nåt."

"Vad sa han?"

"Matte hade inte hört det."

"Men det hade Fredrik?"

"Uppenbarligen."

"Vi vet ju vad det handlade om", sa Winter.

"Ja."

"Jag är orolig för Lars."

Ringmar nickade.

"Och då menar jag orolig. Killen håller på att explodera."

Ringmar nickade igen.

"Ibland känns det som om vi håller på att explodera allihop", sa Winter.

"Ja."

"Känner du så också?"

"Ja. Explodera. Implodera. Det är nåt i luften. Det är jobbet. Det är allting. Det är vädret. Den förbannade solen. Den jävla blå himlen."

"Men Lars kommer att explodera först", sa Winter.

"Tänker du göra nåt?"

"Jag ska prata med honom. Igen."

"Vad ska du säga?"

"Det vet jag inte riktigt."

"Har du pratat med hans familj?"

"Nej. Jag ska göra det också. Martina. Hon är bra." Winter sträckte sig efter Corpsasken. Han skulle gå ut och röka och tänka. "Det är mitt ansvar. Allt det här är mitt ansvar."

32

VEM VAR JAN RICHARDSSON? Vem är Jan Richardsson? Död eller levande, han var en efterfrågad man. Satt den nionde kulan i hans huvud? Det var för enkelt.

Winter var på väg till Richardssons ungdom. Han reste med Vesta. Ett vackert namn på en färja. Den anlöpte Brännö Rödsten 11.27. Den här ön har tagit över mitt liv, tänkte han. Mitt liv igen. Det fanns en tid när den där dansen på bryggan var viktigt i livet.

Han gick Rödstensvägen västerut. Richardsson hade vuxit upp i ett hus längre bort på Husviksvägen. Det hade tagits över av andra nu. Winter tog av från vägen och gick upp till kyrkogården. Han såg sig om. En man grävde i jorden femtiotalet meter bort, invid en stenmur. Dödgrävaren. Han arbetade intensivt. Winter gick mellan gravarna. De flesta var enkla, som om döden inte var mycket att yvas över. I andra länder ropade monumentala grav-byggnader ut döden. Döden var viktigare än livet, större än livet. Den hade funnits innan vi kom, den skulle finnas kvar när vi var borta. Evighet, den var evighet. I evighet, amen.

Mannen tittade upp. Han kisade i det eviga solskenet. Han såg ut som en trotjänare, det passade bra intill en kyrka. Han kanske hade grävt ner hela byns befolkning, undan för undan. Men nu grävde han inte en grav. Det var en rabatt. Jorden var upp och ner. Plantering i sena oktober. Eller om han bara grävde upp. Det låg rosor på gräset. De såg ut som fläckar av blod.

Winter presenterade sig.

Mannen nickade. Han sa inte sitt namn.

"Det är vackert här", sa Winter. "Vilsamt."

"Det är de dödas vilorum", sa mannen. Han talade som en präst, en skärgårdspräst. Orden rullade som stenblock. Det kanske var prästen. Det är hans rosor.

"Vem talar jag med?" frågade Winter.

"Boris Hjelm. Jag är kyrkvaktmästare."

"Jag försöker komma i kontakt med Jan Richardsson", sa Winter.

Boris Hjelm svarade inte. Han tittade på sin spade. Sedan tittade han bort över kyrkogården. Om detta är en rebus förstår jag, tänkte Winter. Spade. Gravar. Han har grävt ner nån i familjen Richardsson.

"Han är visst härifrån", sa Winter.

"Vilken Richardsson sa han?"

Hjelm hade tagit ett steg närmare, och vänt högersidan av ansiktet mot Winter. Hans bästa öra. Han är döv. Winter böjde sig lite framåt.

"Jan Richardsson. Han är kommunalråd inne i Göteborg. En politiker. Han bodde visst härute när han var ung. När han växte upp."

Hjelm nickade. Han hade hört.

"Har du sett honom?" frågade Winter. "Har du sett honom nyligen?"

"Nej, nej. Han har inte varit här på lång tid." Hjelm vände på ansiktet och såg på Winter. "Varför frågar han efter han?"

"Det är en rutinsak. Jag behöver prata med honom om en sak."

"Han bor väl i stan", sa Hjelm."Det är vad jag har hört."

"Ja. Men vi söker honom."

"Har han sjappat?"

"Förlåt?"

"Har han gett sig iväg? Är det därför han är här på Brännö? Letar han efter han?"

"Varför skulle han ha gett sig iväg?"

Hjelm kastade en blick över kyrkogården igen.

"Det är väl vad han gör", sa Hjelm. "Han sticker iväg och kommer inte tillbaka."

Hjelm pratade om något annat. En annan tid.

"Har han aldrig kommit tillbaka hit?" sa Winter.

"Han var bara borta", sa Hjelm. Nu nickade han, bort över kyrkogården. "Hans far och mor ligger därborta. Det går inte att se graven härifrån, men där ligger dom. Och han kom inte hit ens för begravningen!"

"Gjorde han inte det?"

"Nej. Det var som han var... död själv. Det är hemskt att säga det. Men så tyckte jag. Så tyckte andra också."

Winter nickade.

"Vad har han gjort?" frågade Hjelm. Han verkade inte ha några problem med hörseln nu. Han hade fått en annan färg i ansiktet. Det var inte solen.

"Jag vill prata med honom", sa Winter. "Men han är försvunnen."

"Det är ju det jag säger."

"Jag tänkte att han kanske hade åkt ut hit."

"Ut hit? Det skulle han aldrig göra. Varför skulle han göra det?"

"Varför skulle han inte göra det?" frågade Winter.

"Vasa?"

"Varför skulle han inte göra det?" upprepade Winter.

Hjelm svarade inte.

"Vad fick honom att ge sig iväg härifrån? Han hade tydligen bestämt sig för att aldrig komma tillbaka."

"Jag vet inte varför."

"När var det?"

"Vasa?"

"När sjappade han härifrån? Vilket år var det?"

"Det... kommer jag inte ihåg. Det var en sommar, tror jag. Det var många år sen." Hjelm tittade upp mot himlen, mot solen, solens gång, som om himlen kunde ge svaret.

"En flicka försvann en sommar härute", sa Winter. "Från kollot nere i Sandviksdalen."

"Ja, det kommer jag ihåg."

"Var det den sommaren?"

"Vasa?"

"Var det den sommaren Jan Richardsson sjappade från ön? Det var 1975. Var det då han stack härifrån?"

"1975? Det kunde det ha vart. Jag kommer inte riktigt ihåg. Men du kan fråga andra. Det finns såna med bättre minne än jag."

Winter nickade. Han behövde inte fråga. Han visste att han visste. Något hände och Jan Richardsson såg sig aldrig om, såg aldrig västerut mer. Young men gone east.

"Henry och Lina vilar därborta", sa Hjelm. "Hans föräldrar. Ska jag visa dig?"

Richardssons föräldrahem låg under två stora ekar. Huset var ett relativt stort kråkslott i trä, som många av de andra husen utefter Husviksvägen. Det här låg i korsningen av Bönekällan, om det nu kunde kallas korsning. Bönekällan var mer en stig, på väg upp mot berget, öns högsta punkter.

Winter betraktade huset. Henry och Lina hade levt här tills 1997. Det var ett årtal som återkom. Efter att Winter hade besökt Richardssons familjegrav gick han bort till en annan del av kyrkogården. När hade han varit här senast? Mats grav. Det blev alltmer sällan. Det fanns friska blommor vid graven. Mats hade haft många vänner. Flera hade dött de åren, men andra fanns kvar. Winter hade inte vetat namnet på blommorna, men de var vackra.

Nu gick han förbi huset och upp en bit på Bönekällan. Han kunde se kråkslottets bakgård, den var fylld med leksaker för barn: studsmatta, rutschkana, gungor, grävmaskiner. Huset hade fått liv. Jan Richardsson hade varit enda barnet. Hade det funnits liv här då?

Träffade jag honom? tänkte Winter plötsligt. Då. När jag var här. När Mats bodde här den korta tiden. Jag minns inte. Det är egendomligt att jag minns så lite från just då. Minnet har alltid varit bra, men inte från då, den sommaren. Det är som om den inte finns. Men den fanns. Winter vände i backen. Jag vill inte minnas.

*

Han körde över Älvsborgsbron och tog av mot Torslanda. Cisternerna vid Arendal glimmade dovt i skymningen. Den kom snabbt nu. Indiansommarens dagar var korta, men den ville inte släppa greppet.

Bergenhems radhus såg dystert ut i skuggorna. Men det var bara Winters sinnesstämning. Det såg ut som alla andra i raden. När hade han varit här senast? Han mindes inte. Han hade aldrig varit här.

Martina öppnade dörren innan han var framme.

1997 hade hennes man varit försvunnen. De trodde att han var död. Han borde ha varit död. Martina hade fött Ada utan att veta om flickan hade en far i livet. Angela hade varit där. Bergenhem hade klarat det.

"Erik", sa hon och gav honom en kram.

"Martina."

"Kom in."

Hon hade låtit överraskad när han ringde. Som om hon inte väntat sig det. Han kände skuld över det. Någonstans fanns hans skuld. Lars hade dragit sig undan de senaste åren, två, ett. Han hade varit upptagen med sig själv och jobbet.

"Ada är hos sin mormor", sa hon medan de fortfarande stod i dörren.

"Är det lov?" frågade han. Vad var det för jävla fråga.

"Nej. Men hon ville åka. En vecka, det blir mindre än en vecka. Och hon går i skolan. Det är i Backa mina föräldrar bor. Hennes morfar skjutsar henne till skolan."

Winter nickade. Det var mycket information. Hon kände sig tvingad att ge all denna information på grund av den jävla frågan.

"Har du pratat med Lars?"

"När? Om vad?"

"Om vad ni ska göra."

"Vad finns det att göra? Han har flyttat."

"Ska vi… gå in."

"Ja. Förlåt. Stig på."

De gick genom hallen till köket. Martina satte sig vid köksbordet.

"Jag hade inget kaffe hemma", sa hon. "Jag trodde jag hade det. Jag orkade inte gå och handla när du hade ringt."

"Skit i kaffet", sa Winter.

Han satte sig mitt emot henne.

Han visste plötsligt inte vad han skulle säga. Vad han borde säga. Nej, inte borde. Vad som var det bästa att säga i denna den sämsta av situationer. Han kunde inte försvara Lars. Han kunde inte fördöma honom. Han kunde bara vara orolig för honom, och för henne. För vad som skulle hända.

"Jag tror nåt kan hända honom", sa hon.

"Vad kan hända honom?"

"Han kan göra nåt dumt." Hon tittade på Winter. "Han kan göra det. Han… jag vet inte var han är. Vad han gör. Han har inte ringt. Han skulle ringa i eftermiddag. Han har inte gjort det. Han har inte ringt till Ada."

"Vad skulle ni prata om?"

"Han skulle bara ringa."

"Pratar ni i telefon varje dag?"

"Nej." Hon såg plötsligt förbannad ut. Som om han sagt något som han inte borde ha sagt. "Tror du han är lycklig nu? Tror ni det nere på polishuset? Det är han inte. Han är inte lycklig."

"Det är ett ord jag inte tycker om", sa Winter. "Lycklig. Jag tror inte på det."

"Det har jag alltid gjort", sa hon. "Gör man inte det så är det illa med en."

Winter parkerade utanför Ademars hus. Han tyckte han såg författaren skymta i fönstret. Något rörde sig.

Men ingen öppnade när han ringde på dörren. Han ringde flera gånger. Han gick tillbaka till framsidan och knackade på ett av fönstren. Efter en halv minut öppnade Ademar fönstret. Han hade ett mycket blått öga.

"Vad har hänt?" frågade Winter.

"Jag ramlade i köket. Jag var full."

"Varför öppnade du inte när jag ringde på?"

"Jag hörde inget. Jag var på toaletten."

"Är du full nu?"

"Nej."

"Släpp in mig."

Winter gick tillbaka till baksidan. Ademar öppnade. Han såg ut att röra sig med svårighet. Ena halvan av hans kropp verkade mer eller mindre förlamad.

"Det måste ha varit ett jävla fall", sa Winter. "Det måste ha varit många fall."

"Det var det."

"Du roterade åtskilliga gånger runt din egen axel."

"Jag tål egentligen inte sprit."

"Vem var det?"

"Det var jag själv. Jag är ibland inget bra för mig själv."

"Den som gjorde det där är inget bra för dig, Jacob. Verkligen inget bra. Vad hände?"

Ademar svarade inte. Han haltade iväg genom hallen. Winter följde efter.

Datorn var påslagen i arbetsrummet. Det grå ljuset blandades med det gula skenet från solen.

"Du kan tydligen skriva i alla fall", sa Winter.

"Det blir inget", sa Ademar.

"Vad menar du?"

"Det blir ingen bok."

"Du kan inte lägga ner det, Jacob. Precis som jag inte kan lägga ner utredningen."

"Det är skillnad."

"Nej. Det är ingen skillnad."

"I vilket fall kommer jag inte att skriva nåt mer."

Ademar sjönk ner i sin arbetsstol. Han kastade en blick in i skärmen. Blicken var lika tom som skärmen.

"Var är manuskriptet?" frågade Winter. Han nickade mot skrivbordet. Ytan bakom datorn var tom.

"Vilket manuskript?"

"Gör dig inte dum, för helvete! När jag varit här har det legat

342

ett manuskript där." Winter pekade på bordsskivan. "Nu ligger det inte där."

"Du lägger visst märke till det mesta."

"Var är boken?"

Ademar svarade inte.

"Vem lämnade du den till?"

"Varför kom du hit?" frågade Ademar.

"Vem lämnade du den till!?"

"Det betyder inget", sa Ademar. "Det spelar ingen roll vem som har den."

"Det tror jag det gör", sa Winter. "Det betyder en hel del för din bok. Kanske allt. Du kommer inte att sluta skriva. Tvärtom, du vet mer nu än du visste förut. Vem var det som kom hit? Det betyder en hel del för mig också. Vet du mer så måste jag få veta mer också." Winter tog ett steg framåt. "Förstår du inte, Jacob? Jag är en del av din bok! Du kan inte skriva den klar utan mig! Du måste berätta. Om du inte gör det kan du inte fortsätta. Kanske inte jag heller. Vi kommer inte härifrån om du inte berättar. Jag kommer inte ifrån det här rummet. Hela berättelsen slutar här och nu."

"Har du blivit galen, Winter?"

"Vem var det? Vem var det som misshandlade dig?"

"Säg mig först varför du kom hit."

Winter tog ett steg till. Han stod bara två steg från Ademar nu. Han kunde se att författaren hade mycket ont. Antagligen några spruckna revben bland alla de andra skadorna. Hans ansikte var lika grått som datorskärmen. Det var inte strålningen. Ademar borde åka till sjukhus. Winter kunde skjutsa honom. Men först detta.

"Jag var ute på Brännö", sa Winter. "Frågade lite om Richardsson. Han lämnade sannolikt ön den sommaren Beatrice försvann. Jag har inte hunnit kolla upp det ännu. Men jag tror det. Han återvände inte ens för att begrava sina föräldrar. Kan du begripa det? Något hände som höll honom borta från ön för alltid."

Ademar nickade.

"Har du hunnit så långt i din bok ännu, Jacob? Eller ska det bli nästa kapitel?"

"Jag vet inte. Det blir inget nästa kapitel."

"Var det nån från då som steg in här?" frågade Winter.

"Från när?"

"Du vet vad jag menar. Någon från din bok. Från det förflutna. Från den sommaren. Som inte är med i din bok ännu. Men som hör hemma där. Och som inte vill vara med. Som tog med sig boken av den anledningen. Som förbjudit dig att fortsätta skriva. Men det går ju inte, Jacob. Det är som att förbjuda mig att fortsätta den här utredningen."

"Det var inte därför han kom hit", sa Ademar.

"Jo. Han kom hit för att stryka sig ur din bok. Stryka hela jävla boken."

"Nej, han kom inte hit av den anledningen."

"Varför kom han hit då?"

"Jag hade kört på hans bil."

"Förlåt?"

"Jag hade kört på hans förbannade bil! Jag märkte det inte ens. Han spårade mig. Det var nåt med lacken. Han kunde få jobb hos er, Winter. Chef på tekniska roteln. Han hittade mig."

"Jag tror inte på den historien."

"Det var därför han nästan slog ihjäl mig."

"Varför bara nästan?"

Ademar svarade inte.

"Du sa det själv, han slog nästan ihjäl dig. Varför? Vad var det mer som hände? Vad fick honom att sluta?"

Ademar tittade hastigt in i datorskärmen. Det var ett svar.

"Han är med i boken", sa Winter. "Han finns där. Han upptäckte det. Så vi är tillbaka igen där vi började. Han var med, men han ville inte vara med."

Ademar böjde sig framåt och tryckte av datorn, som för att ge eftertryck åt att allt var över nu.

Han tittade upp på Winter.

"Han dödar mig om han får veta att jag pratat med dig."

"Han har nästan slagit ihjäl dig redan. Du är ju nästan död."

"Jag kan inte skratta åt den kommentaren, Winter. Det gör allt-för ont."

"Jag sa det inte för att vara rolig. Vem är det?"

"Som jag sa: han dödar mig. Eller resten av mig. Tro mig. Om du ställer frågor till honom så kommer han att förstå att jag berät-tat. Du får en död till i din utredning. Det vill du väl inte? Även om du vet vem som gjorde det."

"Var det han som gjorde det?" frågade Winter. "Som dödade Sellberg?"

"Det vet jag inte. Det sa han inget om."

"Ditt namn kommer inte att nämnas", sa Winter.

"Nu måste jag nästan skratta", sa Ademar.

"Jag säger ett namn till dig nu", sa Winter. "Jag säger ett namn och du kan gråta som svar, om du vill. Men det finns ett namn. Jag har redan ett namn. Så då behöver du inte vara så orolig, eller hur? Jag har redan ett namn som jag har tänkt undersöka. Det här kanske bara är en bekräftelse."

"En bekräftelse på vad?"

"Att jag har rätt."

"Rätt om vad?"

"Det får vi se. Först tar vi namnet."

"Helst inte."

"Lejon", sa Winter. "Christian Lejon."

"Vem är det?"

"En lokal gangster. Lejon."

"Han... sa aldrig sitt namn", sa Ademar.

"Det tror jag inte på. Du får sluta ljuga nu, Ademar. Du jobbar inte nu. Lejon är inte den blyga typen. Han skulle säga sitt namn till dig även om han inte skulle slå ihjäl dig efteråt."

Ademar nickade.

"Du kanske redan visste det", sa Winter.

Ademar svarade inte.

"Vad ska han göra nu?" frågade Winter.

"Vad menar du?"

"Vad ska han göra med manuskriptet?"

"Ingenting, vad jag vet."

"Vad ska du göra?"

"Ingenting", svarade Ademar. "Vad ska du själv göra?"

"Jag ska i alla fall inte göra ingenting", sa Winter och snurrade på klacken och gick därifrån.

Gräsmattorna i Örgryte var täckta av löv. Marken var röd. Grenarna på träden var naknare nu än för bara några dagar sedan. Naturen hade bestämt sig för att trotsa indiansommaren. Den riktiga frosten väntade i bakgrunden. Winter tänkte plötsligt på Marbella sena eftermiddagar i oktober. Det var så långt från frost det gick att nå. Blodet flöt utan motstånd genom kroppen. Allt flöt utan motstånd.

Ingen hade räfsat löv på Richardssons gräsmattor. Huset såg därför obebott ut. Persiennerna var nerdragna, som ett hus i sorg. Kanske de redan hade börjat sörja. Kanske hade gjort det under mycket lång tid, tänkte Winter och steg ur Mercedesen.

Gruset var torrt under hans skosulor när han gick fram till dörren. Det fanns ingen bil på uppfarten. Barnen kanske var kvar i skolan. Han kom just nu inte ihåg namnen på dem.

Han hörde en telefon ringa någonstans. Det måste vara inne i huset. Den ringde och ringde. Signalerna upphörde. Sedan började det ringa igen. Någon som inte trodde på att ingen var hemma.

Winter ringde på dörrklockan. Signalerna blandades därinne. Anfall från två håll, tänkte han. Han hörde något bakom sig. Han vände sig om. Pojken stod vid grinden. Pojken såg ut som om han skulle börja springa därifrån. Han hade tagit ett steg bakåt. Över axeln hade han en bag, det såg ut som en sportbag.

Winter höjde handen till hälsning. Det var en vänlig gest. Han ville inte ropa. Pojken stod kvar. Han såg fortfarande obeslutsam ut. Winter gick snabbt nerför trappan och tillbaka på grusgången. Pojken väntade.

"Hej", sa Winter.

"Hej."

"Jag är polis. Jag var här förut."

Pojken nickade. Winter mindes det skrämda ansikte han sett genom fönstret. Och när pojken kommit ner för att försvara sin familj. Modern och systern. Fadern fanns inte där då. Men pojken kanske försvarade honom också.

"Jag heter Erik", sa Winter.

Pojken nickade. Plötsligt mindes Winter pojkens namn.

"Du är väl en Erik du också, va?"

"Ja."

Det fanns ett klubbmärke på bagen. Det var blått och vitt.

"Spelar du inte i stadsdelens lag?"

Pojken skakade på huvudet.

"Mitt gäng också", sa Winter och nickade mot märket.

"Spelar du fotboll?"

"Om jag har spelat, menar du? Ja."

"Var då?"

"Ett par olika klubbar. Men mest för Sandarna."

"Sandarna? Sandarna BK? Är det fyran?"

"Jag tror det. Är du bra på tabeller?"

Pojken nickade igen.

"Inte så kul läsning just nu", sa Winter.

"IFK kan fortfarande bli trea", sa pojken.

"Det är bara två matcher kvar", sa Winter. "Och dom kan inte fixa det själva."

"Dom fixar det."

"Bra", sa Winter. "Jag tror på dig."

"Letar ni efter pappa?"

Pojken hade släppt bagen på marken. Den verkade lätt. Dagens fotbollsskor var lätta. Det var inte ens läder.

"Ja, vi försöker hitta honom."

"Om… han inte vill då?"

Winter sa ingenting.

"Om han inte vill bli hittad så behöver ni väl inte leta efter honom?"

"Ibland behöver man prata med folk, Erik. Vi behöver prata med din pappa om en sak."

"Vadå för sak?"

"Det kan jag inte säga. Polishemligheter, du vet. Men det vore bra om vi kunde få prata med din pappa. Vi pratar med massor av människor, varje dag. Det är alltid så. Det är väl mitt jobb, kan man säga. Och nu vill vi prata med din pappa, men det kan vi tyvärr inte."

Pojken tog upp bagen igen. Han tittade mot huset. Han såg ut som om han inte visste om han ville gå in i det.

"Har du pratat med din pappa?" frågade Winter. "Sedan han… försvann?"

"Nej."

"Han har inte ringt?"

"Nej."

"Har du tänkt på var han kan vara nånstans?"

"Nej."

"Om han åkt iväg långt", sa Winter.

Pojken tog ett steg mot grinden. Winter hade lämnat den öppen.

"Han är död", sa pojken.

33

WINTER KÖRDE TILLBAKA mot stan med pojken Eriks ord ringande i huvudet. Det var definitiva ord. Men de kunde betyda olika saker. Döden kom i olika skepnader. Olika roller. Winter hade försökt fråga pojken om vad han menade, men han hade bara skakat på huvudet och gått in i huset. Winter hade inte följt efter.

I bilen tänkte han på vad pojken visste. Eller vad han hade råkat ut för. Han bar på egna hemligheter. Hade han pratat med sin mor om det? Winter var inte säker. Och han var inte säker på att hon skulle ha lyssnat ändå. Hon levde i något slags parallella världar. Kanske rörde hon sig mellan dem. Det var vad hon hade gjort när han såg henne köra förbi på Danska vägen, på väg till Lovisagatan. Var det möjligt att nå hennes man genom henne? Vart skulle de följa henne? De hade inte följt henne, inte på det sättet.

I Allén fladdrade solljuset mellan träden. Det gav honom huvudvärk. Det var den mildare varianten. Han hade hållit smärtan på avstånd ett tag nu, och utan tabletterna. Tabletter hjälpte inte. När smärtan rasade ner över honom som betong hjälpte ingenting. Han ville inte återvända dit. Han var rädd för det. I helvete att detta var migrän. Det var inte en hypofystumör. Obehandlad hjärnblödning? Han kanske hade lidit av det de senaste tio åren. Det var priset för jobbet. Till slut läckte blodet ut. Det var smärtan. Blodet var smärtan. Till slut skulle skallen vara tömd på blod och han skulle inte längre ha ont. Tömd på tankar. Det gjorde också ont. Det var bättre att supa. Det var vad kriminalpoliser gjorde när de pensionerats. Ibland tjuvstartade de.

I hissen dunkade huvudet i takt med uppstigningen. Det var en bullrig hiss.

Han steg ur och hörde redan en barnröst.

Därinne hoppade Lilly upp i hans armar. En liten klump betong. Angela kom ut från köket. Han satte ner Lilly.

"Var är Elsa?" sa han.

"Hos Clara."

"Har hon flyttat hemifrån?"

Angela skakade på huvudet. Det kunde tolkas på olika sätt.

"Hon är ju för fan mer där än här!"

Angela svarade inte.

"Vad?"

"Som om du skulle märka det, Erik."

"Vad menar du me…" sa han och avbröt sig. Lilly stirrade upp på honom. Hon kände inte igen honom. Hans ansikte hade blivit ett annat.

Han gnuggade sig över hjässan.

"Har du tabletterna?" frågade Angela.

"Nånstans."

"Erik."

Det lät sorgset. Som över ett barn som inte vill bättra sig. Inte lyda. Inte känna sitt eget bästa.

Han hörde ett skrap från köket, en stol mot golvet.

"Siv är här", sa Angela och vände på klacken.

Jacob Ademar tänkte på sin bil som en avlägsen släkting. Den hade stått så länge i garaget att han inte riktigt längre mindes dess utseende. Han ville helst inte se bilen igen. Den hade orsakat honom så mycket smärta. Det hade varit mycket märkbart när han försökt vika sig in i taxin. Chauffören hade sett orolig ut, som om han skulle behöva ge första hjälpen under resan. Ademar hade känt svetten i pannan.

Han hade mumlat adressen som Lejon hade givit honom.

Bilen svängde ut från grinden.

Vinden drev torra löv över Danska vägen, från trottoar till trottoar. Det påminde honom om tiden. Han kände det som om han hade lämnat tiden under den senaste… tiden. Något slags limbo, det var hans liv just nu. En lindansare. En lindansare utan lina. Jag är rädd.

Taxibilen körde i hög fart genom rondellen vid Sankt Sigfrids plan. Han kände ett plötsligt illamående. Det stramade över bröstet.

"Kan du stanna ett tag", sa han i höjd med Svenska Mässan.

"Vad är det?" sa chauffören. Ögonen i backspegeln var oroliga. Killen var något slags arab. Eller perser. Kurd. Ademar gav fan i vilket just nu. Han ville ut. Det snurrade i hjärnan när han kravlade sig ut ur baksätet. Var det så här att vara riktigt gammal. Han stod på trottoaren nu. Illamåendet sköljde undan, som vågor som blev mindre och mindre. Ett förbipasserande par tittade på honom. Chauffören höll motorn igång, som om han vilken sekund som helst skulle smita därifrån. En smitare. Ademar försökte fixera blicken på glasfasaden tvärs över. Därinne hade han hållit ett par föredrag till en likgiltig bokmässepublik som slagit ihjäl tiden med honom i väntan på nästa storfräsare. Han skulle aldrig bli en storfräsare. Han hade fräst färdigt nu, men det hade mest blivit som en föning. Hette det så? Föning? Fön? Han försökte koncentrera sig på ännu ett meningslöst ord medan illamåendet sjönk undan. Chauffören väntade fortfarande. Han var den trogna typen. Ademar vände sig om och kröp tillbaka in i bilen. Han nickade mot chaufförens mörka ögon i backspegeln. Fortsätt framåt.

Siv Winter tackade nej till ännu ett glas vin. Hennes son hällde upp till sig själv. Vin hjälpte mot allt. Det var en mildare medicin än whisky. Siv hade lämnat ett land där vinet aldrig tog slut, eller gin & tonicen i hennes fall. Winter trodde att hon snart skulle återvända.

Angela hade ursäktat sig och burit iväg med en halvsovande Lilly. Siv Winter hade tittat efter dem.

De hörde hur det skvalade i badrummet.

"Hur är det att komma tillbaka?" sa han. "Har du fått nåt intryck av stan?"

"Det är inte sig likt", svarade hon.

"Är det bra eller dåligt?"

"Jag vet inte än." Hon nickade mot flaskan. "Jag kan ta ett glas i alla fall."

Han hällde upp.

"Och ni är er inte riktigt lika", sa hon. "Du och Angela."

"Jaså?"

"Nej."

"Jag vet inte om du menar att det är bra eller dåligt."

"Vet du inte det?"

"Nej."

"Då gör du dig dummare än du är, Erik. Och så mycket har du inte förändrats. Att du blivit dum i huvudet."

"Det kanske jag har. Jag har ont i huvudet. Det kanske beror på en ökande dumhet."

"Jag tycker du ska skärpa till dig."

Han svarade inte. Det var en mors privilegium att säga så till sin son. Han drack av vinet. Det smakade inte bra längre, för jävla milt. Han behövde en whisky. Han behövde nåt där han kände smaken, och styrkan. Rieslingen var vatten nu, den kunde komma från kranen.

"Angela ser ledsen ut", sa Siv.

"Vad har ni pratat om här egentligen?"

"Ingenting."

"Ingenting? Försök inte med mig." Han reste sig. "Ursäkta."

Han gick in i vardagsrummet och tog en av whiskyflaskorna från skänken och hällde upp i en tumbler, två centimeter, tre. Han drack en klunk och tog med sig glaset tillbaka till köket.

"Vill du ha en gin & tonic?" frågade han.

"Jag vill inte ha nånting mer."

Hon tittade på whiskyglaset men sa inget.

Han satte sig.

"Det har varit lite jobbigt ett tag. Jag har haft den här huvudvärken… och sen är det jobbet."

"Är det inte alltid jobbet?"

"Angela tycker att jag aldrig är hemma."

"Är du det då?"

"Jag är hemma nu, till exempel."

Han drack igen. Det här smakade nånting. Det hjälpte mot allt. Whisky var Djävulens dryck, men kunde man kontrollera Djävulen så var det världens bästa medicin. Han kunde kontrollera att Djävulen aldrig kom in i honom.

"Ni måste verkligen prata om det", sa Siv. "Ni är ju förnuftiga människor. Ni är mogna. Du är ju snart femtio, Erik. Du kan inte hålla på som en yngling."

"Som en yngling? Håller jag på som en yngling? Vad exakt är det jag håller på med?"

"Du var sen med att bilda familj. Jag var alltid lite orolig för det. Det var som om du inte var mogen för det. Jag kunde inte riktigt förstå det."

"Här kommer dom stora sanningarna", sa han.

"Jag ska inte säga mer."

"Men gör det. För all del. Snart kommer Angela. Hon kan vara med i terapin."

"Nu är du dum, Erik."

Han drack igen. Till hans förvåning tog spriten slut i glaset. Han reste sig och gick in i vardagsrummet och hällde upp ett par centimeter till och gick tillbaka. Han kände sig lugn nu. Allting skulle ordna sig. Det var bara en moders naturliga oro för sitt barn och hans liv. Det fanns ingenting att oroa sig för. Allting var bra. Det skulle komma en vinter som skulle bita i skinnet, och det var bra. Det hade varit för mycket sol. Det var aldrig bra. Siv hade till slut inte stått ut längre. Han kunde stå ut med sol, men inte i alltför långa perioder. Halvåret senast på Costa del Sol var gränsen. Trodde han. Å andra sidan.

Han satte sig igen.

"Jag är kanske dum", sa han.

Hon log.

"Men bara ibland", sa hon. "Du är inte dum egentligen."

*

Taxin snurrade i Mariaplans rondell. Ademar såg en kvinna komma ut från Mariaplans bokhandel. För några år sedan hade han varit inbjuden dit för att prata om en bok. Han mindes innehavarna som anständiga människor. Han hade inte varit tillbaka. Han kände inget illamående nu. Bilen fortsatte förbi ett konditori, och en cykelaffär på andra sidan spårvagnshållplatsen, den tog in på en av de små gatorna bortom Kungsladugårdsskolan, svängde till vänster och sedan till höger. Chauffören spanade på gatuskyltarna.

"Stilla gatan", sa Ademar.

"Här är det", sa chauffören och stannade bilen framför fasaden till ett av landshövdingehusen. De var sammanbyggda med valv och torn och tinnar, som ett träslott som täckte hela kvarteret bort mot Västra kyrkogården.

Ademar betalade och klev ur.

Han hörde ett fönster öppnas ovanför honom, och tittade uppåt.

Christian Lejon nickade mot honom två våningar upp. Han pekade mot porten utan att säga något. Ademar gick dit. Porten stod öppen. Han gick uppför trapporna. Dörren till lägenheten stod öppen. Han klev över tröskeln, och fortsatte genom hallen till rummet han kunde se i bortre änden. Han kunde se Lejons ryggtavla.

"Du kan stänga dörren efter dig", sa Lejon utan att vända sig om.

Ademar gick tillbaka och stängde dörren.

Lägenheten verkade tom, tömd. Det fanns inga möbler, inga textilier. Det luktade av damm, en instängd lukt, trots att Lejon öppnat ett fönster.

Ademar gick in i rummet där Lejon stod.

Från fönstret gick det att se några av varvskranarna på Hisingssidan. Älvsborgsbrons valv spände över hela det vänstra synfältet. Bron glimmade röd och grön i skymningsljuset.

"Jag tycker om den här utsikten", sa Lejon utan att släppa blicken på den.

"Ja."

"Jag växte upp i den här lägenheten. När jag var liten stod jag här och såg på kranarna och väntade på att min pappa skulle komma hem. Och jag stod här när jag kom hem från skolan. Då visste jag att han satt i en av dom där kranarna som jag kunde se."

Ademar nickade.

"Och en dag kom han inte hem mer", sa Lejon.

"Vad hände?"

"Vad tror du? Dom jävla svinen mördade honom, förstås."

Lejon hade fortfarande inte vänt blicken från utsikten. De svarta kranarnas silhuetter var djur från en förhistorisk tid. Varvsperioden.

"Han hade inte en chans", sa Lejon. Han vände sig mot Ademar. "Jag står här ibland och tänker på det. Det är bra för mig att tänka på det."

"Är det verkligen så bra?" sa Ademar.

Lejon skrattade till.

"Jag gillar dig, författaren."

Ademar svepte med handen över rummets yta.

"Ska du flytta in?"

"Nej."

"Ska du flytta ut?"

"Nej", sa Lejon och log. "Det ser alltid ut så här."

"Hyr du den här lägenheten?"

"Jag äger den", sa Lejon. "Det har jag gjort länge."

Ademar nickade. Lejon ville ha ett tomt museum över sin barndom. Ett mausoleum. Det var okej. Det var sinnessjukt men okej.

"Jag äger hela huset", sa Lejon.

"Står dom andra lägenheterna också tomma?"

Lejon brast i skratt igen. Det ekade tomt i rummet, som över en ravin. Som hela vägen från dom döda varven därborta, tänkte Ademar.

"Fan, jag gillar verkligen dig", sa Lejon.

"Var det därför du bad mig komma hit? För att berätta det för mig."

"Jag ville visa dig utsikten", sa Lejon.

"Den är fin."

"Dom tog ifrån mig den. Utsikten. Men jag tog tillbaka den."

"Ja. Jag kan se det."

"Jag har tagit tillbaka allt dom tog ifrån mig", sa Lejon. "Och lite till."

"Jag förstår det."

"Utom farsan. Jag kunde inte få tillbaka honom. Och inte morsan. Dom tog henne ifrån mig också. Sen skickade dom ut mig till ön."

"Ön?"

"Brännö. Kollot. Dom skickade ut mig dit. Förvisning. Det heter förvisning."

Ademar nickade.

"Där träffade jag din syster", sa Lejon och vände sig mot Ademar igen.

"Jag tror dig."

"Och sen tog dom henne ifrån mig också."

"Vilka dom? Vilka menar du? Är det samma 'dom' du menar?"

"Nej. Men det är samma svin. Alla svin är samma svin, eller hur? Håller du inte med mig?"

"Det finns många svin", sa Ademar, "det håller jag med om. Vilka svin fanns det på Brännö?"

Lejon svarade inte. Han vände blicken utåt igen. Ademar följde den. Det var samma döda scen, om man såg det så. Eller levande scen. Kranarna var döda, men de stod kvar. Och den norra älvstranden hade fått liv igen. Tiotusentals har flyttat dit, tänkte Ademar. Bron är fylld av dom. Han kunde se blänk och blixtar från bilar som körde över bron.

"Jag har läst din bok", sa Lejon.

"Det är ingen bok. Den är inte klar."

"Det kan jag hålla med om."

"Det blir ingen bok", sa Ademar.

"Vad menar du?" Lejon tittade på honom. Stirrade. Vansinnet blänkte i hans ögon. Eller om det var något annat. "Vad i helvete menar du? Vadå ingen bok?"

"Jag har tappat lusten. Jag kommer inte längre nu. Och ditt besök hjälpte inte precis."

Lejon grep tag i hans axlar med sina händer.

"Det besöket var det bästa som hänt dig, fattar du inte det!? Det var försynen. Det var inte slumpen. Det var Gud som styrde din bil mot min bil. Det var hans hand. Den förde mig till dig. Den förde oss samman!"

"Är du religiös?" sa Ademar och försökte vrida sig ur Lejons grepp. Det var inte hårt. Gangstern ville bara markera sin närvaro. Sin lidelse. Det är lidelse han har i ögonen.

"Du har inte fattat", sa Lejon och släppte hans axlar. "Jag ska hjälpa dig att skriva klart boken."

Winter simmade över ett hav. Han visste inte hur långt han hade kommit. Det fanns bara horisontlinje runt honom, en jättelik cirkel. Han var alltså mitt i havet. Han kunde välja att simma åt vilket håll han ville. Han hade alla val kvar. Det betydde att han inte var färdig med sitt liv. Han förstod det. Det var ett tecken. När han fortsatte att simma mot väster såg han bron över sig. Han visste att den skulle finnas där om han bara fortsatte ett litet stycke till. Den sträckte sig från horisont till horisont. Det var världens längsta bro. Den täckte hela det norra halvklotet. Den hade tillverkats i Göteborg, i sektioner, utlagda över den norra älvstranden. Den hade givit alla de gamla varven arbete igen. Han simmade under bron och han visste att han kunde nå den om han ville. Det var bara att sträcka upp handen. Någon stod däruppe och skrek till honom. Skriket lät som ett tjut. Det var ihåligt och skallrande som en siren. Det var ett ljud han kände igen, siren. Han hade levt nästan hela sitt vuxna liv bland sirener. Nu satt han på en segelbåt och såg ett huvud guppa på vattenytan. Någon hade avlöst honom nere i vattnet. Det var en flicka och hon simmade mot holmarna som hade flutit in från väster. Vill du ha lift? skrek han. Hon såg honom inte, hon simmade, simmade. Sirenen fortsatte att ljuda som gallskrik över havet. Det lät som ett barns skrik. Winter hörde sitt namn. Han ville inte lämna segelbåten. Han pekade på en annan Erik, ta honom. Han såg flickans huvud guppa bort mot holmarna. Sedan var det borta. Han hörde sitt namn. Ett skrik. Sitt namn.

"Erik. Erik!"

Han kände en hand på sin axel. Den var verklig.

Han öppnade ögonen. Ljuset var tillräckligt för att han skulle kunna se Angelas ansikte. Det verkade sväva över honom.

"Nån söker dig", sa hon.

"Vem är det?"

Han satte sig upp.

"Han säger inget."

"Vad i helv... det här är ett hemligt nummer."

Angela såg rädd ut. Som om någon brutit sig in där. Hon hade telefonluren i handen. Winter tog den.

"Hallå!? Hallå!? Vem är det?"

Han hörde ett brus. Det kanske var en andning. Det lät som långt borta.

Någon lyssnade. Han hörde någon lyssna.

"Vem i helvete är det!?"

Bruset fortsatte. Det finns ingen där nu, tänkte han.

Signalen bröts.

Han stirrade på telefonluren. Han vände blicken mot Angela. Klockan på hennes nattygsbord visade halv fyra. Han kunde se sladden mellan sin hand och telefonen på bordet. Han hörde ljud ute i hallen. Siv hade väckts av det nattliga samtalet. Men det var inget samtal.

"Vad sa han?"

"Han frågade bara efter dig", sa Angela. "Han frågade efter Erik Winter."

"Vad sa du då?"

"Jag frågade vad det gällde, förstås."

"Vad sa han då?"

"Han sa inget mer."

"Vi får se om vi kan få fram avsändaren till det samtalet. Men jag är inte optimist." Han visste att det närmast var omöjligt. "Och du kände inte igen rösten?"

"Nej. Men jag var knappt vaken. Jag vet inte vad… vem det var."
Angela tittade på telefonen som om hon aldrig mer ville ta i den. Som om mardrömmen hade blivit verklig i hennes eget sovrum.

"Kan vara en vanlig galning", sa Winter. "En felringning. Det är det mest troliga."

"Tror du det?"

"Kan vara det."

"En felringare frågar inte efter namn", sa Angela.

"Det händer."

"Han visste var han hade hamnat. Så jävla dum är jag faktiskt inte."

"Vad händer? Vem var det?"

Frågan kom bortifrån dörren. Winter såg Sivs silhuett.

"Felringning", sa han.

34

"VAD ÄR DET VI SÖKER?" sa Winter. De satt på Ahlströms konditori. Korsgatan utanför var fylld av människor på väg till helgen via butikerna. Dagen var klar och kall.

"En mördare", sa Ringmar och tryckte sin gaffel genom en budapestbakelse som väntade på assietten.

"Det är brottet", sa Winter. "Mordet är brottet."

"Ett av dom."

"Vad vet vi om Sellberg?"

"Inte mycket."

"Han levde väl ett stillsamt liv."

"Utom när han bråkade med sin granne."

"Säger grannen."

"Tror du inte på författaren, Erik?"

"Han kanske lever i en drömvärld. Han kanske har fantiserat ihop sin historia."

"Han verkar inte knäpp."

"Han är författare. Seriös författare, vad jag förstår."

"Då måste man vara lite galen, menar du?"

"Jag tror det."

Ringmar log, och stoppade in en bit bakelse i munnen och tuggade.

"Det här är en klassiker", sa han. "Mmm."

"Sellberg mördades av en anledning", sa Winter. "Det var inte ett rån. Mördaren väntade på honom i parkeringsdäcket. Han visste att han skulle komma dit."

"Han visste att han skulle komma dit vid just den tiden, menar du?"

"Ja."

"Hur kunde han veta det?"

"För att han visste."

"Hur visste han?"

"Sellberg hade sagt det till honom", sa Winter.

"Eller så hade mördaren sagt det till Sellberg."

"Ja. Han hade sagt till honom att köra ner i garaget."

"Köra dit med Richardssons bil."

"Ja."

"Richardsson hade sagt till honom att köra dit hans bil."

"Ja."

"Richardsson väntade på honom där."

"Inte nödvändigtvis."

"Var fanns i så fall Richardsson? Han måste ju vänta på bilen."

"Inte i garaget."

"Vem väntade då?"

"Nån annan."

"Vilken annan?"

"Nån som visste."

"Som hört samtalet? När Richardsson bett Sellberg köra dit?"

"Som följde efter honom", sa Winter.

"Vi vet ju att Sellberg ringde Richardsson på hans kontor", sa Ringmar. "Det kan ha varit då."

"Eller så följde mördaren bara efter."

Ringmar la ifrån sig gaffeln på fatet.

"Ska du inte äta på din napoleon?" sa han och nickade mot Winters assiett.

Winter svarade inte. Han tittade ut genom det stora fönstret. En kvinna tittade tillbaka och log. Det såg åtminstone ut som om hon log. Det var fredag eftermiddag. Hon var glad.

Winter vände sig mot Ringmar.

"Det där andra samtalet jag fick. Är det verkligen nån som vill ha hjälp?"

"Jag vet inte, Erik. Vore ju enklare att knalla upp till dig på polishuset."

"Nej. För tydligt. Han är bevakad."

"Varför inte tala klartext i telefon då?"

"Jag vet inte. Kanske samma sak."

"Eller så är det bara en lek", sa Ringmar., "Nån leker med oss."

"Ja."

"Du har ju snackat om att lägga pussel. Det kanske finns nån som redan gör det. Som har hunnit före oss. Vi är pusselbitar vi också."

"Är vi inte alltid det?"

"Nej", sa Ringmar. "Vi är aldrig pusselbitar. Vi är dom som håller i pusselbitarna. Men nu är det nån som håller i oss."

"Vem?"

"Kanske Richardsson", sa Ringmar.

"Nej, Bertil. Han är rädd. Han är så rädd att han håller sig gömd för alla. Till och med för sin familj."

"Han kanske är mördaren", sa Ringmar.

Winter svarade inte. Ett äldre par reste sig från bordet intill. Mannen nickade avmätt mot Winter. Kanske han kände igen honom från press, radio och teve. Men det hade blivit mycket mindre av det nu. Polismyndigheten i Västra Götaland hade äntligen låtit sig representeras av en presstalesman. Det var bättre. Det var alltid samma ansikte inför folket. Kanske hade det en avdramatiserande effekt. Alla brott är lika.

"Och han lämnade inga spår efter sig", sa Ringmar.

"Nej."

"Nu pratar jag om mördaren. Mördaren i Pedagogens parkeringsdäck."

"Hittills inga spår", sa Winter.

Persontrafiken ute på gågatan hade börjat glesna. Det hade börjat skymma. Ringmar åt upp det sista av sin bakelse och drack upp sitt kaffe.

"Vad gör du i helgen, Erik?"

"Jag vet inte. Vi kanske åker ner till tomten i Billdal."

"En egen strand."

"Mhm."

"När börjar du bygga det där huset egentligen?"

"En egen strand är inte så illa", sa Winter.

"Får ni ha den ifred då? Utan ett hus på tomten. När ni inte är där."

Winter reste sig. "Vad gör du själv?"

"Ingenting."

"Är du ensam?"

"Ja."

"Häng med oss en sväng i morgon."

"Jag får se."

"Jag ringer dig i morgon förmiddag", sa Winter.

De gick ut på Korsgatan. Skymningen föll snabbt.

"Det luktar vinter", sa Ringmar.

"Skönt."

"Är du inte värmefreak?"

"Värmefreak? Vad är det för jävla ord?"

"Nyss uppfunnet", sa Ringmar. "Ska du ha skjuts tillbaka?"

"Nej, jag går."

"Är du på väg till Saluhallen?"

"As a matter of fact, yes."

"Ja, hej då", sa Ringmar.

"Häng med."

"Jag har gjort mina inköp, grabben."

"Drick inte för mycket i kväll, Bertil."

"Sådant kallas projicering."

"Det kallas empati. Omsorg om sin nästa."

"Vad ska du laga för mat i kväll?"

"Ravioli, tror jag. Med ricotta och örter och rostad zucchini."

"Squash."

"Zucchini är mindre." Winter började gå mot Domkyrkan. "Och sen bara ett par lammkotletter. Lite rödlöksmarmelad."

"Lite rödlöksmarmelad", upprepade Ringmar. "Det ska jag be om i Mariaplans korvkiosk i kväll."

"Du blandar ihop det med räksallad", sa Winter.

"Det ska jag be om också."

"Du behöver inte leva ett så torftigt liv, Bertil."

"Farväl, Erik."

Han bar sina inköp tillbaka till polishuset. De vägde inte mer.

Uppe på roteln hörde han någon prata med upprörd röst. Rösten studsade runt i den tomma korridoren. Han kände igen den.

Den bröts när Winter var på väg genom korridoren. Han hörde smällen när en telefonlur slängdes på.

Bergenhem kom utrusande från rummet.

Han hoppade till när han såg Winter.

"Hej, Lars."

"He... hej."

"Hur är det?"

Bergenhem svarade inte. Han började gå igen. Winter la en hand på hans axel när han passerade. Bergenhem stannade.

"Var det där Martina du pratade med?"

Bergenhem svarade inte på det heller. Han ryckte till, som om han ville frigöra sig. Göra sig fri från överheten.

"Vart ska du gå nu, Lars?"

"Jag ska åka... hem. Jag jobbar inte längre i dag. Det är fredag kväll."

Han hade inte sett Winter i ögonen en enda gång. Vad handlade det om?

"Jag pratade med Martina", sa Winter.

"Jaha?"

"Hon var orolig för dig. Du hade inte hört av dig."

"Det har jag nu."

"Jag hörde det."

"Det där var inte Martina."

Bergenhem tittade in i tegelväggen. Den var gul. Pissgul.

"Nehej", sa Winter.

"Får jag gå nu?"

"Skärp dig, Lars."

"Vad?"

"Varför skulle du inte få gå?" sa Winter.

"Okej, okej", sa Bergenhem och började gå därifrån. Winter vände sig om och började säga något men avbröt sig.

Han gick in på rummet och telefonen ringde.

Det var ett meddelande från Aneta Djanali.

Jan Richardsson var medlem i Coldinuorden.

Han hette Jansson där. Richard Jansson. Det enklaste tricket i världen. Inte ens ett trick.

Coldinuorden.

Winter gick bort till kassaskåpet och låste upp det. Han tog fram korset. Det såg plötsligt oansenligt ut, som utan betydelse. Som om det inte längre betydde så mycket när de hittat ett samband till Richardsson.

Winter gick tillbaka till skrivbordet och slog numret till Aneta Djanalis mobiltelefon.

"Ja, hej, det är Erik."

"Fick du mitt meddelande?"

"Ja. Jag är på rummet nu."

"Jag ringde mobilen också."

"Jag har stängt av den."

Hon frågade inte varför. Han hade stängt av den när han och Bertil gått in på Ahlströms. Ringmar hade telefon, det fick räcka. Han hade glömt att slå på den efteråt. Verkligen glömt.

"Det är en sak till", sa Aneta Djanali.

Winter fick tag på Bergenhem när han var halvvägs till Korsvägen. Winter kunde höra trafiken runt Bergenhems bil. Han hörde musik, något slags rockmusik.

"Jag vill se dig här om senast tio minuter", sa Winter in i luren.

"Vad är det? Jag ha…"

"Kom hit för helvete!"

Han slängde på luren. Det lät ungefär som när han hört Lars göra det en stund tidigare. Winter ångrade svordomen. Men den var spontan. Bergenhem var vuxen. Ibland föll orden lite hårdare.

Winter gick fram och tillbaka över golvet. Han kunde se en spårvagn passera genom det blå mörkret borta på Stampgatan.

Det elektriska ljuset var som glesa kvastar runt vagnen. Den såg ut att ha bråttom. Det var fredag kväll. Det var möjligheternas kväll. Den kunde bli lång. Winter lyfte upp sina påsar från golvet och gick över till fikarummet för att klämma in dem i kylskåpet. Han hade köpt lite ostron också, och några havskräftor. Hans mobil ringde. Han hade slagit på den nu.

"Var det inte du som skulle köpa kvällsmat?" sa Angela.

"Jag håller just i den."

"Jag trodde du skulle vara hemma nu."

"Nåt kom upp. Det tar en liten stund till."

"Var är du?"

"Polishuset. Jag måste bara prata med Bergenhem."

"Hur är det med honom? Har det hänt nåt mer?"

"Ja."

"Vad säger Martina? Vad gör hon?"

"Det är inte det. Åtminstone inte direkt."

"Vad är det då?"

"Vi tar det sen. Han är på väg upp nu."

"Ska jag koka gröt så länge? Hur många timmar dröjer det?"

"Det vet jag inte för helv..."

Han avbröt sig.

Skärp dig.

Idiot.

"Snälla Angela, jag kommer så fort jag kan. Förlåt mig. Jag har köpt ostron, havskräftor. Det blev ett lammrack. Vi skiter i raviolin. Jag gör en aioli till kräftorna."

Kommer hem och är snäll, tänkte han. Och ostron har jag med mig.

Hon hade redan slängt på luren. Han kände igen ljudet.

Han slängde in påsarna i kylskåpet. En av dem ramlade ner på golvet. Han lyfte upp den igen och tryckte in den bland gamla mjölkförpackningar och en dödsdömd marmeladburk. Något hade gått sönder i påsen. Det rann kräftspad från kylskåpet till golvet. Han stängde dörren, gick bort till vasken, drog av ett papper från rullen, gick tillbaka och torkade kylskåpet och golvet.

När han böjde sig ner dunkade huvudet som spårvagnen ute på Stampgatan nyss, stamp-stamp-stamp. Han blev klibbig om händerna och gick bort till vasken igen och tvättade av dem. Det luktade salt och hav. Det fanns ingen handduk, han rev av en bit papper till. Huvudet dunkade, från sida till sida, horisont till horisont. Minnet av drömmen i natt kom tillbaka. Det hade funnits kvar hela tiden.

Ute i korridoren passerade han en översiktsplansch över polishuset. Det var byggt i geometrisk form av en gubbe som såg ut att hoppa högt i luften, med höjda armar och breda ben. Han saknade huvud.

Winter såg hissen glida upp därute. Bergenhem steg ur.

Winter gick bort och öppnade dörrarna in till roteln.

"Vi går in till mig", sa han.

"Vad är det?" sa Bergenhem.

Winter svarade inte.

De gick tillbaka till hans rum. De var ensamma häruppe nu. Stegen lät ödsliga.

Winter stängde dörren efter dem.

"Jag pratade med Aneta nyss", sa han.

Bergenhem sa inget. Han stod kvar innanför dörren. Winter hade inte erbjudit sittplats.

"Kände du Jan Richardsson innan vi lärde känna honom?" frågade Winter.

Han kände pulsen dunka i vänstra tinningen. Det var inte huvudvärk, inte migrän, inte hjärnhinneinflammation. Det var spänning av annat slag. Anspänning. Han visste inte vad det var. Han kände blodet i kroppen.

"Vad… kände…" sa Bergenhem. Han följde en annan spårvagn med blicken utanför fönstret. Kvällen hade blivit ännu blåare.

"Hörde du inte frågan?" sa Winter.

"Ta det lugnt", sa Bergenhem.

"Ta det lugnt? Är det vad du gör? Är det vad du har gjort? Vet du vad du har gjort, Lars?"

Bergenhem svarade inte.

"Du har undanhållit bevis", sa Winter. "Det är vad du har gjort."

"Nej."

"Du har försvårat en utredning. Min utredning."

Winter tog ett steg mot Bergenhem och dörren.

"När lärde du känna Richardsson, Lars?"

35

"DET VAR BARA ETT STÄLLE jag gick till. Det var inte så många gånger. Det var Samuel som kände till det."

"Samuel?"

"Min vän. Samuel."

Bergenhem satt på stolen framför skrivbordet. Winter stod vid fönstret. Han kunde inte sitta.

"Han du bor hos just nu?"

"Ja. Just nu."

"Och Richardsson fanns där? På det där stället, som du säger."

"Det var tydligen så."

"Och du sa inget."

"Jag… visste ju inte då att det var han."

"Men sen! Men sen, Lars!"

Det såg ut som om Bergenhem nickade. Eller om han bara böjde huvudet svagt framåt.

"Du visste att han hade varit där, Lars! På den där jävla klubben som du också gick till! Du visste det! Men du sa inget."

"Jag vil…"

"Du ville inte bli avslöjad själv", avbröt Winter. "Nej, jag kan förstå det. Nej, förresten, jag kan inte förstå det." Winter skakade på huvudet. Han kände ett drag i nacken. Han hade öppnat fönstret. Fredagskvällen var kall. Den hade dragit ner ett kallt mörker.

"Hade du varit där den natten när du hittade bilen på Älvsborgsbron?"

Bergenhem skakade på huvudet.

"Jag kan inte höra dig, Lars."

"Nej, jag hade inte varit där", sa Bergenhem med låg röst.

"Hur ska jag kunna tro på det?" sa Winter. Han gick ett par steg bort från fönstret. "Hur ska jag kunna tro på nånting som du säger, Lars? Efter det här?"

Winter hade inte riktigt kunnat se Bergenhems ansikte tidigare. Nu såg han det. Det var mycket blekt i rummets dåliga ljus, vitt. Det var inget ansikte längre.

"Herregud, Lars, vi spårar Richardssons liv bakåt och hittar dig också."

Ansiktet som hade varit Lars Bergenhems riktades mot kriminalkommissarie Erik Winters. Det var andra roller här nu, de var inte bara olika. De hade förändrats för alltid. Ingenting skulle längre bli detsamma. Winter kände det som den kalla vinden nyss. Den försvann inte när han gick ännu närmare, den blev kallare.

"Du behöver inte säga mer", sa Bergenhem. "Jag förstår."

"Förstår? Vad förstår du?"

Bergenhem svarade inte.

"Vad vet du mer, Lars?" sa Winter. "Är det nåt mer du inte sagt till oss?"

"Nej. Det finns ingenting."

"Hur ska jag tro det?"

Bergenhem reste sig.

"Vad ska du göra?" frågade Winter.

"Jag ska gå."

"Du går ingenstans."

Bergenhem gav upp ett egendomligt skratt. Det kändes lika kallt som vinden. Nej, inte kallt. Det var något annat. Winter kunde inte riktigt placera det. Han försökte. Skrattet hörde ihop med Bergenhems ansikte nu. Det var inget skratt.

"Ska du gripa mig, Erik?"

Bergenhem hade börjat gå därifrån.

"Vart ska du gå? Lars?"

Bergenhem svarade inte. Han var framme vid dörren. Han vände sig om.

"Vi ses, Erik", sa han och gick ut genom dörren och var borta.

Winter kunde höra hans steg ute i den förbannade korridoren. Det lät som steg i en stenöken. Winter kunde inte röra sig. Det var som om han satt fast i sten. Han kunde inte springa efter Bergenhem. Han hade sett det i Bergenhems ögon. Hade han rört honom hade någon blivit skadad.

Angela såg det i hans ögon när han stod i hallen.

Han lyfte upp Elsa och höll henne hårt och ömt.

"Så prinsessan är hemma i kväll", sa han.

"Ska du göra ravoli i kväll, pappa?"

"Ravioli. Inte i kväll, gumman. Men jag ska steka lamm. Och du ska få ett par stora kräftor."

"Ja!"

Elsa älskade havskräftor. Och hans aioli.

Angela smekte honom över nacken.

"Hur är det, Erik?"

Han lyfte ner Elsa.

"Sover lillasyster?"

"Hon sover jämt", sa Elsa. "När ska vi äta?"

"Jag visste inte vad jag skulle göra, Angela." Han sträckte sig efter vinglaset. "Om jag gjorde rätt eller fel. När jag stod kvar. Eller om jag skulle sagt nåt överhuvudtaget."

"Det var du väl tvungen till."

"Ja. Men kanske inte då. I kväll."

Elsa hade plötsligt tuppat av och Winter hade burit in henne i sängen. Han tvingade henne inte att vakna och borsta tänderna. Hon hade tidigare berättat att hon redan hade gjort det, långt före middagen.

"Kanske var jag fel man på fel plats", sa han. "Eller fel man på rätt plats. Du vet ju hur jag var minuterna innan. När du ringde."

"Det har jag glömt", sa hon och log.

"Inte jag. Jag var en jävla idiot." Han lyfte glaset och försökte se igenom det röda. Ripassa, han hade köpt vinet tidigare i veckan.

Han kunde fortfarande göra någonting riktigt. "Jag är en jävla idiot."

"Ibland."

"Det är slut med det nu."

"Bara du tar tabletterna."

"Jag lovar. Men är det så enkelt?"

"Ja."

Winter log, och drack av vinet. Ripassa hade mer av allting: mer alkohol, större färg, större doft. Den som drack det här vinet blev mindre av idiot.

"Vad ska Lars göra nu?"

Winter satte ner glaset.

"Hur menar du?"

"Vad händer med honom nu?"

"Jag vet inte, Angela. Vi får titta på det. Jag får titta på det. Jag har inte varit med om nåt sånt här tidigare."

"Jag menar inte det, Erik. Jag menar… hur han mår." Hon reste sig och gick bort till balkongdörren och öppnade den och vände sig om. "Vad gör han nu? Sa han nånting om vart han skulle?"

"Nej. Jag ringde hans mobil bara några minuter efter det att han gått. Och jag ringde från bilen."

"Ring nu", sa hon.

"Nu? Tycker du det?"

"Ja. Jag blir orolig när du berättar det här."

Winter reste sig och gick ut i hallen och lyfte den gamla bake-litluren. Han slog Bergenhems mobilnummer. Han väntade på svararen.

"Hej, Lars, det är Erik. Ring mig när du hör det här. Vi måste prata i lugn och ro. Hej."

Han gick tillbaka in i vardagsrummet. Angela hade gått ut på balkongen.

"Det är kallt härute", sa han när han stod bredvid henne.

"Du fick inte kontakt, antar jag."

"Nej."

"Ska vi ringa hem till Martina?"

"Jag vet inte, Angela. Vad… jag vet inte."

"Inte jag heller."

Kvällen var klar nedanför dem, bortanför. Hustakens silhuetter såg ut som en serieteckning. Skarpa färger, skarpa linjer. Winter tänkte på Ankeborg, de vackra teckningarna i gamla Kalle Anka-tidningar. Men detta var inte Ankeborg. Det kanske hade varit det när han börjat som polis, men inte längre. Nu var det Gotham.

En spårvagn skramlade därnere genom kvällen, en bullrig lys-mask. Han kunde se folk gå på och gå av. Vasaplatsen var en rek-tangel av kallt och klart ljus. Obelisken i norra änden spretade som ett ensamt finger mot den röda himlen. Den var röd över Gö-teborg i kväll. Ett skratt flöt upp till dem på balkongen. Han tänkte på Bergenhems skratt i hans rum i kväll. Han kom på vad det hade påmint honom om: luft som pressas ur en kropp som inte längre lever. Första gången han hört det ljudet hade det känts som om han skulle svimma. Det var skräck. Det hade varit i en lägenhet i Johanneberg. Han hade varit ensam polis därinne. En död man hade legat tvärs över köksgolvet i en cirkel av blod. Plötsligt hade mannen skrattat.

Klockan 11.10 på lördagsförmiddagen steg Fredrik och Magda Halders och Aneta Djanali på Fröja vid Saltholmen, och arton minuter senare steg de av på Brännö Rödsten. Hannes hade inte velat följa med, en extra fotbollsträning: han var på väg till San Siro, eller Camp Nou, eller Old Trafford. Halders hade lärt honom allt han kunde.

Det var en obegriplig dag igen, strålande. Det fanns fortfarande värme kvar i solen. De hade inte känt mycket till vind ute i sundet, men den fanns där.

"Det är segelbåtar ute än", hade Magda sagt och pekat. "Det är ju som på sommarn."

Halders hade känt styng av något slags samvete. Han hade lovat barnen en båt för länge sedan. Han såg två segelbåtar på väg ut mot det öppna havet. Fan, det var inte för sent än. Han var inte femtio än. Han hade halva livet kvar. Halva livet och hela havet.

Vad kostade en sån där? Det spelade ingen roll, det kostade inget att låna. Han kunde låna på huset. Han skulle prata med Aneta. Det skulle vara en anledning. De skulle göra något spännande tillsammans.

Men detta var också spännande.

De gick Husviksvägen söderut. Det var tyst i trädgårdarna, som om alla invånare var någon annanstans. Kanske i kyrkan, de hade hört klockorna när de steg iland. I många av trädgårdarna låg löven kvar, som en sista hälsning från hösten. Det var sommar och höst och tidig vinter på samma gång. Luften var salt härute, som en stickning i näsan.

Badplatsen var egentligen flera, som minimala stränder bland klipporna. Många bryggor såg nya ut, som tillverkade i somras. Hopptornet var äldre. När var jag här senast? tänkte Halders. Har jag nånsin varit här?

"Har vi varit här nån gång?" frågade Magda.

Han mindes plötsligt. Det var en dag som den här, men tidigare, under den riktiga sommaren.

"Ja, när du var liten, gumman. Vi åkte hit ett par gånger."

"Var mamma med då?"

"Ja, gumman."

Det låg ett tunt dis över solen här, som om något från havet flutit in över himlen och de andra öarna längre ut. Halders tog sin dotter i handen. Han hade tyckt sig se ett dis också i hennes ögon. Det kanske fanns i hans också. Margareta hade tyckt om skärgården. Det var hon som hade pratat om att köpa ett hus här. Kanske något mer än ett sommarhus.

De hade satt sig på klipporna.

Aneta Djanali började plocka ut matsäcken ur korgen.

"Ska vi äta redan?" sa Magda.

"Är du inte sugen?" sa Aneta Djanali.

"Jo… men jag vill vänta lite ändå. Jag vill gå runt och titta lite."

"Då gör vi det", sa Halders. "Vi väntar. Eller vad säger du, Aneta?"

"Javisst."

Magda gick bort mot hopptornet. Det såg nästan ut som om hon studsade. Hon hade spelat handboll, men slutat. Just nu ville hon inte träna någon sport alls. Halders hade inte tjatat på henne. Hon satt mycket på sitt rum och läste. Hon läste allt. Sedan Aneta hade flyttat från huset hade hon blivit ännu tystare. Halders hade försökt prata med henne, men hans ord räckte inte till. Det var så han kände det. Han visste inte vad han skulle säga, eller hur han skulle säga det. Och han visste ju ändå ingenting. Det var Aneta som visste. Hon visste hur deras framtid skulle se ut.

"Det är fint härute", sa han.

"Ja."

"Skulle du kunna bo här, Aneta?"

"Här? Menar du på den här ön?"

"Ja, till exempel. I skärgården."

"Bo permanent?"

"Ja. Vad säger du?"

Hon svarade inte. Hon följde Magda med blicken. Flickan började klättra upp i hopptornet, men såg ut att ångra sig. Hon kastade en blick tillbaka på dem. Det såg ut som om hon log. Halders höjde armen till hälsning. Hon vinkade tillbaka. Aneta Djanali vinkade.

"Hon börjar bli stor", sa Aneta Djanali.

"Ja."

"Nu när jag inte sett henne… på ett litet tag är det som om hon plötsligt blivit så stor."

Halders la sin hand på hennes arm.

Han kunde se tårar i hennes ögon. De hade kommit med de senaste orden.

"Herregud, varför sa jag det", sa hon.

"Aneta. Hur ska vi ha det? Vad ska vi göra?"

"Ska vi gå en runda vi också?" sa hon och reste sig.

Bergenhem hade sprungit nedför de sista trapporna. Han ville ut därifrån, han hade redan sett mörkret genom svängdörrarna, det var på väg in. Det skulle bli kvar därinne om det kom in. Han kunde inte andas. Om han bara klarade sig ut dit kunde han börja andas igen. Han sprang förbi receptionen. Kvinnan tittade efter honom. Hon ropade något. Någon annan vände sig om och sa ett par ord, det lät som två ord. Han hörde inte vilka ord det var. Han var ute nu, den underbara luften störtade ner i hans lungor som en flod. Han drack luften. Han hade hållit andan i tio minuter därinne. Det var världsrekord.

I bilen väntade han. Det var stilla i bilen. Han var nästan ensam i den här delen av parkeringen. Vinden rörde sig i träden. Han hörde det inte. Han lyssnade på musik från bilens cd, men han hörde inte vad det var. Han tryckte av. Winter kom ut från polishuset. Belysningen lyste på hans hår. Det såg ut som om han hade en gloria, som om Winter hade ett band av ljus runt huvudet. Han försvann på andra sidan, han måste ha ställt sin bil därnere. Bergenhem böjde huvudet mot ratten. Han kunde inte tänka. Han kunde inte lyssna. Han kunde inte se. Jag kan inte se längre, tänkte han, men det var fel. När han lyfte huvudet såg han allt.

Han körde långsamt runt Centralstationen. Han kunde köra så långsamt han ville, det fanns ingen annan där. Kvällen var för tidig, eller för sen om man såg det så. Folk hade kommit hem efter eftermiddagsrusningen genom stan, och nöjestrafiken hade ännu inte börjat. Det var ett vakuum nu, som ett tomt hål där ingenting hände. Alla var hemma.

Han tvekade inför uppfarten till Götaälvbron. Hisingen var hemma, det ena eller andra stället. Han styrde åt sidan, körde in på Centralens norra parkering, stannade bilen. Taxibilarna framför honom väntade på nästa last. Också stationen väntade. Det fanns inget folk han kunde se nu. Han tittade på klockan. Om tio minuter skulle X2000 från Stockholm glida in och hundratals skulle välla ut. Hans mobil pep till. Han tittade på displayen:

Ring nu.

Men Bergenhem ringde inte. Han startade bilen igen och körde ut från parkeringen, över leden, in i Gullbergsvass. Han körde utmed Gullbergs strandgata, förbi de rostiga skeppsvraken, förbi gasklockan in i Marieholm. Han vände vid Cash och körde tillbaka. Mobilen sms-pep igen. Den låg på sätet bredvid, glimmade till med den sjuka gröna färgen. Han lyfte den:

Ring hem.

Han skrattade.

Ring hem!

Han parkerade nedanför gasklockan. Det var sannolikt Göteborgs fulaste byggnad, men ordet "byggnad" var för vackert för klockan. Det talades om att bygga om den till bostäder. Lycka till.

"Du ville att jag skulle ringa."

Han satt med mobilen invid örat. Han hade visst ringt. Han hade inte kopplat in handsfree. Det lät annorlunda i örat utan handsfree.

"Var är du, Lars?"

"Jag sitter i bilen."

"Det var inte vad jag menade. Var är du nånstans?"

"Ehh... Gullbergsvass. Gasklockan."

"Vad gör du där?"

"Jag vet inte."

"Vet du inte? Vad är det som har hänt?"

"Det är ingenting som har hänt. Det är inget nytt som har hänt." Han tryckte mobilen ännu hårdare mot örat. "Varför ville du att jag skulle ringa."

"Ada har väntat sen sex."

"Sen sex? Vad är klockan nu?"

"Halv åtta."

"Skulle jag ha hämtat henne?"

"Kommer du inte ihåg det?"

"Nej... nej, jag kommer inte ihåg det."

"Lars."

"Får jag prata med henne."

"Hon gick. Hon är hemma hos en kamrat. Lisa."

"Helvete."

"Du behöver inte svära."

"Jag ringer henne."

"Hon lämnade kvar mobilen."

"Hon vill inte att jag ringer."

"Jag vet inte, Lars."

"Hälsa… hälsa henne."

"Vad ska jag hälsa henne? Vad?"

Han såg en bil passera. Lyktorna lyste rakt i i hans ögon. Det gjorde inte ont. Mobilen gjorde ont mot hans huvud. Han tryckte ännu hårdare. Nu såg han de röda baklyktorna. Bortanför glittrade bron. Den var vacker, det vackraste han kunde se därifrån.

"Vad ska jag hälsa henne?" upprepade Martina.

"Bara… hälsa… henne."

"Vad är det, Lars. Vad gör du? Du låter underlig."

Han pressade den förbannade mobilen mot skallen, försökte trycka den rakt igenom. Öra till öra.

"Du kan… komma hit om du vill."

Han svarade inte. Bron verkade ha kommit närmare. Den glittrade, glittrade. Men det var ett fartyg som rörde sig på älven. Det var på väg bort. Det kom inte närmare, det var en synvilla.

Han släppte mobilen.

Det sjöng i örat som en orkan. Han hörde Martinas röst långt långt borta.

Winter väntade vid telefonen. Bergenhem svarade inte. Han hörde Angela i badrummet. Någon visslade nere på gården. Han hade köksfönstret öppet. Visselkonserten tog slut. Det var otäck akustik på gården. Värst var visslarna.

Han slog ett annat nummer.

Han behövde inte vänta mer än en signal, en halv.

"Ja?"

Martina lät andfådd.

"Det är Erik. Erik Winter."

"Erik. Vad är det?"

"Har du pratat med Lars i kväll?"

"Ja. Just nu. Nyss. Vad… har det hänt nåt nu?"

"Nej, nej. Jag var bara lite orolig."

"Varför?"

"Hur var det med honom?"

"Vad är det som har hänt? Vad är det mer som har hänt?"

Vad är det mer som har hänt. Vad skulle han säga? Han ville inte säga nåt. Inte i kväll, och inte till Martina. Han ville bara veta hur Lars hade det just nu.

"Var är han?"

"Han... satt i bilen. Han var vid gasklockan. Bortanför den där stora snusfabriken. Jag vet inte varför han var där. Det sa han inte. Och sen avbröts samtalet."

"Avbröts det?"

"Jag har försökt ringa igen. Men han svarar inte."

"Nej. Okej."

"Vad ska jag göra?"

Winter tänkte. Han såg Bergenhems senaste ansikte framför sig. Det som hade varit ett ansikte.

"Jobbar han i kväll?" frågade Martina. "Är han i tjänst i kväll?"

"Nej. Jag skickar dit en bil", sa Winter. "Ner till gasklockan."

22.30

DE GLED IN MOT BRYGGAN. Allting var så stilla det kunde bli. Havet var verkligen en spegel. Det fanns ingen vind alls. Havet var som ett blankt och genomskinligt golv. Man kunde gå på det ända till Danmark.

Hon tänkte på killen som hade stått i fören på segelbåten. Han hade kunnat segla till Danmark, och ännu längre.

När hon blev större skulle hon segla. I en segelbåt kunde man ta sig vart som helst. Det fanns inga murar på havet. Man kunde segla jorden runt. Hon skulle göra det, i alla fall resa jorden runt. Alla världsdelar. Hon ville se allting.

Och nu ville hon gå tillbaka till kollot. Hon hade i alla fall en säng där. De fick väl skälla på henne om de ville. Christian skulle försvara henne. Hon började frysa. Det hade blåst när de hade åkt ute på havet. Båten hade liksom skapat sin egen vind. Den var inte så stor, men den hade gått fort. Motorn var nästan större än båten. Den skulle kunna köra till Danmark. Kanske inte jorden runt, men nästan.

Han längst fram i fören hoppade av båten. Han tog tag i ett rep.

"Dags att gå av", sa han som suttit bakom henne. Han stod upp nu. Han ställde sig bredvid henne.

"Jag vill gå tillbaka nu", sa hon.

Han svarade inte.

"Jag fryser."

"Jag tänkte vi skulle simma lite."

"Simma? Jag vill inte simma. Det är kallt nu."

"Nej, nej. Det blir aldrig kallt. Låt mig visa dig."

"Det vill jag inte. Jag vill gå tillbaka till kollot."

"Jag trodde inte du gillade det stället."

"Det vet du väl inget om?"

"Du rymde ju därifrån."

"Jag rymde väl inte. Va? Jag gick ju bara iväg för att bada en liten stund."

"Så låter det nu, ja."

"Vad snackar du om!?"

Plötsligt kände hon en knuff på axeln. Det kändes som en knuff. Hon var inte beredd.

Hon vände sig om. Det var han som körde båten.

"Gå av", sa han. "Gå av på bryggan nu."

Hon hade inte hört hans röst förut.

"Jag vill gå tillbaka!"

"Ta det lugnt", sa den andre. "Vi måste ju komma ur båten först, eller hur?"

Hon snavade när hon klev ur. Hon såg himlen snurra över henne. Den hade blivit mörkare nu, det var en ännu blåare färg.

Han som redan stod på bryggan fångade upp henne.

36

BERGENHEM STARTADE BILEN. Han såg ljus skifta över Ringön på andra sidan älven. Det såg ut som ett signalsystem. Det var antagligen det. En smugglingsdeal på väg att avslutas. Containertrafik. Containrar gjorde inte skillnad mellan rätt och fel. Hela den norra älvstranden var fylld med containrar som var fyllda med rätt eller fel. Knarket kom i containrar. Människor kom i containrar. Vad i helvete är det för mening? Hans mobil ringde igen. Han tittade på displayen. Det var Erik Winter. Erik den rättrådige. Vad ville han nu? Ska jag lämna in brickan och vapnet? Att han inte grep mig, satte mig i häktet. Försvårande av utredning. Jag skulle berätta. Det fanns inget att berätta. Hade knappt sett honom. Där. Jag skulle säga det. Tiden räckte inte till. Jag jobbade ju. Var det inte jag som hittade bilen på bron? Det satte igång alltihop. Vi vet inte varför den stod där, men jag hittade den. Fem minuter senare och den kunde ha varit borta. Det fanns nån i närheten. Jag kände det på mig. Under bilen? Jag tittade aldrig under bilen. Nån kunde ha hängt utanför bron. Det har hänt förut. Det går att gömma sig. Under bilen. Varför tittade jag aldrig där? Den där Edwards. Det var som om han inte var medveten om nånting. Han vet mer än han säger. Jag borde ha pratat med honom igen. Jag kan göra det bättre än Winter. Vad vill han? Nu ringer han igen. Jag behöver inte svara. Jag är inte i tjänst. Det här är privat. Jag är privat nu. Jag är jag nu. Jag åker härifrån nu. Bilen är visst redan igång. Jag har begått ett brott, tomgångskörning mer än en minut, men jag var en privatperson när jag begick det.

*

"Magda? Magda!" Halders ropade på sin dotter. Han kunde inte se henne. Nyss var hon på väg uppför hopptornet. "Magda!?"

"Här är jag, pappa."

Hon kom fram bakom en klippa.

"Gömde du dig?"

"Nej."

"Vi ska gå en runda och titta lite", sa Halders.

"Jag vill inte gå. Vi har ju gått en massa."

"Okej."

"Gå du, Fredrik. Jag stannar här med Magda."

Aneta Djanali la armen om flickans axlar. Så tunna dom är, tänkte hon. Magda är ju bara skinn och ben. Har hon blivit sån nu?

Magda såg glad ut.

"Tjejerna stannar här", sa Aneta Djanali och log mot henne.

"Jag är bara borta en liten stund", sa Halders. "Vi kan väl fika när jag är tillbaka."

"Visst."

"Aneta?"

"Ja?"

· "Det… det var…" Han avbröt sig. "Vi kan väl prata lite mer sen. Innan vi åker tillbaka till stan. Aneta?"

Hon nickade.

"Jag… jag kan bli en ann…"

"Gå nu, Fredrik", avbröt hon.

Halders gick uppför Ramsdalsvägen till krysset där Kärleksstigen fortsatte åt andra hållet över berget. Han tog åt vänster ner mot Husviksvägen och fortsatte på den en bit åt höger tills han kom fram till Bönekällan. Det var också ett namn på en gatstump. Den gick brant uppför. Han följde den tills den tog slut och blev en stig mot toppen. Träden var täta här, som en skärgårdsdjungel. Många löv var borta men sikten var ändå dålig. Det var en urskog. Han skymtade ett skjul till höger. Han gick närmare. Kåken var större än ett skjul, mer som en sommarstuga. Den var i starkt behov av renovering. Renovera och sälj för ett par mille, tänkte han. Står man på taket blir det havsutsikt.

Han klev upp på verandan. Den knakade av ålder och eftersatt underhåll. Det är som livet, tänkte han. Ålder och eftersatt underhåll. Det hör ihop. Till slut orkar man inte längre.

Han kikade in genom ett av fönstren. De verkade åtminstone hela, vad han kunde se. Det var svart därinne, en hög konturer som kunde vara vad som helst. Kanske en säng, ett bord. Han kände på dörrhantaget. Varför? Vanlig nyfikenhet. Skulle någon se honom kunde han säga att han var polis. Eller mäklare. Vem äger det här stället? Vem skulle vilja äga det? Det var en lite konstig placering för en sommarstuga. Kanske det var nån gammal fiskebod som hängde ihop med något av husen nere på gatstumpen. Kanske man byggt här för att invänta havet. En dag skulle det stiga upp hit. Det fanns redan vatten där. Halders såg gölen glimma tjugotalet meter bort. Det var också egendomligt, en vattensamling på toppen av ön. Vattnet skulle bara omringa ön, inte skvalpa häruppe. Men det skvalpade inte. Det var stilla, som dött. Det var alldeles svart, som natten utan konstgjort ljus. Det fanns inga fåglar, inga ljud, ingenting. Gölen var större än han trott när han skymtat den mellan klipporna och träden. Antagligen var den djup som fan, en klippskreva rakt ner i jordens inre. Som en havsgrav. Han stod vid kanterna. Vattenytan var som tjära. Han skulle kunna gå på den. Gå på vatten. Han fortsatte utefter kanten till andra sidan och avslutade klättringen till den högsta punkten. Härifrån kunde han se allt. I väster var det öppna havet. Några handelsfartyg var på väg bort, med containrarna som byggklossar på däck. Han såg en vit färja, antagligen Frederikshavnsbåten. Han kunde se Husvik därnere, till och med bryggan, och öarna och holmarna bortanför. Det fanns många av dem. Det verkade vara mer land än hav därnere, och ändå var allt omringat av havet.

Han kunde se det förvuxna skjulet åt andra hållet, den väg han kommit. Fanns det inte en spegelbild av kåken i gölens vattenyta? Som ett avtryck? Det såg nästan så ut, men det borde inte vara så. Det var för långt avstånd.

Det glimmade till i ett fönster därnere, ett sekundkort blänk. Halders lyfte blicken mot himlen. Solen var kvar på samma plats, lika jävla stöddig som alltid. Den skulle inte ge sig iväg frivilligt. Den rörde sig inte. Det fanns inga moln. Det fanns inga fåglar däruppe, eller flygplan.

Varför hade den fått fönstret att glimma till?

Det hade rört sig. Solen hade inte rört sig. Fönstret hade rört sig.

Winter följde med radiobilen till gasklockan. Polisassistenten bakom ratten frågade inte, och inte hans kollega heller. Det var inte första gången de hämtade upp kommissarien utanför hans bostad.

"Vad letar vi efter?" sa föraren.

"Stanna här", sa Winter.

Han klev ur och gick utefter den skrovliga strandpromenaden. Det fanns inga bilar här, bara de gamla skutorna i olika stadier av förfall. Winter gick över vägen till parkeringsplatsen. Det stod tre bilar där, men ingen var Bergenhems. Gasklockan kastade skugga över platsen, som svart över svart. Den cirkelformade byggnaden lystes upp bakifrån av stadens motorvägsnät.

Winter gick tillbaka till radiobilen. Han satte sig i baksätet.

"Kan ni köra mig över till Eriksberg?" sa han.

"Det är lugnt", sa chauffören och startade bilen och svängde ut från vägkanten. Han var mycket ung. Han är yngre än jag när jag var ung, tänkte Winter. Han ser ut som en gymnasist. Den andre är inte mycket äldre. Han ser ut som en student.

"Kvällen har inte börjat än", sa studenten.

"Den har väl inte det", sa Winter.

"Men det kan smälla till lite senare", sa gymnasisten.

"Det är klart det gör", sa studenten. "Och om ett par veckor är det lönehelg. Oj oj oj."

"Oj oj oj", upprepade gymnasisten.

"Folk kanske inte skulle få lön förrän efter helger", fortsatte studenten. "Man kanske skulle sprida ut det under arbetsdagarna."

"Bra idé", sa gymnasisten.

"Så behöver inte alla vara kung i baren samma kväll", sa studenten.

"Varför har ingen kommit på det förut?" sa gymnasisten.

"Nån måste vara först", sa studenten.

"Du måste prata med nån minister", sa gymnasisten. "Arbetsmarknadsministern."

"Löneministern", sa studenten.

"Finns det en sån?" sa gymnasisten.

Winter lyssnade på jargongen från framsätet. Kanske var det ren ironi. Eller idioti. Kanske killarna hade upprepat exakt de här orden hundra gånger, som skådespelare i en komedi. Eller en tragedi. I kväll var han publik, en annan kväll någon annan från den undre världen. Det var ett sätt för de unga poliserna därframme att få kvällen att gå, men också ett sätt att hålla rädslan borta.

De svängde upp på Götaälvbron, en gammal och knarrig version av efterträdaren längre bort i väster. Winter kunde inte minnas när han kört över bron senast. Det var mest spårvagnar och bussar häröver nu. Och Göteborgsvarvet som sprang över. De flesta bilister föredrog att köa sig genom Tingstadstunneln och över Älvsborgsbron.

Chauffören körde Lundbyleden västerut och fortsatte igenom Lundbytunneln. Han hade inte behövt köra igenom den. Han kanske gillade tunnlar. Det var som att åka i ett jättelikt rum som tömts på allt. De var ensamma därinne. Tunneln verkade fortsätta mil efter mil. Ljuset var sjukligt blått, som sargat bly. Tunneln var längre än Winter kom ihåg. Han kom inte ihåg så mycket från Hisingen eftersom han inte varit där så ofta. Det skulle förändras. Hisingen tog över staden, både den undre och den övre världen. Action var detsamma som Hising Island. Sveriges mest dynamiska ö.

De var ute ur tunneln. Gymnasisten svängde av mot Eriksberg.

"Vart ska vi?" sa han och vände sig om för ett ögonblick.

"Jag vet inte exakt", sa Winter. "Adressen är Skeppspromenaden. Det är väl nånstans mitt i området."

"Vi kan köra nedanför Kvarnen", sa studenten.

"Jag vet", sa gymnasisten.

De fortsatte ner mot området. Husen blev högre. Det var en riktig skyline.

Winter tittade upp på den gamla valskvarnen när de passerade. Den var som en fästning, en borg från ståtligare tider, stoltare.

"Dom har byggt lägenheter där", sa studenten. "Rätt fräcka. Som penthouse, typ."

"Jag känner en som bor där", sa gymnasisten.

"Gör du? Vem då?"

"Ingen du känner. En brud."

"En brud? Känner du en brud som har ett penthouse i Kvarnen?"

"Svar ja."

"Ursäkta att jag avbryter", sa Winter, "men är det nån som vet var Skeppspromenaden börjar?"

"Va... ja... den börjar därborta", sa gymnasisten och nickade framåt och lät radiobilen rulla de sista meterna.

"Där", sa han och pekade. Bilen stod stilla. "Den är inte lång. Går ner till kajen. Sörhallskajen, tror jag den heter."

"Du kan området", sa Winter.

"Bruden i Kvarnen", sa studenten.

"Lägg av", sa gymnasisten.

"Ni behöver inte vänta", sa Winter och vek sig ur baksätet.

"Behöver du inte hjälp?" sa studenten.

"Jag kan inte ta mer av er tid i anspråk", sa Winter. Han tittade på klockan. "Nu rullar helgen igång på allvar."

"Vad letar du efter?" frågade studenten.

"Jag vet inte riktigt", svarade Winter.

"Är det ofta så? Att man inte vet? När man jobbar på kriminalen? Att man ger sig ut och spanar... så här?"

"Ibland. Men ofta kör vi själva."

"Varför tog du inte bilen i kväll?"

"Jag hade druckit en bra valpolicella", sa Winter och stängde bildörren efter sig.

Halders betraktade huset, fönstret. Ingenting rörde sig nu. Det fanns inget blänk nu, ingen reflex. Kanske var det hans ögon. Han fick blinka var tredje sekund. Han hade glömt sina svarta glasögon inne i stan. Ljuset hade varit bländande hela tiden härute, och det underlättade inte att ha havsytan runt om. Den var som stanniol en sådan här dag.

Han krängde sig ner från bergstoppen utefter en klippskreva. Gölen såg ut som ett svart hål. Kanske hade solen hunnit flytta sig ett par meter över himlen. Vattnet var ännu svartare nu.

Nu stod han på verandan igen. Det var ingen veranda, mer en avsats ovanpå några trappsteg. Den löpte ett par meter i båda riktningar. Halders tryckte ner dörrhandtaget igen. Det var samma sak som förut. Dörren verkade vara det enda solida på hela kåken, och fönstren. Sådant brukade gå åt helvete först, krossas av ligister, men det kanske inte fanns några ligister på Brännö. De var deporterade till Asperö och Styrsö.

Han försökte gå runt huset, men ogräs och annan vild och vass växtlighet gjorde det omöjligt. Några rosenbuskar stod på vakt vid gaveln. Klipporna nådde ända fram till baksidan av huset. Det var bara några decimeter mellan väggen och den flata klippan på baksidan. Antingen hade huset eller klippan flyttat sig, eller så hade byggmästaren haft ett speciellt sinne för placering av hus. Halders stirrade in genom fönstret igen. Det kanske förklarade mörkret därinne. Det kom inget ljus från den andra sidan. Han såg fortfarande samma dystra konturer. Ingen hade möblerat om därinne sedan han kikade in sist. Och vem skulle gömma sig där? Och vad hade han med det att göra? En unge kanske, en ligist. En fyllerist. Det var trots allt lördag.

"Hallå?" ropade han. "Hallå!? Är det nån där?"

Han fick inget svar, och han väntade sig det inte heller.

Hans ögon hade spelat honom ett spratt.

Han kunde bryta upp dörren, men det kändes inte nödvändigt. Det var inte därför han hade åkt ut hit i dag, för att bryta upp dörrar. Det var för att försöka renovera sitt förhållande. Det hade verkat vara i sämre skick än det här kåkhelvetet, men plötsligt hade han inte varit så säker längre, eller osäker. Det fanns kanske hopp. Han klev ner från "verandan".

Ett barn i sexårsåldern lekte med en röd boll i trädgården till huset i hörnet av Bönekällan och Husviksvägen. Halders slängde upp handen till hälsning. Barnet stirrade på honom med skrämd min och rusade sedan därifrån, försvann bakom huset. Kanske var de inte så vana vid främlingar här, åtminstone inte vid den här tiden på året. Barnet kanske var efterblivet. Detta var trots allt en ö. Han hörde röster bakom huset, men ingen visade sig. Kanske tryckte de där allihop: far, mor, barn, farfar, farmor, mormor, morfar, gammelfarmor. Bäst att ge sig härifrån.

Aneta och Magda väntade på filten. Maten var framdukad.

"Var har du varit, pappa?"

"Jag gick upp på bergets topp."

Han pekade den väg han hade kommit, och satte sig sedan på filten.

"Var det högt?"

"Man fick svindel."

"Kan jag gå dit?"

"Det var inget att ha, gumman. Det är trevligare härnere, vid stranden."

"Jag doppade fötterna i vattnet!"

Hon höll upp sina små fötter. Nu kunde Halders se att de var nakna.

"Var det inte kallt?"

"Nej!"

"Jag doppade mina också", sa Aneta. Hon höll upp sina egna fötter. "Det var inte kallt."

"Då är det bara jag kvar", sa Halders och slet av sig skor och strumpor och reste sig och gick ner till strandkanten.

Det var inte kallt.

Han var varm i magen också, och i bröstet. Och i huvudet. Han tyckte att Aneta log. Det kunde vara solen som spelade ett spratt igen. Han tittade uppåt. Den log mot honom, gamla goa solen. Han kände sig lugnare än han borde känna sig.

Winter stod framför porten till Skeppspromenaden 3. Han visste inte riktigt vad han skulle göra nu. Han tog fram sin mobil och ringde Bergenhems nummer. Han fick bara en anonym röst till svar. Varifrån kom dessa kalla röster? Var de mekaniska? Eller fanns det människor som lät så? Hon som stod för allt metalliskt mellansnack i Swedbanks telefonsvarare hade visst varit nyhets-uppläsare eller hallåa.

Hans mobil ringde.

"Ja?"

"Har du hittat honom, Erik?"

"Nej."

"Jag ringde hem till Martina", sa Angela. "Bara för några minuter sen."

"Och?"

"Jag sa att jag bara ville höra hur hon mådde. Att jag hade hört."

"Bra."

"Hon har inte hört av Lars något mer i kväll."

"Frågade du?"

"Ja. Jag sa att du ville prata med honom om en sak."

"Okej."

"Var är du nu?"

"Just nu står jag framför lägenheten han bor i på Eriksberg. Eller hans 'väns' lägenhet, som han säger."

"Vad ska du göra?"

"Jag vet faktiskt inte riktigt, Angela. Gå härifrån."

"Kan du inte bara ringa upp? Till lägenheten? Är han där så är han där."

"Jag… jag vill prata med honom. Om i kväll. Eller i eftermiddags."

"Försök komma hem snart."

"Ja."

"Vi måste prata lite själva, Erik."

"Prata om vadå?"

"Erik…"

"Vad finns det att prata om, Angela?"

"Det… vi kan prata när du kommer hem. Det har inte… du har inte varit dig själv sista tid…" Hon avbröt sig. "Det blir bara dumt att börja prata om det här i telefon. Kom hem, Erik. Kom hem snart."

"Jag kommer så fort jag kan. Hej."

Han tryckte av.

En man passerade honom, Han slog in passerkoden i dosan på tegelväggen. Han drog upp dörren. Han vände sig om.

"Kan jag hjälpa till med nåt?"

Winter skakade på huvudet.

Han skulle gå därifrån. Han hade bestämt sig.

"Söker du nån?"

Mannen lät misstänksam nu. Han släppte dörren, lät den glida igen utan att gå in i huset.

"Nej, nej", sa Winter. Han vände sig om och började gå därifrån.

"Vem är du?"

Winter svarade inte.

"Hallå!" hörde han bakom sig. "Hallå!"

37

MASTHUGGSKYRKAN SÅG UT som en fästning på andra sidan älven. Ett försvarsverk mot onda andar. Strålkastarna över stenfasaden fortsatte upp i natten och bildade en lysande väg för allting gott i världen. När Winter hade följt med sina föräldrar till kyrkan när han var liten hade han hört prästen tala om allt gott i världen. Det var som om kyrkan var en stor godisaffär, men det fanns aldrig några gotter där. Det närmaste han kom var nattvarden. När han tog den första gången förvånades han av att vinet var så sött. Oblaten hade fastnat i gommen. Han hade fortsatt att gå till Herrens hus. Någonting måste man tro på. Utan tro fanns bara Djävulens landskap. Han kunde varje kvadratkilometer av det.

Han stod på Sörhallskajen. Ropen bakom honom hade dött bort när han fortsatt nedför Skeppspromenaden. Mannen hade inte följt efter honom. Winter ville inte veta. Han ville inte komma in i lägenheten där Lars levde sitt liv nu. I det tillfälliga, tänkte han. Lars lever i det tillfälliga. Det är hans liv just nu. Hans liv. Det blir värre om jag stiger in i det också. Det får räcka med hans professionella liv. Jag har ringt till den jävla lägenheten. Det var ingen där. Lars hade svarat om han varit där.

Han fortsatte västerut. Älvsborgsbron glimmade som Golden Gate Bridge ett par kilometer bort. Den gyllene porten. En port av guld in till staden, eller ut ur den.

Ett upprymt sällskap passerade honom, på väg ut till River Café på Dockpiren. Winter hörde skratten när de gick ut på piren. Han såg några gestalter vänta vid färjeläget. Älvsnabben var långsamt på väg in. Det lyste från restaurangen längst ute på piren. Sällskapet gav ifrån sig ännu ett kollektivt skratt. Färjan la till. Winter kastade en blick bort mot Eriksbergstorget. Han såg skylten till Hotell 11.

Bergenhem körde genom Långedrag. Hur hade han kommit hit? Han visste inte. Han kom ihåg att han hade kört iväg från Gullbergsvass. Han kom ihåg lukten från snusfabriken. Han hade varit där. Han hade kört genom Götatunneln. Han hade varit ensam i den. Sedan mindes han inget mer. Nu var han på väg från Saltholmen. Han måste alltså ha varit därute och vänt. Nu körde han på Saltholmsgatan.

Efter ett par hundra meter svängde han vänster och fortsatte ytterligare några hundra meter på den slingrande gatan. Han stannade utanför huset. Det var här. Det var hit han hade kommit den där morgonen när allt började. Det hade varit en rätt varm morgon, som alla de andra. Eller gryning. Som gryningen antagligen skulle bli i morgon. En morgon till. Hur skulle den bli?

Han klev ur bilen. Det lyste i ett par av fönstren på andra våningen. Det stod ingen bil utanför. Gatan var stilla.

Mannen som öppnade verkade inte känna igen honom. Bergenhem hade lyssnat på stegen nedför trappan efter att han ringt på. Stegen hördes tydligt, som om huset ännu inte isolerats klart.

"Ja?"

"Känner du igen mig?" sa Bergenhem.

"Vad? Vem är du?"

Men han kände igen honom nu. Bergenhem kunde se det i hans kroppsspråk. Orden betydde ingenting.

"Får jag prata med dig en liten stund?"

"Jag har pratat", sa Roger Edwards. "Jag har inget mer att säga. Jag pratade med den andre häromdan. Kommissarien."

"Winter."

"Ja, Winter. Jag har inget mer att säga. Vad vill du nu? Varför kommer du hit så sent?"

"Det är inte så sent."

"Vad vill du?"

"Får jag komma in en liten stund?"

"Kan ni bara gå hem till folk så här? När som helst?"

"Ja."

Edwards såg ut att fundera på vad han skulle säga nu. Till slut öppnade han dörren.

"Ja, kom in då. Men jag orkar inte med nån lång stund."

"Varför inte?"

"Vad?"

"Varför orkar du inte?"

"Är det där ett skämt?"

"Nej."

"Låt oss få det överstökat. Kom in."

Bergenhem följde honom in till ett vardagsrum som först verkade omöblerat. Det såg ut som om Edwards var på väg att flytta ut, eller flytta in.

"Ska du flytta?"

"Vad? Ja… jag ska flytta. Jag har sålt huset."

"När?"

"När vadå? När jag ska flytta?"

"Ja."

"Så fort försäljningen går igenom. Inom en månad, hoppas jag. Jag har redan börjat flytta lite grejer."

"Vart?"

"Spelar det nån roll?"

"Det pågår en utredning", sa Bergenhem. "Du måste uppge din adress."

"Stockholm", sa Edwards. "En lastbil har redan gått iväg. Rörstrandsgatan. Jag kommer inte ihåg numret just nu. Fem, tror jag."

Bergenhem nickade.

"Vad ville du fråga om mer?" sa Edwards.

"Du var där, eller hur?"

"Vad?"

"På bron. Den morgonen. Din bil. Du var där."

"Jag var där? Du säger att du var där. Såg du mig?"

"Nej. Men det betyder inte att du inte var där."

"Var skulle jag ha varit då?"

"Under bilen?"

Edwards svarade inte. Han såg ut genom de stora fönstren, glas-väggen. Som om han visste att någon stod där. Han hade sneglat åt det hållet flera gånger.

"Finns det nån därute?" sa Bergenhem.

"Va?"

"Är du inte ensam här?"

"Nu förstår jag inte dina frågor alls."

"Vad hände på bron?" frågade Bergenhem.

"Jag vet inte mer än du. Du vet mer. Du var där. Jag var inte där."

"Du var där." Bergenhem nickade bort mot dörren, mot gatan utanför. "När jag såg dig komma gående den där morgonen för-stod jag inte. Men nu förstår jag. Du hade varit där. Du visste vad det handlade om. Du visste varför jag hade kommit hit."

Edwards kastade ännu en blick ut genom fönstren. Bergenhem såg trädgården, men den var bara en tom och svart rektangel. Edwards hade packat ihop trädgården också och skeppat den till Stockholm. Han kanske skulle ha den på taket på Rörstrandsgatan. Var det Vasastan? Var det Söder? Bergenhem mindes en kväll på en bar i Vasastan. Det var före Martina. Före allting. Före Ada.

"Hur mår du?"

Han hörde Edwards röst avlägset, som om mannen hade gått ut i trädgården och stod därute och talade till honom.

"Vad sa du?"

"Du ser inte... bra ut. Är du sjuk? Hur är det med dig?"

"Det är bra."

"Det är inte bra. Vet din chef att du är här?"

"Vi jobbar inte så."

"Det gör ni visst. Så mycket har jag förstått av kriminalares jobb. Man sticker inte bara iväg. Nåt kan hända."

"Vad kan hända? Svara bara på mina frågor."

"Jag vill inte svara på några fler frågor."

"Vågar du inte?"

"Jag vill att du går nu. Du borde gå nu."

Edwards kastade den där blicken ut genom fönstren igen.

Bergenhem gick tvärs över golvet och öppnade balkongdörren.

"Gå inte ut dit", sa Edwards.

Bergenhem steg ut på den lilla gräsmattan utan att svara.

Han såg aldrig slaget. Allt blev rött. Sedan svart.

Winter klev in i lobbybaren. Den gick i rött och svart, läder eller galon. Rött och svart var ingen mild kombination av färger. Quality Hotel 11 hade många gäster denna kväll, åtminstone att döma av trängseln i baren.

Winter gick fram till bardisken. Han fick stå i en liten kö. När det blev hans tur beställde han en Staropramen från fat. Han var törstig. Han fick ölglaset och betalade. När han vände sig om såg han Christian Lejon sitta vid ett bord långt till vänster om ingången, borta vid fönstren som vette mot en atriumgård. Lejon såg honom. Han log och lyfte sitt glas. Ett martiniglas. Winter lyfte inte sitt glas. Han vände sig tillbaka mot bardisken och drack. Han hörde röster omkring sig, skratt, en svordom. Folk hade börjat fyllna till. Här kanske det var lönehelg hela månaden. Det var fredag kväll. Fredag hela veckan. Folk hade hissats upp ur grottekvarnen för en stund. Vad kunde man annat göra än supa och glömma. Bli kung i baren. Han stod mitt i en skock kungar. Några drottningar. En av dem tittade på honom och log. Han log inte tillbaka. Hon vände sig till en annan drottning och sa något. Det såg ut som om hon viskade. Båda log. Winter vände sig åt andra hållet. Snart skulle det inte finnas några fler håll att vända sig åt.

Bartendern lutade sig framåt. Han sa något.

"Vad?" Winter lutade sig framåt. "Vad sa du?"

"Mister Lejon would like you to join him at his table", sa bartendern. Han lät som en irländare. Många irländare jobbade på barerna och pubarna i Göteborg. Den här såg också ut som en irländare, mörk, fyrkantig, blå hud som aldrig utsatts för sol.

Bartendern nickade diskret bort mot gangsterns bord. Stambordet. Winter vände sig om. Lejon nickade vänligt. Han höjde inget glas den här gången. Alla bord var upptagna i baren, men Lejon satt ensam vid sitt. Det fanns tre tomma stolar runt honom.

"Tell him I've got other things to do", sa Winter och vände sig mot bardisken igen.

Bartendern tittade på hans glas. Det var fortfarande så gott som fullt. Gästen ville dricka ensam. Det var okej. Men mister Lejon skulle inte tycka om det.

"I would advise you to accept his invitation", sa bartendern.

"And if I don't? Will he kill me?"

"Probably", sa bartendern och log. Han hade bra tänder. Levnadsstandarden hade höjts i den irländska republiken. "Shall I get you anything else?"

"No", sa Winter. "I brought my own gun."

Han tog ölglaset med sig när han gick genom folksamlingen mot Lejons bord. Han spillde nästan ingenting. Lejon hade rest sig från stolen och väntade på honom. Han gjorde en gest mot en tom stol. Den var svart och röd. Det var skinn, inte galon. Svårare att hålla rent men snyggare. Stolarna såg nya ut. Hela baren såg fortfarande ny ut.

Lejon sträckte fram handen. Winter tryckte den, närmast som en reflex. Lejons hand var varm och hård. Han verkade inte nervös.

"Du hade inte behövt bära ditt glas själv", sa Lejon.

"Jag är van att klara mig utan tjänare", sa Winter.

Lejon log. Han nickade mot stolen.

"Jag undrar varför vi aldrig träffats", sa han.

"Det är inte mitt fel", sa Winter.

"Det är ingens fel", sa Lejon. "Det har väl bara blivit så."

"Men du känner alltså till mig", sa Winter.

"Vem gör inte det? Du är berömd."

"Det är du också."

"Det är ingenting mot dig, Winter. Hade du inte varit en verklig person så hade du spelat huvudrollen i en bok. En roman, en deckare. Så berömd är du."

På tal om bok. Winter lyfte sitt ölglas och betraktade Lejon över kanten. Han hade inte planerat att träffa Lejon nu, och inte så här. Eller så var det just det som styrt stegen hit. Han visste inte hur mycket Lejon visste om vad han visste. Lejon kanske gav fan i det. Han kanske njöt av att veta att Winter visste. Om boken.

"Vad gör du härute?" frågade Lejon.

"Det är fredag kväll", sa Winter. "Jag har hört att det är trevligt härute på fredagskvällar. Jag ville kolla in det själv."

"Du gjorde rätt", sa Lejon. "Det är trevligt här."

"Jag ser att du sitter ensam vid bordet", sa Winter.

"Inte nu längre."

"Har du inga vänner, Lejon?"

"Jag har det nu."

"Trivs du härute?" sa Winter och lyfte sitt glas.

"Det är mitt hem", sa Lejon.

"Är det inte ett jävla liv på dagarna? Dom bygger ju på hela Eriksbergsvarvet nu. Det måste vara svårt att koppla av."

"Nej."

"Får du aldrig ont i huvudet av dånet?"

"Varför frågar du det?"

"Det är väl en naturlig fråga."

Lejon betraktade Winter med sin kalla blick.

"Det här är min stad", sa Lejon. "Jag har inget emot att den får liv igen. Den var död länge. Det får gärna dundra lite."

"Du har ett speciellt förhållande till det här, förstår jag. Till den nya delen av stan."

"Nya? Farsan jobbade härute", sa Lejon. "Han dog här."

"En olycka?"

"Nej. Det var mord."

Winter sa ingenting. Ljudnivån hade stigit ännu mera inne i baren. En man hade försökt ta en av de två lediga stolarna vid Lejons bord och Lejon hade gjort en gest med handen som ett karateslag. Mannen drog sig tillbaka.

"Utan honom hade den här stan inte funnits alls", sa Lejon. "Och då menar jag hela Götefuckingborg."

"Så är det nog", sa Winter.

"Vad gjorde din farsa?"

"Spelade golf", sa Winter.

"Jag förstår det", sa Lejon.

"Varför förstår du det?"

"Du luktar golfklubb lång väg, Winter."

"Jag har aldrig spelat."

"Det spelar ingen roll." Lejon log. "Det är en klassfråga."

"Och du har lämnat din", sa Winter.

"På sätt och vis. Och ändå inte."

"Jaså?"

"Jag glömmer inte."

"Vad jobbar du med, Lejon."

Gangstern hejdade sig med glaset halvvägs till munnen. Han satte ner det igen.

"Det vet du, Winter."

"Vad skulle din far sagt om han visste?"

"Revansch. Han skulle sagt revansch."

"Revansch mot vem?"

"Dom jävlarna som dödade honom."

"Är det dom du säljer till?"

"Säljer? Jag säljer ingenting. Det är inte mitt jobb."

"Cheferna. Direktörerna Kapitalisterna. Fackpamparna. Är det till dom?"

"Jag är ingen försäljare."

"Eller är det till barnen, Lejon? Ungdomarna. Dom fattiga. Dom fattigaste. Dom mest utsatta. Plundrade invandrare. Våldtagna kvinnor. Våldtagna barn."

"Det där är långt från din klass, Winter."

"Det är inte långt från min verklighet."

"Vad vet du om verklighet?"

"Jag är närmare den än du är, Lejon."

"Jag säljer ingenting", upprepade Lejon. "Och jag vill njuta av den här drinken en liten stund till."

"Jag letar efter en pistol", sa Winter.

"Har du ingen egen?" sa Lejon. "Jag tyckte det stramade kring midjan när du satte dig."

"En Tokarev", sa Winter. "Den användes i mordet på en man nyligen."

"Var det han i garaget?" Lejon skakade på huvudet. "Ruskigt. Ruskig historia."

"Ja. Så du förstår att vi behöver få tag på mordvapnet."

"Det förstår jag verkligen. Men varför leta här?"

"Vi letar över hela stan."

"Som till exempel i det här hotellets lobbybar en fredagskväll."

"Till exempel det."

"Varför berättar du det här för mig, Winter? Om pistolen?"

"Jag hoppas att du kan hjälpa mig."

"Självklart. Får jag veta nåt ringer jag direkt."

Winter tog fram sin plånbok ur kavajens innerficka. Han drog ut ett visitkort.

"Har du en penna?"

"Naturligtvis", sa Lejon och drog fram en silverskinande Ballograf ur innerfickan. Winter tog emot den.

"Jag skriver ett annat mobilnummer på baksidan."

"Ett förtroende", sa Lejon.

"Det är hemligt förstås, men jag litar på dig."

"Jag ska inte berätta för en själ."

Ute på torget såg Winter en ny färja lägga till vid Dockpiren. Han började springa. Det var bättre än taxi. Han behövde en vind i ansiktet.

På däck andades han in den salta luften med djupa tag. Han var ensam därute. Några ungdomar hade gått in i salongen och satt sig. Han såg en ölburk höjas därinne. Han hörde ett skratt. Fredag kväll till sjöss.

När färjan la till vid Klippan såg han ljusen från Sjömagasinet. Det var länge sedan han varit där. När allt detta var över skulle han ta med sig familjen till Sjömagasinet och glömma resten av världen.

Mobilen ringde. Winter tittade på sitt armbandsur. Halv elva. Han kände inte igen numret på displayen. Han kände omedelbart igen rösten.

"Vad har du gjort!?"

"Vad är det, Lotta?"

"Har du pratat med Benny igen? Du lovade att inte göra det!"

"Var är du, Lotta?"

"Jag är hemma hos en väninna. Vad fan tror du? Tror du jag vill vara kvar i huset? Att vi ska vara kvar i huset? Jag kom hit för tre minuter sen."

"Vad har hänt?"

"Benny ringde. Benny 'Maffiaboss' Vennerhag."

"Vad ville han?"

"Vad han ville? Vad spelar det för roll?"

"Har han hotat dig?"

"Att han hör av sig är hot nog. Herregud, Erik, jag hade hoppats att jag aldrig mer skulle få höra hans röst. Förstår du! Det är förstört nu."

"Vilket är förstört?"

Hon svarade inte. Han hörde hennes andning. Den började sjunka.

"Vad sa han, Lotta?"

"Han sa att han 'bara ville säga tre ord'. Vet du vilka dom tre orden var?"

"Du behöver inte upprepa dom."

"Han sa att han trodde att du hade pratat med mig. Han var säker på det. Att du hade pratat med mig om honom! Vad har du lovat honom, Erik?"

"Ingenting. Absolut ingenting."

"Har du pratat med honom? Om mig?"

"Ja…"

"Du är inte bättre än dom", sa hon och slängde på luren.

FJÄRDE DELEN

38

LÖRDAGSMORGONEN VAR KLAR. Angela hade öppnat fönstret i sovrummet innan hon gick ut till barnen och frukosten. Winter kände den friska doften från innerstaden. Det var inte havet, men det var hans. Han tänkte på havet. Det var plötsligt en skrämmande tanke.

"Så du är vaken?"

Han satte sig upp. Angela kom med en bricka. Han var inte värd det.

"Pappa, pappa!" ropade Lilly och hoppade upp i sängen. Elsa satte sig på kanten. Hon var inte så barnslig. Angela satte brickan på golvet. Han kände doften av kaffe och färska croissanter.

"Elsa åkte ner till hembageriet", sa Angela.

"Näää!" sa Winter och nöp en croissant i näven. "Det var bra gjort, Elsa." Han doftade in aromen. "Fantastiskt att få färska grejer till frukost."

Hans dotter såg stolt ut, men någon större grej var det inte. Hon hade kunnat åka ner och handla länge nu. Flera år nästan. Hade Lilly gjort det hade det varit mer fantastiskt.

"Frukost på sängen", sa Winter.

"Du kom hem sent", sa Angela.

Plötsligt såg Elsa rädd ut. Han kunde se det i hennes ögon. Hon tittade på Angela: varför sa du det där? Han kan bli arg för att du sa det där.

"Jag tittade inte på klockan", sa han med lätt röst.

"Du kan behöva en sängfrukost." Hon log. Elsa log. Lilly hoppade ner från sängen och sprang ut från sovrummet.

"Jag glömde juicen", sa Angela. "Kan du hämta den, Elsa? Den står på bänken."

Elsa gled ner från sängen.

"Det behövs inte", sa Winter.

Det brakade till ute i köket. Men inget ljud av krossat glas, tack-ochlov.

"Jag kollar vad ungen har gjort", sa Elsa.

De hörde inget skrik.

Elsa sprang iväg. Hennes nakna fötter var ljudlösa över trägolvet. Angela hade dragit undan en del av gardinerna. Solstrålarna färgade golvet i bärnsten.

"Jag fick inte tag på honom", sa Winter.

"Han kanske är hemma nu."

"Var är hemma?"

"Jag vet inte." Hon nickade mot golvet. "Drick latten innan den kallnar."

"Jag gick aldrig upp till lägenheten ute på Eriksberg." Han lyfte porslinskoppen. "Jag borde kanske gjort det."

"Vad hände sen?"

De hörde Elsas tröstande röst därute. De hörde Lilly säga något. Ett skratt. Ingen katastrof hade inträffat.

"Jag träffade en farlig man", sa Winter.

"Farlig? För vem? För dig?"

"För alla."

Han berättade om mötet med Lejon.

"Är han inblandad i mordet du utreder?" frågade Angela.

"Jag vet inte. Sannolikt inte direkt. Men han kan ha ordnat vapnet. Eller nån av hans underhuggare. Han har många underhuggare."

"Att en sån får gå fri. Du måste vara försiktig, Erik."

"Jag är alltid försiktig."

"Du är aldrig försiktig."

"Den här gången ska jag vara det."

"Är Lars försiktig?"

"Med vad?"

"Med sitt liv."

"Jag vet inte, Angela. Jag är orolig för det."

"Är han suicidal?"

"Jag vet inte. Jag kanske inte har förstått."

"Du har försökt."

"Kanske. Jag har i alla fall försökt hitta honom. Men jag stoppade honom inte. När han gick från mitt rum."

"Han ville inte vara kvar."

"Jag kunde stoppat honom."

"Hur? Med våld?"

"Nej. Med ord. Jag hade inte orden."

"När jobbar han nästa gång?"

Bergenhem inställde sig inte till jourtjänstgöring klockan tolv. Möllerström var där, och ringde hem till Ringmar som hade bakjour. Ringmar ringde Winter. Klockan var några minuter över tolv. Winter hade väntat på samtalet. Han hade själv försökt nå Bergenhem. Angela hade ringt hem till Martina. Ingen svarade i Torslanda.

"Skicka ut en bil till Eriksberg", sa Winter.

"Jag åker in till stan", sa Ringmar.

"Jag kommer också."

"Vad säger familjen?"

"Vi får ta igen det senare."

Den här helgen, tänkte Winter när han lagt på luren. Det händer den här helgen och sen är det över. Det avgörs nu.

"Han kan vara var som helst", sa Ringmar.

"Eller ingenstans."

"Han är borta? Död?"

"Ja."

"Självmord?"

"Ja."

"Tror du på det?"

"Nej."

"Var ska vi börja leta?"

Telefonen ringde på Winters skrivbord.

"Ja?"

Han lyssnade och la på.

"Bergenhem har inte varit i lägenheten på Eriksberg i natt. Dom pratade med mannen som bor där."

Telefonen ringde igen.

Det var Angela.

"Jag fick tag på Martina. Hon har inte hört av Lars sen i går."

"Tack, Angela."

"Vad ska ni göra?"

"Leta efter honom. Vi ska hitta honom."

"Jag är rädd, Erik."

"Det är jag med."

"Jag kanske kör ner med flickorna till havet."

"Jag försöker komma ner sen. Jag ringer. Hej."

Han la på.

"Var börjar vi?" sa Ringmar.

"Bron", sa Winter. "Älvsborgsbron. Det var där allt började."

"Hur menar du?"

"Lars upptäckte bilen på bron. Han kom dit från Gud vet var. Nåt syndigt ställe, jag vet inte. Han ser bilen. Vad gör han sen?"

"Han slår larm."

"Efter det. Vad gör han?"

"Han åker hem till ägaren. Roger Edwards i Långedrag."

"Ja."

"Och?"

"Han kanske åkte dit igen. Han kanske ville lösa fallet på egen hand. Det var därför han inte ville stanna kvar på det här rummet i går. Han ville inte lyssna på mig mer. Han ville ut så fort det gick, och jobba. Han ville börja om från början."

"Återupprätta sin heder", sa Ringmar. "Eller så åkte han ut i skogen och hängde sig."

"Vilken skog?"

Ringmar såg ut genom fönstret. Där fanns ingen skog, bara en ask och tre lönnar och två björkar. Träden var nästan nakna. Staden var nästan naken nu. Den var snart färdigstrippad inför vintern.

"Hela stan är omgiven av skog", sa Ringmar. "Skog och berg."

"Och hav", sa Winter.

"Han kan ju ha kört ut till kusten."

"Han kanske var på väg", sa Winter.

"Hur menar du?"

"Han kom till Långedrag."

"Ska vi börja där?" sa Ringmar.

Ringmar gick till sitt rum för att hämta jackan. Winter tvekade över telefonen. Han lyfte den, och slog ett nummer han kunnat sedan han var barn.

Bim svarade. Hennes röst var mycket lik Lottas.

"Hej, Bim."

"Hej, morbror Erik."

"Hur har ni det?"

"Det... det är väl bra. Vill du prata med mamma?"

"Om hon vill prata med mig."

"Det tror jag säkert. Jag ska säga till henne. Hej."

Han väntade. Han tittade på Panasonicen på golvet. Skivspelaren var stum nu. Det hade inte blivit så mycket musik den senaste tiden. Han visste inte varför. Han längtade plötsligt efter musiken.

"Erik."

"Hej, Lotta."

"Förlåt om jag var... att jag var så upprörd i går."

"Det är okej."

"Jag blev rädd, bara. För många dåliga minnen."

"Han lovade att inte ringa dig innan jag pratat med dig, Lotta."

"Varför ha med honom alls att göra? Jag har sagt till dig. Jag vill aldrig ha med honom att göra. Jag vill inte att du har det heller. Det är inte bra för dig. Det kan sluta illa för dig, Erik."

"Men jag måste ju prata med honom om det här. Det här går inte. Att han ringer dig."

"Nej."

"Jag ska prata med honom."

"Hjälper det?"

"Ja."

"Vad har han för hållhake på dig?"

"Han har ingen hållhake", sa Winter. "Ingen har nån hållhake på mig."

Lördagseftermiddagen var stilla på Eckragatan. Folk höll sig inomhus trots det vackra vädret. Trädgårdsarbetet var över för säsongen. Winter hörde en hund skälla, men skallet avbröts tvärt, som av ett slag.

"Det ser övergivet ut", sa Ringmar och nickade mot huset.

"Det gjorde det förra gången också."

"Inga gardiner. Lever han ensam?"

"Ja."

"Var är Edwards bil?"

"Vet ej. Nu går vi in."

"Vad ska du säga?"

Winter svarade inte.

De klev ur Winters Mercedes. Han såg ett ansikte i ett fönster i grannhuset. En kvinna. Hon betraktade dem ett ögonblick, och försvann.

Winter ringde på dörrklockan. Ljudet var tydligt därinne, och ännu ihåligare än han hört förut. Det ekade tomt. Han ringde på igen. Ringmar ställde sig vid ett av de stora fönstren till vänster och kikade in genom glesa persienner.

"Det är nog ingen idé att ringa på", sa han.

"Vad?"

"Det är nog ingen hemma. Det finns inga möbler."

Winter ställde sig vid fönstret. Det var tomt därinne. Golvytan var ren, det som stått på den var bortsopat, iväglyft.

"Vi går runt till baksidan", sa han.

De stora perspektivfönstren mot trädgården på baksidan var fördragna med breda persienner. Det var omöjligt att se in. Wintet tittade uppåt. Han såg kvinnans ansikte i fönstret igen. Hon ryckte till, och försvann.

"Vi är bevakade", sa han och nickade mot grannhuset. Det var av äldre typ, en trävilla från den gamla tiden.

"Han har stuckit, den jäveln", sa Ringmar. "Vi får efterlysa honom."

"Vi går in", sa Winter.

"Går in? Nu? Bryter oss in?"

"Ja."

"Damen i fönstret kommer att anmäla oss."

"Kan inte hjälpas."

Det darrade till i gardinen i fönstret där kvinnan stått. Fortfarande stod.

"Ska jag hålla upp legitimationen?" sa Ringmar.

Winter svarade inte. Han såg nedåt. Gräsmattan var bara några kvadratmeter. Platsen där de stod var nertrampad, framför dörren som ledde från rummet och rakt ut. Winter drog i dörrhandtaget. Dörren var öppen.

"Vad fan", sa Ringmar.

"Vi behöver inte bryta oss in", sa Winter.

Han drog upp dörren helt.

Vardagsrummet därinne var nästan tomt på allting. Men det stod ett bord och en fåtölj mitt i rummet.

"Han har flyttat", sa Ringmar. "Åtminstone nästan."

"Men när?" sa Winter. "Det måste ha skett nyligen."

De klev in i rummet.

"Har vi nån uppgift om att han lagt ut kåken till försäljning?" sa Ringmar.

"Nej. Vi får kolla det."

Ringmar böjde sig ner. Han strök med ett finger över golvet och höll upp det i ljuset från solen därute.

"Rätt dammigt", sa han. "Och ser du hörnen?" Han nickade mot ett hörn. "Rätt stora dammråttor."

"Hellre lite skit i hörnen än ett rent helvete", sa Winter.

"Jag är inte säker på det, Erik."

"Vi går ett varv."

"Vi kommer att lämna spår på den här dammytan."

"Bra. Då vet vi att det är våra."

De gick över rummet efter varandra, en stig.

Köksbordet stod kvar, och tre stolar.

"Varför tre?" sa Ringmar.

Winter öppnade kylskåpet. Det var inte helt tömt; ett mjölkpaket, ett paket Bregott, en ostkant, några glasburkar med sylt och gurka. Det kanske var så det alltid såg ut i det här kylskåpet. En ungkarls kylskåp.

"Har han flyttat eller inte?" sa Ringmar.

"Nu har vi brutit oss in", sa Winter.

"Jag gillar inte det här", sa Ringmar.

"Grannen kommer inte att ringa polisen, Bertil."

"Det är inte det jag menar." Ringmar slog ut med handen mot väggarna, golvet, taket, de torftiga möblerna. "Jag gillar inte stämningen i den här kåken."

Winter svarade inte.

Han gick tillbaka till vardagsrummet. Han ställde sig vid dörröppningen och tittade ner på gräset.

"Rätt nertrampat här", sa han och vände sig mot Ringmar som följt efter.

"Han har väl gått ut och in här."

"Hmh. Lite för nedtrampat för det."

Winter klev ut på gräsmattan, och gick ner på huk. Han studerade grässtråna. De hade börjat förlora sin färg inför vintern. Det var därför han såg de mörkare små fläckarna.

"Nåt har runnit på dom här stråna", sa han och reste sig upp.

"Vad vill du göra?"

"Ringa efter teknikerna."

"Nu?"

Han hörde ett ljud och tittade upp. Kvinnan från fönstret hade kommit ut på sin tomt genom sin bakdörr. Den ledde ut till en veranda. Kvinnan var på väg emot dem.

Ringmar tog några steg mot kvinnan. Hon stannade.

Ringmar tog upp sin plånbok och rotade fram legitimationen.

"Vi är poliser", sa han och höll upp kortet. "Kriminalkommissarier Ringmar och Winter."

"Dom höll på hela natten", sa hon.

"Förlåt?"

Kvinnan såg äldre ut härnere än hon gjort däruppe. Hennes hår var grått. Kanske var hon en av dessa människor som levde sitt liv bakom ett fönster.

"Flyttade. Eller vad dom gjorde", sa hon. "Det kom en lastbil mitt i natten."

"Mitt i natten? När var det?"

"Tre kanske. Halv tre. Jag vaknade av nåt buller." Hon strök sig över ena sidan av ansiktet. "Jag hade somnat. Men jag vaknar lätt. Det har jag gjort ända sen min man dog."

"Vad hände?" frågade Ringmar. "Vad hände i natt?"

"Dom flyttade ut saker. Möbler och vad det var."

Ringmar nickade.

"Hålla på och flytta mitt i natten", sa hon.

"Hur många var det som var här i natt?" frågade Winter.

"Det vet jag inte. Det var mörkt. Gatlyktan står långt bort", sa hon och pekade ut mot gatan. "När den fungerar. Dom är oftast trasiga. Ingen reparerar. Jag har sagt ti…"

"Var det två personer?" avbröt Winter. "Tre? Fyra?"

"Jag vet inte. Minst två. Jag såg två bära. Det kanske var samma hela tiden."

"Kände ni igen nån?" frågade Winter.

"Nej. Det var för mörkt."

"Ni kände inte igen Roger Edwards?"

"Vem?"

"Roger Edwards. Det är hans hus. Han bor här."

"Nej. Jaså, han heter så. Nej, jag kände inte igen honom. Inte i natt. Varken han eller hans fru."

"Hans fru?"

"Ja. Hans fru."

"Har han en fru?" Winter tittade på Ringmar, och på kvinnan igen. "Hur vet ni att han har en fru?"

Hon såg plötsligt förvirrad ut. Hon hade inte sett förvirrad ut tidigare, bara förbannad.

"Det vet jag inte… jag har sett henne några gånger här. Jag har trott att det är hans fru. Är det inte hans fru?"

39

ÖVERVÅNINGEN VAR INTE ÖVERFULL, men inte heller tom. Det stod en obäddad säng i ett av rummen. Rummen såg halva ut, som om de nästan var bebodda.

"Vad var det dom flyttade ut egentligen?" sa Ringmar.

"Bergenhem", sa Winter.

"Var är Edwards?"

"En mycket bra fråga."

"Vem var det mer som var här?"

Winter svarade inte. Han tittade på sängen. Han gick närmare.

"Det är blod på den där kudden", sa han.

Teknikerna anlände till huset före skymningen. Trots det klara vädret skulle det bli en kort dag. Dagarna blev kortade för varje förbannade dag. De hade inte många dagar på sig. Kanske ingen. Winter visste att det skulle bli långa arbetsdagar och arbetsnätter för alla, men det skulle inte räcka till. Det var nu. Den här helgen. Lördag och söndag.

De hade tagit med sig Bergenhem. Han var övertygad om det. Varför? Varför inte lämna honom här?

Hade de också tagit med sig Edwards?

Vilka var de?

Var "de" bara Edwards?

Vem var Edwards "fru"?

Han behövde inte berätta för teknikerna vad de skulle söka efter.

De skulle söka efter allt.

Sedan skulle han få veta vem blodet tillhörde. Hade tillhört.

Det tillhörde ingen människa längre. Det var dött, intorkat. Ett spår, kanske en vägledning. En väg till döden, tänkte han. Det är vad blod är för mig. Förbannade Lars. Förbannade Winter. Jag skickade iväg honom till det här. Det var jag. Han skulle revanschera sig. Jag skulle ha hållit fast den lille skiten i halslinningen och tvingat honom att sätta sig. Jag misslyckades. Det här är på mitt samvete.

Winter glodde ner på sängen. Lakanen hade en gul nyans, och den kom inte från den nedgående solen utanför fönstret. Solen var röd, den hade samma nyans som det intorkade blodet.

"Lars bil står nånstans i närheten", sa Winter och tittade upp. Ringmar stod borta vid fönstret. "Jag tror inte dom hann dumpa den tusen mil härifrån."

"Beror på hur många dom var", sa Ringmar. "Vi får prata med grannkärringen igen."

"Damen i fönstret", sa Winter. "Hon är vårt enda vittne. Hon förtjänar respekt."

"Det är min fula trut", sa Ringmar.

Han pekade ut genom fönstret.

"Ryktet har tydligen redan gått", sa han.

"Vad?"

"Här kommer Fredrik och Aneta."

"Vi var på Brännö", sa Halders. "När jag kör från Saltholmen ser jag dom målade bilarna."

"Han blev nyfiken", sa Aneta Djanali.

"Ska du säga", sa Halders.

De stod på gatan bredvid Halders bil. Winter hade gått ner från övervåningen. Han vinkade till Magda. Hon satt kvar i baksätet. Hon såg trött ut. Hon log ett blekt leende och vinkade tillbaka.

"Jag tror att Lars var här", sa Winter.

"Det här är Edwards hus, eller hur?" sa Aneta Djanali.

"Ja."

"Har Lars varit här?" frågade Halders. "Vad menar du?"

"Jag tror han var här i går kväll, eller i natt."

"Har du inte pratat med honom?"

"Han är försvunnen", sa Winter. "Sen i går kväll."

"Går det inte att få kontakt med honom?" frågade Halders.

"Nej."

"Har han inte jouren i helgen?"

"Jo."

"Vad fan."

"Tror du att det hände nåt med Lars därinne?" frågade Aneta Djanali.

"Ja. Jag tror han har förts härifrån."

"Av vem?"

"Edwards är ett första namn", sa Winter. "Men han var inte ensam."

"Hur vet du det?"

"Grannen såg minst två personer i natt. Dom flyttade ut nånting."

"Herregud", sa Aneta Djanali. Hon tittade på flickan i baksätet. "Vi måste köra hem Magda, Fredrik. Hon kan inte vara kvar här. Ska jag åka?"

"Vill du det så är jag tacksam", sa Halders.

"Hannes är ju ensam hemma nu", sa Aneta Djanali.

Halders tittade på henne. Hon hade sagt "hemma". Hon såg inte ut att tänka på det. Han frågade inte.

"Jag ringer när jag är hemma", sa hon och gick runt bilen och satte sig bakom ratten. Winter såg hennes bleka ansikte, det var blekare än flickans leende. Solen på ön hade inte hjälpt, den hjälpte inte nu. "Jag ringer", upprepade Aneta och slog igen bildörren och körde iväg. Magda vinkade igen. Winter tänkte på Bergenhems dotter. Ada och Magda var väl ungefär lika gamla.

"Räkna mig som tjänstgörande", sa Halders. "Vi ska hitta honom. Och dom andra jävlarna."

"Alla letar", sa Winter. "Hela poliskåren."

"Tror fan det."

"Var ni på Brännö?" sa Winter.

"Ja. Jag fick idén när du och jag var därute. En utflykt."

Winter nickade.

Hans mobil ringde.

"Ja?"

"Jag går ett varv i kvarteret", sa Halders.

"Vi har inte hittat nån mäklare än som försökt sälja Edwards hus", sa Möllerström.

"Fortsätt leta."

"Naturligtvis."

"Kolla om han har köpt nåt annat i stan. Eller i nån annan stad. Eller hyrt nåt, nyligen."

"Nån annan stad? Var ska jag börja?"

"Stockholm."

"Okej."

"Hur går det med medlemsförteckningen för den där gayklubben Bergenhem och Richardsson besökte?"

"Kallar du det medlemsförteckning? Vi har väl tio namn. Det var ju ett svart ställe. Du har sett dom namn vi har. Det är några fler på ingång. En hög politiker till, tror jag. Moderat den här gången."

"Han får vara trotskist om han vill", sa Winter, "eller sjundedagsadventist. Sen väntar jag också på att den där stormästaren i Coldinuorden hör av sig. Varför gör han inte det?"

"Jag vet inte. Jag ska kolla det igen. Hur går det där ute?"

"Vi får se vad Öbergs folk hittar. Men Lars lär inte komma tillbaka hit."

"Det är för jävligt", sa Möllerström. "Folk är rätt skärrade. Flera har ringt in och anmält sig till tjänst."

"Bra."

"Vad ska du göra nu, Erik?"

"Kontakta undre världen."

Han ringde igen medan han körde. Benny ville inte svara. Han var där, i sin skrytvilla vid Järkholmen, men han ville inte svara. Han var feg. Det var ett utmärkande drag hos alla gangstrar.

Winter körde på cykelbanan nu. Några kapitalistsvin spelade

418

golf på det perfekta gräset. Han tänkte på sin far. Han hade haft stamkort på Hovås golfbana. Winter hade aldrig gått ut på någon green eller fairway. Han hade anat något. Kanske var det den hjärndöda dialogen han hört utanför klubbhuset när han hämtat Bengt Winter.

Vennerhag stod på sin gräsmatta. Han höll en golfklubba i händerna. Han fortsatte sin swing medan Winter gick uppför den vackra stentrappan. Bollen susade förbi Winter på några decimeters avstånd. Den kraschade i havet på andra sidan cykelvägen.

Vennerhag tittade upp.

"Oj, det där var nära. Ursäkta mig."

Winter gick fram till honom och slet golfklubban ur hans händer. Han slängde den på gräsmattan.

"Vad är det frågan om?"

Winter grep tag i Vennerhags arm. Den var grov, men Winter var ingen sparris. Han skulle kunna banka skiten ur gangstern, och Vennerhag visste det. Det var mycket skit. Det hade skett förut. Det fanns en rädsla i Vennerhags ögon. Han ville inte få stryk. Ingen ville få stryk.

"Det var inte meningen, Erik! Jag kunde bara inte låta bli. Du hörde ju aldrig av dig. Jag väntade. Du fick ett namn av mi..."

"Det här gäller inte Lotta", sa Winter. "Åtminstone inte först." Han släppte greppet. "Jag ska vara helt öppen. Vi har förlorat en av våra män. Han är sannolikt kidnappad, eventuellt mördad. Han är borta."

Vennerhag strök sig över armen. Den hade röda märken efter Winters fingrar.

"Herregud, ta det lugnt. Jag förstår att du är upprörd. Men ta det lugnt."

"Vi har inte tid", sa Winter. "Det finns inte tid för lugn."

"Ska du komma till mig och slåss varje gång nån av dina kriminalare försvinner?" sa Vennerhag.

"Det har hänt en gång förut", sa Winter. "Och då hade du svaret. Har du nån information nu? Har du nåt svar nu?"

"Svar? Du har ju för fan inte frågat nåt än!"

Winter hörde steg bakom sig.

"Benny? Vad är det? Vem är det där?"

Winter vände sig om. En kvinna stod på pation bakom gräsrektangeln. Hon såg yrvaken ut. Hon var klädd i något slags morgonrock, men det var inte morgon längre. Det var nästan kväll. Skyn över havet var röd och isblå. Winter kunde inte se hennes ansikte tydligt. Han kunde inte avgöra hennes ålder. Håret var mörkt, och uppsatt i en slarvig kringla. Hon hade högklackade morgontofflor.

"Det är ingenting", sa Vennerhag och viftade till med ena handen. "Gå in."

"Men de..."

"Gå in!" skrek Vennerhag. "Gå in och håll käft!"

Kvinnan vände tvärt och gick över de breda stenarna och in i huset. Dörren stängdes med en smäll.

Vennerhag tittade på Winter. Han hade tagit ett steg bakåt.

"Jag vet inte vad du pratar om, Erik. Jag vet väl för fan inget om nån försvunnen polis! Hur skulle jag kunna veta det?"

"Du visste om Lejon", sa Winter.

"Visste om? Det var ett namn jag hade hört nämnas bara. Den där jävla pistolen. Jag hade hört hans namn bara. Lejon. Det är ju ditt jobb att se en koppling om det finns nån."

"Roger Edwards?"

"Va?"

"Hört det namnet förut?"

"Nej. Edwards?"

"Roger Edwards."

"Nej."

"Jan Richardsson?"

"Nej."

Vennerhag skakade på huvudet.

"Jacob Ademar?"

"Vad är det för namn? Är det spanskt?"

"Känner du igen det?"

"Nej."

"Bengt Sellberg."

"Nej… jo, det är ju han som blev skjuten."

"Berit Richardsson?"

"Richardsson igen?"

"Berit. Berit Richardsson."

"Aldrig hört."

"Beatrice?"

"Va?"

"Beatrice, Beatrice Kolland. Eller Beatrice Ademar."

"Vem är det?"

"En flicka som försvann."

"När?"

"1975."

"Försvann? Försvann hur då?"

"Hon var på kollo på Brännö. Hon skulle gå iväg och simma. Ingen har sett henne efter det."

"Vad har hon med allt annat att göra?"

"Jag vet inte det än, Benny. När jag vet det så vet jag allt."

"Låter som ett jävla pussel."

"Lejon hör ihop med det."

"Gör han?"

"Alla namn jag räknade upp kanske hör ihop med det. Och fler. Bergenhem. Han kan vara försvunnen på grund av vad som hände den där sommaren 1975."

"På vilket sätt är Lejon inblandad?"

"Jag tror han var där", sa Winter.

"Där? Då? När flickan försvann?"

"Ja."

"Var det han som gjorde det?"

"Gjorde vadå?" sa Winter.

"Inte vet jag. Hon försvann ju. Du sa ju att han var inblandad."

Winter kastade en blick ut mot havet. Horisonten var mer blå än röd nu. Benny hade kanske trehundra vackra solnedgångar omedelbart utanför sitt fönster varje år. Sådant kunde göra saker med människor. Det kunde få dem att fundera på meningen med livet.

"Roger Edwards", sa Winter. "Har du hört det namnet förut så vill jag att du säger det, Benny."

"Vem är han?"

Vennerhag hade följt Winters blick till ut mot Askimsfjorden. Han granskade den som om han såg den för första gången. En motorbåt av något slag puttrade förbi därute, på väg söderut. Det var ett trevligt ljud.

"Hus i Långedrag", sa Winter. "Arkitekt. Vi tror att Bergenhem besökte honom i natt."

"Varför tror ni det?"

"Vi tror det, Benny. Tro på mig."

Vennerhag vände sig mot Winter.

"Edwards", sa Winter.

"Tror du din kollega har råkat illa ut? Berg… Berge…"

"Bergenhem. Ja, jag tror han råkat mycket illa ut."

"Jag känner ingen Edwards", sa Vennerhag. Han hade fäst sin blick på något annat nu, bakom Winter. Winter vände sig om. Han kunde se kvinnans ansikte i ett fönster på andra våningen. Hon var lika diffus däruppe som härnere.

"Jag var inte trevlig mot henne", sa Vennerhag. "Det var dumt av mig. Hon förtjänar bättre."

"Jag frågade inte om du kände Edwards, Benny. Jag frågade om du hört namnet."

Vennerhag mötte Winters blick. Den gled ut igen till havs.

"Nån gång."

"Nån gång? Vad menas med det? Nån gång? I vilket sammanhang?"

"Det var en bil…"

"Ja?"

"Hans bil var inblandad i nåt. Jag minns inte vilket märke."

"Varför hörde du talas om hans bil, Benny?"

Vennerhag svarade inte.

"Vad hörde du? Vad vet du?"

"Det var på Älvsborgsbron", sa Vennerhag. "Det var nån skottlossning."

"Ja?"

"Det är allt."

"Varför dök Edwards namn upp?" sa Winter.

"Det var ju hans bil."

"Hur vet du det?"

"Det vet jag inte. Det var bara vad jag hörde."

"Varifrån hörde du det?"

"Va?"

"Hur fick du veta detta?"

"Varför... det är bara sånt man hör."

"Vem berättade det?"

"Spelar ingen roll, Erik. Tro mig. Det spelar ingen roll."

"Varför kom Lejons namn upp?"

"Nu är jag inte med."

"Du gav mig Lejons namn tidigare, Benny. Varför dök det upp?"

Vennerhag svarade inte. Winter kunde se svaret i hans ögon.

"Har Lejons namn nämnts ihop med Edwards?" frågade Winter.

Vennerhag nickade svagt.

"Jag hör inte, Benny."

"Det var nåt med den där bilen. Med den där Edwards."

Winter väntade på mer.

"Jag gillar inte att din kollega råkade illa ut. Bergenhem."

"Vet du var han kan finnas nu?"

"Nej, för helvete. Vad tror du, Erik? Det kan du väl ändå inte tro om mig?"

Jacob Ademar hade försökt börja skriva igen. Han hade försökt följa sin systers sista sommar så länge nu att den gled ihop till en enda sommar som kunde vara ett helt liv. Men det var ett kort liv. Han hade inte accepterat det. Det var därför han skrev. Den senaste tiden hade det varit som att skriva i vatten. Rakt ner i havet. Jag kommer inte längre. Allting slutar efter Kärleksstigen. Ingen vet något mer. Ingen vill veta.

Han tittade upp från datorn. Han hade hört ett ljud. Det stod ingen bil utanför. Han hade inte sett några lyktor genom det klara mörkret.

Vad hade han hört?

Skymningen var nästan över nu. För mer än en timme sedan hade han tänt lampan över datorn.

Han reste sig och gick ut i hallen. Han tände lampan ute på förstubron och drog på sig ett par stövlar och klev ut. Luften kändes frisk och stark. Den var mer än ett löfte om vinter. Inom ett par veckor kunde den första snön falla. Han välkomnade den. Han ville inte leva i sommaren mer, inte i någon sommar.

Ett ljud igen.

Det kom inifrån granntomten.

Huset hade stått tomt sedan grannen försvann. Försvann. Innan han blev skjuten.

Innan jag blev beskjuten. Jag tror nån sköt på mig också. Eller så var jag bara där. Fel person på fel plats.

Det var kvistar som bröts. En kvist. Som om någon gick runt på det torra gräset. Det hade inte fått något regn på många veckor. Det var savann.

Han hörde sin telefon börja ringa bakom honom.

Stod det någon inne på tomten? Var det där en buske eller en gestalt?

Har jag med det att göra?

"Hallå!? Är det nån där? Hallå!"

Telefonen hade slutat ringa.

Ademar gick närmare den låga häcken. Gestalten var en buske. Han såg det nu. Han hörde ljud från andra sidan huset. Det var en dörr som öppnades. Det kunde vara det. Någon var på väg in. Det var inte hans business. Han var inte polis. Han kunde ringa polisen. Men det var inte hans business heller.

Telefonen ringde igen. Någon var angelägen.

Han kastade en sista blick på det mörka grannhuset och gick upp på förstubron. Han hade lämnat dörren öppen efter sig. Den skrällande telefonen stod i hallen.

"Ja? Hallå?"

"Jag behöver din hjälp nu."

"Vad är det?"

"Fråga inte. Gör bara som jag säger."

"Vad har hänt?" sa Ademar.

"Det har gått åt helvete. Boken. Det här är inte den fortsättning jag tänkt mig."

40

DE SATT I LEJONS CHRYSLER. Denna bil som ledde denna djävul till mig. Första gången jag sitter i den. Sista, hoppas jag.

Platsen var Röda sten. Stenen var för tillfället målad gul, men färgen var nästan osynlig i mörkret. I mörkret är alla stenar röda, tänkte Ademar.

Lejon hade parkerat en meter från älven. De öde parkerings-platserna var mörka fält bakom dem. Älvsborgsbron var svart i det elektriska ljuset. Bockkranen på andra sidan var groteskt brandgul i strålkastarna, groteskt stor. Förvridna lemmar av stål. En skulptur av Dalí. Sträcker jag ut en hand kan jag nå den, tänkte Ademar. Jag tänker inte sträcka ut nån hand.

Omedelbart till höger om kranen bodde Lejon. Styrfarten. Un-der kranen växte en ny stad upp. Halva hus. Det kunde vara före eller efter kriget. I det här ljuset såg det mesta ut som ruiner.

Lejon hade varit tyst under resan hit. Han hade hämtat upp Ademar nere vid Sankt Sigfrids plan. Jag vill inte köra upp till dig, hade han sagt. Huset kan vara bevakat. Är du paranoid? hade Ademar frågat. Bara när det finns anledning, hade Lejon svarat. Finns det anledning är man inte paranoid, hade Ademar sagt. Le-jon hade skrattat ett kallt skratt och lagt på.

"Den där jävla kriminalarn kom tillbaka", sa han nu.

"Vem? Menar du Winter?"

"Nej. Den yngre. Han är en i gänget runt Winter."

"Kom tillbaka vart?"

"Spelar ingen roll för dig. Men det har komplicerat det hela. För både dig och mig."

"För mig? Vad har jag med det här att göra?"

"Håller du inte på att avsluta den här boken?" Lejon vände sig mot Ademar. Han la en hand på ratten. Han snurrade den några centimeter. "Håller vi inte på att göra det? Har jag inte lovat att hjälpa dig att få den färdig? Att verkligen få den klar!?"

Ademar såg det vanvettiga ljuset i Lejons ögon. De behövde inga strålkastare. Ljuset hade sin egen källa. Mannen var galen. Han var inte paranoid, han var långt bortanför det.

"Du har lovat", sa Ademar.

"Se där. Jag har lovat. Och så kommer den där jäveln och lägger sig i."

"Vem?"

"Snuten! Jag talar fortfarande om snuten. Vad hade han där att göra? Va?"

"Varför kan du inte berätta var han var? Var det hände?"

Lejon släppte ratten. Han betraktade Ademar med lysande ögon. De skiftade i rött och svart.

"Det kommer", sa han. "Det hör ihop med din bok. Jag vill inte avslöja slutet för tidigt."

"Vet du slutet?"

"Ja."

"Då kan du skriva klart själv."

Lejon skrattade det kalla skrattet igen.

"Jag gillar dig, Ademar", sa han. "Men jag kan inte skriva. Jag kan bara berätta." Han kastade en blick upp mot bron. Den såg ut att falla över dem vilken sekund som helst. Den hade kommit närmare, var rakt över dem nu. Konstruktionen såg ut som spindelväv i en skräckfilm, spindelväv av järnbalkar. Det här är en skräckfilm, tänkte Ademar. En skräckbok.

"Jag kan visa", sa Lejon. "Jag kan visa dig."

Han log igen.

"Vad kan du visa mig?"

Lejon svarade inte. Han såg ut att plötsligt ha glömt vad han just sagt. De många vindlingarna i en sociopats hjärna. Spindelväven. Jag vill inte se, tänkte Ademar. Jag vill inte se det som han har att visa mig. När han har visat mig dödar han mig. Han dödar alla. Han kommer att döda alla i den här historien.

"Varför ville du träffa mig nu?" frågade Ademar.

"Vad ska jag göra med honom?" sa Lejon och vände sig mot Ademar igen.

"Göra med honom?"

"Vad ska jag göra med snuten? Han är med i den här storyn också. Vad ska jag göra med honom?"

"Var är han?"

"En hemlig plats", sa Lejon och log det kusliga leendet. "En speciell plats."

Ademar kände en rysning i kroppen. Han blev fruktansvärt kall. Som om istiden var här, inte bara vintern.

"En speciell plats för oss", sa Lejon.

"För oss?"

"Ja. För dig och mig. Och för Beatrice."

"Du ska inte göra nånting med snuten", sa Ademar.

"Inte nånting?"

"Lever han?"

"Det är väl klart han lever! Jag pratar väl inte om var jag ska dumpa kroppen. Det kommer sen."

"Om du ska dumpa hans kropp, varför frågar du mig till råds?"

Lejon svarade inte.

"Du ska inte dumpa nån kropp, Lejon. Du ska inte skada den där polisen mer. Jag gissar att han redan är skadad. Du ska bara lämna honom nånstans, ett tryggt ställe. Akuten. Ingen dumpning. Har han sett dig?"

"Han har inte sett ett skit."

"Men nu har du berättat för mig."

"Jag har ingenting berättat. Du har inte hört nånting."

"Om jag går till polisen kanske dom tror mig."

"Vad ska du säga? Men du kommer inte att gå dit. Jag vet att du inte går till honom. Winter, kommissarien. Då tar det här slut alldeles för tidigt." Lejon log igen. "Alldeles för tidigt. Det blir ett alldeles för abrupt slut."

"Släpp honom, Lejon."

428

"Jag tror inte det."

"Han är inte med i min bok", sa Ademar.

"Det bestämmer du inte själv."

"Vi behöver honom inte. Han hör inte hemma i vår bok."

Lejon svarade inte. Han såg ut att betrakta kranen. Han levde sitt liv runt den. Han hade aldrig lämnat den.

"Och boken fanns där innan du kom in i det här", sa Ademar.

"Där har du fel", sa Lejon. "Jag fanns med redan från början."

Winter och Ringmar kryssade mellan fylleristerna på Avenyn. Saturday Night Fever. Sodom och Gomorra, på var sin sida om paradgatan. Packet drog fram i horder. Pack-i-stan. Ett gäng vägrade släppa fram dem, killarna blev stående på övergångsstället och gjorde obscena gester. En av dem visade röven.

"Ska jag skjuta ihjäl dom?" sa Ringmar.

"Gärna för mig", sa Winter och tryckte gasen i botten på Mercedesen.

Gänget kastade sig åt båda sidor. Ringmar hörde skrik från packet på trottoaren. Winter hörde ingenting.

"En vacker dag lyckas jag träffa nån", sa han.

"En vacker kväll."

"Som den här."

Han körde rakt över Heden. Det var den närmaste vägen. Fler levnadsglada lördagsfirare fick kasta sig undan.

"Det här har jag alltid önskat göra", sa Winter när han var på andra sidan och svängde upp mot polishuset. "Det har bara blivit cykel förut."

Han parkerade rakt framför ingången.

"Vi får inte ta ut Lars försvinnande på hela Göteborg", sa Ringmar.

Winter svarade inte.

De gick ut och åkte upp i hissen under tystnad.

Winters mobiltelefon ringde.

"Ja?"

Mottagningen var dålig.

"Vänta, jag ska gå ut ur hissen."

I korridoren lyssnade han på Mark Bergtofts röst. Det var en av de nya på roteln. Han såg ut som en yngre Bergenhem, om nu någon någonsin kunde se yngre ut än Lars. Winter hade skickat Bergtoft till Eriksberg tillsammans med Linn Karlsson, en annan av de nya. Det kom nya hela tiden. Det kallades generationsskifte. Ut med det gamla, in med det nya. Men han var inte ute än, och inte ens Bertil var ute. Ingen av det gamla goa gänget. Han vägrade betrakta Lars som ute. Han var bara borta.

"Det har varit mörkt i lägenheten ända sen vi kom hit", sa Bergtoft.

Patrullen satt utanför Lejons lägenhet, eller stod eller vad fan dom gjorde.

"Ingen trafik?"

"Nej. Det är lugnt."

"Bilen?"

"Den står inte på parkeringen här i alla fall."

"Okej."

De hade spaning efter Lejon i hela stan. Han var nyckeln nu, en av dem. En pusselbit. Han visste kanske inte vad Winter visste, eller trodde. Han visste inte om Benny Boy. Eller så gjorde han det och gav fan i det. Eller gjorde något åt det. Winter hade bett Benny vara lite försiktig och Benny hade skrattat hjärtligt.

"Ska vi gå in?" hörde han Bergtofts röst genom ett skikt statisk elektricitet.

"Nej. Stanna kvar utanför. Ring så fort nåt händer", sa Winter och tryckte av.

"Om nåt händer", sa Ringmar.

"Nåt händer", sa Winter. "Det är Saturday Night, för helvete."

De steg in på roteln. Möllerström kom ut från sitt rum.

"Jag har hittat Edwards föräldrar", sa han.

"Säg inte att dom bor i Sydney", sa Ringmar.

"Va... nej, dom bor i Kungälv."

*

De bodde närmare bestämt i Ytterby, utefter Marstrandsvägen.

Winter körde genom den dånande Tingstadstunneln. Trafiken hade tätnat ikapp med kungarnas och drottningarnas desperation inne på stans barer och klubbar. Det närmade sig långsamt midnatt, eller mycket snabbt om man såg det så. De flesta bilarna i tunneln var taxibilar. Desperata resor fram och tillbaka. Meningslös kärlek. Det var lördag kväll: meningslös kärlek. Och fredag, tisdag, söndag: meningslös kärlek.

Trafiken på motorvägen var lugnare.

De hade inte ringt och förvarnat om sitt besök. En radiobil hade kört förbi föräldrahemmet: ja, det lyste i fönstren.

"Bergenhem knackar på hos Edwards och blir nerslagen", sa Ringmar och stirrade ut ut mot den svarta älven som flöt parallellt med motorvägen. Någon sorts pråm rörde sig därute i ultrarapid. Några värdelösa lanternor glimmade dunkelt utefter relingen. "Och sen blir han bortförd."

"Det verkar så", sa Winter.

"Edwards klubbar först ner honom och ringer sen efter hjälp?"

"Bergenhem skulle inte låta sig överrumplas av Edwards", sa Winter.

"Då finns det redan nån där", sa Ringmar.

Winter svarade inte. Han körde över Nordre älv och gjorde sig beredd att svänga av mot Marstrand.

Winters mobil ringde.

"En radiobil hittade Bergenhems kärra ute på Hinsholmen", sa Möllerström. "Bland segelbåtarna vid varvet. Det är inte långt från Eckran."

"Nej, jag vet."

"Teknikerna har precis tagit in den."

"Okej."

"Inget om blodet på grässtråna än", sa Möllerström.

"Det är Lars blod", sa Winter. "Tack, Janne." Han tryckte av. "Ja, du hörde, Bertil."

Ringmar nickade.

"Det fanns alltså nån som väntade hemma hos Edwards", fortsatte han.

"Varför?"

"Lars kanske överumplade dom? Såg nåt han inte skulle få se."

"Vad var det?" sa Winter.

"Ett ansikte."

"Vems?"

"Lejons."

"Det är möjligt", sa Winter. "Men varför ger sig Edwards iväg?"

"Han visste att vi skulle komma och leta efter Lars så småning-om."

"Han kunde hålla masken. Han har gjort det förut."

"Han vågade inte."

"Varför?"

"Det var för stor risk", sa Ringmar.

"Ja."

"Så var är Edwards nu?"

"I Ytterby?"

"Nej, det är inte därför vi åker dit."

"Nej", sa Winter, "det är inte därför."

Huset var stilla och mörkt. Radiobilen stod diskret parkerad ett kvarter bort. Winter klev ur sin bil och gick dit.

"Dom släckte för en halvtimme sen", sa den uniformerade polisinspektören. Det var en man i Winters ålder.

Winter nickade och gick tillbaka till Mercedesen.

"Jag är rädd för att vi får väcka dom gamla", sa han.

De lämnade bilen och gick över gatan.

Dörrklockan hade en onödigt hög signal.

Efter några minuter tändes ett ljus på översta våningen. Fönstret öppnades med ett skrapande ljud. Winter såg ett suddigt ansikte bakom glaset.

"Vad är det?" Det var en gammal mans röst. Den skrapade och knarrade som fönstret nyss. "Vad vill ni?"

"Polis", sa Winter. "Vi skulle vilja tala med er."

"Nu? Polis? Vad... vad är det? Kan ni inte komma tillbaka i

morgon? Vi har lagt oss. Vi sov." Den gamle mannen gjorde en paus. Winter hörde en annan röst inifrån rummet. "Min fru mår inte bra."

"Nej, vi måste prata med er nu. Ursäkta, men kan ni komma ner och öppna, tack."

Ansiktet försvann.

De väntade på den lilla betongtrappan. Trädgården var helt liten, som en meter skugga från huset. Radiobilen stod kvar borta i skuggorna på andra sidan vägen. Man visste inte. Sonen kunde ha sökt skydd hos sina gamla föräldrar. Skydd för vad? Winter hade handen på sin SigSauer. Han visste att Ringmar var beredd.

Ett ljus tändes i hallen. Det sken ut på dem genom ett mjölk-glasfönster i dörren.

Dörren öppnades.

Mannen hade klätt sig i en morgonrock som såg ut att vara från det förrförra århundradet. Han stödde sig på en käpp. Hans hår var kritvitt, och han verkade ha det mesta i behåll. Kanske hans son liknade honom. Winter kunde just nu inte se Roger Edwards ansikte framför sig. Där fanns också något annat. Någon annan. Ett ansikte till, det for förbi hans inre syn på en sekund. Vem var det? Nu var det borta.

"Ja... ni får väl vara så goda och stiga på då", sa mannen.

Winter presenterade sig.

"Karl Edwards", sa den gamle.

Winter tryckte hans hand. Den var sval och fast. Ringmar hälsade.

"Min fru är inte riktigt kry... måste hon vara med också?"

"Jag tror inte det", sa Winter.

De stod kvar i hallen.

"Vad gäller saken?" sa Edwards.

Han var lång, han måste ha varit riktigt lång som yngre man. Hans son var inte så lång.

"Kan vi sätta oss nånstans?" sa Winter.

"Ja, varsågod." Edwards visade in dem i vardagsrummet. Han

hade redan tänt en golvlampa, som förberedelse. "Varsågoda och sitt."

De satte sig. Karl Edwards förblev stående. Winter reste sig igen.

"När hörde ni senast av er son, herr Edwards?"

Ingen du-reform nu. Vissa personer kunde bli niade utan att man förolämpade dem.

"Min son… min son? Menar ni Roger?"

"Har ni fler söner?"

"Eh… nej. Det är Roger."

"När hörde ni senast av honom?"

"Det minns jag inte riktigt. Jag har lite problem med minnet ibland. Boel minns bättre. Det är min fru. Boel."

"Var det den här veckan?" frågade Ringmar. "Kan ni minnas det, herr Edwards?"

"Ja, det minns jag nog att det inte var. Det var längre sen, kanske en månad."

"Skulle ni vilja fråga er fru?"

"Nu?"

"Ja tack."

Edwards nickade och gick ut från rummet stödd på sin käpp. Han gick bra. Winter hörde honom gå uppför trapporna. Käppen slog emot träet som ett tredje steg.

De väntade. En klocka tickade någonstans i rummet. Winter upptäckte den på väggen bakom Ringmar. Den visade på kvart över tolv. Det hade blivit söndag. Winter hörde stegen nedför trapporna. Edwards kom in i rummet.

"Det var förra veckan", sa han. "Fredag förra veckan."

"Pratade ni med honom, herr Edwards?"

"Ja, det gjorde jag."

"Vad pratade ni om?"

"Det… minns jag inte. Inte riktigt. Det var inget särskilt."

Vi får nog ändå släpa frun ur sängen, tänkte Winter.

"Han tänkte flytta", sa Edwards. "Det kommer jag ihåg."

"Jaså? Sa han vart?"

"Stockholm, tror jag. Ja. Stockholm. Han hade sökt ett jobb där. Jag vet inte om han har fått det. Han är arkitekt."

Winter nickade.

"Varför frågar ni om Roger?" sa Edwards. "Har det hänt något?"

"Vi vill bara komma i kontakt med honom", sa Winter. "Vi vill prata med honom om en sak."

"Har ni varit hemma hos honom? I Långedrag? Han bor där. Eller har han flyttat redan?"

"Det verkar inte riktigt så", sa Winter. "Men han var inte där i kväll."

"Är han gift?" frågade Ringmar.

"Vad? Om Roger är gift? Nej, det är han inte. Det borde jag i alla fall komma ihåg. Nej, han har aldrig varit gift. Varför frågar ni det, herr…"

"Ringmar", sa Ringmar. "Jag ville bara veta. Har han en fästmö? Sällskap? Lever han med någon?"

"Nej, inte vad jag vet."

"Han har tydligen haft regelbundna besök av en kvinna senaste tiden", sa Ringmar.

"Ja… det… jag vet inte. Jag vet ju inte allt om hans liv. Jag vet inte så mycket, faktiskt. Men har ni frågat hans syster? Det kan vara hon."

"Hans syster?" sa Winter.

"Dom träffas nog en del. Och hon kommer hit oftare än Roger gör. Ni får väl fråga henne. Hon bor också i Göteborg. I Örgryte."

"Vad heter hon?" frågade Winter.

"Berit. Men hon heter inte Edwards. Hon är gift. Hon heter Richardsson som gift."

41

BERIT RICHARDSSON. Winter tittade på Ringmar. Ringmar tittade på den äldre mannen, fadern.

"Är Berit Richardsson er dotter?" sa Winter.

"Ja?" Han såg ut att studera Winters ansikte. "Känner ni henne?"

"När träffade ni er dotter senast?" sa Winter.

"Det var rätt länge sen. Det kan jag inte säga."

"Har er dotter berättat vad som hänt?"

"Vad som hänt? Att ni inte… att ni inte får kontakt med Roger? Nej, det har hon inte sagt. Det kunde hon väl inte? Det är väl nu? I kväll? I natt?"

"Jag skulle vilja att er fru kom ner hit liten stund, herr Edwards."

"Men hon är sjuk. Hon är inte klädd. Hon ligger i sängen."

"Får vi gå upp till henne en liten stund då? Vi ska bara fråga henne om er dotter. Om Berit. Vi kan stå kvar i dörren."

"Ett ögonblick", sa Karl Edwards och haltade ut från rummet igen. Han gick sämre nu. De hörde hans steg i trappan, de tre stegen. De hörde röster däruppe. De hörde ett rop. Det var svagt.

"Ja… hallå?"

"Hallå?" ropade Winter och gick ut ur rummet. Han kunde se Edwards på översta trappsteget.

"Ja… varsågoda då. Ni kan fråga henne häruppe."

De gick uppför trappan.

Kvinnan satt halvvägs upp i sängen. Hon hade flera kuddar bakom sig.

Det fanns något bekant över hennes ansikte. Det var ögonen. Det var vackra ögon.

"Förlåt så mycket att vi stör, fru Edwards. Jag vill bara fråga en sak."

Hon nickade.

"När talade ni senast med er dotter? Med Berit?"

"Det var nog förra veckan", sa hon med en överraskande stark röst. Den var starkare än makens. "Vad är det för dag i dag? Det..." avbröt hon sig och tittade på en väckarklocka på nattygsbordet, "... det har ju blivit söndag. Då var det väl för en vecka sen kanske."

"Berättade Berit om sin man? Om Jan?"

"Nej, vad skulle hon då ha berättat? Vi... jag vet inte om jag frågade nåt om honom."

"Han är försvunnen", sa Winter. "Det var han redan förra söndagen." Han ville inte säga hur länge. Och just nu kom han inte ihåg hur länge. "Har hon inte berättat det?"

"Nej. Aldrig."

"Är Jan också försvunnen?" sa Karl Edwards.

"Vad är det som har hänt?" frågade hans fru.

"Vi vet inte", sa Winter. "Det är därför vi är här. Vi behöver så mycket information vi kan få."

"Vi vet ingenting", sa Edwards.

Han såg genuint förvirrad ut. Winter hade kommit i natten, med en storm som rörde upp de här gamla människornas liv. Det var nödvändigt. Det var redan storm därute.

"Har ni nån anknytning till Brännö?" frågade Winter.

Ingen av dem svarade. De hade tillräckligt att fundera på. Att chockeras av. Men det var nu. Det var vid ett sådant här tillfälle som alla de nödvändiga frågorna måste ställas. Winter försökte se ett samband. Han försökte se vilken relation människorna i hans drama hade till varandra. Det gick alltid ut på det. I natt hade han kommit närmare. Han måste fortsätta. Brännö var centrum i det här dramat. Det var inte Göteborgs stad, inte Örgryte eller Lunden eller Långedrag. Det var en klumpigt formad ö i den södra skärgården som var centrum.

"Har nån i er familj anknytning till Brännö? Ön i södra skärgården?"

"Varför frågar ni det?" sa Karl Edwards.

"Har ni nån anknytning dit?" frågade Winter igen. "Vad som helst. Om ni känner nån där."

"Ja, Jan kommer ju därifrån. Jan Richardsson."

"Jag vet", sa Winter. "Finns det nån annan anknytning?"

"Vet ni?" sa Boel Edwards.

"Ja. Har ni haft nåt annat med Brännö att göra?"

Ingen svarade. Edwards tittade på sin fru. Hon tittade bort. In i väggen. Det fanns någonting i rummet, någonting outsagt. Winter kunde känna det. De ville inte tala om det. Det var en skam. Han kunde se det. Han kände igen det. Något hade han lärt sig. Det fanns ett sår hos de här gamla människorna som inte hade läkt. De skulle ta med sig det ner i familjegraven.

"Handlade det om Roger?" frågade Winter.

Boel Edwards ryckte till.

"Vad har han för anknytning till Brännö?"

Karl Edwards skakade på huvudet. Hans fru verkade förstenad i sin säng. Hennes ansikte hade stelnat i en mask som Winter tolkade som sorg.

"Vi orkar inte mer nu", sa Karl Edwards.

"Vad är det med er son?" sa Winter. "Vad har han gjort?"

Karl Edwards svarade inte.

"Vad har han gjort!?"

Kvinnan i sängen ryckte till, som om Winter hade slagit till henne med en käpp. Hennes mans käpp.

"Han... gjorde ingenting", sa Karl Edwards. "Det var inte han."

"Vad var det han inte gjorde? Vad menar ni?"

"Han hade ingenting med den där flickan att göra. Ingenting." Edwards tittade på sin fru. Hon hade sjunkit ner i sängen. Hon skulle aldrig mer resa sig därifrån.

"Han sa det till oss", fortsatte Edwards. "Han talade sanning."

"Den där flickan?" Winter kände nackhåren röra sig. Det var som om någon drog en knivsegg över hans bakhuvud. "Vem är flickan?"

"Han hade ingenting med det att göra", sa Edwards. "Han var

inte ens där den kvällen. Han var inne i stan med båten. Han sa det till oss. Han var inte där!"

Edwards röst hade stigit, den blev nästan ett tunt skrik.

"Var er son Roger på Brännökollot den sommaren?" frågade Winter. Han behövde inte förklara, alla i det här rummet visste vilken sommar han menade.

"Det var ju bara en månad", sa Karl Edwards. "Det var inte ens varje dag." Han tog ett steg mot Winter. Han höjde sin käpp ett par decimeter. Det var en vädjande gest. "Det var inte ens hans båt!"

Winter kände fortfarande sina nackhår i bilen tillbaka mot stan. Han hade också känt Ringmars blick i nacken när han stått i dörröppningen till paret Edwards sängkammare. Bertil hade hört allt.

"Så grabben var alltså nån medhjälpare därute på kollot", sa han.

"Ja."

"Och föräldrarna mörklade hela historen? Är det så vi ska tolka det?"

"Bara den delen där deras son var inblandad."

"Men han var ju inte inblandad?"

"Enligt dom, nej. Och inte enligt honom själv. Fortfarande enligt dom."

"Så vad är sanningen?"

"Den vet bara han", sa Winter. "Och kanske flickan. Beatrice. Och kanske nån annan."

"Vem?"

"Vi kommer närmare det, Bertil. Vi kommer närmare."

"Men Edwards namn finns tydligen inte med i utredningen om flickans försvinnande", sa Ringmar.

"Nej."

"Inte mycket till utredning."

"Nej. Det var inte många dom pratade med. Inga av dom andra barnen på kollot. Eller så fanns det inget att skriva. Inga vittnesmål. Ingen hade väl sett nåt."

"Utredningen las ner innan den börjat."

"Ja."

De passerade köpcentrum efter köpcentrum i Backa. Det var en spöklik plats när inga människor och bilar rörde sig mellan parkeringsplatser och byggnader. Det var ett dött område. En gigantisk neonskylt skrek OBS! men det fanns inget att observera därute.

"Var det Berit Richardsson som var hemma hos Roger Edwards?" sa Ringmar. "Som sågs av granntanten?"

"Jag tror det. Det måste ha varit hon."

"Vad gjorde hon där?" sa Ringmar.

"Det var hennes bror."

"Vad tror du dom pratade om?"

"Jag skulle gärna vilja veta det", sa Winter.

"Vi får fråga henne."

Winter körde in i Tingstadstunneln. De mötte flera taxibilar, de hade flera framför och bakom sig. Helgen rasade ännu därute. Kvällen var över sedan timmar, men natten var ännu en ung kung.

"Ska vi fråga henne nu?" sa Ringmar.

"Ett nattligt besök till?"

Winter passerade Gårda på E6:an.

Han svängde av vid Örgrytemotet.

Ljuset var rött vid Sankt Sigfrids plan. Örgryte gamla kyrka ruvade som en ruin i mörket. Ett övergivet kloster. Ljuset slog aldrig om. De var ensamma i korsningen. Winter körde mot rött.

Han parkerade femtio meter från Richardssons hus. De kunde se översta våningen över häcken. Inga ljus var tända i huset, och inte heller i någon av de andra villorna utmed gatan.

"Har vi berättat för henne om hennes bror?" sa Ringmar. "Att han finns med i utredningen?"

"Nej."

"Hmh. Nej, det fanns ju ingen anledning. Ska vi kliva in mitt i natten och berätta det? Skrämma barnen halvt från vettet."

"Dom är redan skrämda från vettet", sa Winter, "eller vad det ska kallas. Dom är rädda. Jävligt rädda."

"Ja. Vem skulle inte vara det? Barn som vuxen."

"Men det handlar inte bara om farsans försvinnande", sa Winter. "Det är nåt annat också."

"Som har med Edwards att göra?" sa Ringmar.

"Jag tror det."

"Sen har väl hennes bror berättat", sa Ringmar. "Även om vi inte gjort det."

"Ja. Och så är det frågan om vad som hände ute på ön sommaren 1975", sa Winter. "Den 23 juli 1975. Nu när vi vet att dom är syskon."

"Så det finns god anledning att prata med henne", sa Ringmar. "Men ska vi vänta till i morgon bitti?"

"Kan Bergenhem vänta till i morgon bitti?"

"Nej. Nej, för helvete, Erik."

Men Winter dröjde. Han blundade. Han tänkte på det här dramat. Han tänkte på människorna i det. Vilka som styrde det, vilken roll han hade. Det fick aldrig finnas någon annan roll för honom än huvudrollen. Det fick aldrig finnas någon tvekan.

Han startade plötsligt bilen.

"Det finns nån annan vi kan väcka först", sa han och svängde ut på gatan. "Det är i närheten."

Han körde Danska vägen norrut, passerade Katolska skolan. Det fanns plats för all tro i den här stan. Det fanns tempel för alla.

Lovisagatan var lika stilla som alltid. Den var landsbygd i storstaden. Winter kunde se konturerna av träden och buskarna i allmänningen på andra sidan.

Ademars hus var lika mörkt som alla de andra utefter återvändsgatan.

De klev ur.

När de stod framför dörren kastade Winter en blick in mot granntomten. Den var en spöktomt nu. Sellbergs hus var ett dödsbo, döden bodde där. Sellbergs död hade bleknat. Så mycket annat hade hänt. Mordet på Sellberg kändes som det minst viktiga i utredningen nu. Vad var det viktiga? Vilka var de viktiga svaren här, de nödvändiga svaren? De måste träffa rätt, under några få timmar. Det fanns inte mer tid. Det fanns en gryning, och sedan skulle det vara över.

Han bultade på dörren. Det var mer effektivt än en ringsignal. Han bultade igen.

Ett ljus tändes i hallen.

"Vad är det? Vem är det?"

Rösten dämpades av den tjocka dörren, men det var Ademars röst.

"Winter. Winter och kommissarie Ringmar. Vi vill prata med dig."

"Nu?"

"Ja, nu. Öppna dörren."

"Det är mitt i natten."

"Öppna dörren!"

Dörren öppnades. Ademar hade en t-shirt och kalsonger. Han blinkade i hallens ljus.

"Kom in och stäng dörren" sa han. "Det är kallt."

De klev in. Ringmar drog igen dörren.

"Kom in i köket."

Ademar gick före. Han tände en lampa över spisen.

"Inget kaffe för oss", sa Winter. "När pratade du senast med Lejon, Jacob?"

"Va, det... ska ni inte sätta er?" Ademar viftade mot pinnstolarna runt köksbordet.

"När pratade du senast med honom?"

"Varför frågar du?"

"Svara bara på frågan, för helvete!"

"Ta det lugnt. Vad är det? Vad men..."

"Vi har en försvunnen polis här", avbröt Winter. "Tillsammans med alla andra försvunna. Men nu är Lars Bergenhem högsta prioritet. Jag vet att du har kontakt med Lejon. Om han har nåt med det här att göra så vill jag att du säger det." Winter tog ett steg framåt. "Jag behöver inte betona hur viktigt det är."

"Vi tror att Bergenhem är i livsfara", sa Ringmar.

"Vi vet att Lejon är livsfarlig", sa Winter.

"Har han antytt nåt om Bergenhem?" frågade Ringmar.

"Jag vet inte vad... han heter", sa Ademar.

"Vad?" Winter tog ännu ett steg närmare Ademar. "Vad sa du?"

"Han sa nåt."

Ademar såg Winters ansikte. Det var sammanbitet, sammanpressat. Han kände inte igen det längre. Det liknade Lejons. Han fick välja orden. Han kunde få stryk igen, han ville inte ha mer stryk. Han hade fortfarande svårt att gå, svårt att andas. Herregud, han hade inte haft tid att tänka än. Han måste säga det. Det var ju nyss, ikväll. Han måste ha tid att tänka, det måste alla ha. Han var hotad. Lejon var sinnessjuk.

"Han sa nåt? Sa Lejon nåt?"

"Han pratade om den där polisen. Jag tror han pratade om honom."

"Vad säger du!?"

Winter tog ännu ett steg. Han stod några decimeter från Ademar nu.

Ademar höjde handen mot ansiktet som skydd.

"Han bara nämnde honom."

"När var det här?"

"Nyss. I kväll. Bara för några timmar sen."

"Och du har inte kontaktat oss!?"

"Jag… visste inte… jag försto…"

Winters slag träffade honom i i buken.

"Erik!"

Ringmar kastade sig framåt och grep tag i Winters arm.

"Var är han, din jävel! Var är Bergenhem?" skrek Winter. Ademars kropp hade vikts ihop som en fällkniv av Winters slag. "Var är han? Vad har Lejon gjort med honom?"

Ademar försökte andas. Slaget hade inte träffat något av de spruckna revbenen. Han kunde andas. Slaget hade inte varit så hårt. Han kände sura smaker i munnen. Han försökte verkligen säga nåt. Han försökte spotta ut det sura. Han ville inte spotta på Winter. Winter skulle slå ihjäl honom.

"Han… han hotade mig", sa Ademar. "Han skulle döda mig. Döda mig."

"Jag ska döda dig", sa Winter.

Men han slog inte. Ringmar höll hans axlar i ett grepp som såg mycket tungt ut. En björn över ett rasande lejon.

"Var är han? Var är Bergenhem!? Sa Lejon var han kan vara?"

"Nej. Nej, nej, han sa inget sånt. Han... han ville inte prata om det. Och det var därför han ville prata med mig. Han ville inte ha med honom att göra. Han var irriterad över att Bergenhem hade... jag vet inte var han hade varit. Vart han hade kommit. Jag vet inte."

"Det vet vi", sa Winter. "Sa Lejon inget om vart han kan ha fört Bergenhem?"

"Nej. Nej, jag lovar. Han sa nästan ingenting."

"Helvete!" sa Winter. "Och släpp mig, Bertil. Jag ska inte röra kräket mer."

Winter skakade till på sina axlar. Ringmar släppte greppet.

Kräket, tänkte Ademar. Jag är inget kräk. Det är orättvist. Jag kan inte skydda mig från vansinnet.

Winter vände sig från honom. Dom skulle gå. Dom skulle gå! Han var inte till nån hjälp. Dom föraktade honom. Han var ingenting. Han kanske hade bidragit till kollegans död. Det var möjligt. Hade han berättat tidigare. För dom var det kanske sannolikt. Han var ansvarig. Om han hade berättat direkt. Ringt direkt efter att han träffat Lejon.

Han var ett... kräk.

Han blundade. Det pumpade en tung smärta från magtrakten. Det var ingenting. Han såg en bild för sin inre syn. Han såg en bro och en kran och ett övergivet varv. En evig utsikt. Ett evigt minne.

En ekande och tom lägenhet.

En barndom.

"Det finns ett ställe", sa han och öppnade ögonen. Winter var på väg ut från köket. Han ryckte till. Han vände sig om. Den andre hade redan gått ut därifrån.

"Vad menar du?" sa Winter.

"Det... finns ett ställe. Lejon tog med mig dit. Det är hans barndomshem. En lägenhet. Den står tom." Han hörde sin egen röst.

Det lät som om han pladdrade. Han ville göra rätt för sig. "Han äger den. Han äger hela fastigheten, sa han."

"Var är det här?"

"Västerut. Bortanför Mariaplan, tror jag."

"Vad är adressen?"

"Stilla gatan. Gatan heter Stilla gatan. Jag vet inte numret. Men jag har varit där."

Stilla gatan var mycket stilla. De gled förbi en öppen plats med en sandlåda i mitten. Alla fönster var svarta utefter väggarna. Fastigheterna var sammanbyggda som en befäst stad. Den fortsatte åt alla håll, som kolonner på marsch.

"Äger han allt det här?" frågade Ringmar.

"Han sa det", svarade Ademar.

"Vilken uppgång är det?" frågade Winter.

"Därborta", svarade Ademar och pekade till vänster om sandlådan.

Winter parkerade tjugotalet meter längre bort på gatan.

De klev ur. Winter och Ringmar hade ficklampor i händerna.

De gick tillbaka utmed gatan.

"Här", viskade Ademar när de stod framför porten.

Winter kunde se numren över porten: 8–10. En gatlykta kastade ett dimmigt ljus genom novembernatten.

De gick in i porten.

"Den där dörren", sa Ademar och pekade åt vänster. Det var en mindre port.

Winter kände på handtaget. Dörren var låst. Han tog fram en dyrk. Låset snappade till efter några sekunder.

"Tredje våningen", viskade Ademar.

De gick uppför trapporna utan att tända. Winter gick först. De stannade utanför dörren Ademar pekade på.

Winter och Ringmar tittade på varandra.

Winter nickade mot Ademar att hålla sig intill väggen bakom honom. Det var tyst i trapphuset. Någonstans surrade en fläkt som en viskning.

Winter tryckte in sitt inbrottsverktyg i dörrens lås. Ademar såg hur han höll andan. Låset gav med sig med en svag suck. Det lät som en suck. Winter tryckte ner handtaget. Han nickade mot Ringmar. Han lät dörren stilla glida upp. Det var svart därinne. Ademar hörde inga ljud. Winter darrade till framför honom. Både han och den andre hade pistoler i händerna nu. De väntade. Dörren var öppen. Vad väntade dom på? De lyssnade. Det hördes ingenting. Också fläkten hade tystnat.

Plötsligt var Winter försvunnen! Ademar måste ha blinkat till. Han var därinne nu, Winter var därinne. Den andre stod kvar. Han höll sin pistol höjd framför ansiktet. Det hördes ingenting inifrån lägenheten.

Winter kunde se lysande konturer utanför fönstren i rummet som låg bortanför hallen. Han kände igen dem. Så såg det ut på andra sidan när det var natt. Nattens ljus därute gjorde lägenheten ljusare än vad den sett ut att vara utifrån. Ljuset var mjukt, silver och guld. Winter stod kvar i hallen. Det var tyst. Tyst. Det var dödens tystnad. Han kände igen den. Han hade hört den förut.

Han tog ett steg framåt, ett till. Han behövde inget ytterligare ljus. Ficklampan var släckt, han kände den knappt i handen. Han kände vapnet i den andra handen. Han tog ett steg till, några till.

Han stod i vardagsrummet. Det fanns inga möbler här. Det var som i Edwards hus, ännu tommare.

Det låg en kropp på golvet. Den var som en kontur i silver, en horisontell sillhuett. Kroppen låg framstupa. Det gick inte att se några detaljer. Det fanns inga färger här mer än det silvergrå. Winter kunde se nacken och bakhuvudet. Silver. Winter kände hjärtat i halsen, ja, i halsen. Han tyckte han kände igen det där huvudet på golvet.

Han bestämde sig. Han tog några snabba steg framåt och grep tag i en axel. Han vände på kroppen.

Roger Edwards stirrade rakt på honom med tom blick. Han hade ett hål mitt i pannan. Det såg ut som ett tredje öga.

42

WINTER HÖRDE RINGMAR komma in i rummet.

"Är det... är det..."

"Det är inte Lars", sa Winter.

Ringmar ställde sig bredvid honom.

"Det är Edwards!" sa Winter och släppte mannens axel. Det hade varit som att hålla i is. Hans kropp blev kvar i det läge Winter hade släppt den. Edwards ansikte var is, en frusen mask. En vit mask i blod. Winter kunde se blodet runt kroppen nu. Det var silvergrått som nästan allting annat i rummet.

"Där har du ditt nionde skott", sa Ringmar.

"Det kanske var avsett för honom hela tiden", sa Winter. "Lars kom dit och avbröt nånting." Winter var fortfarande böjd över kroppen, med ett knä mot golvet. Han tittade upp på Ringmar. "I så fall ligger pistolen i älven nu. Ute vid Coldinukorset på Eriksberg."

"Det låter som om allt är förutbestämt här", sa Ringmar.

"Ligger pistolen där nu var mordet på Edwards planerat från första början", sa Winter.

"Vi får skicka dit en dykare i morgon", sa Ringmar.

"I morgon är i dag", sa Winter. "Vi ringer Kustbevakningen direkt."

"Vi får skicka mer folk ut till Lejons bostad."

"Han kommer inte att vara där", sa Winter.

"Var kommer han att vara då?"

Winter svarade inte.

"Varför mördades Edwards här?" sa Ringmar och tittade ner på kroppen.

"Kanske ett möte", sa Winter. "Ett sista möte."

Winter skulle inte vara på Eriksberg. Han körde tillbaka mot centrum genom en natt som väntade på gryningen. Det skulle bli en lång natt. Men det skulle bli den sista. Han fruktade gryningen.

Det var lika stilla som förut på Örgrytegatan utanför Richardssons villa. Där hade ingenting hänt. Överallt annars hade allting hänt, tänkte Winter.

När Winter ringde på dörren kom han ihåg namnet på dottern. Tova. Det var ett bra namn. Hon skulle slitas in i den här helvetesnatten från sin sömn. Sömn var trygghet. Det var han som kom med bud om döden. Han hade gjort det så ofta att det hade blivit ett arbete. Men barnen. Tova, och Erik. Han kunde inte vänta till morgonen. De skulle ändå vara hemma då. Det var söndag. Men detta var för brutalt. Han såg på Bertil. Bertil tittade rakt in i dörren. Han såg olustig ut. Winter ringde på dörren igen. Han vände sig om. Det enda som fanns ute på gatan var hans bil. Den blänkte hotfullt under en gammaldags gatlykta. Tiden släpade efter i Örgryte, det var ofta så i finare områden. Men nu hade tiden hunnit ikapp.

Ett ljus tändes inne i hallen. Fönstret på dörren var bara en smal rektangel. Ljuset såg litet och skrämt ut, som en låga från ett stearinljus. Det såg ut att flacka hit och dit. Winter tittade på klockan. Vargtimmarna hade börjat yla.

"Vad är det? Vem är det?"

Det var Berit Richardssons röst. Winter hade inte sett något ansikte i fönstret. Och det satt för högt för människorna i det här huset. Ett ljus tändes på andra våningen. Tova och Erik hade vaknat.

"Erik Winter", sa han. "Och kommissarie Bertil Ringmar."

"Vad... vill ni?"

"Var snäll och öppna", sa Winter.

Ljuset flackade därinne igen. Hon har en ficklampa, tänkte han. En ficklampa vid sängen. För nattliga besök. Vi är inte dom första.

Ljuset blev plötsligt starkare genom dörrfönstret.

448

Dörren låstes upp.

Winter såg kvinnans ansikte. De där ögonen, han hade sett dem förut i kväll. Först i Ytterby. Sedan i Kungsladugård. Meet the family.

"Vad är det, mamma?"

Han kände igen Eriks röst, Han såg inte pojken.

"Det... det är polisen, Erik. Det är... det är... dom vill berätta nåt. Det... gå upp och lägg dig. Det tar inte lång tid."

"Men..."

"Gå upp och lägg dig!" sa hon med skarp röst.

Winter hörde steg i en trappa. Det var inte heller första gången i kväll. De här var snabbare och lättare.

Hon öppnade dörren för dem.

"Det är mitt i natten", sa hon.

"Jag beklagar", sa Winter. "Kan vi sätta oss nånstans?"

"Vad har hänt?" Hennes ansikte var vitt och vackert i det fula ljuset i hallen. Det var inte av is, som broderns, men det var lika vitt. Nu kunde Winter se hur lika de var, nu när han visste. Det var ingen tvekan.

"Vad har hänt?" upprepade hon. "Jag kan ju se att det hänt nåt!"

"Kan vi sätt..."

"Det är Roger!" sa hon. "Nåt har hänt Roger!"

Winter nickade.

"Vad har han gjort med honom!?"

"Han?" sa Winter. "Vem är han?"

"Jesus! Jag sa... jag sa att han skulle... skulle..."

Hon såg ut att förlora balansen. Winter la en arm om hennes axlar.

"Vi går in i rummet", sa han. Han hittade här nu. När han tittade upp såg han flickans ansikte. Tova. Hon stod i trappan. Det var samma ansikte, samma ansikte en gång till. Det var lika vitt.

Winter nickade. Flickan vände tvärt och sprang uppför trappan. Hon sa ingenting. Hon hade ett vitt nattlinne med någon sorts blå mönstring.

Han förde Berit Richardsson till en fåtölj i vardagsrummet. Hon sjönk ner i den. Han satte sig mitt emot. Ringmar stod kvar vid dörren. Han kanske skulle behöva tala med barnen. Han kanske skulle gå upp till dem. Ja.

"Jag går upp", sa han.

Winter nickade.

"Är han död?" sa Berit Richardsson och tittade upp. "Är Roger död?"

"Ja."

Hon dolde ansiktet i händerna. Winter kunde se hennes axlar skaka till, som om de hade fått ett slag. Winter väntade. Hon skakade till igen, och tittade sedan upp från sina händer.

"Vad hände?"

"Vi vet inte. Det är därför vi är här. Vi hittade din bror i en lägenhet i natt. Han hade blivit skjuten."

"Skjuten? Skjuten?"

"Någon har skjutit honom", sa Winter.

"Där? Hände det där?"

"Det vet vi inte än. Jag tror det." Varför frågar hon det? tänkte Winter. "Teknikerna är där just nu. Vi får snart vet..."

"Var var det?" avbröt hon. "Vilken lägenhet?"

"I västra delarna. Nära Mariaplan. Vi vet att den tillhör en man som heter Christian Lejon."

Hon nickade. Hon nickade!

"Känner du den mannen?" frågade Winter.

Hon tittade på Winter nu. Det fanns något i hennes ögon som var mer än sorg. Som var något annat än ren förvirring. Eller skräck. Det var en... vetskap. Hon visste något. Han kunde inte se vad det var. Men han hade varit väntad hit. Kanske med det här dödsbudet. Inte vilket dödsbud som helst.

"Jag sa till honom", sa hon och stirrade på sina egna händer. "Jag sa till Roger att han skulle fly."

"Fly? Vad skulle han fly ifrån?"

"Den där mannen. Det måste vara han. Vad hette han? Vad sa du? Lejon? Det måste vara han. Det var han som... utsatte Roger för det."

450

"Utsatte honom för vad?"

Hon svarade inte.

"Har du hört Lejons namn förut?"

Hon skakade på huvudet.

"Vad blev Roger utsatt för?"

"Jag… vad ska det kallas? Utpressning? Nej, det var… det var värre. Jag vet inte vad det ska kallas."

"Berättade han det för dig?"

Hon nickade.

Det kom ljud uppifrån andra våningen. Steg. Berit Richardsson lyfte blicken och tittade uppåt. Winter kunde höra en röst, det var en lugn röst. Han hörde en röst till. Det var Ringmar och barnen.

"Varför blev han utpressad?"

Hon tog ner blicken från taket.

"Jag vet inte. Jag vet inte."

Hon talade till sina händer nu. Hon höll dem framför sig som ett manuskript. Som om hon läste linjerna i händerna. Livslinjerna, tänkte Winter. Men hon visste redan vad det stod. Hon visste.

"Det är mycket viktigt att du berättar", sa Winter. "Vi har… en kollega, en polis, som är försvunnen. Vi tror att Christian Lejon kan ha fört bort honom. Han kan vara illa ute." Winter gjorde en paus. "Och det är sannolikt att Lejon har skjutit din bror."

Hon ryckte till när han sa det sista.

"Var är han?" sa hon.

"Vem?"

"Lejon? Vet ni var han är?"

"Nej. Vet du?"

Hon skakade på huvudet igen.

"Jag är ledsen", sa Winter.

Hon fortsatte att studera linjerna i sina händer.

"Varför blev din bror hotad av Lejon?"

"Jag vet inte. Jag vet inte!"

"Varför blev han utsatt för utpressning?"

Hon svarade inte.

"Jag tror att du vet."

Hon skakade på huvudet igen.

"Det måste finnas en anledning", sa Winter. "Även om den är falsk. Även om den är påhittad. Även om den är uppd..."

"Sluta!" ropade hon. Han kunde se tårar i hennes ögon nu. "Han försökte kontakta dig!"

"Han... han försökte kontakta mig?"

Det var något slags chock. Winter kunde bara upprepa hennes ord. Han tänkte på samtalen, de två anonyma telefonsamtalen. Ropen på hjälp. Nej, det kunde inte vara så. Det kunde inte ha varit han.

"Han försökte", sa hon. "Han vågade inte. Han försökte. Men han... han trodde att nån visste allt han gjorde. Till slut vågade han inte. Och han förbjöd mig. Han sa att jag också var i fara."

"Varför kontakta just mig?"

"Jag vet inte. Han hade väl hört talas om dig. Jag vet inte. Det kanske började med bilen. Att din... att en polis kom hem till honom. En kriminalare."

"Det var Lars Bergenhem", sa Winter. "Det är han som är försvunnen nu. Kidnappad."

"Jesus."

Hon tittade upp från sina händer. Hon la dom i sitt knä. Winter hörde en bil ute på gatan. Morgonens första trafik. Men det var fortfarande vargtimme. Han var inte trött. Han kände sig febrig. Pulsen dunkade genom halsen. Han hade inte ont i huvudet. Han var mycket törstig.

"Du sa att det började med bilen. Vad menar du med det?"

"Den där polisen hittade ju Rogers bil på bron. Det var då det började."

"Vad var det som började?"

"Utpressningen!"

"Vad hände i bilen?"

"Roger fick den där pistolen. Den han... den han skulle använda."

"Använda? Använda till vad?"

"Till att..." och hon tystnade. Hon höll fortfarande sina händer i knät. Hon tittade på något i väggen. Winter följde hennes blick. Det fanns ingenting där.

"Till att skjuta Bengt Sellberg?" sa Winter.

Hon svarade inte. Det såg ut som om hon inte hörde.

"Han skulle skjuta Bengt Sellberg?" upprepade Winter.

Hon nickade mycket svagt.

"Varför?"

Hon svarade inte. Hon hade sagt tusen gånger att hon inte visste. Winter skulle fråga tusen gånger till.

"Minst ett skott från den pistolen sköts av i bilen", sa Winter. "Det fanns en kula inne i bilen."

"Det vet jag ingenting om", sa hon.

"Försökte Roger skjuta den som försökte hota honom?" sa Winter. "Försökte han skjuta Lejon?"

"Jag vet inte."

"Sa han ingenting om det?"

Hon skakade på huvudet.

"Varför lämnade han bilen?"

"Det... jag vet inte."

"Var det för att skottet brann av?"

"Jag vet inte."

Det är din bror vi talar om här, tänkte Winter. Han har blivit mördad. Vet du inte mer? Vill du inte veta? Är du lika rädd som du säger att han var?

"Var Roger där när Lars Bergenhem kom dit? På bron?"

Hon svarade inte.

"Han måste ha berättat det."

"Han... gömde sig."

"Han var där?"

Hon nickade. Det gick ungefär en nickning på fyra huvudskakningar. Det var en bra utdelning. Han hade varit med om förhör där förhörspersonen aldrig nickade, eller sa någonting.

"Varför?"

"Han var rädd." Hon tittade upp. "Var det så underligt?"

"Var det nån annan där också?"

"Jag vet inte."

"Sa han inte det? Sa inte Roger det?"

Hon skakade på huvudet.

"Vem sköt han på?"

"Jag vet inte!"

Hon dolde ansiktet i händerna igen. Hon sa något som Winter inte uppfattade.

"Förlåt, jag hörde inte?"

"Jag orkar inte mer", hörde han nu. Orden var dämpade av händerna. Winter hörde röster igen från våningen ovanför. Han tittade på klockan. Han kunde inte sitta här länge till. De måste vidare. Men han kunde inte resa sig än. Det fanns frågor kvar att ställa.

Winter lutade sig framåt. Han kunde se sin egen spegelbild i det mjölkiga glasbordet. Han var vit som is.

"Den här utpressningen… hade den att göra med Brännö?"

Hon ryckte till. Hon ryckte verkligen till, som om han plötsligt hade sträckt sig fram och rört vid henne. Hon tittade upp.

"Jag förstår inte? Brännö?"

"Roger hjälpte till med leveranser till kollot på Brännö ett par år på sjuttiotalet. Från fastlandet. Det fanns ett kollo därute. Känner du till det?"

"Ja, men det finns inte kvar."

"En flicka försvann därifrån sommaren 1975."

"En flicka?"

"Hon hette Beatrice Kolland. Hon bara försvann en kväll den sommaren. Ingen har hittat henne. Hon är försvunnen."

"Det… vet jag ingenting om."

"Kommer du ihåg när det hände?"

"Nej."

"Har Roger inte sagt nåt om det?"

"Roger? Nej. Varför skulle han ha talat om det? Det var så… länge sen."

"Han var där den sommaren. Vad var det som hände? Var han inblandad i den där flickans försvinnande?"

"Nej, nej. Han har inte sagt nåt om detta. Aldrig."

"Är det därför han blivit utsatt för utpressning?"

Hon skakade på huvudet. Den här gången kunde det vara antingen ett nej eller ett ja.

"Är det anledningen till att…"

"Sluta!" avbröt Berit Richardsson med hög röst. Hon tittade på Winter med röda ögon. "Gå härifrån nu! Jag orkar inte mer!"

Winter reste sig. Berit Richardsson sjönk ihop i fåtöljen igen. Han gick fram till det stora fönstret. Det påminde om fönstret i broderns hus. Det före detta huset. Den före detta brodern. Men man fanns kvar som broder även efter döden. Det var fortfarande svart på himlen, nattsvart. Det var timmar till gryningen.

Han vände sig om. Systern tittade på honom. Hon kanske hade tittat på honom hela tiden medan han stått med ryggen mot rummet.

Winter gick tillbaka till soffgruppen. Han satte sig igen. Hon var lugnare nu. Hon visste att det skulle komma fler frågor.

"Är din man inblandad i det här också?" sa Winter.

Hon svarade inte. Det var inte för att hon inte hade svar. Winter kunde känna igen sådant.

"Din man träffade Beatrice den sommaren", sa Winter. "Jan var därute."

"Det är lögn!"

"Men han väx…"

"Han träffade inte henne!" avbröt hon. "Vem har sagt det?"

"Hur vet du att han inte träffade henne?"

"Han sa…" sa hon och avbröt sig.

"Han sa det till dig? Ni pratade om det?"

"Nej, nej."

"Handlar allt det här om flickan? Om Beatrice?"

"Jag vet ingenting om det. Ingenting."

"Var är din man nu, Berit? Var är Jan?"

"Skulle jag inte säga det om jag visste? Skulle jag inte vara där? Skulle han inte vara *här*?"

"Är han på Brännö? Kan han var därute?"

"Var skulle han vara? Han har inte varit där på… många år. Vi har inget hus där. Vi har ingenting där."

Winter nickade.

"Vi känner ingen där." Hon lutade sig framåt, mot Winter, en decimeter över bordet. Det var första gången. "Har ni inte letat överallt därute? Har ni inte?"

"Varför frågar du det?"

"Är det en så konstig fråga?"

"Känner du till att vi har letat?"

Hon skakade på huvudet igen.

"Men det har vi. Vi har sökt överallt på Brännö. Och på andra öar. Och utefter kusten. Vi har verkligen försökt hitta din man, Berit."

Hon nickade.

"Precis som vi nu försöker hitta Lars Bergenhem. Tiden går för oss. Den går fort. Vet du något mer? Kan du hjälpa oss, Berit? Vi behöver all hjälp."

Hon sa något som Winter inte hörde.

"Vad sa du?"

"Precis som Roger behövde all hjälp."

Hon satt fortfarande kvar i samma ställning. Det var som om hon hade stelnat i den, frusit i den. Det var något i hennes ansikte som inte hade varit där förut. Det fanns något i hennes ögon. Hon såg plötsligt fruktansvärt trött ut, men det fanns ett slags låga i de där ögonen. Något brann där.

Winter såg plötsligt vad det var.

Han blev kall som is. Han blev het som en brand.

Han förstod.

Något hade gjort att han suttit kvar och frågat sig fram under den senaste helvetestimmen.

Det var detta. Det var för detta.

"Hjälpte du Roger, Berit?" sa han med lätt röst.

Hon svarade inte, hon nickade inte, eller skakade på huvudet. Hon satt kvar i den frusna positionen. Det glödde fortfarande i ögonen.

"Hur hjälpte du honom?" frågade Winter.

Han visste inte om hon såg på honom, eller på någonting bakom honom. Han var genomskinlig.

"Roger kan inte ha skjutit Sellberg", sa Winter. "Han har alibi för den natten."

Hon nickade.

"Han sa att han var på en konferens", sa Winter. Det var en lögn. Han måste berätta den. Det var för en död man. Det var för hans mördare. "Han kunde inte ha gjort det."

"Så bra för honom", sa hon. Det fanns en annan fasthet i rösten. Hon hade fått en ny styrka. Han trodde att hon hade bestämt sig. Till slut hade hon bestämt sig. Det var bara en fråga om tid, det var alltid bara en fråga om det. Och hon visste. Hon visste att Winter ljög, och hon välkomnade det.

"Han skulle skjuta Jan", sa hon och tittade Winter rakt i ögonen. "Det var nästa... uppdrag."

Winter nickade.

"Men han kunde inte skjuta nån." Hon höll fortfarande kvar Winters blick. "Han skulle aldrig ha kunnat göra det."

"Men han sköt mot Sellbergs hus", sa Winter.

Hon nickade

"Han kom inte närmare", sa hon. "Han skulle aldrig klara av att komma närmare."

"Varför vägrade han inte?"

Det hördes röster igen från ovanvåningen. Det hade varit tyst länge. Winter hade trott att alla sov däruppe, inklusive Bertil.

Hon tittade uppåt. Hon höll kvar blicken på taket, men det var inte taket.

Det var barnen i sina sängar.

Winter kände iskylan igen genom kroppen. Den var värre än förut. Den grep efter alla hans ben i kroppen.

Hon tittade på honom.

Hon förstod att han förstod.

Och plötsligt såg han scenen framför sig, när han och Bertil hade kommit hit, natten när Sellberg hade blivit skjuten. Det var gryning, men det hade fortfarande varit mycket kvar av natten. Berit hade öppnat dörren. Hon hade varit klädd i en röd morgonrock som såg ut som en kimono. Den hade varit hårt knuten kring livet. Kring hela kroppen. Hon måste precis ha hunnit fått på sig den. Hon hade kanske haft överkläderna på under den där kimonon.

"Det finns nåt som heter att blod är tjockare än vatten", sa hon. "Har du hört det?"

"Ja."

"Förstår du?"

"Ja."

"Tror du mig?"

"Ja."

"Sellberg hade gjort nåt fruktansvärt", sa hon.

"Vad gjorde han."

"Den där flickan... det var han."

"Det var han? Vad gjorde han?"

Hon svarade inte. Plötsligt såg det ut som om ljuset i ögonen slocknade.

"Var är hon, Berit? Var är Beatrice?"

"Jag vet inte. Jag vet inte det."

Hon tittade på Winter igen.

"Jag vet inte mer. Jag vet bara vad som har berättats för mig. Det var den där Sellberg. Jag vet inte vad. Jag vet inte varför."

"Var han ensam?"

"Räcker det inte nu? Har du inte fått veta tillräckligt nu?"

Rösterna hördes igen däruppe, de var högre nu. De ville veta. Snart skulle Tova och Erik komma ner. Det var den sista timmen. För Berit Richardsson var det den sista natten med barnen. Det var ännu en tragedi i Winters spår. Han borde fråga om hennes mans roll i Beatrices liv, eller död, men han förmådde inte göra det just nu.

Han hörde steg i trappan.

"Vad gjorde du med pistolen?" frågade han.

"Jag gav tillbaka den till Roger", svarade hon och reste sig.

22.45

VATTNET VAR INTE KALLT. Det var inte det. Hon frös ändå. Hon kände hur hon huttrade.

Han stod bredvid henne i vattnet.

"Ska vi tävla?" sa han.

Hon kände sig fruktansvärt rädd nu.

Det var något med hans leende.

Killarna hade gått bakom och framför henne, som om de bevakade henne. Som om hon var en fånge, verkligen var en fånge. Inte som på kollot. Något ännu verkligare. Otäckare. Det var otäckt. Ingen sa något.

De hade gått förbi bryggan. Den var som en dansbana. Det stod en svart låda på scenen. De som spelade här i går hade kanske glömt någon högtalare. Hon hade hört musiken ända bort till kollot, det gjorde alla. Alla på hela ön hörde nog musiken. De flesta gick ner till bryggan. Man kunde nästan höra skratt hela vägen till Sandvik.

Det var förbjudet att gå hit för barnen på kollot, alla barn, både de små och de stora. Det hade varit roligt att få se dansen på Brännö brygga en gång bara. Att någon av fröknarna hade följt med bara. Några minuter bara, en halvtimme bara.

Han som suttit bakom henne i båten hade plötsligt tagit tag i henne och dragit upp henne på dansbanan!

"Nu ska vi dansa", hade han sagt och snurrat ett varv med henne. "Är jag inte bra på att dansa?"

Han hade skrattat.

Hon hade känt att han luktade sprit. Det hade hon inte känt förut. Vinden på havet hade blåst bort alla lukter utom saltlukten.

Hon hade försökt slita sig loss.

"Ska vi gå upp till Kärleksstigen?"

Han grep hårdare i hennes handleder. Det gjorde ont.

"Aiijjj! Släpp mig!"

Han hade inte släppt.

"Släpp mig! Släpp!"

Hon hade försökt sparka till honom på smalbenen. Hon var rädd men hon ville komma loss, och det var värre att hållas fast än att vara rädd.

Han hade släppt.

Han hade skrattat.

Han sa något nu. Hon hörde inte. Det dånade i hennes öron. Det var för att hon var rädd. Det dånade som storm i huvudet.

"Ska vi tävla under vattnet?" sa han.

"Täv... tävla under vattnet?"

"Den som kan stanna under vattnet längst? Vi kan tävla allihop."

"Jaaa...ag vvvvv...ill inte."

Hon kände hur hon hackade tänder. Hon hörde det. Hon hörde en sjöfågel. Det var ett långt läte. Det lät som om måsen skrattade åt henne.

"Det gör vi!" sa han. "Men du får ta av dig baddräkten först."

"Vv... va?"

"Man behöver ingen baddräkt under vattnet, eller hur?"

43

WINTER KUNDE HÖRA de låga rösterna inifrån vardagsrummet. De lät åtminstone låga. Berit Richardsson väntade därinne med sina barn. Tova och Erik. Pojken hade givit honom en snabb blick när han gick förbi.

Winter och Ringmar väntade i köket. Inom minuter skulle patrullen från Winters rotel vara här och gripa kvinnan. Det betydde att de skulle föra henne därifrån. Socialtjänsten skulle stanna kvar med barnen. Det var fortfarande natt därute, den sista vargtimmen. Någon grät inne i rummet.

"Kom nu då, för helvete", sa Ringmar.

Winter såg äntligen strålkastarna utanför. Han reste sig.

Winter hade stängt av motorn på polisens parkering. De var tysta. En buss körde förbi ute på Skånegatan. Nattens sista eller dagens första.

Winter nickade mot en parkeringsruta tio meter bort.

"Där brukar Lars alltid ställa bilen", sa han.

Ringmar svarade inte.

"Är det upptaget brukar han köra en runda och komma tillbaka. Han är vidskeplig, antar jag."

"Jag är glad att du inte talar om honom i förfluten tid", sa Ringmar.

"Det finns ingen förfluten tid", sa Winter. "Det finns bara nutid." Han tittade på Ringmar. "Jag åker ut dit."

"Vart?"

"Ut till ön."

"Vi har gått igenom hela Brännö, Erik. Vi har pratat med alla därute. Vi har kollat husen."

"Jag vet. Men det känns som om jag behöver tänka. Därute. Det var där allt började. Jag behöver gå runt en stund därute."

"Vill du att jag följer med?" frågade Ringmar.

"Nej, Bertil. Du behövs här. Vi måste hitta Lars. Vi måste leta efter honom överallt."

Ringmar gäspade.

"Förlåt."

"Åk hem och sov ett par timmar, Bertil."

"Är du inte trött, Erik?"

"Nej."

Men han behövde havsvinden i ansiktet. Den slog emot honom på Källö sund. Han kände havet i ansiktet, vätan och saltet. Det smakade salt i munnen. Det sköljde bort smaken av starkt kaffe som skepparen på Kustbevakningens båt bjudit på från en termos. Winter kände hur hans ögon klarnade i vinden. Kanske också tankarna. Det var fortfarande natthimmel över skärgården, men morgonen väntade.

När han steg iland på Brännö brygga ringde mobilen.

"Jag hörde att du var på väg ut", sa Halders.

"Jag har just gått iland."

"Jag ringde Bertil. Jag kunde inte sova längre. Fan, jag kunde inte sova alls, om jag ska vara ärlig. Jag hörde."

Winter gick uppför gatan från bryggan. Han kunde höra vågorna som ett försiktigt brus.

"När vi var därute i går gick jag en runda", sa Halders. "Det... är ingenting. Men ändå. När jag hörde att du hade åkt ut... Det går nån liten gatstump upp mot berget, ovanför Husvik. Den heter Bönekällan."

"Jag vet", sa Winter. "Jag är snart där."

"Okej, jag gick upp där. Kollade utsikten. Det finns en göl där. Och när jag stod däruppe såg jag nåt skjul en bit från gölen. Ett litet hus. Det var säkert nån solreflex. Det kan ju inte vara nåt annat. Men jag tyckte fönstret rörde sig."

"Fönstret rörde sig?"

"Jag är säker på att det var solen. Jag gick ner till kåken och alla fönster var stänga. Dörren var låst. Och det fanns ingen där. Jag kikade in."

"Jag tror jag minns nåt om det där stället från papperen", sa Winter. "Vi har varit där."

"Ja. Jag ville bara säga det, nu när du är därute."

Winter hade svängt in på Bönekällan.

"Jag tar en titt till", sa han.

"Det var bara det", sa Halders. "Om du vill kan jag komma ut också."

"Jag ska bara gå runt en stund och försöka tänka lite", sa Winter.

"Ja, då behöver du inte mig."

"Båten plockar upp mig om en och en halv timme."

"Vi ses, Erik. Nu ska jag ut och leta rätt på Lars."

"Ta Lejon på samma gång."

"Det kan du ge dig fan på. Hej."

Winter stoppade tillbaka mobilen i rockfickan. Han stod nedanför berget nu. Vägen upp dit var täckt av buskar, ormbunkar, träd. En djungel. Han började klättra genom den. Halvvägs upp såg han gölens svarta yta, men bara för att han visste att den fanns där. Vattnet glimmade till av det sista månskenet. Winter tittade uppåt. Månen var blek nu, som genomskinlig. Han tyckte han såg stjärnor på andra sidan månen.

Däruppe kunde han se havet och öarna och holmarna. Det var en av skärgårdens högsta punkter. Han kunde se allt. Havet därute var silver. Öarna var bestrukna med silvret. Allt såg ut som land, eller hav. Han vände sig om och tittade nedåt. Gölen var som en ravin ner i berget. Ett svart öga. Den var omgiven av samma djungel som han hade fått ta sig igenom för att komma upp hit. Det såg ut som om den bara kunde nås från luften. Ingen hade kunnat närma sig kanten under de senaste årtiondena. Han kunde inte se några stigar som ledde till vattnet. Allt var igenvuxet.

På vägen ner halkade han på en rot och fick ta stöd med handen mot marken. Det högg till i handleden. Jävlar. Hela kroppstyngden hade hamnat på handen. Han reste sig sakta och masserade handleden. Smärtan bleknade sakta undan, som himlen över honom. Gryningen var på ingång. Winter gick försiktigt den sista biten ner till gläntan ovanför Bönekällan. Han tog till vänster och fortsatte genom ett annat buskage. Det var kanske femtio meter till huset, fyrtio. Skjulet, huset, kåken. Den var svart, lika svart som gölen och djungeln. Han kände på dörren. Låst. Han kom inte ihåg vem som ägde skiten, kanske han hade läst det i den gamla förundersökningen. Någon kanske hade bott där, men nu såg det mest ut som en redskapsbod. Han gick fram till ett av de två fönstren mot framsidan och tryckte ansiktet mot glasrutan. Den var sval mot pannan. Han motstod en impuls att lägga handleden mot den. Smärtan fanns kvar, men på ett avlägset sätt som sa att den skulle ge sig iväg helt. Bort över havet. Han hade inte brutit något. Kanske stukat. Det var vänster hand. Han hade fortfarande den högra.

Det var mörkt inne i huset. Han kunde se konturer av möbler, en stol, kanske ett bord. Det var omöjligt att se några detaljer. Till vänster syntes en mindre rektangel mot golvets yta, svart mot svart. Winter såg silhuetter som måste vara sängstolpar. En antik säng. Till höger fanns ett fönster. Det släppte in ett svagt ljus från gryningen. Den kom snabbt nu, som om den till slut hade bestämt sig. Det hade varit en lång natt. Kaffet på båten hade gjort honom piggare för en stund, och havsluften. Men nu var det som om han kände av sitt nattvak, och de omtumlande händelserna. Han försökte kväva en gäspning. Han kände sig dum, en stor gäspning med ansiktet tryckt mot en fönsterruta. Glaset var fortfarande svalt och skönt mot pannan. Fönstret på andra sidan rummet visade bara klippor, som om berget glidit ner intill huset. Kåken måste ha byggts intill en bergvägg, kanske för skydd mot vinden. Det kunde inte vara många decimeter mellan bergväggen och husväggen. Plötsligt såg han en brinnande stråle leta sig ner utefter berget. Den glödde som guld mot silver. Fönstret därinne vette mot öster. Solen var på väg upp snett över berget, och samtidigt var den på väg nerför den där klippväggen. Winter kunde följa strålens väg ner, och sedan in genom fönstret. Den träffade stolen han sett konturerna av tidigare. Bordet, det var ett bord. Det brinnande ljuset rörde sig sakta över golvet när solen steg långt bort i öster och lyste upp den här platsen som låg så långt västerut det gick att komma i landet.

Golvet därinne var av trä som såg ut som bärnsten. Ljuset träffade en av sängstolparna. Den såg ut som en lökkupol i ett främmande land i öster. Ljuset träffade den andra stolpen. Winter såg nedre delen av sängen. Strålen gled över sängen.

Han såg mannen som låg i sängen.

Winter ryckte till. Han slog pannan i glaset. Smärtan i handleden kom tillbaka som ett slag. Glasrutan hade inte gått sönder. Han hade fortfarande ansiktet mot den.

Mannen såg honom rakt i ögonen.

Det var Jan Richardsson.

Han låg stilla som en död, men han var inte död. Han höll armarna utefter sidorna. Han blinkade, men höll kvar blicken på Winter.

Han måste ha legat så hela tiden och tittat på mig. Han såg mig, men jag såg inte honom. Han hoppades att jag skulle gå härifrån. Jag hade gjort det om inte solen hade gått upp i dag. Han borde veta att solen går upp varje dag den här hösten.

Richardsson rörde sig fortfarande inte. Winter kunde inte se några rep eller kedjor. Han lyfte sin skadade hand och gjorde en gest genom fönstret. Dörren. Gå upp och öppna dörren. Winter höll redan sin SigSauer i högerhanden. Richardsson rörde huvudet, tittade åt sidan. Dörren. Han satte sig upp och vek benen över sängkanten. Han ställde sig upp, darrade till med benen, återfick balansen. Han tittade på Winter igen. Winter pekade. Richardsson nickade och försvann ur synfältet. Det var helt upplyst nu. När Winter tog bort ansiktet från fönstret märkte han dagen omkring sig. Det hade blivit en annan plats.

Han gjorde sig lös från fönstret. Det kändes så. Han gick de fyra stegen till dörren. Det knastrade till i låskolven. Winter ställde sig utmed väggen med pistolen i handen. Dörren öppnades. Han stod bakom den. Han hörde Richardsson på andra sidan.

"Stå stilla!"

Rörelsen på andra sidan slutade.

"Gå rakt fram", sa Winter.

Han hörde Richardsson röra sig. Han såg honom komma fram från andra sidan dörren.

"Stå still", sa Winter.

Han ställde sig framför Richardsson. Mannen var inte beväpnad. Han var knappt klädd. Han hade en solkig skjorta och ett par chinos och raggsockor. Han hade en ojämn skäggstubb och håret var okammat. Han såg inte ut som en politiker längre.

"Vad gör du här?" frågade Winter.

"Låt… låt mig fråga detsamma", sa Richardsson.

Winter klippte till honom i magen med vänsterhanden. Smärtan vräkte sig upp genom armbågen som solens samlade strålar. Han hade glömt. Richardsson stapplade baklänges, in genom dörröppningen. Han satte sig på golvet med en elak duns.

"Din jävel", sa Winter. Han hade följt efter. Han stod över Richardsson och försökte hålla smärtan nere i armen genom att trycka högerhanden mot den. Han höll pistolen i handen. Richardsson höjde en arm som skydd.

"Jag ska inte slå dig mer", sa Winter. "Vad gör du här?"

"Jag… jag… är här."

"Vad gör du här?" upprepade Winter.

"Jag gör ingenting. Ingenting."

"Hur kom du hit?"

"Med båt."

Richardsson såg mycket rädd ut. Winter trodde inte att han gjorde sig skitviktig nu: det går bara att komma hit med båt.

"När kom du hit?"

"Det… vad är det nu…"

"Det är söndag. Söndag morgon."

"I går. I går tidigt. Eller om det var sent i fredags…."

"Ställ dig upp", sa Winter.

Han tog två steg tillbaka. Richardsson tog sig sakta upp till stående.

"Vem tog dig ut hit?"

"Jag… jag kom hit själv."

"I helvete heller."

Winter tog ett steg framåt. Han hade fortfarande pistolen i handen. Mannen såg ut som om han väntade sig ett nytt slag, eller något värre. Det är mitt ansikte. Jag kanske inte själv skulle känna igen det nu. Men han känner igen mig. Jag behöver inte presentera mig.

"Vem har gömt dig här? Är det Lejon?"

Richardsson svarade inte. Men Winter såg reaktionen i hans ögon.

"Om det är Lejon så är det bästa för dig att du säger det. Han är den siste du ska lita på. Han har redan dödat Roger Edwards."

Richardsson ryckte till. Han försökte inte dölja det. Man kan bara ljuga till en viss gräns. Richardsson hade passerat den långt tidigare. Eller nu, när han kommit till ön. När han kommit hem igen. Det var svårare att ljuga när man var hemma.

"Det är sant", sa Winter. "Han sköt Edwards."

"Hur… hur vet ni det?"

"Vi vet."

"Har ni… har ni gripit honom? Lejon?"

"Nej. Femtio poliser letar efter honom. Och du kan hjälpa oss."

Richardsson kastade en blick på pallen som stod bredvid sängen. Det låg en mobiltelefon på pallen.

"Han är… han sa att han skulle komma ut hit", sa Richardsson.

"Vem? Lejon?"

Richardsson nickade.

"När då?"

"Vad?"

"När skulle han komma?"

"Snart…" Richardsson tittade på sitt armbandur. "Nu, under morgonen."

"När ringde han?"

"I natt."

"Varför ska han komma hit?"

"Han skulle hjälpa mig härifrån."

"Det är sant", sa Winter. "Han ska hjälpa dig härifrån för alltid. Han ska mörda dig." Winter tog ett steg framåt. "Han är på väg hit ut för att mörda dig!"

"Hur... hur vet du det? Nej, det ka..."

"Han hade gett Roger Edwards i uppdrag att mörda dig."

"Vad?"

Richardsson såg ut som om han plötsligt såg ett spöke. Han stirrade på Winter men han såg någon annan.

"Edwards kunde inte", sa Winter. "Lika lite som han kunde mörda Sellberg."

"Men vem... vem gjorde det?"

"Vet du inte det, Jan?"

"Nej."

"Varför flydde du? Varför försvann du?"

"Han sa att det var det bästa. Lejon."

"Herregud, det är ett under att du inte redan är död."

Richardsson såg ner i golvet.

"Nån annan är försvunnen också", sa Winter. "Min kollega Lars Bergenhem. Han är kriminalinspektör vid min rotel. Du känner honom redan. Lars Bergenhem. Var är han?"

"Jag vet inte." Richardsson såg fortfarande ner i golvet. Det var som om han inte riktigt lyssnade längre. "Jag vet inte."

"Har Lejon pratat om honom?"

"Nej."

"Var är Bergenhem?"

"Jag vet inte!"

Richardsson tittade upp. Han lyssnade. Han darrade.

"Var var du innan du kom hit ut?"

"Lite... överallt. Jag var på en annan ö."

"Var det Lejon som hjälpte dig?"

"Nej... ja... han hittade mig. Han kontaktade mig."

"Hur?"

Richardsson svarade inte.

"Varför skulle han hjälpa dig?"

Richardsson svarade inte.

"Fattar du inte att det finns en mening med att han placerat dig just här!?"

Richardsson skakade på huvudet.

"Vet nån annan att du är härute?" frågade Winter.

"Nån annan? Vem skulle det vara?"

"Nån av dina gamla vänner."

"Jag har inga vänner härute."

Dörren rörde sig bakom Winter. Han vände sig om. Det var vinden. Dörren rörde sig fram och tillbaka. Det var morgon därute nu, morgondag. Han kunde se den täta växtligheten upp mot berget. Den var fortfarande grön. Ljudet av en båt hördes någonstans ifrån. Det lät som en stor motor.

"När skulle Lejon komma?"

"Som jag sa... nu på morgonen."

"Vilken tid?"

"Jag vet inte."

"Skulle han komma ensam?"

"Det vet jag inte."

Richardsson tog ett steg framåt. Han mötte Winters blick.

"Var är min fru?" sa han. "Vad har hänt med henne?"

"Varför frågar du?" Winter höll kvar blicken. Richardssons ögon såg febriga ut. Han kanske hade feber. Han såg sjuk ut. Ansiktet var utan färg. Det var mörkt som rummet han legat i när Winter tryckt sin panna mot fönstret.

"Varför frågar du det nu?" sa Winter.

Richardsson tittade på mobiltelefonen på pallen.

"Batteriet är slut", sa han. "Jag kan inte ringa ut."

"Har din fru ringt hit? Har Berit ringt hit?"

"Nej."

"Varför inte?"

"Hon... visste inte." Richardsson såg fortfarande Winter i ögonen. "Det är sant. Hon vet inte. Jag ville inte säga det. Och Lejon... Lejon..."

"Och Lejon vadå?" sa Winter.

"Har han… Jesus! Har han gjort henne nåt? Och barnen!?"

Det var som om Richardssons tankar började röra sig igen, som om chocken släppte. Som om vetskapen kommer nu, tänkte Winter.

"Nej", sa Winter. "Han kan inte göra henne något längre."

"Hur vet du det?"

"Hon är hos oss", sa Winter.

"Hos er? Varför?"

Winter svarade inte. Richardsson väntade på ett svar. Han stod alldeles framför Winter nu. Winter kunde känna den sura lukten från hans otvättade kropp.

"Vet du inte det?" sa Winter.

"Vet vad? Vet vadå!?"

Och Winter förstod att han faktiskt inte visste. Att det var mycket som Richardsson fortfarande inte visste. Men att det också var mycket som han visste. Som han hade gjort. Som han var skyldig till. Som var grunden till allt det som skedde just nu, i denna nutid. Som var den stora skulden. Det fanns ingen förfluten tid. Det var här. Det var nu. Tiden var fången i detta nu och Winter tänkte inte släppa den. Allt var samlat i en enda tid som var den här morgonen som var den sista morgonen.

"Vet vadå!?" upprepade Richardsson med högre röst.

"Din fru dödade Sellberg", sa Winter.

"Nej!"

Richardsson förlorade all färg i ansiktet. Den slets av honom som en tunn mask.

"Nej! Det kan inte vara… det är inte sant!"

"Jag kan inte ljuga om sånt", sa Winter.

"Herregud! Herregud! Herren Jesus! Jesus!" Richardsson hade fallit ner på knä. Han vände sig till Gud nu. Gud lyssnade inte. Det var för sent. Det kanske alltid hade varit för sent. Winter visste att Richardsson hade gått med i en församling först när han lämnat ön. Han hade inte trott på Gud härute, som de flesta andra.

"Jesus! Jesus!" ropade han. Namnet studsade runt i det lilla rummet. "Jesus!"

"Hon gjorde det i sin brors ställe", sa Winter. "Han kunde inte göra det. Hon gjorde det." Winter gick ner på knä. Han stödde sig med den skadade handen. Smärtan kastade sig upp i axeln igen. Han behöll handen på golvet. Han försökte fånga Richardssons blick. "Hon gjorde det för Roger. Och hon gjorde det för dig."

Richardsson svarade inte.

"För dig, Jan! Hon dödade en man för din skull."

Richardsson tittade upp från sina knutna händer. Han stod fortfarande kvar på knä.

"För din *skuld*", sa Winter. "Vad är din skuld, Jan? Hur ser den ut? Din skuld. Rogers skuld. Sellbergs skuld."

"Nej, nej." Det lät som ett jämrande. Richardsson vred händerna som om han ville tvinna fast dem i ett evigt grepp, en bön till Gud för alltid. "Nej, nej, nej!"

"Berätta. Jan. Berätta nu. Berätta här och nu! Vad gjorde ni? Vad gjorde ni med Beatrice Kolland?"

"NEJ!"

Det var ett vrål. Det vräkte sig förbi Winter och ut genom dörren. Winter kände vinddraget. Plötsligt grep Richardsson tag i hans axlar. Han hade tvinnat loss sina fingrar från sitt bönegrepp. Bönekällan, tänkte Winter. Den är här. Den är nu. Winter försökte göra sig fri. Richardssons fingrar grävde sig in i hans axlar. Det gjorde fruktansvärt ont i vänstra överarmen.

"NEJ!"

Telefonen på pallen ringde med en skarp signal. Den lät som ett pistolskott.

44

RICHARDSSONS SKRIK HADE LÅTIT som om det kom från avgrunden, men telefonsignalen var en större chock. Richardsson tittade på telefonen som om han försökte tysta den med blicken. Han tittade på Winter.

"Det är han", sa Winter. "Det är Lejon."

Richardsson svarade inte.

"Han gav dig den där mobilen, eller hur?"

Richardsson nickade.

Mobilen ringde igen. Signalen lät som ett flygplan på väg ner för landning. Eller en kraftig motorbåt på väg in mot en brygga. Brännö brygga. Winter hade hört motorn förut. Den hade tystnat nu. Mördaren var på väg upp hit. Uppför berget. Winter kände pistolen mot revbenen. Stålet var kallt. Han tänkte på silver, på havet därnere. Hans kropp var varm, kokhet.

"Svara", sa Winter. "Du måste svara. Du måste ta telefonen."

"Varför?"

"Så han vet att allt är normalt", sa Winter.

"Allt är inte normalt."

"Svara!"

Richardsson ryckte till. Han hasade sig mot pallen över golvet på sina bara knän. Det såg ut som en religiös ritual. En reningsrit. Han renade golvet med sina knän och försökte på så sätt rena sig själv. Det fanns spår efter hans knän över golvet. Dammet hade samlats i decennier därinne. Winter kände det i näsan. Han hade varit nära att nysa flera gånger. Sedan försvann det. Dammet sveptes ut genom dörröppningen. Han tittade ut genom den. Världen därute var söndag morgon. Nu var det bekräftat. Solen fanns överallt. Det fanns till och med skuggor. Winter kunde se skuggan av taket han stod under. Den skulle falla över mördaren som skulle komma uppför backen.

"Hallå? Hallå?"

Han hörde Richardssons röst bakom sig.

"Hallå?"

Winter vände sig om.

"Han har lagt på", sa Richardsson.

Mobilen ringde igen.

"Hallå?"

Winter hörde en röst därinne. Den lät som en motor. Det fanns inga ord, bara ett brus som höjdes och sänktes.

"Jag är här", sa Richardsson. Winter såg honom lyssna. "Jag sov." Han lyssnade igen. "Jag är... utmattad." Lyssnade. "Okej." Lyssnade. "Jag öppnar."

Richardsson la ifrån sig mobilen på pallen som om den hade bränt honom i handflatan. Han tittade på Winter.

"Han kommer. Han är nere vid bryggan."

"Ensam?"

"Det sa han inget om."

Winter tittade på sitt armbandsur. Om en halvtimme skulle Kustbevakningen lägga till därnere. Han tog fram sin plånbok och kontrollerade numret och slog siffrorna.

Han fick ingen signal.

Han tryckte snabbnumret till Bertil. Ingen signal. Halders. Ingenting. Hem. Nej.

Richardsson följde honom med blicken.

"Det är svårt att få signal", sa han. "Det är väl klippan här bakom. Det går knappt att ringa ut."

"Jaha, vem har du ringt då?"

"Lejon."

"När?"

"När... när jag hade kommit hit. När... han åkt."

"Varför?"

"Han... han hade inte sagt hur länge jag skulle vara här."

473

"Du ljuger", sa Winter. Han tog ett steg närmare Richardsson.
"Det är livsviktigt att du berättar för mig, Jan. Det är en mördare
på väg upp hit. Han ska döda dig. Han kommer att försöka döda
mig. Jag kan inte ringa efter hjälp." Winter tittade Richardsson i
ögonen. "Vem ringde du?"

"En... vän."

"En vän? Vem?"

Richardsson svarade inte.

"Var?"

"Här..."

"Här? Här på ön? Ringde du nån här på ön?"

Richardsson nickade.

"Berättade du att du var här? Att du var på Brännö?"

Richardsson svarade inte. Han såg ut som om han lyssnade efter
steg därute. Men de skulle inte höra några steg. De skulle i bästa
fall se någon komma. Men Lejon kanske hade sin egen väg till hu-
set. Han kanske gled nedför bergväggen därbakom. Han kanske
kom från ett okänt väderstreck.

"Vem vet om att du är här, Jan?"

"Boris."

"Boris? Vem är det?"

"Han är... kyrkvaktmästare."

"Boris? Han heter Boris Hjelm. Just det. Jag har träffat honom.
Vad har du sagt till honom?"

"Ingenting..."

"Ingenting? Du ringer upp efter över trettio år och säger ing-
enting!?"

"Jag sa bara att jag var här."

"Varför?"

"Jag vet inte. Jag var rädd. Jag var rädd!"

"Vad sa han? Vad sa Boris?"

"Han... sa inte mycket, Han säger inte mycket. Det var inte
mycket att säga."

"Han han varit här?"

"Nej."

"Ska han komma hit?"

"Nej… det sa vi inget om."

"Berättade du om Lejon?"

"Nej. Jag ville bara att… att nån skulle veta att jag var här."

"Fick han det där telefonnumret", sa Winter och nickade mot mobilen.

"Nej. Jag vågade inte."

Winter såg ut genom dörren igen. Han kunde gå ut i solen och klättra mot toppen och försöka få signal. Han kunde stå på bergets topp och veva med armarna som en semafor till fartygen därnere. Men han skulle inte överleva det. Inom några minuter skulle Lejon vara här. Kliva ut ur djungeln, eller in i den. Men lejon levde väl inte i djungeln? De hörde hemma på savannen. Det var inte här. Lejon hörde inte hemma här. Ingen hör hemma här, tänkte Winter. Det här är inget bra ställe, den här platsen. Den här avgrunden. Han tänkte på gölen. Den var en grav. Han tänkte tanken igen.

En grav.

Han såg på Richardsson. Det var terror för Richardsson att befinna sig här. Just här. Intill graven. Var det så? Befann han sig intill graven?

"Varför här?" sa Winter.

Richardsson svarade inte. Han stirrade ut genom dörren. Den hade stått öppen hela tiden. Winter gick bort till dörren och stängde den. Han tog några steg till det närmaste fönstret och ställde sig bredvid det. Skuggorna drogs bort ifrån honom. Om han var försiktig kunde ingen se honom utifrån. Han vände sig mot Richardsson.

"Varför det här huset? Varför den här platsen?"

Richardsson skakade på huvudet. Det var den värsta sortens svar. I Sydindien betydde det "ja". På andra platser betydde det "nej". Det kunde betyda allting där emellan.

"Vem äger det här?" sa Winter.

"Jag vet inte."

"Är det Lejon? Äger han det?"

"Jag vet inte."

"När du var ung, Jan. När du bodde här på ön. Vem ägde det då?"

Richardsson svarade inte.

"Var det ni? Var det din familj?"

Richardsson nickade sakta. Det kanske betydde "nej" på grekiska, Winter gav fan i vilket. Han visste nu.

"Vet Lejon?"

"Det... sa han inte. Det vet jag inte."

Richardsson såg sig plötsligt om i rummet, som om han såg det för första gången. Men det var inte första gången. Det var en av många gånger. Det var den sista gången. Richardsson visste det. Vad som än hände var det den sista gången.

Vad hade hänt den näst sista gången? Något hade hänt härinne. Det var inte bara Sandvik, Husvik, havet, kollot. Det var här. Det här helvetesskjulet. Berget. Gölen. Djungeln. Det hade varit djungel då också. Den var urgammal, urskog.

Lejon visste det. Han visste vad som hänt här. Eller han gissade det. Han tog hit Richardsson. Han kanske hade planerat att föra ut Edwards hit. Sammanföra Edwards med Richardsson. Det skulle inte vara första gången de träffades. Men Lejon hade tappat tålamodet. Något hade hänt. Lars Bergenhem hade hänt. Winter kände en plötslig kil över det vänstra ögat när han tänkte på Lars. Det var som om värken i vänsterarmen glidit upp till huvudet. Han kände smärtan komma som en mjuk våg. Den var ännu långsam, som ett brus över stränder. Det var inte Lars. Det var stressen som byggs upp under de senaste dygnen. Spänningen. Bristen på sömn. Bristen på mat, dryck. Allt. Han kände attacken komma nu, en starkare våg. Han blundade. Den sköljde över honom. Den försvann in mot stränderna som var klippor nu, ingen mjuk sand. Han kunde andas igen. Han förstod att Richardsson tittade på honom. Han öppnade ögonen.

"Vad är det?" sa Richardsson.

"Det är ingenting."

"Mår du inte bra? Du ser ut att må dåligt."

"Jag mår bra." Winter såg ut genom fönstret igen. Ingenting

rörde sig därute. Vågen väntade i hans skalle. Den rörde sig inte
nu. "Jag mår bra." Han vände sig mot Richardsson igen.

"Varför tror du att Lejon tog med dig hit? Placerade dig här?"

"Jag vet inte."

"Du vet! Svara för helvete!"

Den andra vågen vräkte över skallbenet som betong. Den
knockade honom för några sekunder. Han höll på att förlora ba-
lansen. Han försökte gripa i något, det måste vara väggen. Han
fick inte fäste. Han föll. Det var långt till golvet. Han tog emot med
vänsterhanden. OOOUUAAIIJJ! Smärtorna möttes i hans kropp.
Han såg röda färger. Ett illamående vräkte upp ur hans mage. Han
försökte andas. Han andades hårt. Han försökte låta bli att spy. Nu
kände han golvet. Han grep efter väggen igen.

Han stod upp. Han öppnade ögonen. Det sved i ögonen av tå-
rar. De var som saltvatten, som om han hade simmat under havs-
ytan.

"Herregud", sa Richardsson. "Du är sjuk."

Winter skakade på huvudet. Nu var det han som skakade. Han
menade ett nej men det var ett ja.

"Du måste lägga dig ner", sa Richardsson.

Rätt man på rätt plats, tänkte Winter. Rätt sjukling vid rätt tid-
punkt. Lejon skulle kunna sätta pipan mot hans panna och han
skulle välkomna det svala stålet.

"Det... det går över", sa han och stödde sig mot väggen med hö-
gerhanden. Den vänstra var obrukbar nu. Han kanske hade brutit
handleden nu. Han hade gjort flera försök.

Winter försökte fixera platsen därute. Den var flera platser. Han
blundade igen. Blicken klarnade. Platserna gled ihop till en. Det
var stilla, det var en underbar höstdag. Växtligheten fanns kvar
överallt. Det var en spökplats där ingenting i naturen kunde dö.
Han hoppades att det också gällde honom.

Han fixerade Richardsson.

"Vad hände här?"

Richardsson tittade på honom som om han skulle falla mot gol-
vet igen.

"Vad har Lejon sagt till dig?"

Richardsson tittade inte på honom nu. Han tittade förbi honom, ut genom fönstret. Han hade stelnat i kroppen, i ansiktet. Han lyfte en hand och pekade. Winter vände sig sakta om.

Jacob Ademar kom sakta gående mellan träden.

45

RICHARDSSON STOD BREDVID WINTER. Mannen gav ifrån sig en frän lukt som var skräck mer än brist på hygien. Winter kände igen den lukten, stanken, men han hade aldrig känt den lika starkt som nu.

Den stötte undan smärtan i hans huvud. Det var som om smärtan började falla ifrån honom, sjunka ner i det röda golvet. En annan människas skräck gav lindring mot migrän. Han skulle meddela det till dem som hade migrän. Han hade inte sjukdomen. Han hade just nu Ademar i sikte. Författaren såg åt alla håll, som en jägare. Han stod stilla, som om han lyssnade. Han vände sig om, från det håll han kommit. Där fanns bara den vilda naturen.

"Känner du igen honom?" viskade Winter.

Richardsson svarade inte. Winter visste inte om han såg. Richardsson gjorde som Ademar. Han spanade åt alla håll, som om Ademar bara var förtruppen.

"Du måste säga om du känner igen honom", viskade Winter.

"Nej, jag känner honom inte. Vem är det?"

Just nu tittade Ademar rakt mot fönstret. Han stod alldeles stilla, som om han sett något, en rörelse.

"Han ser oss", sa Richardsson och darrade till. Winter grep tag i hans axel med sin vänstra hand. Winter kände den skadade handleden som migrän i en annan kroppsdel. Den pulserade genom hans vänstra sida men han höll kvar greppet. I högerhanden höll han pistolen. Richardsson verkade återfå balansen. Det kunde inte vara spel. Ingenting av vad han gjorde var ett spel. Winter hade tidigare funderat på att binda honom om han kunde hitta något att binda med. Sätta munkavle på politikern. Men det hade

479

inte funnits tid till det i vilket fall. Nu handlade det om Ademar därute. Och det som följde efter honom.

Winter tog upp sin mobil. Den var ett dött ting. Han såg en rörelse i ögonvrån.

Rutan krossades!

Han hade hört skottet innan han såg rutan gå åt helvete. Inte hela, kulan hade tagit med sig övre halvan. Winter kände ett vinddrag i ansiktet. Han kunde se vinden röra sig genom en björks nästan döda grenar bakom Ademar. Ademar såg ut som ett levande frågetecken. Hans mun rörde sig. Han verkade leta efter ord som inte fanns just nu. En ordlös författare. Han stirrade på rutan. Han vände sig om.

Allt detta hände under en sekund.

"Ner!" skrek Winter. "Ner på golvet."

Richardsson kastade sig ner. Winter stod kvar, tryckt mot väggen. Han hade ett halvt synfält. Han försökte se bortom Ademar. Ingenting rörde sig.

Ett skott till!

Kulan susade in i det tomma fönstret och fortsatte genom rummet och krossade fönstret på andra sidan och högg av stycken av bergväggen. Winter kunde se hela skeendet. Det skedde i ultrarapid.

"Gud, Gud", hörde han Richardsson säga nere på golvet. Winter tittade nedåt. Det såg ut som om Richardsson var på väg upp på knä.

"Ligg ner!"

Gud kan inte hjälpa dig nu, tänkte Winter. Inte hjälpa oss. Det är bara vi själva som kan hjälpa oss. Hur? Han såg sig hastigt om. Det fanns ingenting därinne som kunde hjälpa honom. Det var fyra värdelösa väggar och två trasiga fönster. En stängd dörr och det var allt. Lejon kunde åla sig mellan huset och bergväggen och öppna eld genom det trasiga glaset. Han kunde fortsätta att skjuta från framsidan. Han kanske inte var ensam. Det var Lejon, det kunde inte vara nån annan. Det var en belägring. Det var inte klokt. Hur hamnade jag i det här? Hur hamnade Ademar här?

Winter kunde fortfarande se honom. Han stod kvar i gläntan, som stelnad. Som en staty. Solen sken på honom, han såg ut som om han fått ett lager guld över sig. Bladguld. Han såg ut som om han väntade på nästa skott och att det skulle hamna i hans rygg.

"Winter!"

Först trodde Winter att det var Ademar som ropat. Men Ademar vände sig om, efter ropet, in mot djungeln. Winter såg ingen annan bakom författaren.

"Winter! Jag vet att du är där!"

Det var Lejons röst.

"Släpp pistolen!"

"Det är han!" sa Richardsson. Han tittade upp från golvet. "Han kommer att skjuta oss! Släpp inte pistolen!"

I så fall släpper jag ju den till dig, tänkte Winter. Men det skulle inte vara en bra lösning. Richardsson skulle inte vara bra i en eldstrid.

"Jag har släppt min!" ropade Lejon. "Den har gjort sitt!"

Winter försökte lyssna in röstens placering. Men han kunde bara se halva scenen.

"Vad vill du?" ropade han.

Richardsson ryckte till av ropet. Det var som ett pistolskott därinne. Winter kände sitt vapen i handen. Det var en trygghet, men han var inte säker på att den skulle räcka. Han tänkte på Kustbevakningens båt. Just nu borde den ha anlöpt Brännö brygga. Kanske för sent för skotten. Ombord med motorn på skulle skotten inte ha hörts dit ner. Vad gjorde dom om han inte kom? Väntade? Ringde på förstärkning? Gick iland för att söka efter honom? Det kunde ta tid att ta sig uppför Bönekällan. Dom kanske tog övriga ön först. Sandviksdalen. Det var sannolikt att han hade gått dit. Det försvunna kollot.

"Winter! Hur är det!?" ropade Lejon. "Hur har ni det!?"

Winter svarade inte. Han gick ner på knä och ålade sig under fönstret och gled försiktigt upp utefter den andra sidan. Han såg en rörelse bakom en grov trädstam. Han skymtade något. Det kunde vara en arm, eller en gren som rörde sig i vinden. Den hade ökat därute. Solen var fortfarande så stark den kunde bli, och himlen var fortsatt idiotiskt blå. Men vinden hade ökat. Winter tänkte på segel. Han tänkte på sig själv som ung på en segelbåt. Han hade seglat därute i sunden. Sommaren 1975. Var det hit han varit på väg? Var det här äventyret skulle sluta? Ademar stod fortfarande stilla som sten mitt i gläntan. Fångad mitt i. Var det här hans bok skulle sluta?

Winter tittade ner på Richardsson igen. Hur har han det? Hur har vi det? Relativt bra efter omständigheterna. Winter tittade uppåt. De hade tak över huvudet. Han tittade ut genom fönstret. De var vid liv. Det var en vacker höstdag. Luften var frisk. Han kände den genom det taggiga fönstret. Luften luktade salt och hav. Havssalt och färskpotatis och smör och dill, tänkte han under en halv sekund. Men det var inte säsong för färskpotatis nu. Det vill jag uppleva en gång till i det här jordelivet, tänkte han. Färskpotatis och matjessill och brännvin. Den där jävelen därute ska inte hindra mig från det. Jag tänker inte dö, inte före midsommar i alla fall.

"BRA!" skrek han. "JAG HAR DET BRA!"

Kanske hördes det ner till bryggan. Hoppas dom inte tar det bokstavligt. Det dunkade till i huvudet. Han hade skrikit för högt. Gud om du finns låt mig vara frisk den kommande timmen. Sen kan jag lägga in mig. Jag ställer upp på allt.

"Det är bra", ropade Lejon. "Det är som det ska vara."

Winter trodde att gangstern stod bakom trädstammen. Han måste ha tagit sig dit medan Winter ålade sig fram under fönstret. Kanske Lejon sett en skugga. Solen hade vridit en skugga åt hans håll.

"Jag har inget otalt med dig, Winter", ropade Lejon. "Du kan ge dig iväg härifrån när du vill."

"Vad menar du med det?" ropade Winter tillbaka.

"Det är bara att gå. Jag vill bara träffa min vän Richardsson. Han har väntat på mig. Jag ska hjälpa honom härifrån."

Hjälpa honom härifrån. Det var galningen som talade. Winter tittade på Richardsson. Han hade krupit iväg från fönstret. Han satt invid den norra väggen. Han hade tittat upp när han hört sitt namn.

"Så det är bara för dig att knalla iväg, Winter", ropade Lejon.

"Så enkelt är det inte, Lejon", ropade Winter.

"Varför inte? Jag lovar att du inte ska komma till skada."

"Ingen ska komma till skada här, Lejon."

"Nej, det är ju det jag säger!"

"Det bästa är om du åker tillbaka till stan", ropade Winter.

"Nej, det är inte det bästa!"

"Vad är det bästa då?"

"Det har jag sagt! Du åker tillbaka till stan, Winter!"

"Jag tar med mig Richardsson", ropade Winter. "Och Ademar."

"Ademar vill inte följa med dig!"

Winter tittade på Ademar. Varför i helvete stod han kvar? Varför tog han sig inte till nåt slags säkerhet? Varför försökte han inte?

"Jag kan fråga honom", ropade Winter. "Jag kan själv fråga Ademar."

"Jacob och jag är här för att göra klart ett jobb", ropade Lejon. "Vi har en bok som måste bli klar!"

"Var är Bergenhem?" ropade Winter.

Han fick inget svar. Ademar stod kvar. Han verkade blind, som om han valt att inte se någonting, eller höra någonting.

"Vad har hänt med Bergenhem?" fortsatte Winter. "Min kollega. Var är han?"

"Det får räcka, Winter. Det handlar om dig nu. Det är du som ska ge dig iväg härifrån nu."

"Vad har du gjort med honom? Med Bergenhem?"

Lejon svarade inte.

"Vad ska vi göra?" hörde Winter Richardsson säga. "Vad ska du göra?"

"Vänta", svarade Winter. "Det är det enda vi kan göra just nu."

"Vänta på vad?"

"Att nån kommer upp hit." Han tittade på Richardsson. "Din kompis Boris. Kyrkvaktmästaren. Kan han komma hit?"

"Nej…"

"Varför inte?"

"För att jag… har sagt till honom att han inte skulle göra det."

"Vi måste fördröja honom", sa Winter. "Få tiden att gå. Prata med honom."

"Han kanske inte vill prata mer", sa Richardsson.

"Det vill dom alltid", sa Winter.

Han ropade:

"Varför dödade du Edwards, Lejon?"

Han fick inget svar.

"Varför dödade du honom?"

"Han ville inte vara med längre", hördes Lejons röst nu. Den lät annorlunda, som om Lejon plötsligt blivit en annan. Rösten var högre, den lät hårt spänd. "Han ville inte vara med till slutet!"

"Vilket slut är det?" ropade Winter.

"Det här förstås. Där vi är nu. Det här är slutet."

"Skulle Edwards varit med häruppe?"

"Naturligtvis."

"Varför det?"

"Alla skulle varit med häruppe!"

"Alla? Vad menar du med alla, Lejon?"

Lejon svarade inte. Winter visste inte var mördaren var just nu. Han kunde röra sig därute medan han ropade. Han kunde tröttna på alltihop och skicka iväg en kulkärve. Men Winter trodde inte att han skulle tröttna. Det här var Lejons stora stund. Det här var slutet.

"Varför sköt du honom i din lägenhet på Stilla gatan, Lejon? Varför där?"

Lejon svarade fortfarande inte.

"Varför inte hemma hos honom? Varför gjorde du det inte samtidigt som du sköt Bergenhem?"

"Jag sköt honom inte", ropade Lejon. Han lät lugnare nu, som om Winters ord lugnat honom. Som om han nu fick en chans att tala sanning.

"Vem sköt honom?" ropade Winter.

"Ingen sköt honom", svarade Lejon. "Men jag ska berätta för dig om Edwards. Den jävla skiten var inte till nån nytta för nån. Han var värdelös. Han var värdelös hela sitt liv. Vad spelar det för roll om han är död? Han skulle fått sitt straff ändå. Dom tog med honom till Stilla gatan för att jag sa till dom att göra det. Vi kunde inte ta med din kompis. Men Edwards kunde gå själv. Jag hade gett honom en chans till. Han skulle åka ut hit till ön. Jag sa att han skulle skjuta Richardsson härute. Men det var bara skoj! Han skulle inte fått med sig ett skarpt vapen. Jag ville bara skoja med honom, och med det där svinet du har som sällskap därinne. Jag ville att dom skulle få lida så länge som möjligt. Ända tills jag själv kom ut hit, och då skulle dom få lida lite till."

"Vad menar du med att Edwards kunde gå själv?" ropade Winter. "Kunde inte Bergenhem gå själv?"

"Edwards ville inte åka", ropade Lejon, som om han inte hört Winter.

"Han vägrade. Precis som jag hade förstått att han vägrat skjuta Sellberg. Att han inte gjorde det. Men det var inte meningen att han skulle skjuta Sellberg! Det var skoj det också! Jag ville ha Sellberg härute också! Nu, i denna stund!"

"Men du gav Edwards en skarpladdad pistol", ropade Winter.

"Han behövde ju träna!" svarade Lejon. "Och det gjorde han ju också. Men jag räknade inte med att han verkligen skulle göra det. Och det gjorde han ju inte heller!" Lejon skrattade till. "Jag vet vem som gjorde det, förstås. Och jag beundrar henne faktiskt för det."

"Var är Bergenhem?" ropade Winter.

"Så Edwards fick sitt straff lite tidigare än svinet som ligger inne hos dig, Winter", fortsatte Lejon. "Man kan säga att det var en impulshandling, även om jag hade börjat tröttna på skithögen. Tråkigt nog skedde det i min egen lägenhet. I min mammas och pappas lägenhet. Men det kunde inte hjälpas."

"Du kan inte återvända dit, Lejon", ropade Winter. "Du kan inte återvända någonstans. Ge upp nu. Det är över nu. Det är slut nu. Du har fått din hämnd, Lejon. Sellberg och Edwards är döda. Richardsson är nästan död härinne, det kan jag garantera dig. Så låt det vara över nu."

Han fick inget svar.

"Boken är slut nu."

Lejon svarade inte på det heller. Han kanske tänkte. Han kanske hade lyssnat. Winter tittade på Richardsson. Mannen såg fortfarande ut som om han var på väg till sin egen avrättning. Han hade inte lugnats av Winters ord. Winter själv hade inte blivit lugn. Kanske hade hans försök att "fördröja" Lejon haft motsatt effekt. Mördaren hade bara slappnat av en stund, pratat av sig lite.

"WINTER!"

Winter ryckte till. Lejon ropade högre nu. Med den rätta vinden skulle skrikandet höras nedför berget. Det bodde ju människor därnere, i krysset där Bönekällan vek av från Husviksvägen. Där den ålade sig upp på berget. Hörde ingen av dom? Var dom i stan allihop? I kyrkan? Var det inte kyrkklockorna han hörde nu? Jo. Plötsligt hörde han dem ringa därborta i norr, nordöst. Dom skulle väl inte ringa nu? Klangen kom ramlande nedför bergväggen bakom honom.

"Jag vill att du kommer ut från det där skjulet, Winter. Utan vapen. Kom ut med händerna i vädret!"

"Jag kommer inte ut", svarade Winter.

Ett skott small av!

Ademar ryckte till!

Han skrek.

Winter hade själv ryckt till.

Ademar började falla till marken därute. Det var ännu en rörelse i ultrarapid.

Winter kunde se blodet på Ademars byxben.

Ademar skrek igen. Han låg på marken nu. Han hade stått stilla därute så länge att Winter nästan glömt bort honom. Han hade blivit som ett med naturen.

"Kom ut!" skrek Lejon. "Kom ut, Winter!"

"Vad i helvete gör du, Lejon!" ropade Winter.

"Kom ut med händerna i luften, Winter! Annars sätter jag ett skott till i Jacob!"

Ademar hade tystnat. Han kanske lyssnade. Eller så hade han svimmat av chock och blodförlust. Hans ena ben var rött, eller svart. Winter kunde inte avgöra om det var vänster eller höger. En skugga föll diagonalt över Ademar, som om han bar ett svart band på sin kropp.

"Han är oskyldig!" ropade Winter. "Jacob har inget med det här att göra!"

"Det är inte sant!" Lejons röst lät annorlunda, som om han just ångrat det han gjort. "Men jag vill inte göra det. Han ska hjälpa mig med boken. Eller jag ska hjälpa honom. Men då måste du ge oss Richardsson, Winter! Det blir ingen bok annars!"

"Skjut inte!" ropade Winter.

"Ge mig Richardsson!"

"Skjut inte! Skjut in…"

Skottet högg Winters ord mitt itu. Det träffade Ademar någonstans i axeln, överarmen. Hans kropp ryckte till. Winter kunde se en strimma blod skjuta ut från kroppen. Han skrek inte. Jesus, han dör. Galningen skjuter ihjäl honom. Han har redan gått över gränsen. Han vet att jag vet. Han vet att vi vet om Edwards. Han tänker skriva klart den förbannade boken själv. Han offrar Ademar. Han offrar allt. Varför? För det som hände härute sommaren 1975? Det betyder allt för honom nu. Det var därför han kom hit. Han var på väg hit precis som jag. Han har varit på väg hit sen dess. Han planerade nånting härute i dag, häruppe. Han skulle göra nånting med Richardsson. Kanske med Edwards om Lars inte hade ställt till det. Han skulle ha med sig Ademar som vittne. Som… krönikör. Ja. Han hade inte räknat med mig. Men the show must go on. Han har planerat en show. En dödsmässa i skinande sol. Jag står i vägen, och då står också Ademar i vägen. Bort med allt som står i vägen.

Ett skott till brann av!

Winter såg jorden röra sig nära Ademars huvud. Författaren låg stilla. Winter trodde inte han var död än. Det tog lite längre tid att dö, om man inte fick ett skott genom huvudet. Kanske hade Lejon missat. Kanske han gjorde det medvetet, för första och sista gången.

Jag får improvisera. Jag får ta det sekund för sekund.

Det var hit jag var på väg.

"Sluta skjuta!" skrek Winter. "Okej, jag kommer ut!"

Lejon svarade inte.

"Jag kommer ut!" skrek Winter. "Jag kommer ut med händerna i luften!"

Richardsson var på väg upp från golvet.

"Gör det inte!" sa han. "Han kommer att skjuta dig!" Han stod upp nu. "Han kommer att skjuta oss!"

"Vi får ta risken", sa Winter. "Gör jag inget kommer han att skjuta ihjäl Ademar." Winter tog ett steg mot dörren "Han kanske redan har gjort det."

"Då behöver du ju inte gå ut."

"Jag funkar inte så", sa Winter. "Jag kan vänta en stund till härinne och då är han garanterat död. Men jag fungerar inte på det sättet."

"Vad hjälper det om han dödar oss då? Sen? Då fungerar du inte alls!"

"Vi får försöka undvika det", sa Winter. Han hörde sin egen röst. Den lät fast, relativt fast. Men han kände sig mycket rädd för vad som skulle hända. Att stiga ut genom den där dörren skulle kunna vara som att stiga ut till sin egen avrättning.

Han stoppade ner pistolen i byxlinningen i ryggen. Han drog åt bältet ett hål.

Han öppnade dörren.

"Jag kommer ut, Lejon!"

Ademar låg orörlig femton meter bort.

Winter gick sakta ut genom dörröppningen.

Han kände vinden i håret.

Han lyfte händerna mot himlen. Han tittade upp. Himlen var större än han någonsin sett den förut. Den var blåare. Han kände sig som en fånge i en oändligt stor cell. Hur skulle han kunna ta sig ur den?

"Stå still, Winter!"

Lejons röst var närmare nu, men han kunde inte se den jäveln. Han kunde vara var som helst. Winter såg att han inte stod bakom trädstammen.

"Jag går bort till Jacob", ropade Winter.

"Stå still!"

"Nej! Jag måste titta till honom. Jag börjar gå nu."

Och han började gå. Han blundade, ja, jag blundar. Det kanske känns bättre. Han väntade på kulan. Hör jag skottet innan kulan träffar mig?

Han fortsatte att gå. Han öppnade ögonen. Han var några få steg från Ademars kropp. Jag går fortfarande. Jag lever. Nu är jag framme. Nu böjer jag mig ner. Ademars ögon var slutna. Han såg ut att vara inne i en barmhärtig sömn. Men hans ansikte var blekt, på väg att vitna. Winter kände igen chock när han såg den. Blodet från såret i axeln hade stillnat. Det kunde inte vara så allvarligt. Benet såg värre ut. Winter tyckte att han såg fragment av ben under knäet. Det kunde vara något annat. Han slet av sig halsduken och knöt den hårt över Ademars knä. Han ställde sig upp och tog av sig rocken, och kavajen, och sedan skjortan. Han slet den i några trasor och förband Ademars ben så gott han kunde. Han kände försiktigt på Ademars axel. Ademar fortsatte att sova. Winter drog ner hans jacka över axeln. Där var blod men inte så mycket. Kulan kunde ha snuddat huden och fortsatt in i naturen, eller in i husväggen. När allt detta var över skulle de hitta den, på samma sätt som de hade hittat kulor i Sellbergs hus för decennier sedan. Så länge sen, kändes det. Det som skett då kunde ha skett 1975, och på ett sätt hade det gjort det. 1975 var nu. Förfluten tid var nu. Det fanns ingen dåtid. Sommaren 1975 var det enda som betydde något för Lejon. Och för alla andra. För Ademar framför honom. Det höll på att kosta honom hans liv flera gånger om. Skulle antagligen göra det. Skulle döda dem allihop. Var var Lejon? Winter hade blockerat Lejon från det han gjorde nu. Först hade det känts som om han arbetade på en scen, men nu var den känslan borta.

Han tittade upp.

Lejon stod utanför dörren.

Framför honom stod Richardsson.

Winter såg vapnet i Lejons hand. Det var ett automatvapen. Det hade han vetat sedan han hört det första skottet. Det var inte en

Tokarev, även om den också kunde användas till begränsad automateld. Men Lejon hade släppt det vapnet, precis som han hade sagt. Det låg på älvens botten. Det är jag säker på. Lejon visste att jag skulle få veta. Coldinuspåret var bara ett sidospår, men ett viktigt. Kanske han ville veta själv. Draggningen under korset därnere i sundet. Han ville veta. Han ville att vi skulle göra jobbet. Han vet inte allt. Han är här för att få veta.

Plötsligt stod det klart för Winter.

Lejon ville veta, precis som han. Han ville veta!

Han hade inte svaren.

Richardsson hade svaren.

Richardsson kunde berätta.

Han skulle kanske göra det, och sedan skulle han dö.

Winter tänkte allt detta medan han hukade bredvid Ademars kropp. Författaren visste bara det som Lejon visste. Han hade inte nått längre, inte längre än Winter. Inte längre än Lejon. även om Lejon förde en ny bakgrund med sig till berättelsen, en större bakgrund. Lejon var bakgrunden. Härute var han det.

Och han ville veta allt. Snart skulle de få veta allihop. Och snart kanske jag är död. Jag förstår inte hur jag ska kunna låta bli att dö nu. Jag är så gott som död.

"Res dig upp, Winter."

Winter såg på Ademars ansikte. Det såg fridfullt ut. Han var fortfarande medvetslös. Han levde fortfarande. Det var det bästa han kunde hoppas på just nu.

Winter reste sig.

"Den här mannen behöver vård omedelbart", sa han.

"Jag förstår det", sa Lejon. "Upp med händerna!"

Winter höjde armarna.

Lejon slog Richardsson över halsen med kulsprutepistolens kolv.

Richardsson föll framåt, gick ner på knä, började glida åt sidan. Lejon tittade upp.

"Vänd dig om", sa han till Winter.

"Varf…"

"Vänd dig om!"

Lejon såg kolven. Hade jag haft undertröja. Jag drog av mig skjortan. Det var en barmhärtig handling.

Lejon klev förbi Richardsson. Han gled fortfarande åt sidan, han stod fortfarande på knä.

Winter kände hur kolven drogs ur hans byxlinning.

"Det hade inte fungerat", sa Lejon.

"Vad tänker du göra? Skjuta mig?"

"Nej, nej. Vi ska ta en liten promenad. Eller snarare ge oss ut på klättring."

"Vart då?"

"Har du inte varit däruppe, Winter? Det har du säkert. Du är en nyfiken fan."

Winter kände ett slag mot axeln. Högra axeln. "Gå bort till huset." Winter kände slaget igen. "Gå!"

Han började gå mot huset. Richardsson tittade upp. Mannen försökte säga något. Det kom inga ord.

"Upp med dig!" sa Lejon.

Han slog till Richardsson på vänsterarmen med kolven.

"Upp, för fan!"

Richardsson försökte ställa sig upp. Hans ben gick i olika riktningar, som om han stod på is.

Han stod nu. Winter kunde inte fånga hans blick. Richardsson hade ingen blick längre. Snart skulle han börja gå, en klättring, en liten promenad. Dead man walking.

Det var tyst överallt, dödstyst. Kyrkklockorna hade tystnat. Det hördes ingenting från himlen eller havet. Vinden hade stillnat. Det fanns inga fåglar i skyn. Inget dunk från någon fiskebåt. Inga mistlurar. Var är alla? Winter lyssnade efter någonting. Det fanns ingenting. Han var bortglömd. Det var alltså så det var. I slutet glömdes man bort.

"Då går vi", sa Lejon.

46

SOLEN BRÄNDE I WINTERS ÖGON. Han gick bakom Richardsson. Richardsson vände sig inte om. Lejon gick några meter bakom Winter. Några kvistar piskade till Winter på kinden. Han hade inte sett dem komma. Det brände till i huden, på samma sätt som i ögonen.

De började klättringen uppåt. Richardsson snavade i en skreva och gled bakåt. Winter fångade upp honom genom att trycka på hans skuldror. De kändes tunna, som om mannen blivit tunn och skör under den senaste timmen. Det var så. Winter kände sig också fullständigt utlämnad. Som om hans krafter hade försvunnit ner i jorden. Rädslan hade en sådan effekt. Och Lejons kulsprutepistol. Ett par gånger hade Winter känt pipan i korsryggen. Winter kanske hade räddat Ademars liv, men det var tillfälligt. Ademar skulle dö. De skulle alla dö. Den här klättringen var den sista. Winter satte handen mot klippväggen. Den var fuktig därinne i skuggorna. Den här delen av stigen låg säkert alltid i skuggorna. Jag skulle haft mina handskar, tänkte han. Vad i helvete spelar det för roll, tänkte han sedan. Det är som fången som leds till sin avrättning och undviker att kliva i en vattenpöl för att inte bli blöt om fötterna.

”Stanna!”

De var halvvägs upp.

Djungeln var tät på alla sidor.

Richardsson vände sig om.

Hans ögon var svarta. Han är redan död. Var har jag sett såna ansikten förut? Jag vet. Jag ser säkert likadan ut. Nej. Jag tänker i detta nu på att vräka mig åt sidan och skapa den där tiondels sekundens förvirring som kan räcka.

Men Lejon var för långt borta, för många meter.

"Stå still!"

Ingen hade rört sig.

"Vänster! Gå till vänster!"

Richardsson stirrade förvirrat mellan Winter och Lejon. Vänster. Det fanns inget vänster. Winter kunde inte se något annat än den täta väggen av ris och buskar och trädstammar och ormbunkar och spretiga strån som kunde vara vass från den förhistoriska tid när havet nådde hit upp. Nu fanns bara gölen kvar. Den låg till vänster. Winter kunde ana de dova solreflexerna i vattnet. Något blänkte till som ett svart öga, det blinkade. Det kanske var inbillning. Men det var dit de var på väg.

Och han såg öppningen i väggen.

Där fanns en stig. Det var spår efter någon. Det var en ny stig.

Han såg att Richardsson såg. Lejon såg.

"In där!" sa Lejon. Han höll ett högt röstläge. Winter kunde höra spänningen i hans röst. Han var också på väg till gölen. Han visste inte heller.

Richardsson gick in i djungeln. Det höga gräset var trampat till en smal stig. Den såg nytrampad ut, som om någon gått här de senaste dagarna eller nätterna. Det döda gräset var på väg upp igen. Några dagar till och alla spår skulle vara borta. Också efter oss, tänkte Winter. Det är sista gången nån trampar den här stigen.

Han kunde se vattenytan nu. Den var som ett golv av tjära. Den var slät. Det fanns ingen vind därinne. Vegetationen var meterhög runt gölen, som en mur. Men stigen ledde ända fram till vattnet. Det fanns ett hål i muren. Det var ett par meter brett. De stod där nu. Det var som en avsats. De var framme. Gölen var nedsänkt i marken, en halvmeter under muren. Den var större än Winter trott när han stått uppe på berget. Den kunde inte vara så djup. Han tyckte han anade botten intill kanten. Allting var svart. Det fanns inte ens något brunt. Han tyckte sig se några stenar blänka till på botten. Det var stenar, en stor sten. Den lyste med ett blekt skimmer. Winter tittade uppåt och såg den blå himlen, men solen var inte där. Den hade valt att skina över havet. Stället de stod på var bortglömt. Skuggorna var dragna över gölen som en svepning. Svart på svart. Men något hade reflekterat den vita stenen.

De stod stilla. Richardsson såg ner i avgrunden. Lejon dröjde bakom dem. Winter ville inte vända sig om. Lejon väntade på något. De väntade alla. Plötsligt skulle ett skott smälla av. Sedan ett till. Och sedan skulle det bli tyst.

"Det är här", sa Lejon.

Ingen rörde sig.

"Känner du igen dig?"

Richardsson rörde på huvudet.

Han vände det mot Lejon. Han visste att det var honom Lejon talade till.

"Det var hit ni förde henne, eller hur?"

Richardsson svarade inte. Han verkade inte lyssna. Han tittade åt Lejons håll med sina svarta ögon, men han kunde lika gärna se mot träden bakom, och stigen därifrån, och havet, och livet som fanns därnere.

"Det var hit ni tog henne, ditt jävla as!"

Lejon tog ett steg framåt. Richardsson ryckte till.

"Du och Sellberg och Edwards. Ni var alla här. De var hit ni tog henne!"

Richardsson skakade på huvudet.

Lejon höjde vapnet.

Winter stod mitt emellan.

Ska jag kasta mig i gölen? tänkte han. Jag måste göra nåt.

"Stå still, Winter!"

"Jag… har inte rört mig."

Plötsligt log Lejon. Leendet blänkte ovanligt vitt, det blänkte som nyputsat silver bland alla de förbannade skuggorna.

"Tråkigt att du skulle hamna i det här, Winter. Du var inte inbjuden."

Winter svarade inte.

"Du bjöd in dig själv. Det hade du inte behövt göra."

"Du behöver inte göra det här, Lejon."

"Göra vad? Vad behöver jag inte göra?"

"Du behöver inte skjuta honom. Han är skyldig. Du behöver inte straffa honom."

"Inte det? Vem ska göra det? Du? Polisen? Ha ha. Det är preskriberat. Det har aldrig hänt. Vem skulle kunna bevisa nåt?" Han pekade på Richardsson. "Det här svinet skulle neka. Han nekar nu." Lejon pekade på Richardsson med pipan. "Nekar du? Eller har du gjort det?"

"Gjor... gjort vad?"

Richardssons röst var mycket låg, lägre än en viskning. Men de hörde. Allting hördes i den döda stillheten. Normala röster lät som tjut.

"Det var du", sa Lejon. "Du såg henne komma nerför Kärleksstigen och du följde med henne ner till viken. Sen kom dom andra."

Det blänkte till i Lejons öga. Herregud, han gråter. Winter såg en tår, och sedan en till.

"Du såg min Beatrice komma nerför stigen", sa Lejon.

"Nej, nej."

"Ser du?" sa Lejon och nickade mot Winter. "Han nekar."

Lejon tog ett steg till framåt. Han var bara ett par meter från Richardsson nu.

"Du kände till den här jävla gölen och det var här ni dumpade henne. Det var här ni sänkte ner henne!"

"Du... du har inte förstått."

"Va? Inte förstått? Vad har jag inte förstått?"

Richardsson svarade inte.

"Det finns inget att förstå", sa Lejon. "Jag behöver inte förstå. Det är för sent för det nu."

Han tog ett steg till och slog Richardsson i ansiktet med kolven.

Han vände vapnet mot Winter.

"Stå still!"

"Jag har inte rört mig."

Lejon vände sig mot Richardsson igen.

"Ner i vattnet!"

"Va... vad?"

"Gå ner i vattnet!"

"Varför väntade du så länge?" sa Winter.

"Vad?"

Lejon tittade på honom.

"Varför väntade du tills nu med ditt straff?" sa Winter. "Dina straff. Det har gått många år."

"Jag visste inte", sa Lejon "Jag visste inte förrän för ett litet tag sen."

"Hur fick du veta?"

Lejon svarade inte. Han betraktade Richardsson som om han skulle skjuta honom där och nu.

Lejon tittade på Winter igen.

"Vad fan spelar det för roll nu?"

"Jag vill veta. Hur fick du veta?"

"Jag känner folk", sa han.

"Känner folk?"

"Känner folk som känner den här jäveln", sa Lejon och nickade mot Richardsson. "Men jag visste det inte förrän nyligen."

"Hur visste du?"

"Tänk på ett kors", sa Lejon. "Det hittade ni ju, eller hur? Och dom andra korsen. Det räknade jag ju med. Jag tänkte att ni kanske kunde hjälpa mig lite att leta. Leta under ytan." Lejon log och tittade på Winter. "Jag var inte helt säker heller. Inte då. Nu är jag det." Han tittade på Richardsson igen. "Jag känner folk i den där jävla orden. Förstår du, Winter? Richardsson fanns där. Han hette Richard Jansson där! Han trodde han kunde vara hemlig där, tala fritt där. Det är så jag känner honom. Eller kände honom. Fast jag kände honom inte." Lejon tittade på Richardsson. "Jag kände dig egentligen inte, eller hur? Jag kände inte svinet som var du redan då!"

"Du har inte förstått!" skrek Richardsson. "Du vet inte vad som hände!"

"Håll käften!" skrek Lejon. "Håll käften, svin!"

Han vände sig mot Winter. Han såg plötsligt lugn ut igen. Han pekade på Richardsson.

"Richard Jansson. Han som står där. Skithögen där. Han trodde att han skulle komma undan Brännö. Kanske han skulle kunnat göra det. Det gick många år när jag inte kunde göra nånting. Först var jag som förlamad. Man kan säga att jag inte mådde så bra. Och sen, när jag började må lite bättre, så hade jag annat att tänka på. Men så en dag… så en dag kom det tillbaka. Jag visste att jag måste göra nånting. Jag måste verkligen göra nånting.

"Hur kom du på Sellberg?" frågade Winter.

"Genom klubben", sa Lejon.

"Klubben? Vilken klubb?"

"Klubben han gick till. Det var också en hemlig klubb." Lejon log ett fruktansvärt leende. "Dit gick också folk som inte ville bli upptäckta. En kompis till mig drev den. Jag gick aldrig dit. Jag hatar bögar. Men han berättade för mig." Lejon log det hemska leendet igen. "Vi hade en annan gäst ibland. Honom känner du."

"Var är han!?" sa Winter. "Var är Bergenhem nu?"

Lejon svarade inte. Han betraktade Richardsson igen. Richardsson stod med böjt huvud. En väntan.

"Så då hade jag äntligen träffat på Richardsson och Sellberg igen. Sellberg var inte svår att identifiera. Han hade ett annat namn också, tror jag, men det spelade ingen roll. Han var sig lik. Och svinjäveln här var skiträdd för Sellberg." Lejon tog ett steg mot Richardsson.

"Var du inte det!? Du var hans slav, var du inte?"

"Det var inte… det var inte han. Det var inte vi. Det var Edw… det var Edwards", sa Richardsson. "Det var han som…"

"Käften!" avbröt Lejon. "Käften! Försök inte skylla ifrån dig, din jävel!"

Lejon tittade på Winter.

"Han försöker komma undan. Han skyller på Edwards. Som om det skulle hjälpa." Lejon skrattade till. "Inget kan hjälpa honom nu. Men du vet ju inte hur jag kom på honom, eller hur? Jag ska berätta det också så har vi klarat ut allt. Det var tack vare syrran. Berit. Modiga Berit! När jag väl hittat Jansson här, oavsett vad han hette, så hittade jag ju hans familj. Och när jag lät kolla upp frun så hade hon ett bekant flicknamn. När jag efter många år började fundera på vad som hände den sommaren så fanns det där namnet. Och nu fanns det i närheten av Richardsson. Var det en tillfällighet? Jag tog reda på om hon hade en brorsa och att han var utomlands. Det hade han varit i några år. Men sen kom han hem. Han trodde väl att allt hade blåst över. Det är väl så man säger? Att det blåser över? Men det blåser inte över." Lejon tittade på Richardsson igen. "Det blåser aldrig över."

"Du... du har fel", sa Richardsson. "Beatrice är..."

"Håll käften!" skrek Lejon. "Håll käften! Håll käften! Nämner du hennes namn en gång till skjuter jag hjärnan av dig, ditt förbannade satans kräk! Ner i vattnet, sa jag. Ner i vattnet!"

"Vad ska du göra?" sa Winter. "Vad vill du göra?" Han försökte hålla rösten fast. Det var omöjligt. "Vad... ska han göra?"

"Han ska hämta upp henne igen!" sa Lejon. "Det är den jäveln skyldig henne. Han ska hämta tillbaka min Beatrice!"

Han slog till Richardsson i ansiktet igen. Det blödde redan ur Richardssons mun.

Han sparkade till honom över höften. Richardsson föll halvmetern ner till vattenytan. Han slog igenom den. Han försvann i ett öronbedövande plask. Det var så det lät i Winters öron. Det var som en explosion. Winter kastade en automatisk blick mot himlen, som för att se om ett svampmoln hade bildats där.

Richardssons ansikte blev synligt. Det flöt upp från botten. Richardsson försökte andas, men det såg ut som om han inte kunde dra in luft i lungorna. Hans mun öppnades och stängdes. Lejon betraktade honom och bevakade samtidigt Winter.

Richardsson andades nu. Det lät som snyftningar. Han verkade stå på knä i vattnet. Winter kunde inte se hans kropp under ytan. Fallet hade rört upp slam och lera. Ytan stillnade sakta. Richardssons snyftningar stillnade. Han ska inte hämta nånting, tänkte Winter. Lejon ska skjuta honom när han är därnere. Det går bara ut på det. Sen är det min tur.

"Fortsätt ut!" sa Lejon.

Richardsson stirrade på honom med röda ögon. Det rann blod

genom dem. Han hade ett jack över pannan, som ett band. Håret var som målat över hans skalle.

"Ställ dig upp!"

Richardsson försökte ställa sig upp. Han kom halvvägs i stående och förlorade balansen. Hans huvud försvann under ytan. Winter kunde se hans ben. De sparkade mot botten. Richardssons kropp fick fart, fördes ett par meter utåt, som av en ström. Hans huvud blev synligt. Han försökte få tillbaka sin andning, han snappade efter luft. Luften såg också svart ut, som kol. Richardsson försökte ställa sig upp igen. Han slog omkring sig i luften med armarna. Det såg ut som om han försökte flyga därifrån. Som om han ville kasta sig upp i himlen. Han skrek. Winter hörde hans skrik nu. Det var inte några snyftningar. Det var vansinnesskrik. Richardsson stirrade på Winter. Han stirrade inte på Lejon. Han såg på Winter med de skräckslagna ögonen. Han slog omkring sig i vattnet, som efter en motståndare. Han skrek igen.

Han verkade gripa efter någonting. Där fanns någonting! I vattnet! Winter kastade en blick på Lejon, men Lejon stod orörlig. Han hade höjt kulsprutepistolen till midjehöjd. Richardsson gav ifrån sig ljud Winter aldrig hört förut. Winter såg honom gripa efter det som fanns under ytan, eller om han försökte trycka bort det, skjuta det ifrån sig, fly från det!

Han höll i en arm. Richardsson höll i en arm! Det var inte hans egen. Han släppte armen. Den låg kvar på ytan, flöt som en bit ved. Winter såg något annat under ytan, en stor skugga, en jättelik fisk. Den rörde sig mot ytan. Armen tillhörde skuggan. Det var en kropp. Den gled uppåt. Den slog igenom ytan. Den kastades upp från botten! Richardsson måste ha lösgjort den. Winter såg hår, ett bakhuvud, en axel, en arm till, kroppen vreds i vattnet, den snurrade sakta från honom och vreds under ytan och flöt upp igen. Han såg något som bara var en stor vit sten, det var den stenen han hade sett när han tittat ner i gölen för första gången, det var stenen, ingenting annat än stenen, och han blundade, han hörde inte längre Richardssons skrik, han hörde det inte eftersom han skrek själv, han förstod det trots att det inte fanns någonting att förstå, ingenting kunde förstås eftersom allting var meningslöst, allting var borta nu, och tomt och förflutet och dött och vitt som Bergenhems ansikte.

"Lars!" Han hörde sina ord nu. "Lars!" Det var bara ett ord. Det var bara en arm Richardsson hållit i. Den andra fanns under ytan. Nu sjönk Bergenhems ansikte ner under ytan. Det blänkte till under ytan. Det såg ut som en sten. "Lars!" Han tog ett steg mot Lejon. "Varför!? Lejon!? Varför!?"

Lejon svarade inte. Han följde kampen därute. Richardsson mot Bergenhems lik. Den var jämn. De var jämspelta. Richardsson såg ut att sjunka under ytan igen, som om han drogs ner av Bergenhem. Det var som en grotesk vattenbalett.

Plötsligt vacklade Lejon till. Han tog sig mot huvudet, tinningen, ögat. Vapnet darrade i hans hand. Han stängde ögonen för en sekund. Han öppnade dem, vacklade till igen. Kampen fortsatte ute i vattnet. Det såg ut som om Lejon försökte fixera blicken på kampen. Han skakade på huvudet, som om han ville kasta av sig smärtan. Winter kände igen det. Han kom ihåg. Lejon led av migrän. Det där var migrän. Winter hade inte migrän, men det där var migrän. Det finns mycket som kan utlösa en migränattack. Den vanligaste orsaken är stress. Lejon var stressad. Det var inte dödandet, inte det egna. Han var en mördare, men han var inte kallblodig, åtminstone inte just nu. Han trodde att han var nära Beatrice. Han var tillbaka i ett förflutet. Då var nu, det var här. Kanske hade han trott att Richardsson träffat på Beatrice i vattnet. Nej. Han visste att Bergenhem redan låg därnere. Det visste han väl?

Lejon tog ett vacklande steg till av smärtan.

Winter kastade sig framåt.

Det var tre eller fyra meter.

Han flög.

Lejon såg honom komma. Han lyfte kulsprutepistolen och sköt. Kulan slog ner bredvid Winter. Han såg nedslaget, som ett jordskalv under fötterna. Lejon hade inte slagit om till automateld efter skottlossningen utanför huset därnere. Lejon kastade sig baklänges. Winter var fortfarande på väg genom luften. Han hade fortfarande inte landat. Om Lejon sköt igen skulle han fortsätta att flyga hela vägen till himlen. Han skulle aldrig landa. Han skulle sitta med Bergenhem vid gudarnas bord i kväll. Det var så mycket han ville fråga honom. Det var så mycket han ville fråga sig själv. Varför han lät Bergenhem lämna hans rum, hans korridor, hans förbannade rotel, det förbannade polishuset. Minnet var som ett blekt ansikte i vatten. Blekansikte. Indiansommaren var över. Han ville glömma allt. Skiljs aldrig som ovänner. Han såg Angela, såg henne i sängen. Det var den sista bilden. Skiljs som de bästa vänner. Skiljs alltid som vänner. Det kommer en sista stund. Det är nu. Nu skjuter den jäveln mig. Han höjer pipan igen. Han står upp. Jag flyger inte längre. Jag har landat på jorden. Jag kom aldrig dit upp. Det blir jordfästning för mig. Det blir en begr…

Och Lejons huvud exploderade framför hans ögon. Det spräng-des i tusen bitar. Allting kan gå isär. Lejons ögon fanns kvar i hans ansikte, riktade åt alla håll, mot Winter, Richardsson, Bergenhem, himlen, jorden, gölen. Han stod stilla, fortfarande med det dödliga vapnet i händerna. Men det var värdelöst för honom nu. Han föll sakta ner mot jorden. Han var skalperad. Det var en ohygglig syn. Han stod på knä nu. Kulsprutepistolen föll ur hans händer. Den var nära marken. Det var samma jävla ultrarapid som alltid. Lejon var död, men han rörde sig fortfarande. Han föll, föll. Winter hade hört skottet samtidigt som det krossade Lejons huvud. Det måste vara ett ofantligt vapen. Det var en bombkrevad. Winter låg kvar på marken. Han ansikte hade borrats ner i jord och gräs när han landade. Han kände jordsmaken i munnen. Det smakade blod. Det smakade järn. Det var blod. Han spottade ut sitt blod. Han måste ha skadat tänderna, bitit av halva tungan.

"Erik!? Hur är det!? Erik? Erik!?"

Det fanns bara en som kallade honom vid hans förnamn på det sättet.

Han tittade upp.

Benny Vennerhag stod där Lejon nyss hade stått. Vennerhag höll något som såg ut som ett granatgevär i händerna.

"Erik!? Erik!?"

Räddad av den undre världen, tänkte Winter. Han kände fortfarande jordsmak. Han försökte spotta igen. Något rörde sig bakom Vennerhag. Något klev fram ur djungeln. Det var Ademar. Han linkade två steg i Benny Boys fotspår. Han stod där, med solen i ryggen. Det gick knappt att se hans ansikte, och inte hans sår, men det var författaren. Boken är slut nu, tänkte Winter. Nästan slut.

23.00

OM HON FICK VETA DERAS NAMN kanske dom inte kunde göra något med henne. Då visste hon ju deras namn. Men sen tänkte hon att om dom sa sina namn så skulle det vara ännu värre. Det är som att bli kidnappad av nån som tar av sig den svarta huvan så man ser hans ansikte.

Det var bättre att inte fråga om namnen. Hon trodde hon visste att en av dom hette Bengt i alla fall. Hon trodde det, kanske nån av dom andra hade sagt det. Det kunde betyda att hon... att dom inte brydde sig om hon visste eftersom dom skulle...

Eller att dom inte brydde sig eftersom detta bara var en lek.

Hon skulle snart vara tillbaka på kollot.

Dom kanske körde henne med båten.

Hon fick hitta på nåt när hon kom tillbaka.

Han kanske skulle fråga. I morgon. I morgon skulle Christian nog fråga. Han hade stått på bryggan, det var han.

"Baddräkten!"

Jag vill inte. Nej! Nej! Tar jag av baddräkten kan dom göra vad som helst. Jag får inte ta av den. Jag måste ha den på mig!

"Jag vill inte!"

"Ta av dig baddräkten!"

"Jag vill inte! Låt bli mig!"

"Ska vi int..."

En annan röst, en av dom andra. Han blev avbruten.

"Håll käften! Hjälp till här!"

Hon försökte skrika, hon började skrika. Allt hördes många mil när det var så stilla. Solen hade gått ner. Röster hördes ännu mer i luften när solen var borta.

"HJÄÄ…"

Någon av dom slog en hand över hennes mun. Det gjorde ont. Det kändes som om en tand gick av. Hon försökte slita sig loss. Hon bet tag i handen så hårt hon kunde.

"AAAIIJJJ!"

Hon kände blod i munnen. Det kunde vara hennes eget. Handen försvann från hennes mun. Det fanns blod på den, hon kunde se det. Det såg nästan svart ut.

"Roger! Hjälp till här, för helvete!"

Nån tryckte en annan hand över hennes mun. Hon försökte skrika igen. Hon visste inte om det hördes. Hon hörde inte sin egen röst längre. Det var andra röster överallt. Det var som om rösterna slet tag i henne. Allt och alla slet i henne. Dom skulle slita sönder henne. Hon försökte sjunka ner i vattnet. Dom stod i vattnet, alla stod i vattnet. Om hon kunde sjunka ner, bara försvinna ner i vattnet. När hon stelnade till och försökte sjunka släppte nån sitt grepp och hon sjönk. Hon såg bara några ben nu. Dom hade inga badbyxor nån av dom. Hon såg blöta jeansben. Hon var nere i vattnet, hon kände botten. Hon försökte simma. Hon såg bryggan, hon såg havet. Och holmen utanför, den hette Svensholmen, det kom hon ihåg. Hon kunde simma förbi den. Om hon kom förbi Svensholmen skulle hon vara säker. Hon var bra på att simma, hon var snabb. Om hon bara kom ut mellan alla ben. Dom skulle inte hinna ifatt henne. Båten var inte där. Hon kunde gömma sig bakom holmarna och skären. Det kanske kom en annan båt. En segelbåt. Hon tänkte på pojken som stått i fören på segelbåten som dom kört förbi. Han verkade vara ensam på båten, den var inte stor. Han skulle rädda henne. Varför hade hon inte skrikit till honom när de körde förbi? Var hon inte rädd då? Varför hade hon inte hoppat i från båten? Kastat sig i bara! Han skulle ha sett det. Han skulle ha förstått att hon behövde hjälp.

Någon slet i henne men hon var fortfarande fri. Hon kunde kanske simma över till Styrsö och gömma sig där. Där fanns det folk, hon kunde springa in till nån i första huset hon såg.

Hon kastade sig mellan ett par av jeansbenen. Ingen höll henne.

Hon började simma, hon simmade, simmade! Hon såg bryggan igen, hon simmade! Dom skrek bakom henne. Nån grep efter henne, men hon sparkade med benen och greppet släppte. Hon fortsatte att simma! Hon såg hela havet nu! Hon var fri!

47

WINTER KOM UPP I STÅENDE på tio, elva, tolv. Det kändes som om han blivit nedslagen gång på gång under de senaste dagarna.

Richardsson stod kvar nere i gölen. Vattnet räckte honom till midjan. Det var som om nivån hade höjts när ytan blivit stilla igen.

Kampen var över därnere. Bergenhem! Gud i himlen! Lars! Winter såg Lars ansikte igen fast det fanns under ytan. Han skulle alltid se det. Han skulle aldrig glömma. Det man ville glömma glömde man aldrig. Det man ville bevara var oftast borta för alltid.

Winter steg ner i vattnet. Han kände ingen kyla eller värme. Det var bara vatten under hans knän. Det räckte upp till låren nu. Han fortsatte mot Richardsson. Mannen rörde sig inte. Winter kände den vidriga botten slå mot hans skor. Det förvånade honom att han inte sjönk genom lera och kvicksand. Den här gölen drog ner alla. Det var därför den fanns till. När allt det här var över skulle han låta fylla igen fanskapet. Men det skulle aldrig vara över. Han skulle minnas ansiktet han var på väg mot nu. Han var framme. Richardsson tittade på honom som om han kommit dit för att dränka honom. Senare kanske. Eller låta Benny skjuta honom. Hade Richardsson nåt med Lars död att göra var han en död man själv. Winter kastade en blick mot Benny. Han knäböjde vid Lejons kropp som en sjukvårdare i krig. Han tittade upp. Han ropade någonting. Winter hörde inte. Han var döv. Richardsson kanske talade till honom, hans mun rörde sig. Men jag är döv. Gud har i detta nu givit mig gåvan att vara döv. Tack, gode Gud. Att bli blind är för mycket att be om.

Han dök. Vattnet var som slem över hans ansikte. Det luktade slem. Det stank av allt som varit dött i tusen år. Hundra år. Trettio år. Två dagar. Han kände Lars arm nu. Den väntade på honom. Han kände hans axel, hans hals, hans ansikte. Det väntade på honom. Han drog kroppen intill sig. De var fortfarande under ytan, han och hans kollega sedan så många år. Hans vän. Det var lockande att stanna kvar där. Mörkret blev mjukare medan han höll Lars i sin famn. Det var inte svårt att andas eftersom han inte behövde andas. Det var egendomligt. Han hade blivit en fisk. Kanske Lars också var en fisk. De skulle kunna stanna kvar därnere. De kanske skulle träffa Beatrice. Han visste inte var, men han skulle träffa henne. Han mindes nu. Han mindes allt. Det var lugnet härnere som gjorde att han kom ihåg. Han hade redan träffat henne. Han hade vinkat till henne när hon passerade i en motorbåt som gick alldeles för fort över sundet. Hon hade vinkat tillbaka. Hon hade mörkt hår. Hans eget hår hade varit vitblekt av solen. Det hade varit långt. Hennes hår hade inte varit så långt. Hon vinkade. Han vinkade. Det satt tre andra killar i båten. Han kände inte igen dem. Kanske en av dem. Någon som körde varor över sundet, men det var i en annan båt. Hon hade haft en röd badrock. Den såg ut som en stor flagga. Den flaxade i fartvinden när de hade passerat hans segelbåt. Han hade varit ensam i den. Det var något med seglet som han försökt fixa. Han kom inte ihåg vad det var. Men han kom ihåg henne. Han hade letat efter det där minnet. Nu hade han funnit det, men det var för sent. Allt var för sent. Lars tittade förbi honom nu, han stirrade upp mot ytan med sina vackra ögon. Något kanske rörde sig däruppe, det fanns någon sorts skugga. Det spelade inte så stor roll. Winter kände sig mycket sömnig nu. Han behövde sova och sedan skulle han göra bokslut för den här utredningen. Bara sova lite. Sova. Jag läg…

Han kände ett grepp över axeln. Låt bli mig. Gå iväg. Go away. Greppet släppte inte. Han började släppa sitt grepp om Lars. Lars började flyta iväg från honom. Han trevade efter honom men han flöt bort i mörkret. Jag har inget styrka i fingrarna längre. Jag kan inte få tag i honom längre.

Han drogs uppåt. Han kände plötsligt en fruktansvärd vind i ansiktet. Det gjorde fruktansvärt ont i halsen, i bröstet, långt ner i lungorna. Det gjorde fruktansvärt ont i hela underlivet, ner över benen. Han kände inte sina fötter. Smärtan slutade ovanför fötterna. Kanske fötterna satt fast i leran.

"Erik! Erik! För helvete, Erik!"

Han hörde nu. Han var inte döv längre. Han försökte se. Han kunde se. Han såg den blå himlen. Det var allt han såg, det kunde räcka. Någon höll i honom, någon höll hans ansikte över vattnet. Smärtan i bröstet var fortfarande stark, men inte lika fruktansvärd.

"Erik! Erik! Andas du? Andas, för helvete!"

Och han exploderade i bröstet. Han andades. Luften pressades ner i hans hals som med järnspett. Han hörde sig själv. Det var hemska ljud. Var det han? Han kände slem och spyor och vatten i munnen. Han ville tvätta munnen med en gång. Han försökte ta tag i vattnet med ena handen, gripa tag i det som i ett lakan. Det gjorde ont i handleden. Han kom ihåg. Han hade skadat den någon gång. Han kom inte ihåg var eller när.

Himlen flyttade på sig ovanför honom. Den åkte på sned, han såg vattenytan nu, och träden, och buskarna. Han såg någon som låg på marken. Han såg någon som satt bredvid. Någon bar honom, han bars upp från gölen. Han försökte göra sig fri men han orkade inte, inte än. Snart skulle han ta sig tillbaka. Dom kunde inte lämna Lars därnere. Vet dom att Lars är därnere? Han måste fråga dom så fort han hade lärt sig att tala igen.

Han hörde röster. Han låg på marken. Nej, han satt upp.

Någon satt mitt emot honom.

"Erik."

Det var hans namn. Han kände igen det.

Han kände igen han som satt framför honom. Han satt på huk.

"Benny."

"Tillbaka bland de levande", sa Benny.

Winter kände en rå smak i munnen. Halsen sved. Det dunkade

av smärta över hela kroppen utom i huvudet. Han kände ingen-
ting i huvudet.

"Vad hände?"

"Allting", sa Benny.

"Hur kom du hit?"

"Bry dig inte om det."

"Hur kom du hit?" frågade Winter igen.

"Man kan säga att jag höll lite koll på Lejon."

Koll på Lejon. Var det han som låg på marken? Vennerhag följ-
de hans blick.

"Han är inte längre ibland oss", sa Vennerhag.

Winter svalde. Det var som att svälja järn.

"Den andre är fortfarande ibland oss. Det såg illa ut, men han
klarar sig."

"Den andre?"

"Han som låg nere vid huset. Eller vad fan det ska kallas." Ven-
nerhag log. "Vilket jävla ställe."

Winter nickade. Vilket jävla ställe. Han rörde på huvudet igen.
Han såg inte Ademar någonstans.

"Var är han?"

Vennerhag nickade bort mot en grov trädstam. Winter såg en
gestalt ligga mot den, som en utväxt, en av rötterna. Gestalten
höjde en hand och vinkade. Winter höjde sin högerhand och vin-
kade tillbaka. Han tittade på Benny.

"Det fanns en till", sa han.

"Han i vattnet? Jag fick dra upp han också. Det var som om han
frusit fast." Vennerhag pekade bort mot en annan trädstam. Rich-
ardsson satt framför den. Han höll sina händer framför sig. Det
såg obekvämt ut. Winter kunde se repet som lindats runt stam-
men. Benny hade med sig grejer för alla tillfällen.

"Jag band honom. Jag tyckte det var säkrast. Jag visste inte vil-
ket läger han hörde till."

Vilket läger. Winter blundade. Vilket läger. Det var flera läger.
Det var flera… lager i det här. Läger, lager. Vilket läger tillhörde
han? Och Benny? Ademar? Jan Richardsson? Berit Richardsson?

Lejon? Sellberg? Edwards? Två olika, eller delar av samma? Nej.

Han tyckte han hörde andra röster nu, långt bortifrån. Han tyckte han hörde ljudet av vingar i himlen. Han tittade uppåt. Han såg en stor fågel som började sänka sig över dem. Den hade vingar som snurrade som en propeller över kroppen. Den var av stål.

"Kavalleriet är här", sa Vennerhag. "Det var på tiden."

"Hur fick dom veta?"

"Jag ringde förstås."

Vennerhag såg bort mot Richardsson. "Den där svamlade hela tiden om att det var en olycka. 'Det var en olycka', sa han gång på gång på gång. När du också var därute i den jävla gölen." Vennerhag tittade ner mot Winter. "Förstår du vad han menar?"

Winter nickade.

"Var det kroppen? Kroppen som… ligger därute."

"Nej."

"Nehej?"

"Det är en annan kropp. Men den ligger också därute."

"En annan kropp?"

"Ja."

Vennerhag såg ut som om han skulle fortsätta att fråga, men han ändrade sig. Han såg bort mot Richardsson igen.

"Han är helt borta." Han tittade på Winter igen. "Erik. Det är en sak till…"

Winter tittade upp på honom. Helikoptern vrålade bakom Vennerhag. Det var svårt att höra någonting nu. Men Winters hörsel hade blivit bättre. Det var som om han kunde höra allt nu. Han hörde rösterna som var på väg uppför Bönekällan, uppför berget, in på den smala stigen till gölen. Han hörde Bertils röst, Fredriks röst, Anetas röst. Det gamla gänget. Knô dig in fast dörra är trång. De visste inte än. Han hade nyheter.

"Erik…"

Han såg fortfarande Vennerhags ansikte. Gangstern hade lagt vapnet någon annanstans. Han gick ner på huk igen.

"Vad är det, Benny?"

"Det är… Lotta. Du vet… tror du att du kan prata med henne

igen?" Vennerhag slog ut med handen mot all förödelse och katastrof som fanns samlad omkring dem. "Om mig. Efter det här. Om att jag… kom hit? Tror du att du kan berätta för henne? Det är allt jag begär."

Winter orkade inte svara.

Stort tack som alltid till kriminalkommissarie
Torbjörn Åhgren, stf chef på tekniska roteln,
Länskriminalpolisen, Göteborg

Stort tack också till
min redaktör Peter Karlsson och
min förläggare Stephen Farran-Lee

Extramaterial

Hösten 2008 utkommer *Den sista vintern* – den avslutande delen i serien om kommissarie Erik Winter. På följande sidor kan du läsa en intervju som Jenny Leonardz på Svenska Dagbladet gjort med Åke Edwardson. Där berättar han bland annat om hur det känns att ta farväl av deckargenren efter tretton år och tio kriminalromaner.

Dessutom bjuder vi på det första kapitlet ur *Den sista vintern*.

Farväl till deckaren

Han är journalisten vars texter till slut blev romaner och i dag känner miljoner läsare kommisarie Erik Winter. Men med Den sista vintern, SvD:s sommarföljetong, lämnar Åke Edwardson in polisbrickan. Frågan är vad Erik Winter gör.

– Hallå Edwardson, det är Winter. Du, jag har fått manuset. Vad är det här? Jag skulle aldrig göra det du skriver.

Åke Edwardson lutar sig fram över fanerbordet i kaféet på gamla epidemisjukhuset, nu ateljé- och kulturcentrum. Som, eftersom det ligger i Göteborg, har döpts till Konstepidemin.

– Förstår du? Jag har väldig respekt för den här killen.

Åke Edwardsson är drabbad av postdepression. Och separationsångest. Det första är ett tillstånd efter varje lämnad bok, så detta är hans tjugonde postdepression. Det andra är vad som denna gång läggs ovanpå, när han lämnat *Den sista vintern*.

Men för att vara ångestriden och depressiv är han både glad och pratför.

– Här kan vi sitta och prata. Hm, jag tar en syltkaka också. Nyrakad är jag också, fortsätter han och stryker sig över hjässan. Jag kan polera upp den om du vill.

Även om räven lurar bakom vänsterörat så är det allvarliga saker vi har att prata om. Efter en framgångsrik författarkarriär sedan debuten för 13 år sedan, efter fyra miljoner sålda böcker i Sverige och utomlands, de flesta om kommissarie Erik Winter, håller nu Åke Edwardson på att ta avsked.

Den sista vintern om hans succépolis Erik Winter är också den sista i kriminalgenren.

– Jag är stolt över mina böcker, men deckargenren är inte för mig längre.

Och avskedet från själva personen Erik Winter?

– Det är för sorgligt, nu börjar jag nästan gråta. Jag har ju levt med honom, ägnat nästan lika mycket tid i tanken åt honom som åt min familj. Han är ju jag och ingen annan.

Och ändå, så enkelt är det inte. Inte bara att överklasspojken Erik är långt från lantisen Åke. Hans kamp med Erik Winter har varit att skriva emot, att trotsa sig själv. Det är först då det blir allvar, tänker han, och något som kan ge perspektiv som Erik Winter, men inte Åke Edwardson kan ge: att ställa sig utanför sin karaktär. Därför är samtidigt Erik Winter inte alls Åke Edwardson.

Är det något du inte förstår hos honom?

– Han har en oåtkomlighet, ett mörker. Ibland kan det slå
över i destruktivitet, en plötslig våldsamhet.
Winter är motsägelsefull, sammansatt, liksom hans
omgivning.

– Folk säger och gör konstiga saker i mina böcker, som vi
alla. Verkligheten är inte så slätkammad som fiktionen.

Därför vill han visa människors bisarra vardagligheter,
kaotiska reaktioner, irrationella repliker, förvirring och sorg,
något som just kriminalgenren ofta missar, tycker han.

I de första två kriminalromanerna hade han en helt annan
hjälte, "mer sympatisk, mera färdig".

– Han liknade mer alla vår tids lidande män som verkar ha
fått en fristad i kriminallitteraturen: medelålders, frånskilda,
dricker för mycket, majonnäs på kavajslaget, lyssnar på
opera.

– Jag ville ha någon som inte var trött och sliten. Jag ville
ha en modern person född på 60-talet, och ett modernt
poliskollektiv. Jag ville inte plocka på honom för mycket
inombords i början, men gav honom några attribut för att
förstärka hans skenbara ytlighet. Han bar Versacekostym,
inte för att han var snobb utan som en medeltida riddare bär
sin rustning, som ett skydd mot avgrunden. Så småningom
förstod han ju att det inte hjälper.

Med *Den sista vintern* har det blivit en dekalog om
kommissarie Winter, som utvecklats från osocial
överklassnobb till en empatisk och sökande person.

Han hade inga tankar om en serie när han började. Men
det blev en andra bok, han behövde fördjupa. Winters inre
liv fick böckerna att kugga i varandra och i den tredje var
det dags att låta honom göra upp med sin far som flyttat till
Spanien med fru och pengar.

– Väven blev mer komplex, jag kände att hela
romanprojektet blev ofärdigt om jag inte fortsatte.

**Lockat måste väl också framgången gjort? Du fick läsare,
tjänade pengar.**

– Absolut, samtidigt kan jag ärligt säga att jag inte tänkte
så. Och efter sjätte boken var jag tvungen att ta en paus. Då
skrev jag annat.

Sedan blev det fyra Winterböcker till, ytterligare bitar skulle
på plats, han behövde borra djupare i Winterkaraktären,
som han säger.

**Det låter som en 13 år lång terapi nu avslutas. Ni har borrat,
du och Erik?**

Han blir tyst en kort stund.

– Efter ett tag stod det ju klart för mig att jag inte kunde sluta. Man kan säga att en roman vet mer än sin författare. Det fanns något i den här berättelsen som skulle fram. Jag känner en enorm trötthet nu. Ja, jag har avslutat något. Nu är det på plats.

När det som nu är på plats började göra sig påmint var Åke Edwardson journalist och undervisade på Journalisthögskolan. Texterna blev allt längre, berättar han. Han började hitta på. Folk sa saker de inte sagt.

– Men ingen klagade, för personerna som inte sagt det jag skrev, var också påhittade.

Va?

Han ser provocerande förtjust ut. Säger sedan att det inte handlade om nyhetsartiklar, utan han skrev allt mer långa reportage, sneglade västerut på Tom Wolfe och Gay Talese och grabbarna inom den amerikanska "new journalism". Och att han förstås var tvungen att ta konsekvenserna av sin utveckling, journalistiklärare som han också var.

Att det blev deckare berodde bland annat på fascinationen över den skenbart enkla dramaturgin, deckarens tre ackord, som en enkel blues: gåta – sökande – upplösning. Att hålla bågen och ändå spränga gränserna.

Men han visste inte om han hade verktygen. Kunde han skriva dialog? Kunde han få en person att komma in i rummet och beställa en kopp kaffe?

Men större utmaning än den hantverksmässiga och konstnärliga är att ta ansvar för det man gör.

– När man skriver om brott och våld, avgrunder och människors hemligheter så måste man föra in humanism och empati, någon form av förståelse för mekanismerna bakom. Annars blir det bara kall, cynisk underhållning och faktiskt farligt.

Farligt, hur?

– Att inte ta sorgen på allvar. Våldsbrott är något fruktansvärt. Jag vill gestalta en känsla av hopp.

När jag skulle boka intervjutid och mejlade att jag skulle komma med ett fakirtåg (mycket tidig morgon) till Göteborg, svarade han med att berätta om Mr Swing, fakiren i hans barndoms Småland, som svalde svärd och tuggade glas.

Hur typiskt är det?

– Det är absolut jag. Jag missar sällan en chans att dra en skröna. En storyteller, som vi säger på Höglandet, säger han och ser nöjd ut med formuleringen.

Höglandet, det är den småländska landsbygd utan ortsnamn som hans andra böcker hämtat sin näring från. Och det är där det egentliga svaret till författaren Åke Edwardson finns.

Pappan var konditor som efter många flyttar öppnade eget i slutet av 1950-talet i Vrigstad, en genomreseort vid riksväg 30.

– Vi var alltid där, mamma och pappa jobbade jämt, hade öppet jämt. Vi åt där, levde där. Alla andra var också där jämt.

Kaféet var centrum och jukeboxen var unge Åkes kontakt med yttervärlden – "med outer space" – och det som väckte nyfikenheten. Liksom fotot av pappan som dyker från ett fartyg i Bombays hamn – han hade tidigare varit skeppskock och rest över hela världen.

– Redan tidigt 60-tal lagade han curryrätter till oss fyra bröder. Det hade ju ingen jävel i hela Småland hört talas om då.

Pappan var autodidakt, läste mycket och huset fylldes med litteratur. I det sällskapet väcktes ännu mer nyfikenhet. Snart visste Åke Edwardson att i Vrigstad skulle han inte bli kvar.

– Till allas förvåning. Trucken stod där och väntade på husfabriken, jag skulle blivit maskinsnickare.

Nu är det en inre resa, delvis tillbaka dit, som väntar. Han har redan varit där och nosat i *Genomresa* och *Jukebox*. Tysta män, barn som undrar. Brist på kommunikation. Mammor och pappor. Cigaretter och bilar. Och jukeboxen, öppningen mot världen.

Det här är så mycket svårare, tycker han. För hur det än är
så har han bevisat att han kan skriva en Winterbok om året,
"jag har ändå någon slags ledstång". Så är det inte med det
han nu vill utmana.

Nu är det dags för koncentration, säger han, tystnad. Även
om det varit fantastiskt, så har åren i rampljuset, "att resa
runt i ärendet Åke Edwardson", slitit. Den författarrollen,
alltmer vanlig idag, lockar inte längre.

Han har ett par pjäsidéer också, "garanterat okommersiella
projekt", men att skriva dialog är julafton, tycker han. Det
är han sugen på.

Men någon bok blir det inte de närmsta åren.

Och hur blir det för Erik Winter nu, finns han inte längre?

– Han finns ju bara när jag lyfter pennan. Men det finns, har
funnits, ett samtal.

Sitter han med vid middagsbordet, menar du?

– Nja, inte riktigt, men det har hänt att han haft synpunkter.

Han lutar sig fram mot mig.
– Här är skräckscenariot: Erik Winter sitter stilla, orörlig
i ett naket rum. Det är kallt. Där sitter han i evigheters
evigheter.

Så en kväll ringer det, det är han.

– Vad ska jag göra nu, jag kommer inte ut. Mina barn, min fru ska jag aldrig få träffa dem mer? Vad i helvete, Edwardson, kom igen!

– Så verklig är han för mig.

Han lutar sig bakåt igen, skrattar.

– Eller så blir det skönt för honom. Äntligen kan han göra som han vill.

Får vi veta det i *Den sista vintern*?

– Det enda jag kan säga är att ni kommer att bli förvånade.

Jenny Leonardz

Denna intervju publicerades ursprungligen i *Svenska Dagbladet* 15 juni 2008

Åke Edwardson
Den sista vintern

1

112-SAMTALET HADE KOMMIT IN exakt 05.32.18. Ett så kallat livräddande larm: "Jag får inte liv i min sambo!" Tidpunkten betydde ingenting nu, exaktheten var till för senare, när förundersökningen gick in i sin fas av när och hur och vem. Och kanske varför. Om det blev någon förundersökning. Allt kanske var klappat och klart i den stund det inträffat. Men sådant var fortfarande osäkert när radiobilen kryssade söderut i decembermorgonen, mitt i december. Det kanske skulle bli en vacker dag, ingen kunde med säkerhet säga det heller. Meteorologen hade varit vag. Men polisassistent Gerda Hoffner kände en doft av kvardröjande höst i luften, den söta doften av oktober, mitten av november, som en rest av ett år som snart skulle vara över. Nästa år skulle kanske bli ett vackert år. Det här skulle snart läggas till handlingarna, om man ville tala utredningsspråk. Men det ville hon inte tala. Hon ville bara få det här besöket avklarat. Hon och Johnny, som satt bredvid och spanade på husfasaderna efter det rätta numret. Johnny Bråttom, han hade snabbt skapat sig det öknamnet. Hon ville gå upp i den där lägenheten så snabbt som möjligt, och sedan ville hon åka hem. I eftermiddag skulle hon springa en mil, Påvelund, Ruddalen, långsamt. Och sedan gå och lägga sig igen.

Hon kände sig rädd. Hon skulle möta döden. Det var första gången.

"Där", sa Bråttom och pekade med hela handen på en port med två snirkliga siffror över ingången. De såg ut att vara smidda i guld. Porten var inbjudande och motbjudande på samma gång. Den bjöd in dem som visste att de hörde hemma här, och stängde ute dräggen. Om dräggen hittade hit, spillde över från Avenyn under fredagssupandet. Det var inte långt. Jag hör inte hemma här, tänkte hon när hon steg ur bilen, det har jag aldrig gjort. Jag har inte ens varit inne i ett hus i Vasastan. Polisen gör inte hembesök här så ofta.

Gerda Hoffner tryckte in koden, och det klickade till någonstans inne i den massiva porten. Johnny drog ner det tunga handtaget.

"Han kom i alla fall ihåg koden", sa han.

"Varför skulle han inte göra det?"

"Tjejen död bredvid, det är inte säkert att man kommer ihåg nåt överhuvudtaget då. Till exempel koden till porten."

De stod i trapphuset. Det var som en balsal. Hon såg sig om. Det blänkte av guld och silver överallt. Askungen på bal, tänkte hon. Och jag har redan skoskav. Dom nya kängorna var för små, jag kände det direkt. Varför sa jag inget? Man ska inte tänka på sånt nu. Men det kanske är bra. Jag vill inte tänka alls. Det är otäckt här. Det är inte bra att vara här. Jag har aldrig varit så rädd. Vad ska hända här? Hon tittade uppåt, mot taket, uppför tapporna. Vad finns däruppe? Hon lyssnade efter ambulansen, men det var tyst utifrån gatan. Hon längtade just nu efter sirenerna från ambulansen, hur de skulle skära genom morgonen, skräna genom morgonen, väcka alla som bodde i de här vackra husen. Det skulle vara ett lugnande ljud för henne.

"Tredje våningen", sa Johnny. "Ska vi ta hissen?"

Hissen såg ut som något från det förrförra seklet. Det var säkert så. Hela huset var från förrförra seklet. Det hade byggts för de mycket rika, och de bodde fortfarande kvar. Men någon på tredje våningen hade lämnat allt det där bakom sig nu, dåtid, nutid, framtid. Väggarna var täckta av sirliga mönster, hundraåriga mönster, och det fanns ett namn på den där konstarten. Det var ett tyskt ord. Det hade blivit ett ord på flera språk. Det var något med ungdom. En gammal konst i ett gammalt hus med ett namn som handlade om ungdom. Mönstren på de bleka väggarna gled nedför, uppför, cirklade kring tapporna och hissen.

"Ingen hiss", sa hon. "Jag vill inte fastna nånstans mittemellan."

Johnny gick bort mot marmortrapporna. Han hade redan sin SigSauer i handen. Han hade redan bråttom. Hon följde efter. Hon bar forceringsverktyget: yxa, kofot, mejsel, stämjärn, allt-i-ett för konstapel och kriminell. Tjuvarna hade en senare modell. Hon hörde ljud någonstans ifrån, kanske en dörr som öppnades. Uppifrån, det lät som högt uppifrån. Gerda Hoffner tittade på sitt armbandsur. Morgonen började nu eller snart för en del, kanske också i det här huset. Men för sin inre syn såg hon en bild av långsamma förmiddagar i enorma solbestänkta rum, morgonrockar i siden, en teservis i silver på en bricka av silver på ett bord av silver. Kanske var bilden från en film hon sett, något engelskt. Men det engelska fanns också i den här staden. London och Lilla London. Inte för att hon visste så mycket om det. Hon visste lite mer om sådant som var tyskt, men det fanns inte mycket tyskt omkring henne längre. Det försvann när mamma och pappa flyttade tillbaka till Leipzig. Lilla Leipzig. Jag måste göra allt rätt nu, tänkte hon när de gick uppför trapporna. Jag måste vara vaken. Jag måste se. Jag måste se mer än jag måste lyssna. Det är ögonen jag måste lita på nu, dom får inte svika mig. Hon och Bråttom var på tredje våningen nu. Det fanns tre dörrar i trapphuset. En av dem stod öppen med någon decimeter. Den såg lika massiv ut som porten därnere. Något mörkt träslag. Det såg ut som järn. Hon kände ett drag över bakhuvudet. Som om någon drog ett tygstycke över skalpen. Det var rädsla. Hon kände pistolkolven i sin hand. Den var kall, som järn. Järn kan ha en lugnande effekt.

Det slocknade plötsligt i trapphuset.

Ett litet ljus läckte ut från dörröppningen.

Ljuset såg mycket otäckt ut. Som en orm, tänkte hon, på väg ut, mot dom. Hon kunde se Johnnys profil. Han hade vänt sig mot henne. Han verkar inte ha så bråttom längre. Han är lika rädd som jag. Hon hörde ett ljud inifrån lägenheten. Våningen. Det där är inte en simpel lägenhet, tänkte hon. Ljudet lät som en snyftning, eller en djup andning. Det sipprade ut med den elektriska ormen. Där kom det igen. Det fanns något annat i det nu, kanske som ett långsamt skrik. Det fanns ångest i det. Hon visste vad ångest var.

"Han är hemma i alla fall", sa Johnny med låg röst. Hon hörde nervositeten i hans röst. Det var småkaxiga ord, men rösten sabbade orden. Det var alltid så, rösten betydde allt, avslöjade allt. Johnny rörde sig inte. Hon gick förbi honom och sköt upp dörren mera med pistolpipan. Det elaka ljuset blev större, men det bländade henne inte. Hon såg hallen, en stol där, ett litet bord där, någonting på väggen längre bort, en kristallkrona i taket. Det var precis vad hon hade väntat sig, en kristallkrona redan i hallen. Men hallen verkade å andra sidan lika stor som hennes egen lägenhet. Det kanske var femton meter bort till ett rum som hon såg en bit av. Hon såg ett blänk från ett fönster i rummet. Det fanns elektriskt ljus därborta också, ännu svagare än ljuset i hallen. De hörde ljudet igen, inte riktigt mänskligt. Vad som nu var mänskligt. Hon hade redan fått ompröva sådant i det här jobbet. Det hade varit svårare än de hade sagt på polishögskolan. Mänskligheten uppträdde i många olika skepnader. Svepningar. Olika skrik. Där kom det igen. Det var som en motvind. Det hindrade henne från att röra sig.

"För helvete", sa Johnny och klev förbi henne och fortsatte ett par steg nedför hallen.

Skriket kom emot honom, emot henne. Det fanns ingenting mänskligt i det nu. Hon tog ett steg framåt, mot vinden.

Han sjönk ner i mörker. Han kunde inte längre se. Det fanns inget ljus längre. Han skulle leva i mörker i all evighet. Och det var det värsta av alltihop. Att han skulle leva.

"Erik? Erik!?"

Han hörde hennes rop mitt i sina egna skrik. Han var fortfarande kvar inne i mardrömmen. Nere i den. Hon stod uppe på gravkanten och försökte ropa långt ner, till honom. Och han hade hört det. Hennes rop hade dragit upp honom igen. Det var så det hade gått till.

"Erik, hur är det? Erik?"

Och han var tillbaka i världen. Tack gode Gud för mardrömmar, tänkte han. De låter en vakna upp från helvetet till det riktiga livet. Vilken lättnad. Var glad att du är vid liv, grabben. Därnere är det mörkt.

"Det är… okej", sa han.

Hon strök honom över pannan. Han visste att han svettades som en gris. Det var en del av mardrömmar. Ett hårt arbete. Workout i helvetet.

"Det måste ha varit en riktigt jävlig dröm", sa hon och fortsatte att stryka honom över pannan. Angela svor relativt sällan, men ibland fanns det inte bättre ord.

"Jag måste ha drömt om min egen begravning", sa han och la sin hand på hennes. "Dom sänkte ner kistan."

Hon sa ingenting. Han kände nu att hans egen hand var mycket kall, och hennes mycket varm. Allt hans blod hade rusat till centrifugen som skulle föreställa hans hjärta. Ett par sådana monster till drömmar till och han skulle behöva blodtrycksmedicin.

"Det var som att bli blind", sa han. "Jag har aldrig sett ett sånt mörker." Han tittade på henne. "Om man kan se mörker. Men jag såg det i alla fall." Han hörde sin egen röst. Den lät mycket liten, avlägsen. "Det var svartare än svart därnere. Och sen kunde jag inte se nånting längre."

Hon nickade.

"Det är så Lars har det nu", sa han. "Han kan inte se längre."

Drömmar har inte manus, det är därför de är drömmar. De är total improvisation. Men hans dröm hade sin botten i verkligheten. För bara dagar sedan, eller om det bara var veckor sedan, hade de begravt Lars Bergenhem. Bara månader sedan. Han hade varit kriminalinspektör vid Länskriminalens spaningsrotel i Göteborg under nästan hela den tid som Erik Winter varit kriminalkommissarie vid samma rotel. Det var snart femton år. Det var långa år, korta år, vackra år, fula år. Det här året hade varit ett fult år, ett fruktansvärt år. Bergenhem hade levt, och sedan hade han varit död. Han hade dragits ner i mörkret. Verkligen dragits ner under ytan. Winter hade hållit Bergenhems döda kropp tätt intill sig. En fruktansvärd minut. Och sedan, minuter efter, timmar, dagar, veckor, hade Winter varit som avdomnad, men han hade varit vid liv.

Och de hade alla sett Bergenhem sjunka genom jorden i sin kista. Winter hade fortsatt att drömma om det. Han hade anklagat sig själv. Det fanns något han aldrig sagt, aldrig gjort. Något han aldrig sa till Lars. Som hade hållit honom tillbaka, kanske stoppat honom. Det hade funnits en sekund, eller en minut, när han, Winter, hade kunnat göra allting ogjort. En liten stund på jorden. Han hade återvänt till den stunden i sina tankar. Den fanns med i hans drömmar. Men han visste också att drömmarna skulle lämna honom. Han började förstå det nu. Han levde där en annan hade slutat sitt liv, och Bergenhems död hade på något sätt förlöst honom själv. Han började förstå det också nu. Under det senaste fruktansvärda året hade han gått igenom något slags kris i sitt liv, han förstod även det. Han hade varit på väg bort emot något, eller ifrån något, men han hade inte kunnat hindra den rörelsen. Den var ett privat helvete, ett helvete han börjat skapa åt sig själv och dem som han hade närmast sig: Angela, som var hans bästa vän, och hans fru sedan en uppsluppen vigsel på Costa del Sol: och hans två barn, Elsa och Lilly. Herregud. Han hade hållit på att gräva sin egen grav. Han hade haft svår huvudvärk under lång tid. En mystisk migrän. Kanske. Den försvann i den minut han hållit Bergenhems kropp intill sig. Den hade inte kommit tillbaka. För säkerhets skull hade han låit undersöka sig, till slut hade han gått med på det. Genomlysning av skallen. Det fanns inga tumörer, varken goda eller onda. Inga inflammationer i hjärnan, mer än den han skapat åt sig själv, den febriga resan mot ingenvart. Så Bergenhems död hade gett honom livet tillbaka. Det lät melodramatiskt när han tänkte den tanken första gången, löjligt, patetiskt, men det var sant. Det var alldeles sant. Bergenhem hade förlöst honom, och det jävligaste av allt var att Winter visste att han skulle bli en nästan lycklig människa igen på grund av Bergenhems död. Han var inte längre en nästan död man. Han skulle gå vidare i sitt liv, och i sitt arbete. Bergenhems död hade förlöst dem allihop. Alla hans närmaste på roteln hade vandrat in i sina livs storkriser på samma gång. Efteråt hade han förstått att det inte var ovanligt. Ett sedan länge sammanpressat kollektiv utvecklade kollektivt kriser, men för var och en på eget vis. Började det gå åt helvete för en gick det åt helvete för alla, men på olika sätt. Kanske han själv hade varit den mest skyldige. Han hade föregått med dåligt exempel. Han var chef. Men nu hade allt sådant fått ett slut. Han hade fått livet tillbaka. Mer melodrama.

Han log.

"Vad ler du åt, Erik?"

"Att jag inte är en begravd man", sa han.

"Sånt kan man till och med skratta högt åt", sa hon.

"Vi gör det alltför sällan", sa han.

"Det är inte för sent för det", sa hon.

Inte än, tänkte han, men det var precis sådana tankar han inte längre borde tänka. Han borde jubla varje stund över att han fortfarande levde. Nästan all smärta var bättre än att vara död, men han ville helst inte ha tillbaka den förbannade huvudvärken. Han ville göra nya saker. Man borde pröva allt här i livet åtminstone en gång, utom incest och folkdans.

"Det är aldrig för sent", sa han. "Och nu somnar vi om. Utan drömmar."

"Ska vi åka ut till till havet efter frukost?" sa hon.

"Naturligtvis", sa han och tänkte på vinden och stranden och den milda himlen och doften av fuktigt salt. December var den bästa av månader.

Gerda Hoffner och Johnny Bråttom gick genom hallen. De passerade dörröppningen till köket. Gerda Hoffner kunde se skinande ytor, stål, trä, men också tegel: ett modernt kök i ett gammalt hus. Naturligtvis. Det var så det antagligen alltid hade varit. De rika var först med det senaste. Ljuset var tänt i köket, ett nästan prickigt ljus som måste komma från spotlights i taket, eller väggarna. Hon kunde se en flaska vin på en bänk, ett vinglas bredvid. Det var det enda som stod på bänken. Ljuset strök genom vinet i flaskan, och hon tänkte på bärnsten, eller kanske rubiner. Hon hade aldrig tänkt på rubiner förut. Hon drack sällan vin, och i så fall vitt.

Skriket var mycket nära nu. De var själva plötsligt mycket nära rummet i änden av hallen.

"Hjälp!" hörde de. "Hjälp! Hjälp mig!"

De var inne i rummet nu. Gerda Hoffner hade sin ficklampa i vänsterhanden nu. Det var ett sovrum. Hon försökte se allt på en gång. Någon kanske skulle fråga henne om det senare. När de hade tagit larmet från LKC hade de varit på väg genom Allén. De hade varit ensamma i alla körleder. Det var fortfarande vargtimme. Om en halvtimme skulle dagen börja för allmänheten. Larm från en lägenhet i Vasastan. Ett dödsfall. En man hade ringt 112. Vem är död? Det var oklart. Också uppgiften om döden var oklar. Mannen hade varit upprörd, det var vakthavandes ord. Den som ringt verkade "förvirrad".

"Påverkad?" hade Gerda Hoffner frågat.

"Can't say", hade vakthavande svarat, som om detta var Hill Street Blues. Som om detta var sjuttiotalets New York. Gerda Hoffner var född det sista året på på sjuttiotalet, men det var fortfarande hennes årtionde, allt hade varit fräckare på sjuttiotalet. Det hade fått en renässans nu, trettio år senare. Vem hade trott det? Och nu såg de mannen. Han satt rakt upp och ner på sin sida i dubbelsängen, med benen i kors, en yogaställning. Men detta var inte yoga. Han stirrade på henne och Bråttom som på de främlingar de var. Uniformerna verkade inte göra någon skillnad. Gerda Hoffner tittade på skepnaden bredvid mannen. Det var en gestalt, en kropp. Hon kunde se konturerna under lakanet. Ett täcke låg på golvet. Hon såg skymten av ett ansikte. Hon såg en skymt av en arm, en hand. Kanske sa mannen något, hon hörde inte. Hon gick snabbt över golvet för att lyfta kvinnans hand för att känna efter pulsen. Men i samma sekund hon var på väg att röra vid skinnet förstod hon att det aldrig mer skulle finnas någon puls i den här kroppen. Huden verkade fruktansvärt kall, som porslin. Ändå var det mycket varmt i rummet. Det finns inga slag kvar i det hjärtat, tänkte hon. Ansiktet, herregud! Jag kan se likfläckarna. Det är så där likfläckar ser ut.

Gestalten hade en kudde över större delen av huvudet.

Mannen bredvid sträckte sina armar mot taket. Hon kunde inte låta bli att titta uppåt. Det var många meter till taket. Det hängde en kristallkrona däruppe. Den såg ut som ett blänkande rymdskepp, på väg att ta det här rummet i besittning. Det var ett enormt rum. Dubbelsängen var inte liten, men den blev bara som ännu en möbel i rummet som liksom tryckte ut sig åt alla håll över det blänkande trägolvet. Hon kunde se ett bord, några stolar, några tavlor på väggarna. Det låg böcker på nattygsborden, en telefon, lampor. Hon kunde också se dörrarna ut till balkongen. Den verkade inte liten den heller. Dörrarna dit ut var stängda. Det var fortfarande mörkt därute. Det var vinter. När de kört runt i staden i natt hade hon tänkt att det var den första vinternatten och att snart börjar den första vinterdagen. Det måste ju finnas en stund när vintern börjar, och det var nu.

Mannen tog ner armarna.

"Det var inte jag!" sa han. "Det var inte jag som gjorde det!" Han såg mycket ung ut, nästan som en gymnasist. Kvinnans döda ansikte såg mycket ungt ut.

"Gjorde vadå?" sa Johnny.

Mannen pekade med ett darrande finger mot gestalten som låg bredvid.

"Madeleine! Det var inte jag! Hon bara var... hon bara var... hon är... hon är..."

Han började darra ännu mer, och plötsligt skakade hans kropp av gråtattacker.

"Madeleine! Madeleine!" ropade han.

Han har lämnat kvar kudden över hennes huvud, tänkte Gerda Hoffner. Varför har han gjort det? Mannen pekade på gestalten igen. Kanske pekade han på kudden. Han kanske förstod vad Gerda Hoffner tänkte. Han var kanske inte ens trettio. En åttiotalist, eller en sen sjuttiotalist som hon. Hans hår var lämnat långt över hjässan, och nu föll det i testar över hans ansikte. Han bär det bakåtstruket annars, tänkte hon. Det är den typen. Dråpartypen. Det är aldrig meningen, men kanske var det meningen från första början. Det är makt. Det handlar om makt. Det här började kanske på krogen, för ett år sen, eller två, eller i höstas, med fria drinkar. För henne. Men han vet hennes namn.

"Kudden... hon hade den över... över huvudet när jag vaknade." Mannen stirrade på Johnny nu. En man, en annan man. Han skulle förstå.

"Jag vaknade och då låg hon där! Hon hade kudden över ansiktet!"

"Visst", sa Johnny.

"Det är sant! Jag svär!"

Mannen klev ur sängen, nej, han kastade sig ur den! Han stod på golvet. Han var naken. Han hade inte en aning om att han var naken inför två främlingar, han brydde sig inte om det. Han var upprörd, förvirrad, det är klart att han var allt detta. Han var en skyldig i ögonen på främlingarna, det är klart han kände det. Deras uniformer var fiendens uniformer.

"Har du inga kalsonger?" sa Johnny.

"Vad?" Mannen hade tagit ett steg mot dem, och nu stannade han upp och såg ner på sig själv, på sitt kön, på sin nakenhet. "Eh... ja... det är klart."

Han böjde sig ner mot golvet, tog upp ett par boxershorts, drog på sig dem.

Han lutade sig framåt över sängen och tog bort kudden från gestaltens ansikte.

"Låt bli det där!" ropade Gerda Hoffner.

Mannen tittade upp mot henne, med kudden i händerna.

"Jag har tagit bort den förut", sa han. Rösten var plötsligt lugnare. "När jag vaknade. När jag... innan jag ringde till polisen. Hon låg... hon låg med kudden över ansiktet och jag tog bort den. Jag trodde hon hade somnat med den över sig. Det... det är inte bra att ha kudden över ansiktet. Man kan... man kan..." och han tystnade och hans kropp skakade till, som om den träffats av ett tungt slag.

Han släppte kudden. Den föll ner på sängen utan ett ljud. Gerda Hoffner såg hela det döda ansiktet till slut. Hon hade inte velat se det. Hon såg till slut den onda bråda döden. För henne: den första döden. Men den var inte bråd. Den såg inte ens ond ut. Ansiktet var lugnt, stilla, fridfullt, ingen upprördhet, ingen förvirring. Det var en kvinnas ansikte. Madeleine. Det fanns inte anledning att tro att hon inte hette Madeleine. Hetat Madeleine. Men hon hade fortfarande sitt namn, det skulle ju finnas kvar hela vägen ner i graven, och efter det. Knappt trettio, runt där, knappt i början av livet. Jämnårig med mig, tänkte Gerda Hoffner. Kanske är vi lika gamla. Mannen betraktade ansiktet nu. Också han såg plötsligt lugn ut. Hade han funnit sig i det han gjort? Redan? Han tittade upp.

"Har du gjort några upplivningsförsök?" frågade Gerda Hoffner.

"Det var inte jag", sa han. "Jag gjorde det inte."

Varför sa han så? Vad visste han om vad som hade hänt där i natt? Varför prata som om det var mord, inte en sjukdom? Gerda Hoffner kunde se Madeleines hals. Den såg… orörd ut. Vit, eller kanske svagt brun mot det vita lakanet. Hon kunde inte se några märken, men det var inte hennes jobb att söka sådana spår. Hennes jobb var i stort sett över nu. Hon skulle sannolikt aldrig mer se denne man, och med säkerhet aldrig mer Madeleine.

"Vi skulle gifta oss", sa mannen.

Plötsligt tröttnade Gerda Hoffner på hans namnlöshet.

"Vad heter du?" frågade hon.

Johnny kastade en snabb blick på henne.

"Martin Barkner", svarade mannen omedelbart, som om han presenterade sig i något formellt sammanhang. Det var ett formellt svar. Han såg nästan formell ut, som om allting förflyttats tillbaka till normalitet, till hur det var förr. Som om han stod på banken i kalsonger, satt naken vid en skärm på börsen. Som om allting blev normalt i extrema situationer som dessa, där det absurda och det normala flöt ihop till ett slags surrealism, en galen dröm som verkade fullständigt normal när man befann sig mitt i den.

"Martin Barkner", upprepade han.

Han såg på henne.

"Vad händer nu?" sa han.

"Vad menar du?"

"Kommer det... kommer det nån och hämtar... Madeleine?" sa han utan att titta ner på kroppen.

Gerda Hoffner nickade.

"Om en liten stund kommer det många hit", sa hon.

"Jag kan åka hem till mina föräldrar", sa Barkner.

"Vad sa du?" sa Johnny.

"När alla är här... kan jag åka hem till mina föräldrar", upprepade Barkner. "Jag har ett rum där."

Johnny Bråttom tittade på Gerda Hoffner, och sedan tillbaka på Barkner.

"Du får åka med oss till krimjouren", sa Johnny. "Det förstår du väl?"

"Krimjouren?"

"För förhör", sa Johnny. Herregud. Det här börjar bli löjligt. Barkner måste väl ändå göra sig dummare än han var.

"Förhör?"

"Men för HELVETE", sa Gerda Hoffner. "Hon är DÖD! Madeleine är DÖD! Trodde du att det skul..."

Hon avbröts av ljud ute i hallen, röster, redskap, en telefonsignal. De som skulle ta över var äntligen här.

Martin Barkner satte sig i radiobilens baksäte som en zombie. Det var som om han passerade genom många personligheter inom loppet av minuter, sekunder. Något hade hänt mellan honom och Madeleine. Och sedan hände det något mer, allvarligare. Kanske en lek. Gerda Hoffner hade inte lekt sådana lekar, men för en del var det normalt. Allt var normalt. Hon kunde se hans ögon i backspegeln. De blänkte av dagern utanför. Till slut hade den kommit. Det skulle bli en lång morgon för honom. Eller så skulle han berätta omedelbart, berätta allt. Han kanske ville sova sig bort från allt. Aldrig återvända till det. Bara berätta. Erkänna allt. Så här gick det till. Jag vet inte varför. Men det hände. Jag är ledsen. Jag är mycket ledsen.

Gerda Hoffner hade inte känt lukt av alkohol i sovrummet. Barkner luktade inte alkohol. Han kanske var påverkad av något, och han skulle få lämna blod och säkert skulle de få veta vad det var, om det var något. Hon tänkte på vinflaskan i köket. Hade den varit öppnad ens? Hon hade inte gått in i köket. Hon hade fått fan för det i så fall. Kriminalteknikerna hatade folk som strövade runt på en brottsplats före dem, ja, inte hatade kanske, men det var förbjudet.

Verboten. Det var ett av de första tyska ord hon lärde sig, verboten. Hennes föräldrar hade sagt det när de kommit till friheten. Det var två år innan Gerda föddes. De hade lyckats lämna DDR. Där var allt verboten. Och nu var allt tillåtet. Och de var tillbaka. Men de var inte lyckliga för det. Vi kanske kommer tillbaka igen, hade hennes mor sagt häromveckan i telefon. Hon hade inte sagt "hem". Det är som om dom inte har nåt hem nånstans längre. Dom kan bo hos mig. Hon såg Barkners ögon igen i spegeln. Föräldrarna kan bo hos barnet. Barnet kan inte bo hos föräldrarna, inte han i alla fall. Det kommer att dröja innan han får komma tillbaka till sitt rum hos mamma och pappa.

Martin Barkner sa ingenting när de passerade den nyrenoverade lobbyn. Tidigare hade det hetat reception, men lobby lät bättre. Delar av polishuset var trots allt ett slags hotell. Barkner skulle få stanna här, kost och logi, kanske gym, det fanns allt. Gerda och Johnny tog farväl av honom uppe på krimjouren. Kommissarien tog över. Gerda kände inte igen honom, men hon kände inte igen så många här. Hon hade bara varit tre och en halv månad i Göteborg, nästan direkt från polisskolan via ett kort besök i Eskilstuna. Det enda hon känt till om Eskilstuna var Kent, men bandet var inte kvar i stan.

"Tror du han gjorde det?"

De var på väg ner i hissen. Johnny tittade på henne genom spegeln. Hans ögon hade en annan färg därinne, eller ingen färg alls. Han såg trött ut. Hon såg också trött ut. De kunde inte göra mer i dag.

"Tror du han kvävde henne? Vi såg ju inga skador."

"Jag vet inte, Johnny. Men enligt det lilla jag känner till om sånt där så är det inte svårt att kväva nån som sover djupt. Kväva med till exempel en kudde. Det behövs inget större tryck. Och utförs det rätt så lämnas inga spår."

"Det är klart han gjorde det. Vem skulle det annars vara? Och dörren ut till trappan stod ju öppen. Han öppnade den. Barkner. Killen."

"Hur vet du det?"

"Han sa det. Hörde du inte det?"

"Nej."

"Det var nästan det första han sa. När vi kom in i sovrummet. Att han hade öppnat dörren åt oss när han slog larm. Samtidigt som han ringde."

"Det där hörde jag inget av."

Hissdörrarna gled upp.

"Han sa det när du gick fram för att känna efter pulsen. Det var väl det du skulle göra? På henne. På tjejen."

"Jag hörde ingenting."

"Skulle jag nog inte gjort heller."

De var nere. De gick ut genom portarna. Ljuset steg över Ullevi. Det skulle bli en vacker dag, en vinterdag. De få bilarna närmast entrén var överdragna med frost. Det såg ut som grå hud. Hon ryste till. Det var inte bara kylan. Hon såg kvinnans ansikte framför sig. Madeleine. Det var så fridfullt. Hade hennes död varit fridfull? Hade hon kämpat mot när han tryckte kudden över henne? Hade hon vaknat? Hade hon sovit? I morgon kanske de skulle veta, teknikerna, spanarna. Eller redan om en timme, eller redan nu. Hon vände sig om, tittade upp mot våningarna däruppe. Hon visste inte vilket rum mannen satt i nu, tillsammans med förhörsledaren, men i något av dem kanske Martin Barkner just nu avgav sin bekännelse. Han hade fått lämna blodprov, och nu skulle han få prata ur sig det andra.

*

Jourhavande kommissarie var Bent Mogens. Han hade precis fått det senaste från lägenheten i Vasastan. Rättsläkaren hade konstaterat att kvinnan var död och hade dött inom ett dygn, eller ett halvt dygn, men det var alltid en vansklig bedömning. Det fanns inga direkta märken på hennes kropp av fysiskt våld, men dödsorsaken kunde vara kvävning. Polisassistenterna hade ju berättat om kudden över ansiktet. Utan den kunde det bli svårt att fastställa dödsorsaken. Men ingen visste så mycket ännu. Pia E:son Fröberg skulle få veta mer när hon öppnade henne. Det kunde finnas inre skador. Och yttre skador som hon ännu inte noterat. Berättat om kudden hade ju mannen också gjort, sambon, om han nu var sambo. Det där är ju ditt jobb, Bent. Pia E:son Fröberg hittade inga tabletter vid sängen, eller andra droger, och det hade inte teknikerna gjort heller vid en första preliminär bedömning av situationen, under den kriminaltekniska genomgången.

Relationsbrott, tänkte Mogens. Klappat och klart. Våld i hemmet, även om det inte var ett omedelbart synligt våld. Ett egendomligt ord: relationsbrott.

Dags att få det ännu mer klappat och klart så snart som möjligt. Det här var självhäktande.

Tjänstemannen som skulle klappa fallet klart var kriminalinspektör Sverker Edlund från utredningsroteln, en erfaren förhörsledare.

Martin Barkner satt framför honom. Killen såg mycket trött ut, som om han skulle somna på stolen. Hans ögon lyste av en matt feber. Edlund hade sett det förr. Killen visste inte riktigt vad som hade hänt, eller vad han hade gjort. Han skulle få berätta det nu.

Barkner lyfte blicken till någonting bakom Edlund. Edlund visste vad som fanns bakom honom. Där fanns ingenting. Rummet var arrangerat på det sättet. Det skulle inte finnas något annat där än de två personerna mitt emot varandra, och orden mellan dem. Eller orden från den ene till den andre. Men det där var olika, alla förhör var olika.

"Jag gjorde det inte", sa Barkner. "Om ni tror att jag gjorde det så har ni fel."

Hans röst lät på något sätt ihålig, men samtidigt bestämd. Edlund hade hört många röster uttala många ord, och han hade lärt sig att göra skillnad, att höra skillnad. Orden var bara det översta lagret. Allt det andra fanns under.

"Vad gjorde du inte, Martin?"

Han svarade inte.

"Vad har du gjort?" frågade Edlund.

"Va? Vad?"

"Berätta vad du gjorde i natt. Sen kan vi avsluta det här. Du behöver väl lite vila."

"Jag behöver ingen vila! Varför skulle jag behöva vila?"

"Berätta."

"Vad? Vad ska jag berätta?"

"Varför du behöver vila."

"Men jag behöver ju ingen vila! Jag har sov... jag har sovit nästan hela natten, för helvete!"

Det var ett starkt ord, men killen såg inte aggressiv ut för det. Han såg nästan... undrande ut. Undrande över att han sovit nästan hela natten. Hur hade han kunnat sova nästan hela natten?

"Vad var det som väckte dig, Martin?"

Barkner svarade inte.

"Du vaknade, eller hur?"

Barkner nickade.

"Vad hände då?"

"Jag... jag vaknade. Jag vet inte... jag bara vaknade."

Edlund nickade.

"Och... jag sa nåt till Made... till Madeleine. Hon låg... hon låg där med... med kudden öve... öve..."

Och han kunde inte fortsätta.

Edlund väntade.

Efter någon minut snöt sig Barkner ljudligt i en pappersnäsduk som han tog från en liten låda på bordet. Förhöret var väl förberett. Många grät under förhör, ibland också förhörsledaren, även om Edlund aldrig hade hört talas om just det i Sverige.

"Kan du fortsätta, Martin?"

Barkner nickade.

"Vad hände när du vaknade?"

"Jag… jag såg henne."

"Vad var det du såg?"

"Jag såg henne. Det var ju vad jag såg."

"Du sa något."

"Va?"

"Du sa att att du sa något. Till henne."

"Ja… det gjorde jag. Det måste jag ju ha gjort, eller hur?"

Edlund sa ingenting. Han nickade inte.

"Hon låg där med kudden över huvudet. Över ansiktet."

"Hur vet du att hon hade kudden över ansiktet?"

"Va?"

"Hon kunde haft den över nacken. Hon kunde ha legat på sidan. Eller på magen."

"Nej. Jag såg… hur hon låg. Och jag…"

Han tystnade.

Edlund nickade:

"Berätta vad du gjorde."

"Jag tog bort kudden." Barkner lutade sig framåt. Han såg plötsligt angelägen ut, som om han hade ett budskap som var sanningen. Edlund hade sett också det många gånger. Det var inte sanningen, åtminstone inte än. Det var ännu för tidigt för sanningen. "Det var väl inte konstigt, eller hur? Att jag tog i den? Hon svarade inte! Jag ville ju… jag ville veta varför hon inte svarade."

"Trodde du inte att hon sov?"

Barkner såg inte ut att ha förstått frågan.

"Det var natt", sa Edlund. "Du vaknar och säger sen något och hon svarar inte. Är det så konstigt att hon inte svarar?"

Barkner svarade inte.

"Ville du väcka henne, Martin?"

"Det var inte natt", sa han. "Det var nästan morgon."

"Varför ville du väcka henne, Martin?"

"Jag förstår inte vad du menar."

"Varför ville du inte låta henne sova vidare?"

Barkner studerade väggen bakom Edlund igen. Där fanns inga svar, så många hade sökt svar i det stålgrå ljuset med de skarpa skuggorna, men det fanns ingen skrift på väggen i det här rummet.

"Vi hade bråkat. På kvällen… innan vi somnade. Jag ville väl säga nåt om det. Jag ville att det skulle bli bra."

Edlund nickade, väntade. Killen hade velat att det skulle bli bra, men det skulle aldrig mer bli bra. Det var ett ord som var raderat från hans liv från och med i natt.

"Varför bråkade ni?" frågade Edlund.

"Jag… det har jag glömt. Det… jag kommer inte ihåg just nu."

"Men du ville ändå prata med Madeleine om det så fort du vaknade."

Barkner ryckte till när Edlund nämnde hennes namn.

Han såg Edlund rakt i ögonen. Det var första gången.

"Med… medan vi sitter här och… pratar finns det nån… nån därute som gjorde det. Som gjorde det! Som är… som går lös. Därute!" Han gestikulerade mot fönstret. Mot "ute", men fönstret vette mot en innergård som var mer inne än ute, som en fängelse-gård. Det fanns inte mycket till ljus därute.

"Berätta om kvällen", sa Edlund. "Den sista kvällen."

Barkner fäste blicken på Edlund igen.

"Det finns… ingenting. Det var ingenting som hände, om du tror det. Vi hade nån… argumentation om vad vi skulle göra i helgen, tror jag. På lördag. I… morgon. I… dag. Herregud."

Han tystnade.

"Fortsätt", sa Edlund.

"Jag ville inte åka hem till hennes föräldrar. Det var bara nån middag, för helvete! Nån middag jag inte ville vara med på. Her-regud. Vi tjatade väl om det där och sen släckte vi och sen som-nade vi. Det var vad som hände."

Edlund nickade.

Barkner såg förvånad ut.

"Tror du mig?" frågade han.

"Borde jag inte göra det?"

"Jo, jo."

"Nån tryckte en kudde över Madeleines huvud och kvävde henne i natt", sa Edlund.

"Ja…?"

"Du pratade själv om en mördare nyss, Martin."

Barkner svarade inte.

"Var det dig själv du pratade om?"

"Nej, nej, nej!"

"Det var inte meningen", sa Edlund. "Det bara blev så."

"Nej, nej, NEJ! Jag ringde ju. Varför skulle jag ring… varför skulle jag slå larm om jag hade gjort det själv?"

"Vad skulle du annars ha gjort, Martin?"

"Va?"

"När du kvävt henne. Skulle du ha flytt därifrån? Vart skulle du ha tagit vägen?"

"Jag kvävde henne inte! Jag dödade henne inte. Jag rörde henne inte!"

Barkner var på väg att resa sig från stolen.

"Sitt ner", sa Edlund.

Barkner sjönk ner mot stolen igen. Något hade gett honom lite kraft, men den sjönk tillsammans med honom nu. Han var ensam igen.

"Förstår ni inte?" sa han med tunnare röst. "Förstår du inte?"

"Vad är det jag inte förstår, Martin?"

"Hur kunde vi sova när… nån tog sig in och… kvävde henne? Tog sig in i vårt sovrum. Hur jag skulle kunna sova? Förstår du det? Medan det… hände. Hur skulle jag ha kunnat sova medan det hände?" Han sträckte fram händerna mot Edlund, det såg ut som en vädjan. "Hur kunde jag sova när det hände?"